Robert Stupperich

Reformatorenlexikon

Gütersloher Verlagshaus Gerd Mohn

Cip-Kurztitelaufnahme der Deutschen Bibliothek

Stupperich, Robert:
Reformatorenlexikon / Robert Stupperich. –
Gütersloh: Gütersloher Verlagshaus Mohn, 1984.
   ISBN 3-579-00123-X

NE: HST

ISBN 3-579-00123-X
© Gütersloher Verlagshaus Gerd Mohn, Gütersloh 1984
Satz: IBV Lichtsatz KG, Berlin
Druck und Bindung: Poeschel & Schulz-Schomburgk, Eschwege
Umschlaggestaltung: Dieter Rehder, Aachen
Printed in Germany

3327

Inhalt

5

Einführung

Wie der deutsche Sprachgebrauch im allgemeinen, so ändert sich auch ständig die Bedeutung überkommener Begriffe. Diese Tatsache gilt überall. So ist auch der Begriff Reformation in früheren Zeiten anders verstanden worden als in der Gegenwart. In einem Buch, das dem 16. Jahrhundert gilt, kann daher nicht vom heutigen Verständnis ausgegangen werden. Reformation muß in unserem Falle von der Sache her und nicht nur als Zeitbegriff verstanden werden. Vorauszusetzen ist die von Luther ausgehende religiöse und theologische Bewegung, die die Menschen jener Tage im Innersten erfaßte und sie vor die letzten Fragen stellte. Die Reformation jener Zeit war keine Erscheinung wie etwa der Humanismus, der sich nur auf den einzelnen Menschen bezog, sondern eine Bewegung innerhalb der christlichen Kirche, die sich über den einzelnen hinaus auf die Gesamtheit erstreckte und alle Lebensbereiche erfaßte. Sie erschöpfte sich nicht in einigen Maßnahmen und Reformen, sondern durchdrang von ihrem Kern aus das ganze kirchliche und politische Leben. Da es sich in ihr um persönlich erworbene Überzeugungen handelte, löste sie bisweilen auch heftige Kämpfe mit Andersdenkenden aus. Im wesentlichen wurde die Reformation von solchen Menschen getragen, die sich in gleicher Weise an der Bibel orientierten. Wie jede geistige Bewegung hat sie trotzdem verschiedene Ausprägungen gefunden, die sich nicht einfach ausgleichen ließen. Um die Reformation in ihrer ganzen Breite zu erfassen, genügt nicht die Kenntnis des Ausgangspunktes allein, dazu gehören ebenso die Nebenlinien und ihre Ausläufer. Denn in die eigentliche Reformationsbewegung sind oft auch fremde, aus anderen Bereichen stammende Motive und Bestrebungen hineingetragen worden. Unter diesen Einflüssen hat die Reformation bisweilen auch andersartige Inhalte zugeführt bekommen und abgewandelte Gestaltungen annehmen müssen. Unter vielerlei Aspekten versuchen wir zu bestimmen, was den Menschen jener Tage die Reformation wert war, die sie im kirchlichen wie im politischen Leben zu verwirklichen trachteten. Wir zeichnen den Weg ihrer Vertreter aus mehreren Generationen nach, um zugleich zur Geltung zu bringen, welche Kräfte die Reformation auslöste und wie diese fortgewirkt haben.

Das Wort Reformation war um die Wende zum 15. Jahrhundert aufgekommen und wurde gleich in der kirchlichen Diskussion als Schlagwort verwendet. Gemeint war es im Sinne von Besserung der kirchlichen Verhältnisse. Die Zustände in der Kirche boten genug Anlaß zu Veränderungen sowohl an ihren Einrichtungen, Gewohnheiten und Sitten als vor allem an dem Verhalten der Menschen, die sich ihrer bedienten. Bei Luthers Auftreten waren hundert Jahre seit den Reformkonzilien vergangen, auf denen die Losung der »Reformation an Haupt und Gliedern« erhoben worden war. Was war in diesen hundert Jahren erreicht? Es war sehr wenig. Das Papsttum hatte sich allen Eingriffen entzogen, nicht minder die Bischöfe und Prälaten. Bereit zu Änderungen waren nur einige Mönchskongregationen, die die alten Regeln wieder ernst nehmen wollten. Aber auch diese Reformatio monachorum ist im Grunde versackt. Als der Kardinal Nikolaus von Kues als päpstlicher Legat Deutschland bereiste, lobte er die Kongregationen, in denen sich die Devotio moderna auswirkte. Sonst fand er in der Kirche niemanden, der es gewagt hätte, mit Reformen dort anzusetzen, wo sie am notwendigsten waren. Um so weniger konnte der Ruf nach der Reformation verstummen. Um dem von Laien betriebenen Reformkonzil in Pisa zuvorzukommen, konnte Papst Julius II., als er das 5. Laterankonzil für 1512 ausschrieb, das Stichwort Reformatio nicht vermeiden. Er mußte es auf die Tagesordnung setzen. Das Konzil, das bis 1517 in Rom tagte, war bis zu diesem Tagesordnungspunkt nicht gekommen. Tiefe Resignation erfüllte die Gemüter derer, die nach einer ernsten und ernstgenommenen Besserung in der Kirche trachteten. Auch Luther war unter denen, die keine Hoffnung mehr hatten, daß unter päpstlicher Leitung die langersehnte Besserung in der Kirche noch eintreten würde. Nach seiner Meinung über die Reformation in der Kirche im Jahre 1518 befragt, konnte er nur sagen, daß Menschen offenbar ein so großes Werk nicht leisten könnten, das könnte nur Gott.

Luther selbst hatte in diesen Jahren eine entscheidende Wende erlebt. Während er noch seine erste Vorlesung über die Psalmen hielt (1513/15), griff er schon nach dem Römerbrief, der ihn seit Jahren bewegte. Nur in Kapitel 12,2 (und noch einmal in Phil 3,7) kam im Text der Vulgata das Wort reformare vor. Paulus fordert darin die Menschen auf, ihren Eigensinn aufzugeben und zur Reformatio zu schreiten. Luther deutete diese Stelle folgendermaßen: Das Christenleben ist kein Ausruhen, sondern ein Bewegtwerden vom Guten zum Besseren, vom Kranksein zur Gesundung, wie sie Christus, der Samariter, am »halblebenden« (semivivus) Menschen bewirkt. Das ist eine gewaltige Veränderung (transformatio grandissima). Luther sieht hier den geistlichen Weg (itio spiritualis WA 56,230) des Menschen beschrieben. Für ihn ist Reformation der Vorgang, daß der aus vielen Wunden blutende Mensch wirklich gesund wird. Nicht durch sein Bemühen wird er ein anderer, sondern durch Gott, den alleinigen Justificator, der sich seiner annimmt (WA 56,262).

Diese Reformationsauffassung Luthers, die durch sein Schriftverständnis und seine Rechtfertigungslehre bestimmt wird, war der älteren Generation seiner Schüler, die seine Vorlesungen gehört hatten, durchweg eigen. Erst später wird sie durch Melanchthons schulmäßige Lehrart modifiziert. Das Vorherrschen des Augsburgischen Bekenntnisses sicherte ihr dauernde Geltung. Die durchschlagenden Motive können bei den einzelnen Reformatoren nicht gegeneinander aufgerechnet werden. Sind es bei den meisten die Schriften Luthers, die sie zur Reformation führten, so waren es ihrer nicht wenige, die durch die Schule Melanchthons gingen und sich ihr Reformationsverständnis von ihm vermitteln ließen.

Die oberdeutschen Verhältnisse gestalteten sich anders. War in der Schweiz für die Bestimmung der Reformation die Kirche und das kirchliche Handeln maßgebend, so wurde der Ton immer mehr auf die Abendmahlslehre gelegt. Die Differenz zwischen Luther und Zwingli wurde festgehalten, während die Straßburger Lehrweise es Bucer ermöglichte, die Einigung in der Wittenberger Konkordie zu erreichen. Mochten die Abgrenzungen besonders in der zweiten Hälfte des Jahrhunderts als gültig angesehen worden sein, so doch nicht als unüberwindlich. Die Reformation zu einer einheitlichen Erscheinung werden zu lassen gelang trotzdem nicht. Das Bekenntnis hatte eine zu große Bedeutung erlangt. Der Kreis derer, die die Konkordie suchten, nahm, obwohl die Reformationsbewegung als einheitliche Größe viele Vorteile hatte, doch immer mehr ab.

Die verschiedenen Seitentriebe der Reformationsbewegung wie Spiritualismus und Täufertum, die seit Roland Bainton als »linker Flügel der Reformation« bezeichnet werden, müssen in diesem Buch um der Deutlichkeit willen beiseite bleiben. Zeigen ihre Vertreter einerseits starke Berührungen mit den eigentlichen Reformatoren, so sind sie andererseits doch keineswegs mit ihnen konform. Indem sie andere Grundfragen zur Hauptsache ihres

Lebens und Denkens machen, erweisen sie sich als unechte Kinder der Reformation. Der im Nordwesten aufkommende terminus Semilutheranismus zeigt schließlich, daß es Gruppen gab, die zwar vom Geist der Reformation berührt waren, aber doch nicht zur Reformation durchgedrungen sind. Solche Randerscheinungen können in unserem Zusammenhang nur vereinzelt genannt werden, wenn sie in einer anderen Beziehung bedeutsam gewesen sind.

Zeitgenossen haben es im 16. Jahrhundert nicht für nötig gehalten, die Männer zu bestimmen, die zu den *Reformatoren* zu rechnen seien. Eine derartige Feststellung erschien ihnen überflüssig. Erst als das Wesen der Reformation nicht mehr selbstverständlich und das reformatorische Geschehen im einzelnen nicht mehr ohne weiteres verständlich war, brauchte man ein Maß, nach dem sich »der« Reformator bestimmen ließ. Daß Luther am Anfang der Reformation stand, daß Melanchthon und Zwingli, Bucer und Calvin als ihre Hauptträger anzusehen seien, war allen klar. Bei ihnen konnte aber die Reihe nicht aufhören. Ohne die Männer des zweiten Gliedes hätte die Reformation nicht verwirklicht werden können. Zu den Reformatoren sind daher auch diejenigen zu rechnen, die im Geist und Auftrag der großen Initiatoren die Verkündigung in Predigt und Unterricht weitergetrieben haben. Zu ihnen gehörten auch diejenigen, die den Nachwuchs an den Lateinschulen und Universitäten erzogen und angeleitet haben. Ihr Kreis ist nicht genau zu bestimmen. Er geht weit über den Kreis hinaus, den wir in unsere Betrachtung einbezogen haben. Auch Dichter und Publizisten, die durch Lieder oder Flugschriften auf die Öffentlichkeit gewirkt haben, müßten in diesen Kreis gezogen werden. Um ihre Zahl nicht ins Unermeßliche zu steigern, begnügen wir uns mit einigen Vertretern.

Machen wir das Wirken für die Reformation zum entscheidenden Kriterium, dann erhebt sich die Frage, ob zu den Reformatoren nicht, abgesehen von Predigern und Theologen, auch Angehörige anderer Stände zu zählen seien. Landesfürsten, Bürgermeister und Stadtschreiber haben oft die Weichen für die Reformation gestellt. Diese wäre ohne ihre fördernde und durchsetzende Kraft vielerorts nicht möglich geworden. In dieser Beziehung haben solche »reformatorischen Persönlichkeiten« oft mehr geleistet als die Prediger. Trotz solcher Leistungen ist es nicht üblich geworden, sie als Reformatoren zu bezeichnen. Daher stellen wir sie nicht in eine Reihe mit den Predigern, sondern erwähnen sie nebenher.

Es wäre zu verantworten, wenn in diesem Buch nur die deutschen Reformatoren aufgeführt würden, da die Reformation von Deutschland ihren Ausgang genommen hat. Sie ist aber sehr schnell über die Grenzen des alten Reiches getragen worden. Daher haben wir es für richtig gehalten, jeweils einige Vertreter anderer europäischer Völker, die die Reformation nach den geistigen, kulturellen und sozialen Voraussetzungen ihres Landes gestalteten, hier einzureihen, um deutlich zu machen, daß die reformatorische Botschaft verschieden aufgenommen und weitergegeben werden konnte.

Aus dem sachlichen Verständnis der Reformation ergeben sich auch die *zeitlichen Grenzen*. Sie beginnt – das ist die übereinstimmende Meinung der Zeitgenossen – mit Luthers Thesenanschlag 1517 und klingt in den großen theologischen Zusammenhängen des Jahres 1580 aus.

Aus unserem Verständnis der Reformation ergibt sich, daß in den Lebensbeschreibungen der Reformatoren die theologisch-kirchlichen Ereignisse im Vordergrund stehen, während ihr Anteil an politischen Begebenheiten in den Hintergrund tritt. Bei der gebotenen Kürze dieser Lebensabrisse konnte nicht anders verfahren werden. Wo die Grenze zwischen politischem und kirchlichem Handeln nicht deutlich zu ziehen ist, muß beides Erwähnung finden.

Ebenso ist zu bedenken, daß *Reformation und Gegenreformation* korrespondierende Erscheinungen sind und gleichzeitig auftreten. Da seit J. Lortz statt Gegenreformation die Bezeichnung Katholische Reform bevorzugt wird, muß diese kirchliche Aktivität erst recht gleichzeitig mit der Reformation angesetzt werden. Diese löste auf altgläubiger Seite nicht nur die Gegenwirkung, sondern zugleich den Willen zur Erneuerung aus.

Dem Verfasser ist es bewußt, daß dieser erstmalige Versuch eines Reformatoren-Lexikons keine Vollständigkeit bieten kann und eine solche in unserer Zeit auch nicht zu verwirklichen ist. Er hat aber die Absicht, keinen Teilaspekt zu bieten, sondern die Größe und Weite dieser europäischen Bewegung zur Geltung zu bringen. Das Register vervollständigt daher den Text, indem es zusätzliche Angaben bietet für diejenigen Mitläufer und Gegner, denen kein Artikel gewidmet werden konnte. Auf diese Weise kann der bunte Hintergrund dieses Jahrhunderts mit seinen zahlreichen, oft wunderlichen Erscheinungen, mit denen es die Reformatoren zu tun bekamen, seinerseits vorgeführt werden.

Unser Lexikon hat keinen unmittelbaren Vorgänger. Wohl sind in den großen biographischen Sammlungen wie der Allgemeinen Deutschen Biographie (ADB) und ihrer Nachfolgerin, der Neuen Deutschen Biographie (NDB), ebenso wie in der Protestantischen Real-Enzyklopädie (RE) und ihrer Nachfolgerin, der Theologischen Realenzyklopädie (TRE), zahlreiche Biographien von Reformatoren enthalten, doch ist ihre Zahl begrenzt. Die NDB und TRE sind außerdem nur knapp bis zur Hälfte ihres Umfanges fertig.

Die Gestalt des Lexikons hat ihre Vorteile: Es bietet Daten und Fakten in der erwünschten Kürze und vermag doch auch die von den einzelnen vertretenen Anschauungen deutlich zu machen. Auch frühere Zeiten haben von der Notwendigkeit und den Vorteilen solcher Zusammenstellungen gewußt und haben sie vertreten. M. Flacius wollte mit seinem »Catalogus testium veritatis« 1570 die Kontinuität der Kirche beweisen. Seine Anregungen wirkten in der Formula Concordiae (FC) 1577 nach. Basler Versuche regten Theodor Beza an, Kurzbiographien zu verfassen, die J. Laonius unter dem Titel »Icones« in Genf 1580 herausgab. Ihm folgte Verheiden in Amsterdam, dessen Sammlung schon vollständiger war. Wichtiger wurde auf diesem Gebiet das Werk von Melchior Adam »Vitae theologorum germanicorum«, Heidelberg 1618. Seit dem 18. Jahrhundert mehrten sich Lexika allgemeiner und spezieller Art wie z. B. P. Fritz »Ketzerlexikon« (1828), M. Diesch »Konzilienlexikon« (1843) u. a. Diese Tendenz ist in unserer Zeit wieder aufgelebt, nachdem vor wenigen Jahrzehnten noch der historische Bedarf in unseren Lexika und Enzyklopädien stark reduziert worden war. Die Hilfsmittel werden wieder erneuert, wobei weniger auf die Forschung als auf die praktische Notwendigkeit geachtet wird; vgl. etwa das »Lexikon der Päpste und Heiligen« 1978.

Biographische Wörterbücher wie das von G. Franz genügen für die Reformationsgeschichte nicht. Sehr viele Namen fehlen in ihnen. Unser Lexikon soll die Lücke schließen. Im Vergleich zu einem allgemeinen, für die ganze Kirchengeschichte bestimmten biographischen Wörterbuch wie dem von F. W. Bautz kann es für die Reformationszeit einen erheblich größeren Kreis von Personen erfassen. Namen, die in anderen Lexika nicht zu finden sind, sollen dem historisch arbeitenden Pfarrer, Studenten und jedem Interessierten Näheres vermitteln.

Aus Karl Holls Briefwechsel mit Martin Rade geht hervor, daß einige Kirchenhistoriker zu Harnacks 60. Geburtstag eine Prosopographie der Reformationszeit herstellen wollten (Br. v. 23. 10. 1910). Holl sah diesen Plan als undurchführbar an, schon wegen der geringen Zeit, die zur Verfügung stand, aber auch um des Umfangs des Gegenstandes willen. In einem weiteren Brief (vom 15. 11. 1919) suchte er durch Einschränkungen den Plan annehmbar zu machen. Es sollten nach seiner Meinung nicht alle Namen aufgenommen werden, die in den Briefen der Reformatoren vorkommen, sondern nur die Namen derer, die literarisch hervorgetreten sind. In der Hauptsache sollte es nur ein Namensregister zu Luthers, Melanchthons, Zwinglis und Calvins Briefen sein. Doch auch zur Ausführung dieses eingegrenzten Plans ist es damals nicht gekommen.

Einer Prosopographie der Reformationszeit, wie sie schon zu Beginn unseres Jahrhunderts einmal geplant und 1930 in Angriff genommen war, steht dieses Lexikon nicht im Wege. Der damalige Versuch, für den Wilhelm Maurer eine Liste der in Frage kommenden Personen (A–L) zusammengestellt hatte, mußte damals aufgegeben werden. Bei vermehrten Vorarbeiten, zu denen auch dieses Buch zu zählen ist, wird das große Unternehmen vielleicht doch noch einmal verwirklicht werden können.

Ein allgemein anerkannter Grundsatz ließ uns nicht nur solche Gestalten aufnehmen, die in der allgemeinen Reformationsgeschichte einen Platz belegt, sondern auch solche, die in den Territorien eine bescheidenere Rolle gespielt haben. Jedes Land und jedes Gebiet sollte berücksichtigt sein, ohne daß nach Proportionen gerechnet wurde.

Beim Benutzer werden manche Namen Bedenken wecken, sei es, daß sie weniger der Kirchen- als der Schulgeschichte zuzurechnen sind, sei es, daß sie ihre Positionen öfters gewechselt haben oder gar ethisch anfechtbar erscheinen. In manchen Fällen fehlten jegliche Vorarbeiten, so daß die notwendigen Daten nicht erbracht werden konnten, in anderen wieder bestand die Schwierigkeit erst recht in einer zu großen Fülle von Nachrichten. Der ursprüngliche Plan, die Arbeit breiter anzulegen, mußte schon in einem frühen Stadium einem knapperen Entwurf weichen. Vor allem ging es um die Literatur.

Die Aufgabe, den Kreis der aufzunehmenden Personen zu bestimmen, bereitet immer Schwierigkeiten. Es war unser Bestreben, den Kreis recht weit zu ziehen, dabei aber nicht auf Deutschland zu beschränken, sondern einige repräsentative Gestalten aus den Nachbarländern einzubeziehen. Diese Ausweitung brachte die Gefahr mit sich, einige nicht unwichtige Personen zu übergehen. Dabei sollte nach Möglichkeit jede Region in gleicher Weise berücksichtigt werden. Dem Verfasser ist es bewußt, daß dieses Ziel nicht in jedem Falle erreicht ist, zumal er immer wieder sich veranlaßt sah, weitere Artikel aufzunehmen. Er wird daher den Rezensenten dankbar sein, wenn sie ihn auf notwendige Ergänzungen aufmerksam machen.

Erklärlicherweise ist bei der Fülle der Personen, die in der Reformationszeit wirksam geworden sind, die notwendige Auswahl zuweilen Bedenken unterworfen. Dieses ist bei Spezial-Lexika immer der Fall und muß daher als regelmäßige Feststellung genannt werden. Da es bisher noch kein Reformatoren-Lexikon gegeben hat, wurde bei dieser Arbeit festgestellt, für wie viele der Reformatoren die notwendigen Angaben noch nicht ermittelt sind. Dem Verfasser war es nur in vereinzelten Fällen möglich, selbst Archivstudien zu treiben. Ihm ist es bewußt, wo keine sicheren Grundlagen vorliegen und wo noch weiter geforscht werden muß.

Die Artikellänge ist verschieden, über die Grundsätze ist immer wieder nachgedacht worden. Über die bekannten großen Reformatoren gibt es so viele große und kleine Darstellungen, daß sie in diesem Rahmen nur kurz behandelt zu werden brauchten. Dagegen ist für solche, zu denen der Zugang schwer ist, eine ausführlichere Fassung als berechtigt angesehen worden. Das betrifft die Darstellung wie die Literatur.

Bis zum Abschluß des Manuskriptes wollten immer neue Gestalten einen Platz in diesem

Buch haben. Nicht alle haben aufgenommen werden können. Dennoch danke ich denen, die mich auf wenig bekannte Gestalten aus der Landesgeschichte hinwiesen. Wenn daher manche den einen oder den anderen Namen vermissen werden, so liegt es teils an der äußeren Beschränkung, teils aber auch an begrenzten Kenntnissen des Bearbeiters.

Außer den Theologen sind an der Entwicklung der Reformation weltliche Personen in großer Zahl beteiligt, die nicht durch eigene Artikel vorgestellt werden konnten. In den inneren Kämpfen traten Gegner auf, die beachtliche Gegenwirkungen auslösten. Um auch ihnen in gewisser Weise gerecht zu werden, fassen wir alle ihre Namen mit Lebensdaten und kurzen Charakterisierungen in einem Register zusammen.

Das Buch soll ja nicht allein Forschern gelten. Es will ein Nachschlagewerk sein für alle, die sich mit der Reformationsgeschichte befassen und die bei ihrer Lektüre weitere Informationen brauchen. Die Literaturangaben sind zwar bewußt kurz gehalten, reichen aber aus, um zu spezielleren Ermittlungen zu führen. Aus diesem Grunde geben wir zunächst, soweit es geht, Artikel aus vier großen Nachschlagewerken an:

Allgemeine Deutsche Biographie (ADB)
Neue Deutsche Biographie (NDB)
Prot. Realenzyklopädie für Theologie
und Kirche (RE)
Theologische Realenzyklopädie
(TRE).

Diese Angaben machen es möglich, auf ältere Literatur vor 1850 zu verzichten, da sie dort zu finden ist. Nur in wenigen Fällen, in denen es keine neueren Arbeiten gibt, ist von dieser Regel abgewichen worden.

Im einzelnen ist noch folgendes festzuhalten:

Die alte Schreibweise wurde nur bei Buchtiteln festgehalten. In den Fällen, in denen für eine Person verschiedene Namensformen genannt werden, wurden diese aufgezählt und im Inhaltsverzeichnis wiedergegeben. Bei Literaturangaben wurden die Vornamen der Verfasser nur dann ausgeschrieben, wenn Verwechslungen möglich sind.

Mit Abkürzungen sind wir im Unterschied zu anderen lexikalischen Werken sehr sparsam gewesen. Die beiden Abkürzungsverzeichnisse (Abkürzungen im Text und Abkürzungen der Zeitschriften und Sammelwerke) werden besonderer Beachtung empfohlen.

Beim Abschluß dieses Werkes habe ich vielen zu danken: den Kollegen, die meinen grundsätzlichen Entwurf begutachtet, meine Verzeichnisse angesehen und einzelne Ergänzungen vorgeschlagen haben, ebenso auch den Mitarbeitern des Verlages, die ihre praktischen Erfahrungen einbrachten und Ratschläge gegeben haben. Alle Namen kann ich nicht nennen. Nicht unerwähnt lassen kann ich aber die Mühe, die Frau Dr. Mechtild Köhn darauf verwandt hat, die Literatur zu überprüfen und zu ergänzen.

Die Arbeit hat sich über viele Jahre erstreckt. Rückblickend denke ich an meine Famuli, Christian Schnerrer u. a., die bei den ersten Anfängen dieser Arbeit mitgeholfen haben. Sie haben Freude an der Arbeit gehabt, die ihnen vielfach neue Aspekte eröffnete, und mir den Mut gestärkt, das Werk fortzusetzen. Entdeckerfreude wünsche ich auch allen Benutzern, die mit diesem Hilfsmittel umgehen werden, um weiter einzudringen in die Tiefen geschichtlichen Lebens.

Münster (Westf.), im Herbst 1983 *Robert Stupperich*

Abkürzungsverzeichnis

1. Monographienreihen, Sammelwerke und Zeitschriften

ADB	Allgemeine deutsche Biographie
AGN	Archiv f. Geschichte Niedersachsens
AHG	Archiv f. Hessische Geschichte und Altertumskunde
AKG	Arbeiten zur Kirchengeschichte
ALG	Archiv für Literaturgeschichte
ARG	Archiv für Reformationsgeschichte
ASG	Archiv für schweizerische Geschichte
BBKG	Beiträge zur bayrischen Kirchengeschichte
BDS	Martini Buceri Opera omnia I: Deutsche Schriften
BHTh	Beiträge zur historischen Theologie
BPfKG	Blätter für Pfälzische Kirchengeschichte
BSKG	Beiträge für sächsische Kirchengeschichte
BWKG	Blätter für württembergische Kirchengeschichte
CR	Corpus Reformatorum
FBPG	Forschungen zur Brandenburgischen und preußischen Geschichte
HB	Historische Bibliothek
HPBl	Historisch-politische Blätter
HZ	Historische Zeitschrift
JbrKG	Jahrbuch für brandenburgische Kirchengeschichte
JBBKG	Jahrbuch für Berlin-Brandenburgische Kirchengeschichte
JDTh	Jahrbücher für Deutsche Theologie
JFLF	Jahrbuch für Fränkische Landesforschung
JGNKG	Jahrbuch d. Ges. f. niedersächsische Kirchengeschichte
JHKGV	Jahrbuch d. hessischen kirchengeschichtlichen Vereinigung
JHN	Jahreshefte d. Vereins f. Naturkunde Württembergs
JLH	Jahrbuch für Liturgie und Hymnologie
JGPÖ	Jahrbuch d. Ges. f. d. Gesch. d. Protestantismus in Österreich
JSKG	Jahrbuch für schlesische Kirchengeschichte
JVWKG	Jahrbuch d. Vereins f. westfälische Kirchengeschichte (nach1974 JWKG Jahrbuch für westfälische Kirchengeschichte)
MGH	Monumenta Germaniae Historica
MGO	Mitt. d. Ver. f. Geschichte und Landeskunde von Osnabrück
MGP	Monumenta Germaniae Paedagogica
MVHG	Mitt. d. Ver. für Hamburgische Geschichte
NAKG	Nederlandse Archief voor Kerkgeschiedenis
NDB	Neue Deutsche Biographie
NASG	Neues Archiv für sächsische Geschichte
NKZ	Neue kirchliche Zeitschrift

NSGTK	Neue Studien zur Geschichte der Theologie und Kirche
NTBB	Nordisk tidskrift vor bok un biblioteksväsen
NZSTh	Neue Zeitschrift für systematische Theologie
QFRG	Quellen und Forschungen zur Reformationsgeschichte
RE	Realenzyklopädie f. protestantische Theologie und Kirche
RG	Religion und Geisteskultur
RGG	Religion in Geschichte und Gegenwart
RGST	Reformationsgeschichtliche Studien und Texte
RKZ	Reformierte Kirchenzeitung
SGV	Sammlung gemeinverständlicher Vorträge
SVRG	Schriften des Vereins für Reformationsgeschichte
ThF	Theologische Forschung
THR	Travaux d'Humanisme et Renaissance
ThLZ	Theologische Literaturzeitung
ThR	Theologische Rundschau
TRE	Theologische Realenzyklopädie
ThStKr	Theologische Studien und Kritiken
ThZ	Theologische Zeitschrift
WA	Luthers Werke. Weimarer Ausgabe
WVLG	Württembergische Vierteljahreshefte f. Landesgeschichte
WZ	Westfälische Zeitschrift
ZBB	Zentralblatt f. Bibliothekswesen und Bibliographie
ZBGV	Zeitschrift des Bergischen Geschichtsvereins
ZBK	Zeitschrift für bayrische Kirchengeschichte
ZDA	Zeitschrift für deutsches Altertum
ZGNKG	Zeitschrift d. Ges. f. Niedersächsische Kirchengeschichte
ZGO	Zeitschrift für die Geschichte des Oberrheins
ZHG	Zeitschrift des Ver. f. hessische Geschichte
ZHTh	Zeitschrift für historische Theologie
ZHVNS	Zeitschrift des Historischen Vereins für Niedersachsen
ZKG	Zeitschrift für Kirchengeschichte
ZKGS	Zeitschrift für Kirchengeschichte der Provinz Sachsen
ZKWL	Zeitschrift f. kirchl. Wissenschaft und kirchl. Leben
ZLT	Zeitschrift f. d. gesamte luth. Theologie und Kirche
ZPK	Zeitschrift für Protestantismus und Kirche
ZPTh	Zeitschrift für praktische Theologie
ZRG	Zeitschrift d. Savigny-Stiftung für Rechtsgeschichte
ZThK	Zeitschrift für Theologie und Kirche
ZVGA	Zeitschrift f. Vaterl. Geschichte und Altertumskunde
ZVHG	Zeitschrift d. Ver. f. Hamburgische Geschichte
ZVKGS	Zeitschrift des Vereins für KG der Provinz Sachsen
ZVThG	Zeitschrift d. Ver. für Thüringische Geschichte u. Altert.
ZWTh	Zeitschrift für wissenschaftliche Theologie.

2. Sonstige Abkürzungen

Abendm.	Abendmahl
A. C.	Apologia Confessionis
allg.	allgemein
art. Fak.	artistische Fakultät
AT	Altes Testament
atl.	alttestamentlich
Aug.	Augustiner
B.	Bischof
Bacc.	Baccalaureus
Bd., Bde	Band, Bände
bes.	besonders
Bh.	Beiheft
Bt.	Bistum
C. A.	Confessio Augustana
chr.	christlich
DG	Dogmengeschichte
Disp.	Disputation
Diss.	Dissertation
dt.	deutsch
EB.	Erzbischof
EKG	Evangelisches Kirchengesangbuch
Ev., ev.	Evangelium, evangelisch
F.	Fürst
Fak.	Fakultät
F. C.	Formula Concordiae
Gen.-Sup.	Generalsuperintendent
Gesch.	Geschichte
griech.	griechisch
Hebr.	hebräisch
Hz.	Herzog
Hzt.	Herzogtum
Jb.	Jahrbuch
K., kirchl.	Kirche, kirchlich
kath.	katholisch
Kf.	Kurfürst
KG	Kirchengeschichte
KO	Kirchenordnung
Komm.	Kommentar
lat.	lateinisch
luth.	lutherisch
Mag.	Magister

NT	Neues Testament
ntl.	neutestamentlich

Ord.: OFM   Orden: Ordo fratrum minorum
OESA   Ordo eremitarum Sancti Augustini
OP   Ordo praedicatorum

Pfr.	Pfarrer
Pred.	Prediger
Prot., prot.	Protestantismus, protestantisch

Ref., ref.	Reformation, reformatorisch (bzw. reformiert)
Rel.	Religion
Rel.Gespr.	Religionsgespräch

Sup.	Superintendent

Theol., theol.	Theologie, theologisch

Univ.	Universität

Vorl.	Vorlesung

Zs.	Zeitschrift
zus.	zusammen

Kaspar Adler

(siehe: Kaspar Aquila)

Johannes Aepinus

(Johannes Hoeck)

*1499 in Ziesar (Mark Brandenburg)
†13. 5. 1553 in Hamburg

Anfangs Schüler Bugenhagens, wandte er sich 1518 nach Wittenberg, wo er Luther und Melanchthon näher kennenlernte. Nach Abschluß seiner Studien wurde er Lehrer in seiner Heimat. Wegen seiner reformfreundlichen Gesinnung wurde er aber gefangengesetzt und mußte fliehen. Nun ging er nach Pommern und fand im Schulamt in Greifswald und seit 1524 in Stralsund eine neue Tätigkeit. In Stralsund arbeitete er eine K. O. aus und führte sie 1524 ein. Auch an der Disp. mit Melchior Hoffman in Flensburg nahm er teil und traf dort mit Bugenhagen zusammen. Vermutlich war er vorher und nachher auch in Hamburg. Als hier Johannes Boldewan, früher Abt des Klosters Belbuk, das Pfarramt niederlegte, wurde er sein Nachfolger. Ihm fiel die Aufgabe zu, die K. O. in Hamburg einzuführen und die Kämpfe mit dem kath. Domkapitel auszufechten. Bereits 1532 war er Sup. in Hamburg. 1533 wurde er zusammen mit Joh. Bugenhagen und Caspar Cruciger in Wittenberg zum Dr. theol. promoviert. In kirchl. Aufträgen weilte er häufig auswärts, außer in den benachbarten Städten Lüneburg, Rostock, Lübeck auch in größeren Missionen in England und Dänemark. Für Hamburg selbst arbeitete er 1539 eine ergänzende K. O. aus, ebenso für die Städte Bergedorf und Buxtehude. Auf dem Hamburger Konvent gegen die Sakramentierer im Jahre 1535 sprach er ein gewichtiges Urteil. Beachtlich waren seine Schrift »Bekenntnisse und Erkleringen up dat Interim« (1548), seine Schriften gegen Melanchthon wegen der Adiaphora und gegen Osiander.

Da er als Lektor am Dom theol. Vorlesungen zu halten hatte, die von den Gelehrten Hamburgs ständig besucht wurden, ergriff er dabei oft die Gelegenheit, zu aktuellen Fragen Stellung zu nehmen. Als seine Auslegung des 16. Psalms, in der er sich über die Höllenfahrt als letzte Leidensstation Christi äußerte, 1544 im Druck erschien, wurde er von seinen Hamburger Kollegen heftig angegriffen. Dieser äußerst scharf geführte Streit, unter dem er sehr litt, endete 1551 damit, daß seine Gegner aus der Stadt verwiesen wurden.

ADB 1 (1875), 129f. NDB 1 (1953), 91. RE 3 (1896), 228ff. TRE 1 (1977) 535ff.
A. Greve. Memoria Joannis Aepini instaurata. Hamburg 1736. (A's Werke: S. 118–123).
C. Mönckeberg. A's Reise nach England 1534. (ZVHG 3, 1851, 179–187).
F. H. R. Franck. Die Theologie der Concordienformel. 3, Erlangen 1863, 397–454.
C. Redlich. Korrespondenz ... die Doktorpromotion A's betreffend (MVHG 8, 1885/86, 65–72).
Th. Knolle (Hg.). Das lutherische Hamburg. Hamburg 1928.
G. Bossert. Zum Briefwechsel der Reformatoren: 3. J. A. an Mel. (ARG 26, 1929, 131f.).
E. Vogelsang. Der angefochtene Christus bei Luther. Berlin 1932.
E. Vogelsang. Der Äpinsche Streit. (ARG 38, 1941, 107ff.).
H. Nirrnheim. Hamburgs Gesandtschaft an König Heinrich VIII. von England im Jahre 1534. (ZVHG 40, 1949, 26–62).

Johann Agricola

(Johann Schneider)
(Johann Schnitter)
(Magister Eisleben)

*20. 4. 1494 in Eisleben
†22. 9. 1566 in Berlin

Der begabte, aber rechthaberische und ehrgeizige Mann, den Luther später spöttisch den »Grickel« nannte, genoß seine erste Bildung in Leipzig und übernahm dann ein Schulamt in Braunschweig. Der Ruhm Wittenbergs lockte ihn wieder an die Univ., wo er Luther persönlich kennenlernte und dem er als Sekretär bei der Leipziger Disp. diente. Nachdem er 1518 Magister artium und im September 1519 zusammen mit Melanchthon Bacc. biblicus geworden war, begann er Vorlesungen an 2 Fak. zu halten. Den Unterhalt für sich und seine Familie verdiente er durch Privatunterricht. Bald konnte er einige Kommentare veröffentlichen. Auf Luthers Aufforderung versuchte er sich erfolglos an einem Katechismus, dichtete auch einige unbedeutende Lieder. Im Jahre 1525 übernahm er dann die Leitung der Lateinschule in Eisleben und legte als Ergebnis seiner pädagogischen Arbeit einige Unterrichtsbücher vor. Bekannt wurde er durch seine Sprichwörtersammlung. Am kursächsischen Hof wurde er als Prediger geschätzt, und in dieser Funktion begleitete er den Kf. 1526 und 1529 nach Speyer, 1530 nach Augsburg und 1535 nach Wien. Theol. hielt er sich an Luthers Linie, geriet aber in der Frage von Gesetz und Evangelium schon 1527 mit Melanchthon und Luther in Gegensatz (antinomistischer Streit). Auf Luthers Veranlassung siedelte er 1536 wieder nach Wittenberg über und vertrat dort den Reformator während seiner längeren Abwesenheit. Seine Abweichungen von der Auffassung Luthers traten allmählich auch hier zutage, so daß ihn Luther in seinen Disputationen gegen die Antinomer angriff. Seine Klagen über Luther hatten die Folge, daß er in Wittenberg in Arrest kam, aus dem er 1540 nach Berlin entwich. Äußerlich kam später eine Versöhnung mit Luther zustande, nachdem er das Hofpred.-Amt in Berlin übernommen hatte. Hier wurde er ganz in die Kirchenpolitik des Kf. Joachim II. eingespannt. Er arbeitete nicht nur an der Brandenburgischen K. O. mit, sondern bemühte sich auch, die Vermittlungsversuche seines Landesherrn zu rechtfertigen. Dabei geriet er in Gegensatz zu Georg Buchholzer.

Die Folgen, die der kaiserliche Sieg über die Protestanten haben mußte, sah er nicht. Als einziger ev. Theologe arbeitete er auf dem Augsburger Reichstag 1548 am Entwurf zum Interim mit. Später mußte er für die Annahme des neuen Gesetzes bei den ev. Ständen werben, fand aber sowohl in der Mark als auch in anderen Territorien stärksten Widerstand. Für die Verhandlungen Joachims II. mit Moritz von Sachsen stellte er die Jüterboger Art. auf. In den späteren Jahren blieb er in der Mark als führender Theologe. K.-Visitationen und Ordinationen lagen in seiner Hand. In theol. Differenzen, wie bei dem Streit zwischen Franciscus Stancarus und Andreas Musculus, hatte er das Urteil zu sprechen. Gegen die Anhänger Melanchthons, der seinen Schiedsspruch als inkorrekt bezeichnet hatte, ergriff er scharfe Maßnahmen. Er warf ihnen die verdächtige Abendm.-Lehre Melanchthons und die »verfälschte« C. A. vor. Bei Hofe genoß er die nötige Unterstützung, um dem Luthertum in der Mark die Bahn zu brechen.

ADB 1 (1875), 146–148. NDB 1 (1953), 100 f. RE 1 (1896), 249–253; 23, 25 f. TRE 2 (1978), 110 ff. F. Latendorf. A's Sprichwörter. Schwerin 1862. A. Brecher. Beitr. z. Korresp. A's (ZHT 42, 1874, 321 ff.).
G. Kawerau. Joh. A's Anteil an den Wirren des Augsburger Interim. (ZPG 17, 1880, 398–463). G. Kawerau. J. A. von Eisleben. Berlin 1881 (Lit.).

J. Werner. Der erste antinomistische Streit. (NKZ 15, 1904, 801ff., 860ff.).
E. Thiele. Denkwürdigkeiten aus dem Leben des J. A. Eisleben. (ThStKr. 80, 1907, 246–270).
G. Hammann. Nomismus und Antinomismus innerhalb der Wittenberger Theologie von 1524–1530. Ev. theol. Diss. Bonn 1952 (Masch. Lit.).
J. Rogge. J. A's Lutherverständnis. Berlin 1960. (S. 296–300 Verzeichnis der Druckschriften A's).
W. Delius. Die Berufung A's als Hofprediger des Kurfürsten Joachim II. nach Berlin. (Theologia viatorum 7, Berlin 1960, 107–118).

Ludwig Agricola

(siehe: Ludwig Bauer)

Michael Agricola

(Michael Olavi)

*ca. 1508/12 (?) in Toisby, K.-Spiel Pernaja
†9. 4. 1557 auf der Reise von
Moskau nach Turku

A. entstammt einer finnischen Bauernfamilie und besuchte die Schule in Viipuri (= Wiborg). Hier erlebte er, wie Wasa das Land eroberte und der neue Glaube lebhafter verkündigt wurde, wozu 1527 der Reichstag von Vesterås die Grundlage bot. Der B. von Turku schickte ihn, der dort sechs Jahre zugebracht hatte, 1536 nach Wittenberg. Er hatte sich als Sekretär des B. und als Pred. des Ev. bewährt. Unter Luthers Einfluß begann er 1537, das NT ins Finnische zu übersetzen. 1539 wurde er Mag. und kehrte im selben Jahr nach Turku zurück. Hier wurde er zunächst Rektor der Schule und blieb es bis 1548. In dieser Zeit verfaßte er eine Fibel und ein Gebetbuch. Erst 1548 konnte seine Übersetzung des NT unter dem Titel »Se Wsi Testamenti« erscheinen. Für diese Übersetzung hatte er

Texte von Erasmus, Luthers deutsche und Olaus Petris schwedische Übersetzung benutzt. Nachdem er auch die finnische Agende herausgegeben hatte, machte er sich an die Übersetzung des AT. Es wurde in einzelnen Teilen in Stockholm gedruckt. Insgesamt vermochte er ein Viertel des AT zu übersetzen, neben dem Psalter hauptsächlich prophetische Bücher. Aber auch als kirchl. Organisator hat er für die finnische Kirche viel geleistet. Im Gottesdienst wurden Veränderungen vorgenommen. Er visitierte fleißig im Bt. Turku, dessen B. er erst 1554 wurde. Er mußte in kirchl. Auftrag 1557 die Reise nach Moskau machen, um den Friedensvertrag abzuschließen. Ob er dort mit dem Metropoliten über Glaubensfragen diskutiert hat, bleibt fraglich. Der tieffromme und unermüdlich tätige Mann hat dem finnischen Volk Luthers Erbe vermittelt und wird mit Recht als der finnische Reformator verehrt. Er ist bei der Domkirche in Viipuri (Wiborg) beigesetzt.

Hjelt, A. Mikael Agricola, in: Theol. Studien, Th. Zahn dargebracht. Leipzig 1908, 91ff.
Carlsson, A. B. Ett nytt bidrag till Kannedomen om Michael Agricolas bibliothek, in: NTBB, Jg. 18 (1931), 221ff.
Gummerus, Jaakko. M. Agricola. Helsinki, 1941 (= Schriften der Luther-Agricola-Gesellschaft in Finnland, H. 2).
Gummerus, Jaakko. Untersuchungen über das Gebetbuch des M. Agricola. Bd. 1, 1942, Bd. 2, 1947. Vgl. ThLZ 4 (1948), 196.
Tarkainen, Olavi. Das Auftreten von Luthers Lehre und Geist bei Mikael Agricola. Helsinki 1944.
Salomies, I. Suomen kirkon historia, Bd. 2. Helsinki 1948.

Stephan Agricola

(Kastenpaur)

*1491 in Abenberg (Niederbayern)
†1547 in Eisleben

Schon in jungen Jahren trat er in den Aug.-Ord. ein, studierte als Mönch in Wien und Bologna und wurde dort Dr. theol. Als Pred. hatte er in Wien und Regensburg einen guten Ruf. Unter dem Verdacht der Ketzerei wurde er jedoch 1522 verhaftet und ins Gefängnis geworfen. Seine eigene Verteidigung und ein Gutachten von Staupitz nützten nichts, und er bereitete sich schon auf den Feuertod vor, als er schließlich doch noch entkommen konnte und bei seinem Freunde Frosch in Augsburg Aufnahme fand. Hier durfte er im St. Anna-Kloster auch wieder predigen. 1523 ließ er sein Ref.-Programm »Ein Bedenken, wie der warhaftig Gottesdinst von Gott selbs geboten und außgesetzt, möcht mit Besserung gemeyner Christenheyt widerumb auffgericht werden« ausgehen, in dem er beachtliche Vorschläge ohne jede Übertreibung vorlegte. Unter dem Schutz des Rates konnte er in Augsburg bleiben und unter J. Frosch und Urb. Rhegius tätig sein, wobei er sich an die luth. Richtung hielt. Einige Anzeichen deuten darauf hin, daß er Bugenhagens Sendschreiben an Heß, das gegen Zwingli gerichtet war, ins Deutsche übersetzte und den Streit über das Abendm. auch in Augsburg ausbrechen ließ. Als Markgraf Georg von Brandenbg. ihn im Oktober 1528 nach Ansbach berief, lehnte er diesen Ruf ab. Am Marburger Rel. Gespr. nahm er teil und unterschrieb die Art. auf Seiten der Lutheraner. Nach dem Augsburger Reichstag ging er nach Nürnberg, wurde zwar zurückberufen, konnte sich aber gegen die Zwinglianer nicht mehr durchsetzen. Seit 1531 war er bei W. Link in Nürnberg und wurde Nachfolger von Kaspar Löner in Hof. Als solcher hat er die Schmalkaldischen Art. unterschrieben. 1542 ging er nach Sulzbach. Von hier wahrscheinlich während des Schmalkaldischen Krieges vertrieben, zog er nach Eisleben, wo er bis zu seinem Lebensende blieb. Er war ein standhafter, allen Vermittlungsversuchen abholder Mann, dem Augsburg und das Frankenland viel zu verdanken haben.

ADB 1, 1875, 156.
NDB 1, 1953, 104 f.
RE 1, 1896, 253 ff.
K. Goedecke. S. A. oder Castenbauer. (Grundriß z. Gesch. d. dt. Dichtung. 2, 1886, 242).
W. Hauthaler. Kardinal Lang und die rel.-soziale Bewegung seiner Zeit. 2, 1896, 9–87.
J. Smend. Langs Verhalten zur Reform. 1901, 73–91.
F. Roth. S. A. (BBKR 1917, 32 und ZBK 1936, 52 ff.).
K. Schottenloher. S. A., der Übersetzer des schwäbischen Syngrammas (ZBB 1921).

Erasmus Alber

*um 1500 in Bruchenbrücken in der Wetterau
†5. 5. 1553 in Neubrandenburg

A. besuchte die Schule in Nidda und Weilburg, die Universitäten Mainz und seit 1520 Wittenberg. Hier beeindruckte ihn in den Jahren der Entscheidung außer Luther und Melanchthon vor allem Karlstadt. In der Folgezeit finden wir ihn zuerst als Schulmeister in Büdingen und Ursel, dann in Eisenach. Während des Streits zwischen Erasmus und Hutten wurde ein von ihm stammender Brief ohne sein Zutun veröffentlicht, in dem er sich mit großem Eifer für Luther aussprach. Landgraf Philipp von Hessen berief ihn 1527 als Pfr. nach Sprendlingen, wo er bis 1539 wirkte. Aus dieser Zeit stammt seine Schrift »Das der Glaub an Jesum Christum alleyn gerecht und selig mach«. Auch eine Reihe pädagogischer und polemischer Schriften hatten ihn zum Verfasser. Der Landgraf empfahl ihn weiter an Markgraf Hans von Küstrin, und so kam es, daß Alber bei der Reformation der Mark Brandenburg mitwirken konnte. In den nächsten Jahren hielt er sich bald in Wittenberg auf, wo er 1543 den Dr.-Grad erwarb, bald in seiner Heimat, ohne ein ständiges Wirkungsfeld zu haben. Bei Luther und Melanchthon, zu denen er in freundschaftlichem Verhältnis stand, fand er oft Aufnahme. Während der schweren Interimszeit 1548–51 wirkte er in Magdeburg, wo er sich den tapferen Streitern um N. v. Amsdorf mit seinem Wort und seiner Feder zur Verfügung stellte. Von dort vertrieben, ging er 1552 nach Neubrandenburg in Mecklenburg, wo er Prediger an St. Marien und Sup. wurde. In derselben Weise, wie er tapfer und bestimmt im Kampf gegen die alte Kirche und ihre Bräuche stritt, wandte er sich in seinen letzten Jahren gegen die versöhnliche Richtung Melanchthons und seiner Schüler. Seine zahlreichen Schriften, die teilweise anonym erschienen, waren weit verbreitet und wurden gern gelesen. Auch seine Fabeln, Sprichwörter und vor allem seine Lieder dienten im Grunde alle demselben kirchl. Zweck. Seinen Übersetzungen gab er immer pädagogisch geschickte Nutzanwendungen bei. In volkstümlicher, oft derber Sprache trat er für Wahrheit und Standhaftigkeit ein und war dank seiner Feder einer der wirkungsvollsten Schriftsteller der Reformation, wenn er auch zuweilen eifernd die gezogenen Grenzen überschritt und mit seinen theol. Gegnern schonungslos umging.

ADB 1 (1875), 219f.
NDB 1 (1953), 123f.
RE 1 (1896), 287ff.
TRE 2 (1978), 167ff.
W. Stromberger. E. A's geistliche Lieder nebst der Biographie des Dichters. Halle 1857.
F. Schnorr von Carolsfeld: E. A. als Verfasser der anonymen Schrift »Vom Schmalkaldischen Kriege«. (ALG 11, 1882, 177–195).
F. Schnorr von Carolsfeld: E. A. Dresden 1893.
A. Götze. E. A's Anfänge. (ARG 17, 1908, 48ff.).
E. Körner. E. A. Das Kämpferleben eines Gottesgelehrten aus Luthers Schule. Dresden 1910.

Matthäus Alber

(Matthäus Aulber)

*4. 12. 1495 in Reutlingen
†2. 12. 1570 in Blaubeuren

A. stammte aus einem wohlhabenden bürgerlichen Hause; sein Vater Jodocus war Goldschmied. Durch einen Brand hatte dieser seinen Wohlstand verloren, so daß sein Sohn, der für den geistlichen Stand bestimmt war, sein Studium sich selbst verdienen mußte. Zunächst wurde er Schulgehilfe und Kantor in Reutlingen, seit 1513 unterrichtete er in Tübingen und betrieb dort sein Studium. 1518 wurde er Mag. und erhielt die Möglichkeit, noch 3 Jahre lang zu studieren, um sich auf das Doktorat vorzubereiten. Zu diesem Zweck ging er nach Freiburg, wurde aber auch hier durch die scholastische Theol. ebenso enttäuscht wie in Tübingen. Er brach daher sein Studium ab und übernahm das Predigtamt in seiner Vaterstadt. Seine Predigten in der Art Luthers zündeten, und die Bürgerschaft Reutlingens nahm den Kampf gegen die alte Kirche energisch auf. Im Frühjahr 1523 schrieb Zwingli, der von seinem Wirken bereits gehört hatte, an ihn. Da die Reformation auch in den benachbarten Klöstern eingeführt wurde, fielen 1524 bereits die Messe und Ohrenbeichte. Die kath. Obrigkeit begann nun mit Gewalt gegen Reutlingen vorzugehen. A's Einfluß war indessen so gewachsen, daß er alle Behinderungen der Reformation, die anderwärts durch Bauernkrieg und Täufertum hervorgerufen wurden, von Reutlingen fernhielt. Gerühmt wird die Art, wie er es verstanden hat, die Täufer, die aus Eßlingen geflüchtet waren, zu überwinden. Vergeblich hoffte

Zwingli, ihn für seine Abendm.-Auffassung zu gewinnen. Sein bekannter Brief an ihn vom 16. 11. 1524 machte das symbolische Abendmahls-Verständnis des Züricher Reformators bekannt. Die Reutlinger hielten aber an der luth. Auffassung fest. Im Dezember 1525 schickten sie eine Botschaft an Luther, der ihnen am 4. 1. 1526 antwortete. Trotzdem blieb Alber in freundschaftlichen Beziehungen zu den Vertretern der anderen Richtung.

Der B. von Konstanz strengte zwar gegen die verheirateten Prediger einen Prozeß an, aber dieser verlief im Sande. Reutlingen unterschrieb die C. A. Bei der Durchführung der Reform. Württembergs wurde der angesehene Reutlinger Pred. vom Hz. Ulrich herangezogen. Beim Abschluß der Wittenberger Konkordie erschien er in Wittenberg und predigte dort. Zusammen mit Forster wurde er 1539 in Tübingen Dr. theol. Das Interim vertrieb den tatkräftigen Mann aus seinem Wirkungskreis. Zunächst wurde er in Pfullingen aufgenommen. Herzog Christoph machte ihn 1550 zum Stifts-Pred. in Stuttgart und zum Gen.-Sup. eines der 4 schwäbischen Sprengel. Gemeinsam mit seinem Freunde Brenz, von dem er sich in theol. Hinsicht durch mildere Auffassung unterschied, arbeitete er um 1551 an der Confessio Wirtenbergica und der K. O. von 1559 und blieb der einflußreichste Vertreter in der K.-Leitung. 1562 wurde er zum ersten ev. Abt von Blaubeuren bestellt.

ADB 1 (1875), 178.
NDB 1 (1953), 123f.
RE 1 (1896), 289f.; 23 (1913), 28f.; TRE 2 (1878), 170f.
J. Hartmann. M. A., d. Reformator der Reichsstadt Reutlingen. Tüb. 1863.
J. Hartmann. M. A., d. Reformator Reutlingens. (HPBl 69, 1868, 33–67).
J. Hartmann. M. A. (BWKG 1889, 79f.; 1893, 24).
E. Schneider. M. A. als Abt von Blaubeuren. (BWKG 4, 1889, 79ff.).

G. Bossert. Der Reutlinger Sieg 1524. Barmen 1894, ²1924.
G. Bossert. Das Interim in Württemberg. (SVRG 46/47). Halle 1895.
J. Hartmann. Beitr. z. A's Biographie. RG 9, 1898, 65; 12, 1901, 80; 14, 1903, 14ff.
W. Köhler. Zwingli und Luther. 1, Leipzig 1924, 436ff.
J. Rauscher. Württembergische Ref. Gesch. Calw 1934, 61ff.
W. Köhler. Zürcher Ehegericht und Genfer Konsistorium. 2, Lpz. 1942.
H. Ströle. M. A. (Schwäbische Lebensbilder 5). Stuttgart 1950, 26–59.

Alexander Alesius

*23. 4. 1500 in Edinburgh
†17. 3. 1565 in Leipzig

Er hatte zunächst in St. Andrews studiert und sollte, als Patrik Hamilton reform. Gedanken nach Schottland brachte, diesen im Gefängnis vom alten Glauben überzeugen. Das Ergebnis war das entgegengesetzte. Auch er mußte sein mutiges Auftreten im Gefängnis büßen, konnte aber fliehen und auf einem deutschen Schiff entkommen. 1533 fand er sich in Wittenberg ein. Von hier aus versuchte er nach Schottland hin zu wirken. Er setzte sich in einer Schrift für das Bibellesen in der Muttersprache ein und trug deswegen eine Fehde mit Cochlaeus aus. 1535 folgte er einem Ruf Cranmers nach England, überbrachte König Heinrich VIII. einen Brief Melanchthons, auf dessen Empfehlung hin er zum Prof. in Cambridge ernannt wurde. In theol. Kämpfe verwickelt, konnte er sich weder hier noch in London halten und kehrte nach Deutschland zurück.

Kurfürst Joachim II. berief ihn als Prof. nach Frankfurt/Oder und nahm ihn 1540 auch zum Rel.-Gespr. nach Worms mit. Seit 1543 Professor in Leipzig, nahm er in den folgenden Jahren an den wichtigsten Verhandlungen teil. Er hatte sich im wesentlichen an Melanchthon angeschlossen und hielt auch in den Jahren, als der Philippismus stark angegriffen wurde, seinem Lehrer die Treue. Im Grunde hatte er sich entschieden und zeigte in der Heimat festen Charakter, aber in der Fremde wurde er unsicher und verhielt sich oft widerspruchsvoll. So blieb, auch nachdem er in Leipzig Ruhe gefunden hatte, seinem Wirken der Erfolg versagt. Er hatte eine Reihe großer exegetischer und dogmatischer Werke geschrieben, aber auch in die innerprotestantischen Auseinandersetzungen mit polemischen Schriften (gegen Osiander, bes. auch gegen die Antitrinitarier Servet und Gentile) eingegriffen.

ADB 1 (1875), 254 ff.
NDB 1 (1953), 191.
RE 1 (1896), 336.
TRE 2 (1978), 231 ff.
N. Müller. Zur Gesch. d. Reichstages zu Regensburg 1541. (JBBKG 4, 1907, 234 ff.).
N. Müller. Beitr. z. KG d. Mark Brandenburg im 16. Jh. Leipzig Bd. 1, 1907, 107 ff.
G. Kawerau. A. A's Fortgang von der Frankfurter Univ. (JBrKG 14, 1916, 81–100).
O. Clemen. Melanchthon u. A. A. (ARG Erg. Bd. 5, 1929, 17–34).
H. Helbig. Die Reform. an der Univ. Leipzig. (SVRG 171). Gütersloh 1953.

Symphorian Altbießer

(Pollio)

*2. Hälfte des 15. Jh. in Straßburg
†in Straßburg 1537

In seiner Jugend humanistisch bestimmt, Mitarbeiter Wimpfelings, Priester an St. Stefan, später Leutpriester an St. Martin. Als er 1522 zum Münsterprediger gewählt wurde, trat er bald auf die Seite des von den Domherrn verdrängten Zell. Als er 1524 heiratete, wollten die Domherrn auch ihn verdrängen. Um sich vor den Nachstellungen von dieser Seite zu schützen, erwarb er das Bürgerrecht. Wie gegen andere Prädikanten, so wurden auch gegen ihn üble Nachreden verbreitet. Bucer hatte sich in seiner Schrift »Grund und Ursach« (1524) dagegen gewandt, und Pollio hatte sie mit unterschrieben. Da die Afterreden gegen ihn nicht aufhörten, verfaßte er eine eigene Schrift »Wes man sich gegen newen meren, so teglich von den predigern des Evangelii werden ausgegeben, halten soll. Straßburg 1. Februar 1525«. Seine St. Martinskirche mußte 1529 wegen Baufälligkeit abgerissen werden. Der bereits alte Mann ging dann an die vor der Stadt gelegene Kirche »Zu den guten Leuten«. Im Straßburger Gesangbuch war er mit mehreren Liedern vertreten. In Straßburg wurde er zu den Hauptführern der reformatorischen Bewegung gerechnet. Zuletzt wirkte er an St. Aurelien als Nachfolger Bucers.

ADB 26 (1888), 395.
W. Baum. Capito und Butzer. Elberfeld 1860.
A. Baum. Magistrat und Reformation in Straßburg. Straßburg 1887.
J. Ficker – O. Winkelmann. Handschriftenproben 2. Straßburg 1905, 63.
J. Adam. Kirchengeschichte Straßburgs. Straßburg 1922.
J. Rott. S. A. (Dictionaire de biogr. Alsas. 1, 1980, s. v.).

Andreas Althamer

(Andreas Altheimer)

*um 1500 in Brenz b. Gundelfingen (Württ.)
†um 1538/39 in Ansbach (?)

Er besuchte die Schule in Augsburg, studierte in Leipzig und Tübingen und wurde Schullehrer in Schwäbisch-Hall und Reutlingen. 1524 finden wir ihn aber als Priester in Schwäbisch-Gmünd. Hier schloß er sich der Ref. an und wirkte trotz Verbots des Rates. Seiner Verheiratung galt die erste Schrift, mit der er hervortrat. In den Wirren des Bauernkrieges entging er mit Mühe den Nachstellungen des Schwäbischen Bundes und zog sich nach Wittenberg zurück. Im Sommer 1526 war er in Nürnberg in der Hauptsache schriftstellerisch tätig. Eine seiner am meisten gelesenen Schriften galt dem Ausgleich der Widersprüche in der Schrift. Als Diakonus an der Sebalduskirche nahm er 1528 am Berner Rel.-Gespr. teil, ging aber noch im selben Jahr nach Ansbach, um von hier die Ref. in der Markgrafschaft durchzusetzen. Zus. mit Rurer führte er die Visitation durch. Zugleich mit dieser Arbeit erschien sein »Catechismus, das ist Unterricht zum christlichen Glauben, wie man die Jugend lehren und ziehen soll, in Frageweis und Antwort gestellt«, der auf die zeitgenössische katechetische und liturgische Literatur nicht ohne Einfluß geblieben ist. Auch in organisatorischer Hinsicht hat er für das fränkische Gebiet große Bedeutung; er richtete Synoden ein und führte die Brandenb.-Nürnbergischen K. O. von 1533 durch. Auch an den fränkischen Bekenntnissen hatte er nicht unerheblichen Anteil. Wie sehr er als kirchl. Organisator und theol. Schriftsteller geschätzt wurde, geht auch aus der Tatsache hervor, daß er 1537 von Markgraf Hans von Küstrin zur Durchführung der Ref. in die Neumark gebeten wurde. Von seinen literarischen Arbeiten ist, abgesehen von seinem Kommentar zu Tacitus' Germania, bes. ein Komm. zum Jakobusbrief und eine Silva biblicorum nominum (1530) zu nennen. Als dieser tatkräftige und begabte Mann kurz vor dem Nürnberger Konvent von 1539, an dem er als fränkischer Abgesandter teilnehmen sollte, starb, verlor die Ref. in Franken vorzeitig ihren eifrigsten Förderer.

ADB 1 (1875), 365 ff.

NDB 1 (1953), 218.
RE 1 (1896), 413.
E. Wagner. A. A. in der Reichsstadt Schwäb.-Gmünd. (BWKG, 6, 1891, 75–78; 83 f.; 7, 1892, 4–7 u. 10–13.)
Westermeyer. Brand.-Nürnberg. Kirchenvisitation u. K. O. (1528–1533) Erlangen 1895.
Th. Kolde. A. A., der Humanist u. Reformator in Brandenburg-Ansbach. (BBKG. 1, 1895) und Erlangen 1895.
K. Schornbaum. Die Stellung Markgraf Kasimirs v. Bdbg. zur Reform. Bewegung. Erlangen Diss. 1900.
K. Schornbaum. Zur Politik des Markgrafen Georg v. Brandenb. München 1906.
H. Jordan. Reformation u. gelehrte Bildung. Leipzig 1, 1917, 99.
K. Schornbaum (Hg.). Quellen zur Gesch. d. Wiedertäufer. 2. Die Täufer in Bayern. 1934; 5, 1951. Leipzig/Gütersloh.
V. Teufel. Gesch. d. ev. Gemeinde in Schwäb.-Gmünd. 1950.
M. Simon (Hg.). Ansbachisches Pfarrerbuch. Nürnberg 1957, 5.

Andreas Altheimer

(siehe: Andreas Althamer)

Johannes Amandi

*in Westfalen (?)
†1530 in Goslar

Er soll zuerst als Ablaßprediger tätig gewesen und nach Simon Grunaus Preußischer Chronik als »Stationarius« im Hofe der Antoniter zu Frauenburg gewirkt haben. Diese Angabe erscheint fraglich; fest steht, daß er Priester war und vermutlich in Holstein gewirkt hatte. Schon früh muß er den Anschluß an die Ref. gefunden haben, da er 1523, als ihn Luther dem Hochmeister Albrecht empfahl, schon verheiratet war. Am 1. Advent 1523 hielt er seine erste Predigt in der Altstädter K. in Königsberg, nachdem ihm B. v. Polentz eine Legitimation ausgestellt hatte.

A. sprach niederdeutsch und verstand das Mönchslatein. Für die Wissenschaft hatte er nicht viel übrig, die Feder führte er nicht gern. Es wird ihm aber nachgerühmt, daß er ein wortbegabter Pred. gewesen sei. Wie er eindrücklich zu reden wußte, so war er auch ein Mann der Tat, der die Volksmenge leicht begeisterte und selbst großen Mut bewies. Seine Briefe lassen eine gewisse demagogische Ader spüren. Er hätte wohl für das Ordensland nicht ganz ungefährlich werden können, wenn er nicht von Anfang an in Brießmann und Speratus ein starkes Gegengewicht gehabt hätte. In seiner Auseinandersetzung mit den anderen Pred. verlangte er in anmaßender Weise die Übung der K. Zucht. A. betonte, in Übereinstimmung mit den Zünften zu stehen und warf Speratus vor, er suche zu sehr die Gunst der Mächtigen. Die Königsberger Chronisten nennen ihn daher einen »Meutemacher« zwischen Rat und Gemeinde. Im Frühjahr 1524 veranlaßte er angeblich durch leichtfertige Reden die Volksmenge in Königsberg zum Klostersturm. Ob er beteiligt war, bleibt fraglich. Auch die Aufhebung der Schöffengerichtsbarkeit soll er verlangt haben, woraufhin B. v. Polentz als Regent ihn des Landes verwies. Vom Rat erhielt er 20 Mark Zehrung auf die Reise. Über Danzig und Stolp kam er nach Stettin, wurde in Garz gefangengesetzt. Freigelassen, gelangte er nach Wittenberg und ließ sich dort am 26. 4. 1526 von Luther verhören. Auf Luthers Verwendung hin erhielt er eine Pfarrstelle in Goslar, wo er von Amsdorf eingeführt wurde. Sein Kollege wurde dort Corvinus, der ihn gegen alle Anfeindungen in Schutz nahm. Doch auch jetzt wurde gegen den leidenschaftlichen Pred. mancher Vorwurf erhoben. Hamelmann und Chytraeus wissen über seine Wirksamkeit in Pommern und in Goslar manches zu berichten. Unbestreitbar ist, daß er in den unteren Schichten des Volkes der Ref. den Weg bereitet hat.

ADB 1 (1875), 389.
NDB 1 (1953), 240.
RE 1 (1896), 313 und 434.
P. Tschackert. Urkundenbuch zur Ref. Gesch. des Hzt. Preußen 1. Leipzig 1890, 48 und 95 ff.; Bd. 2 Nr. 295.
L. Hölscher. Die Gesch. d. Reform. in Goslar. Hannover 1902.
P. Tschackert. J. A. (ZGNKG 8, 1903, 5–45).
O. Plantiko. Pommersche Ref. Gesch. Greifswald 1922.
P. Meier. J. A., volksreformatorischer Prediger an der Ostseeküste (Wiss. Zs. d. Univ. Greifswald 12, 1963, 525–533).

Nikolaus von Amsdorf

*3. 12. 1488 in Torgau
†14. 5. 1565 in Eisenach

Ebenso wie Staupitz, mit dem er mütterlicherseits verwandt war, einem altadligen sächsischen Geschlecht entstammend, wurde er für den geistlichen Stand bestimmt. Er besuchte die Lateinschule in Leipzig und begann im Jahre 1500 an der dortigen Univ. zu studieren, ehe er 1502 an die neugegründete Univ. Wittenberg überging, wo er 1504 Mag., 1507 Bacc. und 1511 Lic. wurde. Als scharfer Denker und gewandter Dialektiker hielt er sich an die nominalistische Richtung; auch in späteren Jahren zeigte er sich noch häufig als ein Mann des Buchstabens. Seit 1508 war er Kanonikus am Allerheiligenstift in Wittenberg. Nachdem er sich 1517 Luther angeschlossen hatte, hielt er sein ganzes Leben lang in großer Treue zu ihm. Er begleitete den Reformator zur Leipziger Disp. ebenso wie nach Worms und gehörte zu den Eingeweihten bei dessen Entführung auf die Wartburg. Während der Wittenberger Unruhen galt er als Vertrauensperson des Kf. Luther wußte seine Gesinnung und

25

seine Treue zu schätzen und widmete ihm seine Schrift »An den christlichen Adel«. Bald gab A. jedoch seine akademischen Ämter auf und siedelte 1524 nach Magdeburg über, das durch ihn zur ev. Stadt wurde und eine strenge luth. ausgerichtete Bürgerschaft bekam. Im niedersächsischen Raum galt er bald als eine anerkannte reform. Persönlichkeit. In den folgenden Jahren beriefen ihn 1531 Goslar und 1534 Einbeck zur Durchführung der Ref. In seiner Lehre und Haltung zeigte er sich häufig als hartnäckiger und zuweilen sogar schroffer Eiferer. So kam es, daß er 1534 Luther erneut bestimmte, seinen Gegensatz gegen Erasmus herauszukehren. In der Abendmahlsfrage war er so unversöhnlich, daß Bucer sich schon große Sorgen wegen des Zustandekommens der Wittenberger Konkordie machte; denn A. hatte dazu seine Unterschrift verweigert. Erneut regte sich sein Gegensatz beim Bekanntwerden der »Kölner Ref.«, und Melanchthon befürchtete einen neuen Abendmahlsstreit. Zugleich war aber diese Entschiedenheit und Härte auch seine Stärke. Wie er immer seine Meinung Theologen gegenüber offen aussprach, so scheute er sich auch nicht vor Fürsten. Der sächsische Kurfürst wußte um seine Charakterstärke und schickte ihn 1541 nach Regensburg, als er befürchtete, Melanchthon würde zu weit gehen und zuviel nachgeben. Als das Bt. Naumburg vakant wurde, setzte sich der Kurfürst über die Wünsche des Kapitels hinweg und ernannte ihn, »da er unbeweibt, begabt, gelehrt und von Adel«, zum ev. B. Am 20. Januar 1542 wurde er von Luther im Naumburger Dom eingeführt. Seine Stellung war gegenüber dem Kurfürsten, dem Stiftsadel und der Geistlichkeit nicht leicht. Nach dem unglücklichen Ausgang des Schmalkaldischen Krieges war es für ihn eine Selbstverständlichkeit, zu den jungen Herzögen nach Weimar zu gehen. Hier wirkte er für die Eröffnung der Univ. Jena, mußte aber nach dem Interim nach Magdeburg

flüchten und wurde dort zum eifrigsten Verfechter des Luthertums. In seiner Theol. wurde er in diesen Jahren immer einseitiger. Aus der Reihe seiner mutigen und entschiedenen Schriften sind hervorzuheben »Antwort, Glaube und Bekennen auf das schöne und liebliche Interim«, oder »Das jetztund rechte zeyt sey, Christum und sein wort zu bekennen«. Er vertrat eine schroffe Auffassung von den guten Werken, wobei er freilich das Werk mehr im kath. Verständnis meinte. Seinem Hz. blieb er der theol. Berater, leitete im Jahre 1554 die Visitation und wachte mit Argusaugen über die reine Lehre. Die Entlassung der Flacianer durch den Hz. traf ihn schwer, selbst blieb er jedoch in seinem Alter unangefochten, wenn er auch immer einsamer wurde und schließlich fast erblindete.

ADB 1 (1875), 412; 2, 797.
NDB 1 (1953), 261.
RE 1 (1896), 464; 23, 1913, 37.
TRE 2 (1978), 487 ff.
Th. Pressel. N. v. A. (Leben u. Schriften der Väter d. Luth. K.), Elberfeld 1862.
E. J. Meier. N. v. A's Leben. (Das Leben der Altväter d. luth. K. 3). Leipzig 1863.
E. Rosenfeld: Beitr. z. Gesch. d. Naumburger B. Streites (ZKG 12, 1891, 155).
Köster. Beitr. z. Ref.-Gesch. Naumburgs (ZKG 22, 1901, 145).
C. Eichhorn. Amsdorfiana (ZKG 22, 1901, 605–645).
G. Mentz. Johann Friedrich d. Großm. 2–3, Jena 1905.
W. Friedensburg. Gesch. d. Univ. Wittenberg. Leipzig 1917.
O. H. Nebe. Reine Lehre. Zur Theologie d. N. v. Amsdorf. Göttingen 1935.
O. Lerche. A. und Melanchthon. Berlin 1937.
H. Stille. N. v. A. Sein Leben bis zu seiner Einweisung als Bischof zu Naumburg. Diss. Leipzig 1937.
O. E. Reichert. A. und das Interim. Diss. theol. Halle 1955 (Masch.).
O. E. Reichert. In tanta ecclesiarum mestitia. Eine Antwort N. v. A's an Melanchthon (ZKG

78, 1967, 253–270).

H.-U. Delius. A. Briefwechsel. 1542–1545. Habil. Schr. Leipzig (Masch.) 1968.
P. Brunner. N. v. A. als Bischof von Naumburg. (SVRG 179). Gütersloh 1961.
R. Kolb. N. v. A. (1483–1565) (Bibliotheca humanistica et reformatoria 24). Nieuwenkoop 1978.

Johann Amsterdamus

(siehe: Johann Timann)

Jacob Andreae

*25. 3. 1528 in Waiblingen (Württ.)
†7. 1. 1590 in Tübingen

Als Handwerkersohn für das Tischlerhandwerk bestimmt, konnte er auf Schnepfs Verwendung hin das Pädagogium in Stuttgart und 1541 die Univ. Tübingen beziehen. Mit 18 Jahren wurde er Diakonus in Stuttgart und gründete seine Familie. Durch das Interim aus Stuttgart vertrieben, predigte er mutig in Tübingen. Auf Hz. Christophs Wunsch erwarb er 1553 den Dr.-Grad, wurde zum Spezial-Sup. für Göppingen ernannt und neben Brenz mit gesamtkirchl. Aufgaben betraut. Hatte er zunächst die Neigung, sich mit der calvinistischen Richtung zu vergleichen, so unterschrieb er 1559 die Formel der Stuttgarter Synode, die sich für Brenzens Ubiquitätslehre einsetzte und sich von der vermittelnden Richtung absetzte. Auf den Fürstentagen und bei der Rel. Gespr. der 50er und 60er Jahre war er als Tübinger Reformator Begleiter seines Hz., vertrat die Württemberger K. auch in Paris, Straßburg und anderwärts in sachlicher und ausgleichender Weise. Auf Wunsch des Hz. Julius führte er die Ref. in Braunschweig-Wolfenbüttel durch und unternahm es, mit Chemnitz und Selnecker die luth. Kirche zu einer festen Glaubensmeinung zu führen. 12 Jahre seines Lebens widmete er der luth. Konkordie auf der Grundlage einer neuen Lehrnorm. Es gelang ihm, im Luthertum auf divergierende Kräfte sammelnd zu wirken, während der Graben zur anderen Richtung tiefer werden mußte. Sein Entwurf wurde die Grundlage für die schwäbisch-sächsische Konkordie; sie wurde mit der Maulbronner Formel zum »Torgischen Buch« vereinigt. 1577 wurde von ihm zusammen mit norddeutschen Theologen das Bergische Buch wie die F. C. geschaffen. Seine Mitarbeiter klagten über seine Tyrannei, die konfessionellen Gegner gingen gegen ihn vor. Die F. halfen ihm, in allen Anfeindungen durchzuhalten, bis ihn Kf. August 1580 doch entließ. 1583 starb seine Frau, die ihm 18 Kinder geschenkt hatte. Auch in der Heimat angefeindet, wirkte er wieder im Sinn der Konkordie, disputierte 1586 mit Beza und legte auch weitere theol. Streitigkeiten bei. Unentwegt tätig, in der Theol. epigonenhaft, stiftete er durch seine Friedensbestrebungen, die er in glücklicher Weise zu führen verstand, viel Segen.

ADB 1 (1875), 436 ff.
NDB 1 (1953), 270 f.
RE 1 (1896), 501–505.
TRE 2 (1978), 672 ff.
J. C. G. Johannsen. J. A's concordistische Tätigkeit (ZHT 23, 1853, 344–415).
Th. Pressel. Die fünf Jahre des Dr. J. A. in Chursachsen. (JDTh 22, 1877, 1–64 und 207–264).
J. Schall. Tübingen und Konstantinopel (BWKG 7, 1892, 33–75).
O. Fricke. Die Christologie des J. Brenz. München 1927, S. 243 ff.
O. Ritschl. Dogmengesch. d. Protestantismus. Bd. 4. Göttingen 1927.
R. Müller-Streisand. Theologie und Kirchenpolitik bei J. A. bis 1568 (BWKG 60/61, 1960/61, 224 ff., 330 ff.).
H. Gürsching. J. A. und seine Zeit (BWKG 54, 1954, 123–150).
J. Ebel. J. A. als Verfasser der F. C. (ZKG 89, 1978, 90 ff.).

W. Schütz. J. A. als Prediger (ZKG 87, 1976, 221–243).

Laurentius Andreae

(Lars Anderson)

*um 1470
†1552

A. besuchte die Schule in seinem Heimatort Skarsa, studierte dann in Uppsala, Leipzig, Rostock und Greifswald. Mehrfach war er in Rom. Seit 1523 war er Sekretär Gustav Wasas, den er für Luthers Reformation gewann. Unter seinem Einfluß fand die Kirchenversammlung in Örebro statt. Als der König das Bischofsamt abschaffen und eine Staatskirche einführen wollte, gerieten O. Petri und er mit dem König in Konflikt. Des Hochverrats angeklagt und zum Tode verurteilt, wurden sie dennoch begnadigt. A. zog sich seitdem nach Strängnäs zurück. Seine bereits 1526 begonnene schwedische Übersetzung des NT führte er weiter.

H. Holmquist. Die schwedische Reformation (SVRG 139). Leipzig 1925.

Georg Aportanus

(by dem Daere – a porta)

*?
†1530

A., Sohn eines Bürgers und Ratsherrn in Wildeshausen, wurde in Zwolle bei den Brüdern vom gemeinsamen Leben erzogen. Auf der Schule erhielt er dort eine gründliche Ausbildung, studierte in Köln 1512/18. Seine erste Wirksamkeit entfaltete er als Lehrer an seiner Schule in Zwolle. Dann wurde er vom Grafen Edzard I. von Ostfriesland als Erzieher seiner Söhne Enno und Johann nach Emden berufen. An der Groten Kerk in Emden erhielt er eine Vikarie. Seit 1524 begann A. öffentlich hervorzutreten. Der starke Gegensatz der altgläubigen Priesterschaft ließ ihm keine andere Möglichkeit, als vor den Toren der Stadt unter freiem Himmel zu predigen. Ohne sein Zutun kam es im Juni 1526 zum Oldersumer Religionsgespräch. Dort war er bereits Wortführer der Evangelischen. Die Gegner waren Dominikaner aus Groningen. Ein Protokoll von volkstümlichem Charakter gab Ulrich von Dornum in Druck (Wittenberg 1526). Im selben Jahr stellte A. 48 Artikel über das Abendmahl auf. Er lehnte den Begriff Sakrament ab und wollte das Abendmahl bildlich verstehen. In seiner Nüchternheit ging er über Zwingli hinaus. Scharf wandte er sich gegen die von den Lutheranern geübte Elevation. 1528 folgten 16 Artikel über das Handeln der Obrigkeit. In seinem Radikalismus scheint er von Karlstadt bestimmt zu sein, der sich damals acht Monate lang in Ostfriesland aufhielt.

ADB 4 (1876), 757.
NDB 1 (1953), 328.
H. Reimers. Die Gestaltung der Reformation in Ostfriesland. (Abh. u. Vortr. z. Gesch. Ostfriesl. 20). Aurich 1917, 12 ff.
M. Smid. Ostfriesische Kirchengeschichte. Leer 1974, 118 ff.

Kaspar Aquila

(Kaspar Adler)

*7. 8. 1488 in Augsburg
†12. 11. 1560 in Saalfeld

A. war Sohn des Augsburger Patriziers Leonhard Adler. Er besuchte die Schule teils in seiner Vaterstadt, teils in Ulm. Sein Studium betrieb er in Leipzig und seit 1513 in Wittenberg. Ob er in Bern in kirchl. Dienst eintrat, bleibt unsicher, sicher war er jedoch Feldkaplan im Dienste Sickingens. Als Pfr. in der Nähe von Augsburg heiratete er bald darauf und begann in den nächsten Jahren mit der reform. Predigt. Vom B. von Augsburg deswegen 1520 verhaftet, kam er nach einem Jahr wieder frei und ging nach Wittenberg, wo er in der Schloßkirche predigte und Luther bei der Übersetzung des AT half. 1527 sehen wir ihn als Pfr. in Saalfeld, wo er als Sup. noch 2 Jahrzehnte wirkte. Erst das Interim 1548 vertrieb ihn von dort. Mit Melanchthon blieb er im regen Briefwechsel. Im antinomistischen Streit stand er innerlich allerdings auf seiten J. Agricolas. Er wollte die zehn Gebote als Anleitung zur Erkenntnis des Willens Gottes und deren Befolgung als Beweis des Glaubens ansehen. 1530 erschien er auch auf dem Augsburger Reichstag. Beachtlich ist seine Wirksamkeit auf dem Gebiet des Schulwesens und der Armenfürsorge. Nach der Niederlage seines Kf. 1547 bei Mühlberg schickte er ihm eine Trostschrift. Gegen seinen alten Freund Agricola, der ihn für das Interim gewinnen wollte, richtete er eine scharfe Schrift »Wider den spöttischen Lügner und unverschämten Verleumder M. Islebium Agricolam«. Da der Kaiser und die ihn unterstützenden ev. F. darüber ergrimmt waren, mußte er bei der Gräfin von Schwarzburg Zuflucht suchen, später in Maßfeld bei Meiningen. Die Grafen von Henneberg machten ihn sodann zum Dekan in Schmalkalden. Eine Berufung nach Preußen lehnte er ab, zumal er ein heftiger Gegner Osianders war. 1552 ging er wieder in sein früheres Amt nach Saalfeld zurück. Auch hier hatte er sich gegen Majors Lehre aufgebracht gezeigt, so daß Melanchthon ihn beschwichtigen mußte. In den letzten Lebensjahren hielt er sich stärker zurück, wurde aber noch an das Weimarer Konsistorium berufen.

ADB 1 (1875), 509.
NDB 1 (1953), 332.
RE 1 (1896), 759f.

G. L. Schmidt. Prediger der Reform. Zeit 3: C. A. (ZPTh 3, 1881, 124–143).
W. Dersch. K. A's Zuflucht in Henneberg während des Interims (ARG 22, 1925, 1–38).
G. Biundo. K. A. (Theol. Diss.) Heidelberg 1941 (Masch.).
G. Biundo. A. und das Interim (ThLZ 74, 1949, 587–592).

Benedictus Aretius

(Marti)

* 1505 in Bätterkinden
† 22. 3. 1574 in Bern

Wie so viele Schweizer Theologen war auch B. Marti Priestersohn. Zum Studium ging er nach Straßburg und Marburg. Reisen führten ihn einerseits nach Köln, andererseits nach Wittenberg. Neben der Theologie befaßte er sich mit naturwissenschaftlichen Studien, veröffentlichte eigene Studien und gab auch Schriften des Paracelsus heraus. 1548 wurde er Rektor der Lateinschule in Bern. 1564 wurde er zum Professor der Theologie berufen. In dieser Zeit schrieb er eine Reihe theologischer Schriften. Sein »Examen theologicum« wurde viel benutzt und erschien in 6 Auflagen. Sein Hauptwerk Theologiae problemata, erst kurz vor seinem Tode (Bern 1573; 2. Aufl. Genf 1591) gedruckt, wurde sehr geschätzt. Außerdem sind posthum seine exegetischen Schriften bekannt gemacht: Novum Testamentum commentariis B. A. explanatum, 1580, und ein Kommentar über den Pentateuch und Psalter, 1618. So wenig ansehnlich er äußerlich war, seine Wirkung als Theologe ist beachtlich.

ADB 1 (1875), 520.
RE 1 (1897), 5ff.
J. H. Graf. Geschichte der Mathematik und Naturwissenschaften in Bernischen Landen. Bern 1888.

Jan Augusta

*um 1500
†in Leitmeritz 1572

A. war in utraquistischer Umgebung aufgewachsen, schloß sich aber später der Brüderunität an. Von Beruf war er Hutmacher. Als Prediger nahm er den in der Brüderkirche üblichen Weg durch die Gemeinden, ehe er die Leitung übernahm. An seinem Bischofssitz in Leitmeritz schrieb er mit Johann Horn das neue, dem reformatorischen Verständnis angeglichene Bekenntnis, das er Luther vorlegte. Luther war mit den Artikeln über Zölibat und Absolution nicht einverstanden. Da ihm daran lag, auch mit anderen Reformationskreisen Beziehungen aufzunehmen, ging er nach Straßburg, wo er sich mit Bucer weitgehend verständigte. A. veranlaßte, daß Bucers Schrift »Von der waren seelsorg« ins Tschechische übersetzt wurde.

1547 wurde A. verdächtigt, am Böhmischen Aufstand teilgehabt zu haben. Er wurde verurteilt und 16 Jahre lang auf der Burg Purglitz gefangengehalten. Von der lutherischen Auffassung hatte er sich entfernt und näherte sich, vor allem in der Sakramentslehre, den schweizerischen Anschauungen. Die Elevation behielt er trotzdem »wegen der Sakramentierer« bei. Die Wiedertaufe bei der Aufnahme in die Gemeinde wurde nach 1534 abgeschafft.

K. Gindely. Quellen zur Geschichte der Böhmischen Brüder. Wien 1859, 20–35.
J. Müller. Die Gefangenschaft des Johann Augusta, Bischofs der Böhmischen Brüder (1548–64). Leipzig 1895.
K. Völker. Toleranz und Intoleranz. Leipzig 1912, 246.
J. Müller. Geschichte der Böhmischen Brüder, 2, Leipzig 1931, 115–124.
F. Hrejša. Dejiny krestanstvi v Čechoslovensku. 5. Prag 1948, pass.

Johann Aurifaber (I)

(Johann Goldschmid)

*30. 1. 1517 in Breslau
†19. 10. 1568 in Breslau

Er besuchte in Breslau zunächst die Schule von St. Elisabeth und folgte dann seinem älteren Bruder Andreas nach Wittenberg. 1534 wurde er dort immatrikuliert und 1538 Mag. Er blieb zunächst als Lehrer in der art. Fak. und lehrte außer Philosophie auch Mathematik und Sprachen. 1545 wurde er Dekan dieser Fak. Im Schmalkaldischen Kriege flüchtete er nach Magdeburg. Sein Lehrer Melanchthon empfahl den Breslauern, ihn an die Stelle seines 1547 verstorbenen Schwiegervaters J. Heß zu berufen. Hier wurde ihm aber nur das Schulamt zuteil, aus dem ihn Melanchthon nach Wittenberg zurückberief. Die Tätigkeit in der art. Fak. in Wittenberg dauerte nicht lange. 1550 wurde er als Prof. der Theol. und Pastor nach Rostock berufen. Jetzt erwarb er für das neue Amt den theol. Dr.-Grad und wurde von Bugenhagen ordiniert. In Rostock entfaltete A. eine umfassende Wirksamkeit, nahm Anteil an der Ausarbeitung der Mecklenburger K. O., für die Melanchthon den Lehrteil, das »Examen ordinandorum«, schrieb. Mit Würde und Umsicht führte er die Visitation im Sommer 1552 durch. Auch genoß er bald das Vertrauen in den umliegenden K.-Gebieten. Sein Bruder Andreas, der seit 1545 als Leibarzt und Prof. der Medizin in Königsberg wirkte, bestimmte ihn, ebenfalls dorthin zu kommen, wo er nach dem osiandrischen Streit ein weites Arbeitsgebiet finden sollte. Obgleich Melanchthon ihn warnte, nahm er die Berufung nach Königsberg an als Prof. der Theol. und Inspektor des samländischen Bt. Im Mai 1554 siedelte er dorthin über. Am 1. 9. 1554 eröffnete er in Königsberg die Generalsynode, die das Friedenswerk für Preußen abschließen sollte. Die herzogliche Konfession wurde zwar angenommen, aber der Streit mit den Osiandristen ging weiter, deren stärkste Stütze sein Bruder Andreas war. In diesen Streitigkeiten und den mit ihnen verbundenen Verhandlungen verzehrte er sich. Zur theol. Arbeit kam er nicht mehr; die kirchl. Praxis nahm ihn gefangen. Im Jahre 1558 arbeitete er mit Vogel an der neuen Preußischen K. O., die allg. Billigung der Univ. fand, im Lande aber auf heftigen Widerstand stieß. Von allen Seiten als Philippist angefeindet, wollte er nach dem Tode seines Bruders im Jahre 1559 nicht mehr in Preußen bleiben, hielt aber noch auf seinem Posten aus und kehrte 1565 in seine Vaterstadt Breslau zurück und übernahm das Pfarramt an St. Elisabeth. Im Charakter seinem Lehrer Melanchthon vergleichbar, blieb er diesem treu ergeben, wie auch jener zu ihm gehalten hat.

ADB 1 (1875), 690f.
NDB 1 (1953), 456f.
RE 2 (1897), 288ff.; 23 (1913), 139.
TRE 4 (1979), 752ff.
Th. Wotschke. Ein Brief J. A's an Hz. Albrecht von Preußen (ARG 10 [1912], 110ff.).
W. Friedensburg. Geschichte der Universität Wittenberg, Leipzig, 1917.
W. Hubatsch. Geschichte der ev. Kirche Ostpreußens 1, Göttingen 1968.
M. Stupperich. Osiander in Preußen (1549–1552 AKG 44). Berlin 1973.

Johann Aurifaber (II)

*um 1519 in der Grafschaft Mansfeld
†19. 11. 1575 in Erfurt

Über die äußeren Verhältnisse, aus denen er stammt, ist nichts bekannt. Sein Landesherr Graf Albrecht schickte ihn 1537 nach Wittenberg zum Studium. In 3 Jahren war er so weit gefördert, daß er den Unterricht bei den jungen Mansfelder Grafen übernehmen konnte. 1545 wurde er Famulus bei Luther und begleitete diesen auf seiner letzten Reise nach Eisleben. Im Schmalkal-dischen Kriege war er Feldpred. im kursächsischen Heer und harrte zunächst bei dem gefangenen Kurfürsten aus. Als Pred. in Weimar und Hofpred. des Hz. Johann Friedrich des Mittleren stand er auf seiten der Gnesiolutheraner. Seine Haltung wurde immer radikaler. Er nahm 1556 an der Eisenacher Synode gegen Menius teil und arbeitete 1559 am Weimarschen Konfutationsbuch mit. Aber nach zwei Jahren erfolgte in Weimar ein Umschwung, und er wurde als Hofpred. verabschiedet. In den folgenden Zeiten hielt er sich in Eisleben und zuletzt als Pfarrer in Erfurt auf, wo er bis zu seinem Tode wirkte.

Als Sammler von Lutherbriefen, -predigten und Tischreden hat er eine gewisse Bedeutung. Noch in Weimar gab er einen Bd. Lutherbriefe heraus, dem 1565 ein zweiter folgte. Weiter gab er 2 Ergänzungsbände zu den großen Lutherausgaben, der Wittenberger und Jenaer, heraus. Am bekanntesten, aber auch zweifelhaftesten ist seine Ausgabe der »Tischreden und Colloquia D. M. Luthers«, 1566 erschienen, die außer seinen eigenen Nachschriften solche von Lauterbach, Cordatus und Dietrich enthielt und erbaulichen Zwecken diente. Ohne Bedenken kombinierte er verwandte Texte. Außerdem trug er große Sammlungen von Briefen anderer Reformatoren und ref.-geschichtliche Nachrichten zusammen, die er vervielfältigte und den ev. Fürsten zum Kauf anbot.

ADB 1 (1875), 691.
NDB 1 (1953), 457.
RE 2 (1897), 290ff.
F. v. Popowski. Kritik der handschriftlichen Sammlung des J. A. zu der Geschichte des Augsburger Reichstages im Jahre 1530. (Diss.) Königsberg Pr. 1880.
P. Majunke. J. A. (HPB 114 [1894], 418–428).
W. Meyer. Über Lauterbachs und A's Sammlungen der Tischreden Luthers (AGH, NF 1, 2 [1896]).
G. Kawerau. Zur Frage nach der Zuverlässigkeit J. A's als Sammler und Herausgeber Luther-

scher Schriften (ARG 12 [1915], 155 ff.).

J. Haußleiter. J. A's Trosthefte für den gefangenen Kurfürsten Johann Friedrich (1546) und Melanchthons Loci consolationis (1547). (ARG 16 [1919], 190–199).
O. Albrecht. Quellenkritisches zu A's und Rörers Sammlungen der Buch- und Bibelzeichnungen Luthers. (ThStKr 92 [1919], 279–306).
O. Clemen. J. A. als gewerbsmäßiger Hersteller von Lutherhandschriften (ARG 29 [1932], 85–96).
C. Beyer und J. Biereye. Geschichte der Stadt Erfurt 1. Erfurt 1935, 445, 448, 518.
O. Clemen. J. A. (ARG 37 [1940], 76).

Johannes Bader

*um 1470 oder 1490
†16. 8. 1545 in Landau (Pfalz)

Über die Herkunft und Jugend des späteren Landauer Reformators ist nichts bekannt. Auch wo er studierte, den Mag.-Grad erwarb und Priester war, bleibt im Dunkel.

Die erste Nachricht über ihn besagt, daß er 1514 als Kaplan und Prinzenerzieher in Zweibrücken tätig war. Im Januar 1518 wurde er als Pfr. nach Landau berufen. Freilich hat er sich dort in den ersten Jahren an die gewohnten Bahnen gehalten. Erst um 1522 scheint sich seine Auffassung geändert zu haben, ohne daß wir angeben könnten, wodurch dieser Wechsel bei ihm ausgelöst wurde. Sein Auftreten gegen die römischen Mißbräuche trägt ihm eine bischöfliche Vorladung ein, der er auch Folge leistet. Da der B. ihn an das Ev. sich zu halten hieß, trat er immer entschiedener gegen Fegefeuer, Messen und Heiligenverehrung auf. Dafür wurde er am 17. 4. 1524 mit dem Bann belegt. Er appellierte daraufhin an das allg. Konzil und setzte auch unter dem Schutz des Rates seine Tätigkeit in Landau fort. In den folgenden Jahren forderte der B. von Speyer wiederholt erfolglos seine Absetzung. Durch Verlust der kirchl. Ein-

künfte bedrängt, aber vom Rat entschädigt, setzte er seine Tätigkeit hier fort. Die Bürgerschaft stand hinter ihm.

Mit großer Treue widmete er sich dem Jugendunterricht in seiner Gemeinde. 1526 gab er sein »Gesprächsbüchlein« heraus, einen der ersten ev. Katechismen. Auch trat er dem täuferischen Treiben Denks entgegen. Seine Gegner verbreiteten das Gerücht, er habe einer Bäuerin, die eine Gans unter dem Arm trug, das Sakrament reichen wollen, wobei die Gans die Hostie erhascht habe. Dagegen sich wendend, entwickelte er seine Sakramentsauffassung, die der seines Freundes Bucer nahestand. 1536 trat er der Wittenberger Konkordie bei. Doch machte sich in den folgenden Jahren Schwenckfelds Einfluß bei ihm immer deutlicher bemerkbar. Jahrelang hatte er, abgeschreckt durch die sittlichen Zustände, in Landau keine Abendmahlsfeier mehr gehalten. Da er seit 1538 kränkelte, erbat er sich 1543 einen Helfer; aber lange konnte er nicht mehr wirken.

ADB 1 (1875), 760 f.
NDB 1 (1953), 512.
RE 2 (1897), 353.
J. P. Gelbert. Mag. J. B's Leben und Schriften. Landau 1868.
J. M. Usteri. J. B., ein wenig bekannter Verteidiger der Kindertaufe (ThStKr 56, 1883, 610 ff.).
F. Cohrs, J. B. (MGP 20, Leipzig 1900, 261 ff.).
Th. Gümbel. Aus Landaus Vergangenheit (BBKG 21, 1915, 20 ff., 49 ff.).
G. Biundo. Pfälzisches Pfarrerbuch (Palatina sacra 1), Kaiserslautern 1930, 359.
J. Hagen. Der Ausgang der Landauer Reformation und Mag. J. Bader (BPfKG 1937, 134 ff.).
Th. Kaul. J. B. (Pfälzisches Kirchenlexikon 2. Lfg. 1964, 165–170).

Ludwig Bauer

(Ludwig Agricola)

*? in Kulmbach
†nach 1540 in Kulmbach

Er ging aus dem Augustinerkloster in Kulmbach hervor. 1525 wurde er zus. mit Althamer in Wittenberg inskribiert. Hier beschäftigte er sich besonders mit dem Hebr., worin er gute Fortschritte machte. Auf Luthers Empfehlung soll er vom Markgrafen Georg als Pred. im Kloster Kulmbach eingesetzt worden sein. In dieser Zeit hat er am »Ratschlag der Geistlichkeit von Kulmbach« mitgearbeitet. Als er aus seiner Pfarrstelle vertrieben wurde, kehrte er nach Wittenberg zurück. Luther bestimmte damals den Augsburger Hans Honold, ihn ein Jahr lang in Wittenberg zu unterhalten. Auf Bitten des Markgrafen kehrte er danach nach Kulmbach zurück, obwohl ihn die Mönche dort ungern wiedersahen. 1528 unterschrieb er zus. mit Loner und Schnabel den Ratschlag wider die Wiedertäufer. Im nächsten Jahr beteiligte er sich an der fränkischen Visitation. Von den Altgläubigen wurde er hart beschuldigt, Unzucht getrieben zu haben. Die Klage wurde jedoch als grundlos niedergeschlagen, und er nahm weiterhin Anteil an der Einführung der K. O. In seinem Predigtamt folgte ihm schon 1532 Valentin Wanner, der ebenfalls Augustiner in Maulbronn gewesen war. Über seine amtliche Wirksamkeit fehlen weitere Nachrichten, doch wird er nach 1540 noch als Pfr. genannt.

Vollrath, W. L. B. (BBKG 2, S. 72).
Kolde, Th. L. B. (ZKG 13, 1892/93), 321 ff.
Gußmann, Wilhelm. Quellen und Forschungen zur Gesch. des Augsburg. Glaubensbekenntnisses. 1, 2. Leipzig 1911, 334 ff.

Johannes Becker

(siehe: Johannes Pistorius der Ältere)

Zacharias Beer

(siehe: Zacharias Ursinus)

Leonhard Beier

(Leonhard Beyer)
(Leonhard Raiff)

*? München
†?

Der in Luthers Briefen häufig genannte Aug. und Wittenberger Mag., der den Reformator 1518 nach Augsburg und Heidelberg zur Disp. begleitete, hat in den entscheidenden Ref.-Jahren keine unbedeutende Rolle gespielt.
Frater Leonhardus de Monaco, wie er im Wittenberger Album genannt wird, war bereits 1514 nach Wittenberg zum Studium gekommen und 1516 Bacc. und 1518 Mag. geworden. Nachdem er im selben Jahre die bedeutsamen Aufträge in Heidelberg und Augsburg erfüllt hatte, tritt er für einige Jahre ins Dunkel zurück. Ob er in dieser Zeit sich in Wittenberg oder anderwärts aufgehalten hat, ist nicht bekannt. 1522 hatte er die Thesen, die zur Reform des Aug.-Ord. führen sollten, nach München gebracht und wurde dort von der Obrigkeit im Gefängnis festgesetzt. Diese Gefangenschaft muß lange gedauert haben. Er selbst erzählte später an Luthers Tisch, daß ihn in dieser Zeit schwere Anfechtungen geplagt hätten und er am Rande der Verzweiflung gestanden hätte. 1524 oder 1525 wurde er wieder freigelassen. Luther meldet diese Tatsache erfreut seinen Freunden. Welche Ereignisse dazu geführt hatten, ist nicht ersichtlich. Die Ref. empfand B. als eine gött-

liche Hilfe. Nachdem er sich kurze Zeit in Wittenberg aufgehalten hatte, bekam er (vermutlich 1525) das Pfarramt in Guben/Nl. Aus den wenigen persönlichen Nachrichten geht hervor, daß er 1528 verheiratet war und bis 1531 das Amt in der Stadt Guben, die treu zum Ev. stand, verwaltete. Dann ging er aus unbekannten Gründen von dort fort. Er blieb zunächst Luthers Gast und versah vertretungsweise das Amt des Stadtpfr. Luther schlug ihn als Pfr. nach Zwickau vor. Dieses Amt übernahm er auch und versah es 17 Jahre lang. Als Hz. Heinrich die Ref. in Sachsen durchführte, nahm er daran teil. Erst auf Verlangen des neuen Kf. Moritz mußte er nach dem Schmalkaldischen Krieg aus dem Amt entlassen werden, weil er auf der Kanzel »unruhig quaestionierte«. Wohin er sich dann begeben und wo er sein Leben beschlossen hat, ist ungeklärt.

G. Bossert. Zur Biographie des Reformators von Guben. (JBrKG 1, 1904, 50–57).
M. Fabian. L. B. (Mitt. d. Altertumsvereins f. Zwickau 8, 1905, 130 ff. 1904, 50–57.)

Bartholomäus Bernhardi

*24. 8. 1487 in Feldkirch/Vorarlberg
†21. 7. 1551 in Kemberg bei Wittenberg

Mit einigen Landsleuten, darunter Johannes Döltsch, kam B. B. zum Studium nach Erfurt. Von dort wechselte er an die neugegründete Universität Wittenberg im Jahre 1504 über. Dort schloß er sein Studium mit dem Magistergrad ab. Er kehrte in seine Heimat zurück und empfing in Chur die Priesterweihe. Dann aber zog er wieder nach Wittenberg, erhielt in der artistischen Fakultät ein Lehramt für aristotelische Philosophie und bekleidete 1512 das Amt des Dekans. 1518 war er Rektor der Universität. B. hat sich frühzeitig Luther

angeschlossen, unter dessen Vorsitz er disputierte und am 25. 9. 1516 zum Sententiar aufrückte. Diese Disputation, für die B. B. die Thesen selbständig aufstellte (vgl. WA Br. 1, 65), erregten großes Aufsehen. Auch im Ablaßstreit stellte er sich vorbehaltlos auf Luthers Seite. Die Universität wählte ihn als Propst für die ihr inkorporierte Propstei Kemberg. Als einer der ersten Priester heiratete er dort im Frühjahr 1521. Dieser Schritt löste große Erregung aus. Als ihm EB Albrecht den Prozeß machen wollte, schrieb Melanchthon für ihn eine Verteidigungsschrift Apologia pro M. Bartholomeo praeposito, qui uxorem in sacerdotio duxit. Als der EB seine Rechtfertigung abwies, wandte sich Feldkirchen an den Kurfürsten. Im selben Jahr disputierte Karlstadt über den Zölibat. Unter den Anhängern Luthers stand es fortan fest, daß die Priesterehe freizugeben sei. In den folgenden Jahren tritt M. Feldkirchen seltsamerweise nicht mehr hervor, wurde aber auch nicht angefochten. Luther nannte seine Tochter »die erste tochter aus der Priesterehe nach dem Evangelio« (WA Br 9, 125).

ADB 2 (1875), 459 f.
Köstlin-Kawerau. M. Luthers Leben. Berlin ⁵1905, 1, 129.463.
K. H. Burmeister. Der Vorarlberger Reformationstheologe B. B. (Zs. f. Geschichte, Heimat- und Volkskunde Vorarlbergs. 1919, 248 ff.)

Louis de Berquin

*1490
†17. 4. 1529 in Paris (als Ketzer verbrannt)

B. entstammte einer adligen Familie in der Grafschaft Artois. In Paris kam er 1512 mit führenden Humanisten zusammen. Margarete von Navarra empfahl ihn dem König als Sekretär. Die Verbindung mit Erasmus von Rotterdam legte ihm nahe, einige kleine Erasmus-Schriften ins Französische zu übersetzen. Danach las er Luther und übersetzte seine Schrift De votis monasticis. 1523 wurde er angeklagt und vom Parlamentsgericht verurteilt. Auf Einspruch des Königs wurde er entlassen; nur das Buch wurde verbrannt. Während er auf dem Lande lebte, wurde er vom Bischof von Amiens verklagt, erneut verurteilt und wäre dem Tode nicht entgangen, wenn der König nicht wieder für ihn eingetreten wäre. Erasmus mahnte ihn zu schweigen, doch B. richtete sich gegen Noël Beda und bezeichnete 12 Sätze aus dessen Schriften als falsch und gottlos. Am 7. 3. 1529 wurde er erneut vom Parlamentsgericht verurteilt. Budé bat ihn, zu widerrufen; doch B. lehnte es ab und appellierte an den König, der nichts mehr für ihn tun wollte. B. war rettungslos verloren. Sein Auftreten aber hatte Eindruck gemacht.

Th. Fliedner. Buch der Märtyrer und anderer Glaubenszeugen. Düsseldorf 1857/59.
F. Piper. Zeugen der Wahrheit. 4 Bde. Berlin 1874 ff.
O. Michaelis. Protestantisches Märtyrerbuch. Stuttgart 1917.
Imbar de la Tour. Les origines de la Réforme. 3. Paris 1949, 119.

Jacob Beurlin

*1520 in Domstetten (Schwarzwald)
†28. 10. 1561 in Paris

Als Sohn des Bürgermeisters geboren und im alten Glauben erzogen, hatte er seine Schulbildung zu Hause und in Horb genossen, ehe er 1533 nach Tübingen kam. Auch nach der Einführung der Ref. blieb er dem alten Wesen zugewandt und beschloß 1541 seine humanistische Ausbildung mit dem Grad des Mag. Allmählich kam er aber unter den Einfluß der neuen Theol. Prof. For-ster, Phrygio und vor allem Schnepf. Von der neuen Lehre ergriffen, bestimmte er jetzt auch seine Eltern dazu, ihr zu folgen.

Etliche Jahre blieb er Leiter des Studienhauses Martinianum, in dem er seine Studentenjahre verbracht hatte. 1546 heiratete er die Tochter des M. Alber und übernahm gleichzeitig die Pfarrei Derendingen. Von da aus trat er seine weitere Laufbahn an: 1551 wurde er Dr. theol. und bald darauf Prof. in Tübingen. Hz. Christoph ließ ihn die Confessio Wirtembergica mit der Confessio Saxonica vergleichen und schickte ihn nach Trient. Zusammen mit Brenz, Heerbrand und Wanner mußte er im März 1552 noch einmal in die Konzilsstadt reisen, um ihre eingereichte Konfession zu verteidigen. Dazu ist es aber nicht gekommen; die Gesandten mußten ohne Ergebnis heimkehren.

In den nächsten Jahren widmete er sich ganz seinem akademischen Amte, hielt exegetische und dogmatische Vorlesungen und betätigte sich mit Erfolg in der akademischen Verwaltung. Der Hz. hatte ihn 1554 als Vermittler im osiandrischen Streit ausersehen und entsandte ihn nach Königsberg. Nach anfänglichen Erfolgen blieb die Mission schließlich fruchtlos. Hz. Albrecht hätte aber den überlegenen, gelehrten Mann gern im Lande festgehalten und bot ihm ein Bt. an, das der Schwabe jedoch ausschlug, weil ihm die theol. Lage dort nicht behagte. Freilich hielt er den Streit nicht mehr für ein Wortgezänk, wie es Brenz aufgefaßt wissen wollte, und entfernte sich allmählich von diesem. Daher wurde ihm in der Heimat jetzt Andreae vorgezogen, der die politischen Missionen in den folgenden Jahren übernahm. Auf der Synode in Stuttgart 1559 hatte Beurlin keine Rolle gespielt. Aber für das Rel.-G. in Poissy wurde er als Wortführer ausersehen. Im Oktober 1561 gelangte der Tübinger Kanzler mit seinen Begleitern nach Paris, nachdem das Gespräch in Poissy schon abgebrochen war und erlag dort der Pest. Er ist für die Ref. in Württemberg eine kennzeichnende Gestalt.

ADB 2 (1875), 585f.
RE 2 (1897), 671 ff.
K. Weizsäcker. Lehrer und Unterricht an der ev.-theol. Fakultät der Universität Tübingen. Tübingen 1877, 16 ff.
G. Bossert. Die Reise der Württembergischen Theologen nach Frankreich im Herbst 1561 (WVLG 8, 1899, 351–412).

Hartmann Beyer

*30. 9. 1516 in Frankfurt (Main)
†11. 8. 1577 in Frankfurt (Main)

Er war der Sohn eines Tuchscherers. Der Frankfurter Lateinschule verdankte er seine gute klassische Bildung, so daß er gut ausgerüstet 1534 sein Studium in Wittenberg beginnen und 1539 mit dem Mag.-Grad abschließen konnte. Luther und Melanchthon hatten ihn stark beeindruckt. Nachdem er noch einige Jahre in Wittenberg verbracht und seinen Gesichtskreis erweitert hatte, wurde er 1545 als Pred. in seine Vaterstadt berufen. Die theol. Lage in der Stadt war schwierig, luth. und zwinglische Einflüsse rangen miteinander, Bucer versuchte zu vermitteln. Beyer verhielt sich nach Luthers Rat in den Bräuchen vorsichtig, vertrat im übrigen aber seine luth. Überzeugung. Seiner Auffassung gab er in Predigten Ausdruck und zog sich infolgedessen auch Verwarnungen von seiten des Rates zu. Auch nach dem Passauer Vertrag wurde die Lage für den Pred. nicht gleich besser. Da er sich gegen das Festhalten an den zweiten Feiertagen wandte, wurde er 1553 seines Amtes enthoben, aber von der Bürgerschaft gehalten. Dem andringenden Calvinismus bot er tapfer die Stirn. Als Calvin zwischen ihm und der unter Laski und Polanus zugewanderten Fremdlingsgemeinde vermittelte, entzog der Rat dieser das Recht des öffentlichen Gottesdienstes. Auch im Kampf mit der römischen K. stand er seinen Mann und bewog den Rat, ihm energisch beizustehen. Durch ihn wurde Frankfurt ein Hort des Luthertums. Mit den bekanntesten Zeitgenossen stand er im Briefwechsel. Von der Bürgerschaft, auf die er durch seine Predigten einen starken Einfluß ausübte, wurde er zeitlebens um seines Ernstes und seiner Tatkraft willen hoch geehrt und geliebt.

ADB 2 (1875), 597.
NDB 2 (1955), 203.
RE 2 (1897), 675.
G. E. Steitz. Der lutherische Prädikant H. B. Frankfurt 1852.
H. Dechent. Kirchengeschichte Frankfurts seit der Reformation. Frankfurt 1913/21.

Leonhard Beyer

(siehe: Leonhard Beier)

Theodor Beza (de Bèze)

*24. 6. 1519 in Vezelay
†13. 10. 1605 in Genf

Einem altadligen Geschlecht entstammend, von Nicolas de Bèze in Paris erzogen, von Melchior Wolmar in Orléans und Bourges unterwiesen, befaßte sich B. mit humanistischen und juristischen Studien und führte in Paris ein lockeres Leben. 1548 brach er plötzlich mit seiner Lebensart und ging zu Calvin nach Genf. 1552/58 lehrte er Griechisch in Lausanne und unterstützte die verfolgten Glaubensbrüder in Frankreich. In Worms 1557 legte er ein Bekenntnis vor, das auf eine Einigung der Calvinisten und Konfessionsverwandten hinzielte. Während Zürich und Bern dagegen waren, nahm ihn Calvin in Schutz. – An die Spitze der Genfer Akademie gestellt, erhielt B. das Predigtamt und die theologische Professur, auf die er sich in Lausanne vorbereitet hatte. Er hielt exegetische Vorlesungen und vertrat die Linie Calvins, nach dessen Tode er als Haupt der Calvinisten in ganz Europa galt. Um den Hugenotten beizustehen, ging er 1561 zum Rel.-Gespräch nach Poissy und 1562 nach St. Germain. Als der Religionskrieg begann, hielt er sich im Lager der Hugenotten auf. Durch seine und der Genfer Akademie Autorität wirkte er bis Polen. In der Polemik scharf (gegen Heßhusen und Wigand), brachte auch seine Mitwirkung beim Religionsgespräch in Mömpelgard keine Entspannung. Mit 70 Jahren zog sich B. von allen kirchlichen Ämtern zurück und wirkte nur literarisch. In den letzten drei Jahrzehnten des 16. Jhs. war B. eine der einflußreichsten Erscheinungen im gesamten Protestantismus.

RE 2 (1897), 677 ff.
TRE 5 (1980), 765 ff.
H. Heppe. Th. B., Elberfeld 1861.
J. W. Baum. Th. B., Straßburg 1851.
C. v. Proosdij. Th. B., medearbeider en opvolger van Calvijn. Leiden 1895.
H. M. Baird. Th. B. London 1899.
E. Choisy. L'Etat chrétien calviniste à Genève au temps de Th. de Bèze. Genf 1902.
C. Veltenaar. Th. de Bèze et ses relations avec les théologiens des Pays-Bas. Genf 1904.
P. Geisendorf. Th. de Bèze. Genf 1949. Histoire de Genève. Genf 1951.
F. Gardy. Bibliographie des œuvres théologiques, literaires, historiques et juridiques. Genève 1960.
W. Kickel. Vernunft und Offenbarung bei Th. B. Neukirchen 1967.
H. Meylan. Th. de B. Lausanne 1972.
J. S. Bray. Th. B's doctrine of predestination. Nieuwkoop 1975.
T. Mamiyania. The ecclesiology of Th.B. Genève 1978 (THR 141).

Theodor Bibliander

(Theodor Buchmann)

*1504 (?) in Bischofszell (Thurgau)
†24. 9. 1564 in Zürich

B. war von seinen Eltern zum theologischen Studium bestimmt worden. In Zürich wurde Myconius sein Lehrer, und hier lernte er auch Hebr. Später ging er nach Basel, um seine Kenntnisse bei Oekolampad und Pellikan zu vervollkommnen. Auf Zwinglis Empfehlung kam er als Lehrer des Hebr. an die Hohe Schule nach Liegnitz und wirkte dort von 1527 bis 1529. Nach Zwinglis Tod erhielt er dessen Amt am Großen Münster in Zürich.

B. war sehr begabt und wurde ob seiner Sprachkenntnisse viel bewundert. Zeitgenossen, unter ihnen Bullinger, rühmten bes. seine Auslegung der Propheten. Er trieb auch Sprachvergleichung, veröffentlichte 1543 den Koran und 1552 erstmalig das Protevangelium Jacobi. Aber auch an allen theol. und kirchl. Verhandlungen nahm er lebhaften Anteil und genoß neben Bullinger in der Züricher Kirche das höchste Ansehen. Sein Gegensatz gegen die römische Kirche äußerte sich in scharfen Kampfschriften gegen das Tridentinum und in der Betonung der Schrift als einziger Grundlage der christlichen Einigung. In theol. Hinsicht schloß er sich an Zwingli an, lehnte die schroffe Prädestinationsauffassung ab und wehrte sich gegen die Lehranschauungen Calvins. Bereits 1560 wurde er entpflichtet. Er starb an der Pest.

ADB 2 (1875), 612.
NDB 2 (1955), 215.
RE 2 (1897), 185 ff.

E. Egli. B's Leben und Schriften (Analecta refor-matoria 2). Zürich 1901, 1–44.
E. Stähelin. Die biblischen Vorlesungen B's. (Zwingliana 7, 1939/43, 522ff.).

Theobald Billicanus

(Theobald Gernolt)

*in Billingheim bei Landau 1491
†8. 8. 1554 in Marburg

In Heidelberg wurde er am 5. Sept. 1510 immatrikuliert und studierte zusammen mit Melanchthon, mit dem er Freundschaft schloß. Nach erfolgreichem Abschluß seiner Studien wurde er 1512 Bacc. und 1515 Mag. Seitdem blieb der begabte junge Gelehrte als Lehrer in der art. Fak. Durch die Heidelberger Disp. wurde er ins Lager der Reformation gezogen und erhielt 1522 eine Pred.-Stelle in Weil, dem Geburtsort von Brenz. Hier vertrat er auch literarische Anschauungen, die denen Luthers ähnlich waren. Die österreichische Regierung setzte aber die Absetzung des kühnen Predigers durch. Sein Abschiedsbrief von 1522 »An die Christliche kirchversammlung, ainem Ersamen Radt und gemain der Stadt Weil« liegt gedruckt vor. Seine Kritik an den frommen Bräuchen der K. veranlaßte ihn, Luthers Brief »an die Christen zu Erfurt« seinem Sendbrief beizufügen.
B. ging nach Nördlingen und fand hier gleich ein neues Amt. Ihm wurde vom Rat eine Anstellung auf 10 Jahre zugesagt, falls er das Ev., ohne Anstoß zu erregen, predigte. Änderungen am Gottesdienst nahm er zunächst nicht vor, doch veröffentlichte er 1524 eine Schrift »Von der Meß. Gemeine Schlußreden, gepredigt zu Nördlingen«. Dazu griff er in den Streit zwischen Argula von Grumbach und der theol. Fak. in Ingolstadt mit seiner Confutatio ein. Weitere Streitschriften folgten, um 1524 auch ein Kommentar zum Propheten Micha (Nürnberg 1524). Mit den Reformatoren in Wittenberg, Zürich, Basel und Augsburg stand er im Briefwechsel. Durch Karlstadt bestimmt, vertrat er nunmehr das symbolische Verständnis des Abendmahls und mußte daher in seiner »Renovatio ecclesiae Nordlingiarensis« (1525) sich gegenüber dem Vorwurf Karlstadtscher Gedanken rechtfertigen. Einerseits ist er ein konservativer Mann, tritt aber andererseits doch für radikale Neuordnungen ein. Gerade in der Sakramentsfrage war er sehr weitherzig, was darauf schließen läßt, daß sie ihm nicht sonderlich wichtig war. Im Abendmahlsstreit trat er wiederum für die luth. Auffassung ein. Im weiteren Verlauf der Auseinandersetzung zeigte er sich schwankend, was ihn den Lutheranern entfremdete. Der theol. Dr.-Hut blieb ihm versagt sowohl in Heidelberg, wo er seine früheren Anschauungen revozierte, als auch in Wittenberg. In Augsburg verleugnete er 1530 vor dem Legaten Campeggio seine Vergangenheit.
1535 nahm er in Nördlingen Abschied und zog erneut nach Heidelberg, jetzt um Jura zu studieren. Der Kurfürst wollte ihn zwar ausweisen lassen, doch durfte er als Jurist bleiben und auch juristische Vorlesungen halten. 1544 wurde er aber doch ausgewiesen und fand in Marburg Zuflucht. Seine Haltung war in kirchl. Diensten vermittelnd, obwohl er den Kurfürsten Ottheinrich öfter beriet. Er trat für alte Bräuche ein, meinte aber sonst, die C. A. in seinem Sinne auslegen zu können. Beachtlichen Einfluß hat der einst vielversprechende und hochbegabte, aber zu ehrgeizige Mann nicht ausgeübt.

ADB 2 (1875), 638f.
NDB 2 (1955), 238.
RE 3 (1897), 232ff.
Chr. Geyer. Nördlingens ev. Kirchenordnungen. München 1896.
F. Zoepfl. Kleine reformationsgesch. Funde (Scholastik 19, 1944, 89).
G. Simon. Humanismus und Konfession. Th. B's

Leben und Werk (AKG 49). Berlin 1980.
H. Chr. Rublack. Eine bürgerliche Reformation: Nördlingen (QFRG 51). Gütersloh 1982.

Ambrosius Blarer

(Ambrosius Blaurer)
(Ambrosius Blorer)

*12. 4. 1492 in Konstanz
†6. 12. 1546 in Winterthur

Er entstammte einem alten Patriziergeschlecht. Bereits 1505 ging er zum Studium nach Tübingen, und seine Angehörigen konnten ihn nicht zurückhalten, im Kloster Alpirsbach, wo er schon seit 1510 besuchsweise geweilt hatte, Profeß zu tun. Hier setzte er seine humanistischen Studien fort und bekleidete im Kloster bald das Amt des Priors. Angeregt durch seinen in Wittenberg studierenden Bruder Thomas, der später Bürgermeister seiner Vaterstadt wurde, begann er 1520 Luthers Schriften und die Bibel zu lesen, predigte auch wohl im Kloster in neuer Weise. Als Prior abgesetzt, verließ er 1522 Alpirsbach und kehrte nach Konstanz zurück, wo er sich in den folgenden Jahren stark zurückhielt, ehe er sich 1525 durch Bitten des Rates bestimmen ließ, öffentlich zu predigen. Mit Zwingli und Ökolampad stand er seit 1523, mit Bucer seit 1528 in Verbindung. In den späteren Jahren wirkte er gelegentlich auch in Memmingen, Ulm und Geislingen mit Geschick und Umsicht für die Ref. Erst recht wurde seine Wirksamkeit von großer Bedeutung, als Hz. Ulrich ihn zur Durchführung der Ref. in sein Land berief. Seine Stellung neben dem schroffen Lutheraner Schnepf war nicht einfach. Doch war ein Zusammengehen aufgrund der Stuttgarter Konkordie ermöglicht. Für die Wittenberger Konkordie vermochte ihn sein Freund Bucer nicht zu gewinnen.

Er reformierte von Tübingen aus das schwäbische Oberland. Es mußten neue Pred. eingesetzt und das Klosterwesen neu geordnet werden. Der Bilderstreit zwischen ihm und Schnepf auf dem »Götzentag« in Urach blieb unentschieden. Die Ref. der Univ. war für ihn eine zu schwere Aufgabe. So wurden Melanchthon, Grynäus und besonders Brenz dazu berufen. Sein Verhältnis zum Hz. wurde auch dadurch gestört, daß er die Unterschrift unter die Schmalkaldischen Artikel verweigerte. Nach vierjähriger Tätigkeit wurde er daher 1538 entlassen. Hauptsächlich stellten sich schwenckfeldisch eingestellte Räte gegen ihn. Ebenso war seine Wirksamkeit in Augsburg eine kurze Episode, die 1539 mit seiner Entlassung endete. Seine Arbeit in Konstanz wurde nur durch gelegentliche Abwesenheit unterbrochen. Besonders bewährte er sich während der Pest, der seine Schwester Margarete, im Krankendienst tätig, 1542 erlag.

Das Interim vertrieb den uneigennützigen, treuen Pred. aus seiner Vaterstadt. Fortan wirkte er in Winterthur und Biel in der Schweiz. Berufungen nach Augsburg und Memmingen wie in die Pfalz lehnte er ab. Schriftstellerisch trat er kaum hervor. Durch seinen umfangreichen Briefwechsel übte er aber starken Einfluß aus. Als entschiedener und aufrichtig frommer Mann hat er in den entscheidenden Jahren der oberdeutschen Reformation gute Dienste geleistet.

ADB 2 (1875), 691 ff.
NDB 2 (1955), 288.
RE 3 (1897), 251 ff.
TRE 6 (1980), 711 ff.
Th. Keim. A. B., der schwäbische Reformator. Tübingen 1860.
Th. Pressel. A. B. Leben und ausgew. Schriften. Elberfeld 1861.
E. Issel. Die Reformation in Konstanz. Konstanz 1898.
B. Moeller. Joh. Zwick und die Reformation in Konstanz (QFRG 28). Gütersloh 1961.
Der Konstanzer Reformator A. B. 1492–1564.

Gedenkschrift zu seinem 400. Todestag, hg. B. Moeller. Konstanz 1964.

Kaspar Bock

(oder Böckel)

(siehe: Kaspar Hedio)

Andreas Bodenstein gen. Karlstadt

*ca. 1480 in Karlstadt a. Main
†24. 12. 1541 in Basel

K. studierte 1499/1503 in der artistischen Fakultät in Erfurt, ging zum Studium der Theologie nach Köln, wo er sich der via antiqua anschloß. 1504 lehrte er Philosophie in Wittenberg und schrieb gegen die Nominalisten. In den folgenden Jahren erwarb er die theologischen Grade und erhielt 1510 das Archidiakonat am Allerheiligenstift, das ihn zu regelmäßigen theologischen Vorlesungen und zum Messehalten verpflichtete. Ohne Erlaubnis des Kurfürsten verließ er Wittenberg und ging 1515 nach Rom, angeblich um ein Gelöbnis einzulösen. Dort studierte er die Rechte und wurde Dr. iur. utr. Nach seiner Rückkehr vertrat er in Wittenberg die augustinische Theologie und veröffentlichte eine lange Thesenreihe, aufgrund der ihm Eck eine Disputation vorschlug. K. willigte ein. Bei der Leipziger Disputation über Gnade und gute Werke zog er den kürzeren. Nun schrieb er drei Schriften gegen Eck. Er vertrat dabei ein geistliches Schriftverständnis und hielt sich an Gedanken der Deutschen Mystik. Einflüsse Luthers wollte er vermeiden. Sein Kampf gegen Einrichtungen und Bräuche der alten Kirche wurde immer radikaler: Er forderte Abschaffung des Zölibats, Aufhebung der Gelübde und der kirchlichen Riten. Während Luther auf der Wartburg war, konnte K. stärkeren Einfluß in Wittenberg gewinnen. Weihnachten 1521 hielt er das Abendmahl sub utraque. Kurz darauf heiratete er. Mit den Zwickauer Propheten hatte er keine Verbindung. Die Obrigkeit schwankte, der Kurfürst war über K's Eigenmächtigkeit aufgebracht und verlangte Wiederherstellung der alten Ordnung. Als K. äußerlich nichts erreichte, widmete er sich der theol. Spekulation. Seine mystischen Gedanken veranlaßten ihn, jede Vermittlung im Verkehr mit Gott auszuschließen und den geistlichen Stand für überflüssig zu erklären. In seinem Pfarramt in Orlamünde führte er seine Reformen durch. Die Universität schickte Luther zur Inspektion hin. Luther traf mit K. in Jena 1524 zusammen. Aus Kursachsen verwiesen, erschien K. in Straßburg, in Basel ließ er seine Abendmahlstraktate drucken, die den Abendmahlsstreit einleiteten. Während er sich in Rothenburg aufhielt, brach der Bauernkrieg aus. K. konnte noch entfliehen. Luthers Schrift »Wider die himmlischen Propheten« traf ihn vernichtend. In seiner verzweifelten Lage bat er Luther, ihm die Rückkehr nach Sachsen zu ermöglichen. Zwei Jahre lebte er dort als Bauer. Dann entfloh er. Über Holstein und Ostfriesland, wo er mit Melchior Hoffman zusammentraf, ging er nach Straßburg und schließlich nach Zürich. Den abgekämpften Mann, der nun auf die Linie der Zürcher Theologie ging, stellte Zwingli als Helfer ein. Von hier wurde er 1534 als Prediger und Professor nach Basel berufen. Es war ihm auch dort kein ruhiges Wirken beschieden. Meinungsverschiedenheiten mit dem Antistes O. Myconius erschwerten seine Lage. Im kirchlichen Leben trat er nur noch einmal hervor, als Bucer nach der Wittenberger Konkordie den Ausgleich mit den Schweizern suchte und die Basler nach Straßburg kamen. Zu Bucers angenehmer Überraschung äußerte sich K. positiv zu dem Vergleich, wie er in Wittenberg 1536 erfolgt war. K's Schaffenskraft war schon dahin. In den 5 Jahren, die ihm noch verblieben waren, konnte er nicht mehr viel leisten. Wie Capito u. a. erlag er 1541 der Pest.

ADB 3 (1876), 8ff.
NDB 2 (1955), 356f.
RE 10 (1901), 73ff.
E. Frey und H. Barge. Verzeichnis der gedruckten Schriften A. B. v. K. Leipzig 1905 (Repr. Nieuwkoop 1965).
C. F. Jäger. A. B. v. K. Stuttgart 1856.
G. Bauch. A. C. als Scholastiker (ZKG 18, 1897, 37ff.).
H. Barge. A. B. v. K. 2 Bde. Leipzig 1905.
K. Müller. Luther und K. Tübingen 1907. – N. Müller. Die Wittenberger Bewegung. ²1911.
K. Bauer. Die Wittenberger Universitäts-Theologie. Tübingen 1928.
E. Kähler. K. und Augustin (Hallische Monogr. 19). Halle 1952.
R. Stupperich. K's Sabbat-Traktat (NZSTh 1, 1959, 349–375).
F. Kriechbaum. Grundzüge der Theologie K's (ThF 43). Hamburg 1967.
R. S. Sider. A. B. v. K. The development of trought 1517–1525 (Studies in medieval and Reformation trought 11). Leiden 1974.
J. S. Preus. C's ordinaciones and Luthers liberty. (Harvard theol. Studies 26). Boston/Mass. 1974.
U. Bubenheimer. Consonantia theologiae et iurisprudentiae. A. B. v. K. als Theologe und Jurist zwischen Scholastik und Reformation. (Ius ecclesiasticum 24). Tübingen 1977.

Hermann Bonnus

(Hermann van Bunnen)

*1504 in Quakenbrück
†12. 2. 1548 in Lübeck

Er soll die Schule in Münster besucht und zu den Füßen des berühmten Murmellius gesessen haben. Bei dem Schüleraustausch zwischen Münster und Treptow war er nach Pommern gezogen und von da 1523 zum Studium nach Wittenberg gegangen. Bald darauf hatte er in Greifswald die Mag.-Würde erlangt. Zusammen mit Aepinus scheint er hier gewirkt zu haben, ehe er die Hofmeisterstelle bei dem holsteinischen Prinzen Johann annahm. 1530 wurde er, der sich als Schulmeister schon durch seine lateinische Grammatik einen Namen gemacht hatte, als Rektor der Lateinschule nach Lübeck berufen. Seit 1531 als Sup. eingesetzt, wirkte er dort bis an sein Lebensende. Die benachbarten Hansestädte bemühten sich, ihn zu gewinnen, doch er blieb in Lübeck. An den Beratungen des Hamburger Konvents am 15. 4. 1535 hat er hervorragenden Anteil. Lübeck beurlaubte seinen Sup. 1543 für ein Jahr, als Osnabrück die Reformation im Fürstentum durchführen wollte. Die von ihm aufgestellte K. O. erhielt die Bestätigung des B. Franz von Waldeck. Er predigte vor dem B. in Iburg und stach den kath. Dompred. Johann von Aachen völlig aus. Die weitere Ausdehnung dieser Tätigkeit auf Münsterisches Gebiet wurde durch das Domkapitel in Münster vereitelt. Einzelne K. O. konnte er aber noch aufstellen. Sein plattdeutscher Katechismus von 1539 behauptete sich im ganzen niederdeutschen Bereich, ebenso seine plattdeutschen Gesänge. Mehrere Gesangbücher wurden von ihm herausgegeben, die auf dem Slyterschen Gesangbuch aufbauten.

Sein Auftreten gegen Wullenwewer hatte ihm in Lübeck zeitweise die Suspension vom Amt eingetragen. Die Geschichte dieser Zeit beschrieb er in seiner »Chronika der Kaiserlichen Stadt Lübeck«. Als Sup. hielt er Vorlesungen, von denen manche erhalten geblieben sind. Selbst als der König von Dänemark ihn für ein hohes kirchl. Amt in Aussicht nahm, lehnte er ab und blieb in Lübeck.

ADB 3 (1876), 133.
NDB 2 (1955), 448f.
RE 3 (1897), 313f.
C. Stüve. Bischof Franz bestätigt die Kirchenverbesserung durch H. B. 1543 (MGO 13, 1886,

227–232).

F. Runge. H. B. Tod und Begräbnis (MGO 16, 1891, 256–264).

B. Spiegel. H. B. Göttingen ²1892.

W. Nelle. Nicolaus Decius, H. B. (Unsere Kl. Dichter, Bd. 21), Hamburg 1903.

F. Flaskamp. H. B. Wiedenbrück 1951.

R. Stupperich. Die Bedeutung der Lateinschule für die Reformation in Westfalen (JVWKG 44, 1951, 102 f.).

W. Schäfer. Effigies pastorum. Osnabrück 1960, 13 f.

R. Stupperich. Zur Gesch. d. Superintendentenamtes in Lüneburg. Briefw. d. Stadt mit Rhegius, B., vom Rode u. Hz. Barnim (JGNKG 65, 1967, 117–141).

E. Sprengler-Ruppenthal. Einl. zu Sehlings Ev. Kirchenord. 7, 2, 1. (1980).

W. D. Hauschild. Kirchengeschichte Lübecks. Lübeck 1981.

Kaspar Borner

*um 1492 in Großenhain
†2. 5. 1547 in Leipzig

Auf der Schule gut vorbereitet, konnte er 1507 die Univ. Leipzig beziehen, wo er sich dem Humanisten Aesticampian anschloß. Als dieser aus Leipzig vertrieben wurde, folgte er ihm nach Italien und später auch über Paris nach Köln. Dort schloß er mit Mosellanus Freundschaft und bestimmte diesen, mit ihm nach Sachsen zu wandern, um in Freiberg an einer von Aesticampian begründeten Schule zu unterrichten. Nach kurzer Zeit schon vertauschten sie Freiberg mit Leipzig. Hier erwarb er nun den Mag. Grad. Nach der Leipziger Disp., die ihn tief beeindruckte, zog er nach Wittenberg, kehrte aber bald zurück, um Lehrer an der Thomasschule anstelle Polianders zu werden. Bis 1539 widmete er seine organisatorische und pädagogische Kraft dieser Schule. Seine Schulbücher erfreuten sich großen Zuspruchs. Als die von Hz. Heinrich eingeführte Ref. ihm den Weg zur Univ. ermöglichte, widmete er dieser alle seine Fähigkeiten. Bei seiner großen organisatorischen Begabung war er der gegebene Mann für die Durchführung der Ref. an der Univ. Als er sogleich zum Rektor gewählt wurde, erreichte er, daß sie auf der Grundlage der Ref. einen neuen Aufbau und durch die Klostergüter eine feste wirtschaftliche Basis erhielt. Hz. Moritz schätzte ihn sehr, aber auch Luther erkannte ihn durchaus an. Sein zweites Rektorat (1541/42) brachte die erhofften Fortschritte. Der Lehrkörper wurde erneuert und die Bibliothek beträchtlich erweitert. Nun gewann er für Leipzig Melanchthons Freund Camerarius. Mit Wittenberg stand er in dauernder Verbindung. Die Wittenberger Univ.-Statuten wurden auch für Leipzig maßgebend. Erst 1541/43 erwarb er die theol. Grade und begann, über Melanchthons Loci zu lesen. Auf theol. Gebiet war er kein Bahnbrecher, dafür aber ein lebenskundiger, vorsichtiger und umsichtiger Mann, der trotz aller Schwierigkeiten die Ref. in Leipzig durchsetzte. Auch mit Schenk wußte er fertig zu werden. Mit unermüdlichem Eifer wirkte er für die Univ., ohne die Früchte seiner Arbeit zu sehen. Nach der Belagerung Leipzigs starb er an Überanstrengung.

NDB 2 (1955), 469 f.

R. Kallmeier, K. B. in seiner Bedeutung für die Ref. und für die Leipziger Univ. (Diss.) Leipzig, 1898.

F. Zarncke, K. B. und die Ref. der Univ. Leipzig. In: »Kleine Schriften«, Bd. 2. 1898, 75–96.

H. Bornkamm, K. B. Die Einführung der Ref. in Leipzig. Leipzig 1939.

Ders., Das Ringen reformatorischer Motive in den Anfängen der sächsischen Kirchenverfassung (ARG 41 [1948], 93 ff.).

H. Helbig. Die Ref. der Univ. (SVRG 171), Leipzig 1953, 52 f.

Johann Brenz

*24. 6. 1499 in Weil
†11. 9. 1570 in Stuttgart

Er war der Sohn des Schultheißen Martin Brenz in der Reichsstadt Weil. Mit 15 Jahren kam er auf die Univ. Heidelberg, wo Oecolampad und Schnepf seine Lehrer waren. Er widmete sich mit Eifer dem Studium der Antike und wurde 1518 Mag. Luthers Auftreten in Heidelberg sollte für ihn eine entscheidende Wendung bedeuten. Nach empfangener Priesterweihe durfte er außer den philologischen auch theol. Vorlesungen halten. Wie Bucer wurde auch er durch Luthers Galater-Komm. von 1519 und Melanchthons Loci 1521 stark beeinflußt. Er kam in den Verdacht, der neuen Lehre anzuhangen. 1522 ging er daher als Pred. nach Schwäbisch-Hall, wo er durch Einführung in die Hl. Schrift den Boden bereitete, um gegen Heiligendienst und Messe aufzutreten. Da seine Predigten Aufsehen erregten, gaben sie Veranlassung zu Reformen im Klosterwesen. Das mutige Auftreten des Pred. rettete die Stadt vor den Schrecken des Bauernkrieges. Wie er den Bauern ihr Mißverständnis des Ev. vorhielt, so den Herren ihre Ungerechtigkeit und ihren Eigennutz. Mit der Reform des Gottesdienstes begann er 1525; zu Weihnachten wurde in Hall das Abendmahl unter beiderlei Gestalt gefeiert. 1526 folgte die K. O., die auch eine Schul- und Kastenordnung enthielt. Brenzens Anteil am Aufblühen des kirchl. Unterrichtswesens ist besonders hervorzuheben. Sein Katechismus von 1527 ist auch in den folgenden Bearbeitungen immer noch bedeutsam geblieben. Aber auch theol. wurde er bald in Württemberg führend. Er trat Oecolampads Abendmahlsauffassung mit dem Syngramma Suevicum 1525 entgegen, das das luth. Verständnis festhielt. Den Straßburger Vermittlungsversuchen widersetzte er sich. Die Wittenberger traten für ihn ein, und Luther schrieb selbst eine Vorrede zum deutschen Syngramma, das J. Agricola übersetzt hatte. Auf dem Marburger Rel.-Gespr. zeigte er sich zurückhaltend, aber fest und erwarb sich die Achtung aller. Markgraf Georg von Brandenburg schätzte ihn sehr, forderte ihn zu Gutachten auf und nahm ihn zum Augsburger Reichstag mit. Seine Briefe aus Augsburg vermitteln ein lebendiges Bild seiner Bestrebungen. Er hielt zu Melanchthon und arbeitete auch im August-Ausschuß mit. Der Stadt Hall legte er nahe, gegen den Abschied von Augsburg zu protestieren und die C. A. anzunehmen. Die Stadt hielt sich jedoch zurück und trat dem Schmalkaldischen Bund nicht bei. Er hielt sich, was das Widerstandsrecht der ev. Stände und das Einschreiten gegen die Schwärmer anlangte, an Luthers Auffassung. Ebenso sprach er der Obrigkeit das ius reformandi zu und trat für das landesherrliche Kirchenregiment ein, das nur durch die Synode eingeschränkt sein sollte. B. gab zahlreiche Komm. zu biblischen Büchern heraus, die Luther mit lobenden Vorreden versah und in denen er namentlich das rechte Verständnis der Rechtfertigungslehre hervorhob. Mit Osiander arbeitete er an der Nürnberg-Brandenburgischen K. O. Auch in Dinkelsbühl nahm er an der Einführung der Ref. Anteil, seit 1534 auch im übrigen Hzt. Württemberg. Der von Schnepf entworfenen K. O. fügte er eine Visitationsordnung bei. Er war es auch, der nach Melanchthons Ratschlägen die Ref. der Univ. Tübingen durchführte. Seit 1537 war er wieder in Hall, abgesehen von den Jahren 1540/41, in denen er an den Rel.-Gespr. teilnahm. In Hall beseitigte er jetzt die Reste des alten Kirchenwesens und arbeitete 1543 eine neue K. O. aus. Lehrgegensätze suchte er wie in Mömpelgard durch Verständigung zu überwinden. Berufungen an die Univ. Tübingen und Leipzig lehnte er ab.

Als Hall im Schmalkaldischen Kriege vom Kaiser besetzt wurde, mußte er fliehen. Das Interim verjagte ihn erneut. Obwohl er

Berufungen nach Königsberg, Magdeburg, Augsburg, Dänemark und England erhielt, blieb er im Lande, von Hz. Ulrich in ein sicheres Versteck gebracht. Als die Nachstellungen nicht aufhörten, ließ ihn der Hz. nach Basel bringen. Hier erhielt er die Nachricht vom Tode seiner Frau und eilte nach Stuttgart, um seine Kinder zu versorgen. 1550 heiratete er die Tochter Isenmanns und nahm seinen Wohnsitz in Urach, bald darauf aber in Stuttgart. Nun arbeitete er mit anderen Theologen an der Confessio Wirtembergica, die am 23. 1. 1552 in Trient übergeben wurde. Im März zog eine zweite Gesandtschaft nach Trient, der er ebenfalls angehörte. Unverrichteter Dinge kehrte sie zurück. Nun wurde B. Stiftspred. in Stuttgart und erhielt damit das höchste Amt der württembergischen K. Als herzoglicher Rat war er an allen kirchlichen Verhandlungen der nächsten Jahre beteiligt: beim Augsburger Religionsfrieden, beim Frankenthaler Gespräch mit den Täufern, beim Wormser Kolloquium von 1557 usw. In der Hauptsache widmete er sich der Organisation der Württembergischen Kirche (neue K. O. von 1559); die Verwaltung wurde neu geordnet, ebenso das Klosterschulwesen, das ihm besonders am Herzen lag.

Die reformatorische Lehre und Ordnung verteidigte er gegen Soto und Hosius auf der einen, gegen Schwenckfeld und Laski auf der anderen Seite. Daß er den osiandrischen Streit für einen Streit um Worte erklärte, wurde ihm verübelt. Er vertrat mit Nachdruck die Lehre von der Ubiquität, von Melanchthon als »Hechinger Latein« verspottet. Das alte Thema des Abendmahlsstreites wurde von ihm auch in der Pfalz verfochten. Seine Christologie, durch den Gedanken der unio personalis charakterisiert, setzte sich in Schwaben durch, wurde aber in Norddeutschland ebenso abgelehnt wie in der Schweiz. Er hatte einen weiten Blick; er sorgte für die Protestanten in Frankreich und Italien ebenso wie für die

Ausbreitung der Ref. im europäischen Südosten. Noch im hohen Alter beriet er die Hz. von Jülich und Braunschweig-Wolfenbüttel bei ihren Reformationsabsichten. Am 31. 8. 1570 nahm er von allen Stuttgarter Geistlichen Abschied, ließ durch seinen Sohn sein Glaubensbekenntnis verlesen und starb bald darauf. Ein aufrechter, tief im Glauben gegründeter Mann und ein typischer schwäbischer Theologe, hat er der württembergischen Kirche sichere Bahnen gewiesen und ihr wesentliche Züge eines milden Luthertums einzuprägen verstanden.

ADB 3 (1876), 314 ff.
NDB 2 (1955), 598 f.
RE 3 (1897), 376 ff.
TRE 7 (1981), 170 ff.
W. Köhler. Bibliographia Brentiana. Berlin 1904.
W. Pressel. Anecdota Brentiana. Tübingen 1868.
J. Hartmann u. K. Jäger. J. B. 2 Bde. Elberfeld 1870/72.
A. Hegler. J. B. und die Reformation in Württemberg. Tüb. 1899.
O. Fricke. Die Christologie d. J. B. München 1927.
H. Hermelink. J. B. als lutherischer und schwäbischer Theologe. Tübingen 1949.
M. Brecht. Das Lebenswerk des schwäbischen Reformators J. B. Tübingen 1949.
M. Brecht. Die frühe Theologie des J. B. (BHTh 36). Tübingen 1966.
H. M. Maurer und K. Ulshöfer. J. B. und die Reformation in Württemberg. Stuttgart 1974.

Johann Brießmann

*31. 12. 1488 in Cottbus
†1. 10. 1549 in Königsberg

Er entstammte einer angesehenen Familie; sein Großvater war zweiter Bürgermeister in seiner Vaterstadt. Sein Studium soll er 1507 in Wittenberg begonnen haben, und bereits 1510 soll er Priester geworden sein. Urkundlich belegt ist aber nur, daß er am

Gallitage 1518 unter dem Rektorat Wimpinas in Frankfurt/Oder immatrikuliert wurde. Um diese Zeit war er bereits Franziskanermönch. 1520 finden wir ihn wieder in Wittenberg. Vermutlich ist es der Geisteskampf dieser Jahre gewesen, der ihn dorthin gezogen hat. Den entscheidenden Anstoß, sich der Ref.-Bewegung zuzuwenden, wird er bei der Leipziger Disp. erhalten haben. Selbst berichtet er, daß er wohl 12 Jahre in dem Schulgezänk gewesen, ehe »es Gott ihn aus der Sophisterei auszuführen behaget hat«. In der aufregenden Zeit, die Wittenberg damals durchlebte, trieb er seine Studien weiter und promovierte zum Lic. und zum Dr. Die Thesen, die er bei dieser Gelegenheit verteidigte, spiegeln seine reform. Erkenntnis wider und sind für seine neugewonnene Haltung bezeichnend. Am 2. 2. 1522 wurde er in Wittenberg in die theol. Fak. aufgenommen.

Als Wittenberg den Franziskanern den Aufenthalt in der Stadt verbot, wandte er sich wieder in seine Heimatstadt. Hier hatte er aber mit seinen Ordensbrüdern schwere Kämpfe auszustehen. Seinen Standpunkt legte er in dem Sendschreiben »Unterricht und Ermahnung« dar, das er in Wittenberg drucken ließ, nachdem ihm Luther Ende 1522 die Rückkehr dorthin ermöglicht hatte. Es war für ihn keine geringe Ehre, daß Luther es ihm überließ, seinen literarischen Gegner, den Franziskaner Schatzgeyr, der ihn wegen der Mönchsgelübde angegriffen hatte, zurückzuweisen.

Als der Hochmeister Albrecht 1523 den ersten ev. Pred. für Königsberg erbat, nannte ihm Luther seinen Freund Brießmann. Ende Juni trat dieser die Reise nach Preußen an und hielt am 27. 9. 1523 die erste ev. Predigt im Dom zu Königsberg, nachdem er zuvor die Kutte abgeworfen hatte. Er erlangte das volle Vertrauen des B. von Polentz und wurde sein nächster Mitarbeiter. Seine Predigten waren geistvoll, ernst und auf das Wesen des Ev., die Rechtfertigung des Sünders vor Gott, gerichtet. Als Anleitung für andere Prediger schrieb er seine »Flosculi de homine interiore et exteriore, fide et operibus«, 110 Thesen, die entscheidende reform. Gedanken enthielten, in Anlehnung an Luthers Traktat von der Freiheit eines Christenmenschen. Als Preußen ein ev. Land wurde, fiel ihm eine große Arbeit zu. Es war seine Aufgabe, die neue Gottesdienstordnung aufzustellen. Dem tatkräftigen Eingreifen des B. von Polentz und seines Mitarbeiters war es zu verdanken, daß in Kürze nicht nur Königsberg, sondern das ganze Land luth. wurde. Er ließ zahlreiche Predigten als Traktate drucken und wirkte auch dadurch stark auf die Gemeinden ein. In Königsberg hielt er Vorlesungen über den Römerbrief, die uns nicht mehr erhalten sind. Wie aber seine Schriften zeigen, war seine stärkste Seite die Seelsorge.

Einen Tag vor Luther trat er mit Elisabeth Sackheim aus Königsberg in die Ehe. Er war der erste verheiratete Pred. in Preußen. Als ihn 1527 die Stadt Riga berief, glaubte er diesen Ruf nicht ausschlagen zu dürfen. Im Oktober 1527 traf er mit seiner Familie in Riga ein und entwickelte dort eine fruchtbare kirchl. Wirksamkeit. Von großer Bedeutung wurde die Herausgabe der »kurzen Ordnung des Kirchendienstes samt einer Vorrede von Ceremonien«, in der er sich an die Königsberger Ordnung teilweise wörtlich anschloß. Der grundsätzliche Teil war hochdeutsch, die Ausführungsbestimmungen waren niederdeutsch geschrieben. Nach vierjähriger Abwesenheit wurde er 1531 nach Königsberg zurückberufen und als Pfr. am Dom eingesetzt. Auch später hat er ehrenvolle Berufungen bekommen. So wollte ihn 1541 Rostock als Prof. und Sup. haben. Diesen Ruf lehnte er jedoch ab. Zum Dank für die ihm erwiesene Ehrung widmete er der Stadt und Gemeinde von Rostock seine »2 Predigten aus dem 4. Kapitel Genesis«. In Preußen setzte er sich energisch gegen die Spiritualisten ein. Als im Jahre 1544 eine neue K. O. nötig wurde, wurde ihre Ausarbeitung wieder ihm übertragen. Mit Luther stand er dauernd im Briefwechsel und hielt sich treu an die Wittenberger Linie. Seine K. O., »Ordnung vom äußerlichen Gottesdienst und Artikel der Ceremonien, wie es in den Kirchen des Herzogtums zu Preußen gehalten wird«, stellt im wesentlichen den Abschluß der Reformation für dieses Territorium dar.

Auch an der Begründung der Univ. Königsberg hatte er tätigen Anteil genommen. Da der B. von Samland zum Kurator der Akademie vorgesehen war, Polentz aber aus Altersgründen die Führung der Geschäfte an ihn abtrat, so hatte er die ersten Gutachten zu erstatten und in der Anfangszeit für die Einrichtung der Univ. zu sorgen. Als Präsident der samländischen Kirchen-Verwaltung hatte er ein so reichliches Maß an Arbeit, daß er nunmehr sein Dompfarramt niederlegte. Für die Leitung des Bt. war der abgearbeitete und überanstrengte Mann nicht mehr geeignet.

Krankheitshalber konnte er auch keine Visitationen mehr durchführen. Im März 1549 gab daher der Hz. ihm selbst den Rat, sein Amt niederzulegen. In diese Jahre fällt der leidige Streit mit Osiander, gegen den er entschieden auftrat. Da es sich in diesem Streit um die Grundartikel des christlichen Glaubens handelte, wollte er die Entscheidung im Lande vollzogen haben, ohne daß Gutachten von auswärts eingeholt wurden. Mit diesem Protest schließt seine öffentliche Wirksamkeit. Er fiel der Pest zum Opfer und wurde im Chor des Königsberger Doms begraben.

ADB 3 (1876), 329 ff.
NDB 2 (1955), 612.
RE 3 (1897), 405.
P. Tschackert. B's Flosculi. Gotha 1887.
B. Tschackert, Urkundenbuch z. Gesch. d. Ref. im Hzt. Preußen, 1. Leipzig 1890.
F. Blanke. Der innere Gang der ostpreußischen KG. Königsberg 1929.
R. Stupperich. J. B's reform. Anfänge (JBrKG 34, 1939, 3–21).
R. Stupperich. Die Reformation im Ordensland Preußen. Ulm 1966.
W. Hubatsch. Geschichte der ev. Kirche Ostpreußens. 1, Göttingen 1968, pass.

Leonhard Brunner

(Fontanus)

*um 1500 in Esslingen
†20. 12. 1558 in Landau

B. war Schüler Jacob Wimpfelings. Als er zu Beginn der 20er Jahre nach Straßburg kam, übernahm er den kirchlichen Dienst an Alt St. Peter als Helfer und wirkte im Sinne der Straßburger Theologie. 1527 wurde er nach Worms geholt. Er war der erste ev. Pfarrer, der vom Rat der Stadt angestellt wurde. Zwanzig Jahre lang versah er diesen Dienst und führte die Reformation durch. Durch das Interim wurde er aus dieser Wirksamkeit vertrieben. Straßburg nahm ihn wieder auf. Zuerst wurde er im Schuldienst beschäftigt; dann wurde der auch organisatorisch begabte Mann als Schaffner des Predigerkollegiums tätig. Als 1550 die Stelle des Diakonus an St. Nikolai frei wurde, wechselte er über. Drei Jahre war er hier wirksam. 1553 wurde der von Worms her in der ganzen Pfalz bekannte Prediger nach Landau berufen, wo er bis zu seinem Tode verblieb.

Weckerling, L. B., der erste ev. Prediger in Worms (1527–1548), 1895.
M. J. Bopp. Die ev. Geistlichen und Theologen in Elsaß und Lothringen. Neustadt/Aisch 1959.

Martin Bucer (Butzer)

*11. 11. 1491 in Schlettstadt
†28. 2. 1551 in Cambridge

B. wuchs in ärmlichen Verhältnissen auf. Er besuchte die Lateinschule und folgte frühzeitig dem humanistischen Ideal. Die Schlettstädter Dominikaner überredeten den 15jährigen, ihrem Orden beizutreten, um bei den Studien zu bleiben, doch B. wurde zunächst enttäuscht, denn statt seiner Klassiker mußte er nun die Ordenstheologie studieren. Erst zehn Jahre später durfte er in den Heidelberger Konvent übersiedeln und die Universität besuchen, eine Zeitlang auch in Mainz, wo er die Priesterweihe erhielt. Die Begegnung mit Luther bei der Heidelberger Disputation (April 1518) gewann ihn für die neue Theologie. Als ihm humanistische Freunde zum Dispens vom Ordensgelübde verhalfen, wurde B. Weltpriester, zunächst beim Pfalzgrafen, dann bei Sickingen. In Oppenheim überbrachte er Luther des kaiserlichen Beichtvaters Glapion Anerbieten, auf der Ebernburg statt in Worms zu verhandeln. Aber Luther lehnte den Vorschlag ab.

Als einer der ersten heiratete B. 1522 Elisabeth Silbereisen, die 12 Jahre Nonne im Kloster Lobenfeld gewesen war. Nach Sickingens Niederlage verließ er sein Amt in Landstuhl, um nach Wittenberg zu gehen. In Weißenburg bat ihn der Stadtpfarrer, als Prediger zu bleiben. B. gewann zwar dort die Gemeinde, wurde aber vom Bischof von Speyer gebannt. Heimlich mußte er die Stadt verlassen und kam nach Straßburg. Dort begann er in Zells Haus die Schrift auszulegen, erhielt die Zuneigung der Bürger und wurde 1524 zum Pfarrer von St. Aurelien gewählt. B.s großes Bemühen galt der Neugestaltung des Gottesdienstes. Im Abendmahlsstreit und in der Auseinandersetzung mit den Schwärmern und Täufern stand er in der vordersten Reihe der oberdeutschen Theologen. Die Verbindung mit Basel und Zürich hatte die Annäherung an Zwingli zur Folge. Auf B.s unaufhörliches Drängen hin wurde vom Rat eine Entscheidung in der Täuferfrage herbeigeführt; um den Gemeindeaufbau besser leiten zu können, wurde das Amt der Kirchspielpfleger eingeführt. Auf der Synode von 1533 wurden die 16 Artikel und »unser augsburgisches Bekenntnis«, die Tetrapolitana, als Lehrgrundlage festgelegt. Durch die kirchlichen Kämpfe war B. zum Organisator des Kirchenwesens geworden; die innerkirchlichen Auseinandersetzungen hatten seine theologischen Ansichten stärker ausprägen lassen. Im Gegensatz zum schwärmerischen Geistprinzip betonte er mit Nachdruck Wort und Sakrament. In seiner Abendmahlsauffassung berührte er sich mit dem jungen Luther. Seine Theologie sollte die Brücke zwischen Wittenberg und den Oberdeutschen schlagen. Seit der Speyerer Protestation widmete er sich unermüdlich dieser Einigungsarbeit. Als B. im Einvernehmen mit den evangelischen Fürsten zu Luther auf die Coburg ritt, erfüllte sich seine Hoffnung, die im Abendmahlsstreit entzweiten Theologen wieder zusammenzubringen. Die theologische und praktische Annäherung wurde ermöglicht. Jahre seines Lebens opferte B. dieser Aufgabe, seine oberdeutschen Freunde mit Luther zu vereinigen, wenn auch Zwingli diesen Bemühungen entgegenstand. B.s wachsender Einfluß in den oberdeutschen Städten und die Wirkung seiner Arbeit sind bei der Gewinnung Württembergs bemerkbar geworden. B.s Beziehungen zum Landgrafen Philipp von Hessen sind dadurch noch fester geworden. Auf dessen Veranlassung kamen B. und Melanchthon Weihnachten 1534 in Kassel zusammen, um über die Verständigungsmöglichkeiten weiter zu verhandeln. In seinen Formulierungen kam B. dem lutherischen Verständnis entgegen. Ein von ihm entworfenes Bekenntnis rückte die Einigung in nahe Sicht. Im Mai 1536 wurde die

Konkordie unter der Beteiligung zahlreicher oberdeutscher Theologen in Wittenberg vollzogen. In den folgenden Jahren bemühte sich B. unaufhörlich um die Gewinnung der Schweizer. Schließlich scheiterten die Verhandlungen an Bullingers Widerstreben. Der volle Erfolg blieb der Konkordie versagt.

Beim Religionsgespräch in Leipzig und bei den bedeutsamen, von der kaiserlichen Politik bestimmten Verhandlungen in Worms und Regensburg 1541 stand B. im Mittelpunkt theologischer Bemühungen um Verständnis und kirchliche Einheit. In Worms zur Abfassung einer neuen Einigungsschrift herangezogen, die unter dem Namen des Regensburger Buches bekannt werden sollte, hat er die von Gropper entworfene Schrift gebilligt. In zahlreichen Berichten und Schriften hat er sich für den Vergleich eingesetzt. Es konnte nicht ausbleiben, daß er darüber in den eigenen Reihen viele Gegner bekam. Aber er hatte auch Freunde gewonnen. Als Erzbischof Hermann von Wied aufgrund des Regensburger Abschieds die Reformation im Erzstift Köln durchführen wollte, berief er im Dezember 1542 B. nach Bonn. Die von B. verfaßte sog. »Kölner Reformation«, an der auch Melanchthon einige Abschnitte geschrieben hat, sollte als Grundlage der Neuordnung dienen. Die politische Lage ließ es zu keinem Erfolg mehr kommen.

Als der Ausgang des Schmalkaldischen Krieges eine neue Situation geschaffen hatte, mußte auch Straßburg sich dem Kaiser unterwerfen. B. wurde 1547 nach Augsburg entsandt, lehnte aber das »Interim« entschieden ab. Karl V. war über B.s Stellungnahme entrüstet und verlangte seine Entfernung. Unter diesem Druck faßte der Straßburger Rat den Beschluß, B. »abzufertigen«. Obwohl er Rufe nach Wittenberg, Kopenhagen und Genf hatte, zog B. um der größeren Wirkungsmöglichkeit willen England vor, wo ihn Erzbischof Cranmer mit hohen Ehren aufnahm. Als königlicher Lektor der Hl. Schrift erhielt B. in Cambridge eine einflußreiche Stellung. Aber auch hier fanden theologische Kämpfe statt. Ebenso wurde B. durch ungewohnte Lebensverhältnisse und durch Krankheit in seiner Arbeit behindert. Trotz aller Fürsorge, die er von Angehörigen und Freunden erfuhr, ist er noch nicht 60jährig in Cambridge gestorben. Die Gegenreformation sah in ihm freilich noch im Tode einen Gegner. Ihm wurde der Ketzerprozeß gemacht, und seine Gebeine und Schriften wurden auf dem Scheiterhaufen verbrannt. Erst im Zeitalter Elisabeths ist sein Ansehen wiederhergestellt worden.

B. hat einen eigenen Typus der reformatorischen Theologie ausgeprägt. Mit Recht hat O. Ritschl von ihm geurteilt: »An theologischer Originalität war er Calvin überlegen, Melanchthon und Zwingli vielleicht ebenbürtig« (DG d. Prot. 3, 125). Der Theologe B. ist unter Luthers Einfluß gewachsen. Luthers Geist ist aus seiner Theologie nicht fortzudenken. Auf der anderen Seite ist er trotz der äußeren Trennung auch mit Erasmus fest verbunden.

Mit dem Vernehmen des Wortes beginnt für B. das Wirken des Hl. Geistes am Menschen, das zur Rechtfertigung vor Gott führt. Der Geist erleuchtet die Menschen, die das Wort hören, und führt sie zueinander. Der Geist weckt in ihnen die Überzeugung und vermittelt ihnen die Gewißheit. Neben Wort und Sakrament ist der Geist konstitutiv für die Kirche. Da B. Gesetz und Evangelium nicht im Gegensatz sieht, macht er für den Kirchenbegriff den atl. Bundesgedanken geltend. Nach seiner Deutung finden sich in der Kirche die Erwählten zusammen, um das Reich Gottes zu verwirklichen.

ADB 3 (1876), 664 ff.
NDB 2 (1955), 695 ff.
RE 3 (1897), 603 ff.
TRE 7 (1981), 258 ff.
Bibliographia Bucerana ed. R. Stupperich

(SVRG 169), 1952, zählt außer sämtlichen Schriften B.s die veröffentlichten Briefe und die Literatur auf. Fortsetzung (1952–76) in: B. und seine Zeit, Wiesbaden 1976, 135–169.

J. W. Baum. Capito und Butzer, Elberfeld 1860.
A. Lang, Der Evv.-Kommentar M. B.s u. d. Grundzüge seiner Theologie, Leipzig 1900.
G. Anrich. M. B. Straßburg 1914.
J. Adam, Ev. Kg. d. Stadt Straßburg, Straßburg 1922.
W. Köhler. Zwingli u. Luther. 2 Bde., Leipzig/Gütersloh 1924/53.
H. Eells, M. B., New Haven 1931.
C. Hopf, M. B. and the english reformation, Oxford 1946.

Georg Buchholzer

*1503 in Dahme
†31. 5. 1566 in Berlin

Aus dem kurmärkischen Dahme gebürtig, wo sein Vater Andreas B. Ratsherr war, studierte er 1524 (?)–1526 in Wittenberg. Damals schrieb er zahlreiche Predigten Luthers nach, die er erst 1552 veröffentlichte (vgl. WA 17, I, S. 12–29). 1526 wurde er Pfarrer in Hohen Buckow bei Dahme, 1527 in Schöna bei Schlieben, äußerlich dem alten Wesen zugetan. In diesen Jahren stand er jedoch in eifrigem Briefwechsel mit seinem Studienfreund Stephan Roth in Zwickau. 1537 war er in Arnswalde tätig und wurde von dort 1539 als Propst nach Berlin berufen. Hier sollte er 26 Jahre bleiben. In die Zeit der Einführung der Kurmärkischen K. O. 1540 fällt sein bekannter Briefwechsel mit Luther und Melanchthon. Wie er an der Abfassung der K. O. mitgewirkt hatte, so nahm er auch an der 1. Brandenburgischen Kirchenvisitation teil. Während die Kurfürstin Elisabeth ihn schätzte und ihn nach 1545 an ihren Hof nach Spandau berief, nahm Joachim II. an seiner Auffassung Anstoß. Als Brandenburg auf die streng-lutherische Linie ging, wurde B. als Haupt der Philippisten seines Amtes entsetzt (1565).

ADB 3 (1876), 482 f.
NDB 2 (1955), 702.
H. Gebauer. Einf. d. Reformation in Brandenburg (FBPG 13, 2), 1900, 122.
P. Steinmüller. Das Glaubensbekenntnis Joachims II. von 1563 und seine Auseinandersetzung mit Propst G. B. (FBPG 17), 1904.
N. Müller. JBrKG 4, 1907, 239; 5, 1908, 147 ff.
G. Kawerau ebd. 10, 1913, 47–77 und 386–390.
O. Clemen ebd. 18, 1920, 1–19.
W. Gericke. Glaubenszeugnisse u. Konfessionspolitik der Brandenb. Herrscher (Unio und Confessio 6). Bielefeld 1977, 110 ff.

Theodor Buchmann

(siehe: Theodor Bibliander)

Paul Büchlein

(siehe: Paul Fagius)

Johann Bugenhagen

*24. 6. 1485 in Wollin
†20. 4. 1558 in Wittenberg

Als Sohn des Ratsherrn Gerhard Bugenhagen genoß er eine gute Erziehung und konnte bereits mit 16 Jahren die Univ. Greifswald beziehen. Hier kam er mit dem Humanismus in Berührung, der ihn in seiner Entwicklung tief beeindruckte. Schon 1504 wurde er an die Stadtschule in Treptow an der Rega berufen und übte auf die Bürger und auf die Mönche des benachbarten Prämonstratenser-Klosters Belbuk starken Einfluß aus. In diesen Jahren stand er mit dem Humanisten Murmellius in Münster in Verbindung, der ihn auf Eras-

49

mus hinwies. Unter diesem Einfluß begann auch er an kirchl. Mißständen Kritik zu üben. Im Auftrage des Abtes von Belbuk legte er seit 1517 den Mönchen die Hl. Schrift und die K. Väter aus. Bald erreichten jedoch auch ihn Luthers Schriften. Der Traktat »Von der babylonischen Gefangenschaft«, der ihn zuerst erschreckte, brachte für ihn die Entscheidung. Er schrieb an Luther und erhielt freundliche Antwort. Im Frühjahr 1521 reiste er selbst nach Wittenberg, wo ihn Luther und Melanchthon in ihre Gemeinschaft zogen. Zuerst vor einem engeren Kreis, dann auch öffentlich legte er die Psalmen, Jesaja, Hiob und einige Paulinische Briefe aus. 1524 veröffentlichte er seine Psalmenauslegung, der Luther u. a. großes Lob spendeten. Luther war überhaupt von seiner Tätigkeit so angetan, daß er ihn als »den ersten Prof. in urbe et orbe nächst Philippus« bezeichnete. Aber auch in der Stadt war er durch seine Vorlesungen bekannt und beliebt geworden, so daß ihn Rat und Gemeinde 1523 zum Stadtpfr. wählten. Er predigte gern und ausgiebig; seine Predigten waren in Wittenberg durch ihre Länge bekannt. In theol. Hinsicht war Bugenhagen ein treuer Anhänger Luthers. Er blieb auch Luthers Beichtvater und Freund. Sein Name war bald so weit bekannt, daß er aus Hamburg und Danzig ehrenvolle Berufungen erhielt. 1522 trat er in den Ehestand. Als Luther 3 Jahre später denselben Schritt tat, rechtfertigte Bugenhagen seine Entscheidung in einer umfangreichen Schrift über die Ehe der Bischöfe und Diakone. Seine Treue in der Seelsorge wurde ihm oft nachgerühmt. An Luthers praktisch-theol. Arbeiten nahm er immer tätigen Anteil, so an der Bibelübersetzung und bei der Gestaltung des Katechismus. In Luthers Abwesenheit hat er ihn auch oft vertreten.

Kraft seiner praktischen und pädagogischen Begabung konnte er für Kirche und Schule viel leisten. Auswärtige Gemeinden baten ihn daher häufig, zur Durchführung der Ref. zu ihnen zu kommen. Die Wittenberger Gemeinde lieh dann ihren Pfr. oft für längere Zeit aus, während Luther für ihn einspringen mußte, so vor allem in den Jahren 1528/31, als B. in den Hansestädten Braunschweig, Hamburg und Lübeck weilte und 1537/38, als er die Ref. in Dänemark durchführte. Nach der Visitation in Pommern 1534/35 hätte er in Kammin, einige Jahre darauf in Schleswig Bischof werden können. Aber er zog seine Stellung in Wittenberg diesen Ämtern vor. Dank seiner praktischen Arbeit hatte er nähere Beziehungen zum Volk als Luther. Der erfahrene Pädagoge erwies sich als großer kirchl. Organisator. In der Geschichte der deutschen Ref. steht er als Organisator des niederdeutschen Kirchen- und Schulwesens da. Freilich ist seine Leistung nicht allein darin zu sehen. So sehr er diese Aufgabe würdigte und jedem an ihn ergehenden Ruf zur Durchführung der Ref. Folge leistete, wußte er auch von der Notwendigkeit der theol. Fundierung jeder kirchl. Arbeit. Es ist ein großer Mangel, daß seine zahlreichen Schriften und Traktate noch immer nicht gesammelt vorliegen. Auch seine verstreuten Vorreden zu den Schriften anderer Verfasser und seine Übersetzungen sind nicht ohne Bedeutung. Dieser »Reformator des Nordens«, wie man ihn wohl genannt hat, besaß einen guten Blick und ein feines Verständnis für theol. Aktualität. Der beginnende Sakramentsstreit rückte ihn in die erste Reihe der Wittenberger Theologen. Seitdem war er stets auf die Reinheit der Lehre bedacht aus der Verantwortung dem Worte Gottes gegenüber. Auch in polemischer Weise mußte er zuweilen tätig werden. So widerstand er in Flensburg dem Schwärmer Melchior Hoffman, und in Lübeck schrieb er 1532 »Wider die Kelchdiebe«.

Bugenhagen ist eine der stärksten Potenzen der Wittenberger Richtung gewesen, und durch seine praktische Arbeit hat er zum Ruhme Wittenbergs beigetragen. Vor allem sorgte er für die Vereinheitlichung der norddeutschen Gottesdienstordnung. Bei allen Reformen zeigte er einen starken konservativen Sinn. Man hat zwar in ihm zuweilen nur »schwerfällige Biederkeit« gesehen und seine reform. Bedeutung häufig verkannt; Luther aber hielt immer zu ihm. Daher war es selbstverständlich, daß Bugenhagen ihm am 22. 2. 1546 die Trauerrede in Wittenberg hielt.

In den Stürmen des Schmalkaldischen Krieges harrte er in Wittenberg aus und nahm, sobald es ihm möglich war, seine Tätigkeit an der Univ. wieder auf. Hatte ihn schon das Alter gezeichnet, so suchte er doch unermüdlich zu wirken.

Johann Friedrich und viele andere verübelten es ihm freilich schwer, daß er sich mit den neuen Verhältnissen schnell abfand, und entzogen ihm ihr Vertrauen. Die theol. Kämpfe der 50er Jahre ließen sein Ansehen immer mehr verblassen. Als Rechtfertigungsschrift ließ er 1550 seine Vorlesungen über den Propheten Jona erscheinen. Nach seinen konservativen Neigungen hätte er mehr auf die Seite der bekenntnisfreudigen Magdeburger gehört als der vermittelnden Philippisten, doch besaß er nicht mehr die Kraft, sich vom Geiste Wittenbergs zu lösen. Im Kriegsjahr 1556 richtete er noch eine »Vermahnung an alle Pastoren«, in der er auf das nahende Weltgericht hinwies. Damit war seine schriftstellerische Tätigkeit abgeschlossen. Mit 73 Jahren schloß der einst tatkräftige und unermüdliche Dr. Pommer seine Augen. Melanchthon hielt ihm die Trauerrede.

ADB 3 (1876), 504 ff.
NDB 3 (1957), 9
RE 3 (1897), 525 ff.
TRE 7 (1981), 354 ff.
G. Geisenhof. Bibliotheca Bugenhagiana. Leipzig 1908 (Neudruck: Nieuwkoop 1963).
O. Vogt. B's Briefwechsel. Stettin 1888 (Neudruck 1966).
Sehling. Ev. Kirchenordnungen des 16. Jhs. Bd. 3 u. 6. Leipzig/Tübingen 1909 bzw. 1955.
M. Meurer. J. B's Leben (Leben d. Altväter d. luth. Kirche 2, 2). Leipzig 1862.
K. A. T. Vogt. J. B. (Leben u. Schriften d. Väter d. Luth. Kirche). Elberf. 1867.
H. Hering. Doktor Pomeranus J. B. (SVRG 22), Halle 1888.
W. Leege. B. als Liturgiker. Diss. Königsberg 1925.
H. W. Beyer. J. B. Berlin (1935), ²1947.
E. Wolf. J. B. Gemeinde und Amt. Wittenberg 1935, S. 10–30.
H. Eger. B's Weg zu Luther (Mitt. Ges. f. pomm. Gesch. u. Altertk. 49), 1935.
A. Uckeley. B's Tätigkeit in Pommern 1534/35. Ebd.
H. Heyden. KG Pommerns. 1, Köln 1957, pass.
J. B. Beitr. z. s. 400. Todestag. Hsg. v. W. Rautenberg. Berlin 1958.
B.-Heft d. Zs. »Luther« m. Beitr. v. Jensen, Kruse, Stupperich. Hamburg 1958.
W. Nagel. Das liturg. Werk J. B's (Festschr. f. O. Söhngen). Witten 1960, 25–35.
R. Stupperich. J. B. u. d. Ordnung der Kirche im norddeutschen Raum (Kirche im Osten 3, 1960, 116–129).
R. Stupperich. B. und Westfalen (Zs. Westfalen 42, 1964, 378–393).
H. Heyden. Protokolle d. Pomm. Kirchenvisitationen 1–3. Köln 1961/63.
J. H. Bergsma. Die Reformation der Meßliturgie durch J. B. Kevelaer 1966.
H. H. Holfelder. Tentatio et consolatio. Studien zu B's Interpretatio in librum Psalmorum (AKG 45). Berlin 1974.
Die Reformation in der Stadt Braunschweig. Festschrift. Braunschweig 1978.
H. H. Holfelder. Solus Christus. Die Ausbildung von B's Rechtfertigungslehre (1524/25). Tübingen 1981.

Heinrich Bullinger

*18. 7. 1504 in Bremgarten
†17. 9. 1575 in Zürich

B. ist als Priestersohn aufgewachsen. Sein Vater schickte den Zwölfjährigen auf die berühmte Schule der Brüder vom gemeinsamen Leben in Emmerich/Niederrhein.

Die Erziehung bei den Brüdern hat ihm gutgetan; er lernte Ordnung, Arbeitslust und Klarheit im Denken. Von 1519–22 studierte er in Köln Theologie und beschäftigte sich mit Schriften der Kirchenväter. Wichtiger war noch die Lektüre der Bibel und der Loci communes Melanchthons. Als Magister kehrte B. in die Heimat zurück und übernahm die Leitung der Schule im Kloster Kappel. Bei der Durchführung der Reformation wurde Kloster Kappel dem Zürcher Rat unterstellt. B. wurde dort Prediger. 1528 begleitete er Zwingli zur Berner Disputation und bemühte sich vergeblich um den Frieden. Nach der Schlacht bei Kappel lag die Hand der Sieger schwer auf Bremgarten. B. mußte seine Vaterstadt verlassen und zog mit seiner Familie nach Zürich. Am 9. 12. 1531 wurde er als Zwinglis Nachfolger zum Pfarrer am Großmünster gewählt. Der Rat bestimmte, daß die Prediger sich auf der Kanzel nicht mit politischen Fragen befassen dürften. B. nahm aber die Wahl erst an, als ihm die Freiheit zugesichert wurde, sich offen zu äußern. In Zürich war er seitdem unermüdlich im Predigen, in der Fürsorge für die Schule und der Fortbildung der Prediger. Selbst unterstützte er sie, wo er nur konnte, nahm Flüchtlinge auf und führte einen gewaltigen Briefwechsel. B. wollte das Werk Zwinglis sichern. In der Abendmahlsauffassung ging er freilich über Zwingli hinaus; er betonte das Mysterium und die unio spiritualis. Dennoch verhinderte er die Annahme der Wittenberger Konkordie in der Schweiz. Auf seinen Einfluß hin näherte sich Zürich an Genf, bis es zu dem von ihm und Calvin in der Stille vorbereiteten Consensus Tigurinus (1549) kam. Im Laufe seines langen Amtslebens hatte B. in entscheidenden theologischen Fragen Einfluß genommen. Seine Prädestinationsauffassung legte er in der Confessio Helvetica posterior fest, die 1562 von allen schweizer Gemeinden angenommen wurde. Auch in bezug auf praktisch-theologische Fragen ist seine Stimme von maßgebender Bedeutung geworden. Sein organisatorisches Talent sicherte der Kirche in der Schweiz eine ruhige Entwicklung.

ADB 3 (1876), 513ff.
NDB 3 (1957), 12f.
RE 3 (1897), 536; 23, 286 (1913).
TRE 7 (1981), 375ff.
F. Blanke. Der junge B. Zürich 1942.
K. Pestalozzi. H. B. Leben und ausgew. Schriften. Elberfeld 1858.
H. Fast. H. B. und die Täufer. Weierhof 1959.
J. Staedtke. Die Theologie des jungen B. Zürich 1959.
E. Koch. Confessio Helvetica Posterior. Neukirchen 1968.
S. Hausammann. Römerbriefauslegungen zwischen Humanismus und Reformation. Zürich 1970.
H. Büsser. Einl. zu den Werken H. B's. Zürich 1972.
J. Staedtke. Beschreibendes Verzeichnis der gedruckten Werke von H. B. Zürich 1972.
H. B. 1504–1575. Gesammelte Aufsätze zum 400. Todestag. Zürich 1975.
E. Herkenrath. Beschreibendes Verzeichnis der Literatur über H. B. Zürich 1977.

Hermann von Bunnen
(siehe: Hermann Bonnus)

Georg Burckhardt
(siehe: Georg Spalatin)

Benedikt Burgauer

*1. 8. 1494 in Marbach
†10. 1. 1576 od. 77 in Isny

Der gebürtige Schwabe studierte auf der Universität Krakau und wurde 1519/20 zum Gemeindepfarrer in St. Gallen berufen. Als Humanist hatte er Beziehungen zu Vadian, von dem er sich bestimmen ließ und dem er bei der Einführung der Reformation half. Auch die Zürcher Reformation ging nicht spurlos an ihm vorüber. Als Vertreter St. Gallens wohnte er den Disputationen in Baden 1526 und in Bern 1528 bei. In diesem Jahr 1528 schrieb er noch an Erasmus von Rotterdam, richtete sich aber, als er in ein Pfarramt in Schaffhausen überging und dort heiratete, stärker nach Luthers Auffassung aus. Bei den Vorgesprächen zur Wittenberger Konkordie galt er als Lutheraner. Die Auseinandersetzungen mit seinem Mitpfarrer, dem Zwinglianer Erasmus Ritter, hatten zur Folge, daß er Schaffhausen verließ und sich nach Württemberg begab, zuerst nach Tuttlingen, dann 1541 nach Lindau. Bereits 1545 wurde er als »unruhiger Geist« bezeichnet und entlassen. B. ging nun nach Isny, wo er noch 30 Jahre lang wirken konnte.

P. S. Allen. Opus epistolarum Des. Erasmi Roterodami 7. Oxford (1928), 526.
J. Wimpf. Reformationsgeschichte der Stadt Schaffhausen, Zürich/Leipzig 1929.
W. Köhler. Zwingli und Luther. 2, Gütersloh 1953 pass.

Adrian Buxschott

*?
†1561

Augustiner in Antwerpen unter den Prioren Jacob Propst und Heinrich Moller aus Zütphen. Als Adrianus de Antwerpen wurde er 1516 in Wittenberg immatrikuliert. Am 17. 3. 1517 wurde er Baccalaureus und am 11. 2. 1518 Magister. Dann ging er in seine Heimat zurück. Im Herbst 1522 wurde er nach den durch das Wormser Edikt hervorgerufenen Unruhen gefangengenommen, konnte aber während des Aufstandes entfliehen. Alle übrigen Mönche, soweit sie nicht Antwerpener Bürger waren, wurden verhaftet. Wie andere Holländer ging er nun nach Bremen.
Auf Antrag des Grafen Jobst II. von Hoya sandte Luther B. (1525) nach Nienburg. Dort verfaßte er die K. O. für die Grafschaft Hoya. Aufgrund dieser Erfahrungen erschien er geeignet, die entsprechende Arbeit für die Grafschaft Lippe zu leisten, wo Graf Jobst während der Minderjährigkeit Bernhards zur Lippe die Mitregentschaft führte. Zusammen mit Johann Timann in Bremen unterzog er sich dieser Arbeit. Diese K. O. wurde 1538 nach Wittenberg geschickt und von Melanchthon begutachtet. Als Prediger wirkte Buxschott in Nienburg und Drakenburg. Wegen seiner holländischen Aussprache wurde er oft nicht verstanden, galt aber als eindrücklicher und wirksamer Prediger.

P. Tschackert. Entstehung der luth. u. reform. Kirchenlehre. Göttingen 1910.
R. Stupperich. Melanchthoniana inedita III. (ARG 63, 1961, 91 f.).
A. Schröer. Die Reformation in Westfalen. Münster 1979, 84 ff.

Michael Caelius (Coelius)

*7. 9. 1492 in Döbeln
†13. 12. 1559 in Mansfeld

Nach dem Studium in Leipzig wurde C. 1512 Lehrer und Rektor der Lateinschule in seiner Heimatstadt und 1518 Pfarrer in Grimma und Rochlitz. Nach der Leipziger Disputation studierte er erneut in Wittenberg und ging als Pfarrer nach Pensau in

Böhmen. Als er von dort vertrieben wurde, empfahl ihn Luther seinem Landesherrn. C. wurde Schloßprediger in Mansfeld und blieb in diesem Amt bis 1548. Wie er 1530 Luthers Vater beigestanden, so war er auch als gräflicher Hofprediger Zeuge von Luthers Sterben in Eisleben. Dort hielt er ihm auch die Leichenpredigt. Luthers letzte Stunden beschrieb er zusammen mit Justus Jonas. 1548 wurde er Stadtpfarrer in Mansfeld. C. war ein milder und friedliebender Mann. Nur mit Georg Witzel geriet er 1534 aneinander. Es ging um Abendmahl, Buße und gute Werke. Er verfaßte auch eine Streitschrift »Neuer Irthum und Schwärmerei samt etlichen Lügen, so Georg Witzel gepredigt auf dem Schloß Mansfeld zur ersten Messe. 1534«. Gegen das Interim und gegen jede Abweichung von Luthers Lehre war er gefeit. Zuletzt wirkte er zusammen mit Sarcerius. Cyriacus Spangenberg gab seine Schriften mit einer Vorrede heraus.

ADB 3 (1876), 680.
M. Krumhaar. Die Grafschaft Mansfeld im Reformationszeitalter. Eisleben 1855.
J. Köstlin – Kawerau. M. Luther. Sein Leben und seine Schriften. 2, [1903, 621 ff.

Johannes Calvin

*10. 7. 1509 in Noyon (Picardie)
†27. 3. 1564 in Genf

Sein Vater, der bischöfliche Kapitelsekretär Gérard Cauvin, war ein streng rechtlich denkender Mann, der sich nicht scheute, auch mit der Kirche in Gegensatz zu geraten. Die Mutter, die frühzeitig starb, nahm auf seine religiöse Erziehung bes. Einfluß. Er genoß mit den Söhnen der adligen Familie de Montmor guten Unterricht und ging 1523 mit ihnen nach Paris. Für das Studium boten zwei vom Vater ihm verschaffte Pfründen die Mittel. Nach seinen humanistischen Studien in Paris bezog er die Rechtsschulen in Orléans und Bourges. Nach dem Tode seines Vaters (1531) ging er wieder nach Paris und trieb seine humanistischen Studien weiter. Als ihren Ertrag veröffentlichte er seine erste Schrift, einen Kommentar zu Senecas Traktat »De clementia«. Dieser zeigt zwar, daß der Verfasser sich auch mit theol. Fragen beschäftigt hat, aber von eigentlicher Hinkehr zur Ref. ist ihm nichts anzumerken. Der entscheidende Umschwung in seinem Leben scheint wohl im Sommer 1533 sich vollzogen zu haben. Über den Vorgang der subita conversio ist nichts bekannt. Widerstrebend, sagt er, habe er sich der neuen Lehre zugewandt, doch um so entschiedener. Seine Pfründen gab er 1534 auf. Als sein Vetter Olevitanus um seiner ev. Gesinnung willen aus Frankreich flüchtete und 1535 in Neuenburg die erste französische Bibelübersetzung herausgab, schrieb er die Vorrede dazu. Er nahm auch Beziehungen zu Bucer auf. Ob er der Verfasser der vom Rektor der Univ., Cop, gehaltenen Rede ist, die scharfe Angriffe gegen die Kirchenlehre enthielt, ist umstritten. In Noyon war er längere Zeit in Haft. Nach seiner Entlassung führte er ein Wanderleben, das ihn durch ganz Frankreich führte. Die Verfolgung der Evangelischen von 1535 zwang ihn, mit seinem Freunde du Tillet nach Straßburg und dann nach Basel zu gehen, um dort seine Institutio religionis christianae im März 1536 herauszugeben, die er Franz I. zuschrieb. Luther scheint er reichlich gelesen und seine Gedanken in sich aufgenommen zu haben; trotzdem ist diesem Werk seine Selbständigkeit schon anzumerken. Im selben Jahre reiste er nach Ferrara an den Hof der Herzogin Renate. Auf der Durchreise in Genf hielt ihn Farel fest und beschwor ihn, dort der Gemeinde zu dienen.

Als Gehilfe Farels begann er in Genf biblische Vorträge zu halten. Hier entwarf er für die praktische Arbeit einen Katechismus und ein Glaubensbekenntnis, das 1537 gedruckt und von den Bürgern beschworen wurde.

Sein Einfluß in Genf stieg. Aber es fehlte auch nicht an Gegensatz. Um seinen Zusammenhang mit der ref. Kirche zu betonen, sandte er die lateinische Übersetzung seines Katechismus und seines Glaubensbekenntnisses nach Straßburg und Basel. Er begnügte sich nicht mit der Predigt, sondern verlangte Anerkennung der christlichen Lehre auch in der bürgerlichen Gemeinde. Beim Versuch, eine kirchl. Gesetzgebung einzuführen, stieß er mit der Bürgerschaft zusammen. Im Rat wuchs der Gegensatz, die kirchl. Neuerungen wurden auch von Bern mißbilligt. Als er und Farel sich der Forderung des Rates, das Abendmahl mit ungesäuertem Brot auszuteilen, widersetzten, wurden sie abgesetzt und mußten die Stadt verlassen.

Jetzt ging er auf Bucers Einladung nach Straßburg, wo er sich der französischen Flüchtlingsgemeinde annahm. Hier arbeitete er 1539 seine Institutio um und erweiterte sie zu einem dogmatischen Lehrbuch. Die Auseinandersetzung mit dem Täufertum nahm er auf breiter Basis auf. Auch die Abendmahlsauffassung wird von ihm präzisiert. In Straßburg hatte er Gelegenheit, mit der deutschen Reformation in nähere Beziehung zu treten. Die Stadt sandte ihn zu den Rel.-Gespr. nach Worms und Regensburg, wo er in Verbindung zu Melanchthon trat und die C. A. unterschrieb. In dieser Zeit rief ihn Genf zurück. Er schwankte, ob er den Ruf annehmen sollte; erst auf wiederholtes Drängen entschloß er sich dazu und wurde in Genf am 13. 9. 1541 mit hohen Ehren empfangen.

Nun ging er an die Aufrichtung der theokratischen Kirchenverfassung. Mit großer Entschiedenheit und oft drakonischer Härte, aber auch mit großem Glaubensmut und Opfersinn setzte er seine Pläne durch. Seine an das AT anknüpfende Auffassung gipfelte in der Verfolgung der Gegner. Seine Auffassung setzte er mit Gottes Willen gleich. Seine Bedingung an die Stadt war die Einführung seiner Ordonnances ecclesiastiques.

Die Gottesdienstformen schlossen sich an die Straßburger an. Wie er manches aus der Straßburger Theologie übernahm, so auch aus ihrer Liturgie. Die kirchl. Gesetzgebung dagegen war eine Eigentümlichkeit der ganzen Kirche, obgleich er auch hier auf Straßburger kirchl. Bräuche zurückgreifen konnte. Lehre und Zucht gehören nach ihm zusammen. Die Leitung der Kirche üben bei ihm die Pred. in Verbindung mit gewählten Gemeindegliedern aus. Ihrer Aufsicht stand jedes Haus offen. Sein Ernst forderte strenge Sittenordnung und entsprechende Strafen für kirchl. Vergehen. Staatliche Strafmittel wurden im Interesse der Kirche angewandt, sogar die Folter in Bewegung gesetzt. Die Empörung konnte daher nicht ausbleiben. Die Erbitterung gegen sein Regiment erreichte 1547 ihren Höhepunkt; der Kampf der Parteien ist nur mit Mühe verhindert worden. Die zahlreichen Flüchtlinge vermehrten seinen Anhang, während die Gegenpartei durch Verhängung der Todesstrafe ihrer Häupter beraubt wurde. Durch Gewalt und Härte war sein Regiment in seinen 10 letzten Lebensjahren gesichert. Freilich war der positive Aufbau das Entscheidende. Von großer Wichtigkeit wurde seine Vereinbarung mit Bullinger, der »Consensus Tigurinus« von 1549, mit dem er sich allerdings von den Lutheranern entfernte. Westphal griff ihn deshalb an. Je einheitlicher und bestimmender seine Lehre wirkte, um so stärker kam der Gegensatz zu Andersmeinenden zum Ausdruck. Die Verbannung von Castellio und Bolsec, vor allem aber auch das Einschreiten gegen Servet, haben seine unversöhnliche Einseitigkeit deutlich gemacht. In der Polemik ist er immer scharf und von beißendem Spott. Seinem Ansehen hat dieses Verhalten bei seinen Zeitgenossen nicht geschadet. Seine große Kraft wurde auch in seinem Einfluß auf auswär-

tige Kirchen wahrgenommen. Sein Briefwechsel erstreckte sich über ganz Europa
und bewirkte, daß seine Anschauungen
auch in entlegenen Gebieten aufgenommen wurden. In England und Schottland,
Ungarn und Polen hatte er seine Schüler,
die sein Werk betrieben, wie sie es in Genf
gelernt hatten. Die 1559 gegründete Genfer Akademie hat dafür die größte Bedeutung gehabt. Den theol. Unterricht erteilte
er meist selbst. Seine Arbeitskraft war un-
geheuer, aber sie hatte sich auch frühzeitig
verzehrt.

RE 3 (1897), 654 ff.
TRE 7 (1981), 568 ff.
E. Doumergue. J. C. Les hommes et les chauses
de son temps. Lausanne 7 vol. 1899/1927.
A. Erichson. Bibliographia Calviniana. Berlin
1900 (Neudruck Nieuwkoop 1960).
W. Niesel. Calvin – Bibliographie 1901–1959.
München 1961.
E. Stähelin. J. C. Elberfeld 1863.
W. F. Dankbaar. J. C. (1956), dt. Übers. Göttin-
gen 1959.
F. Wendel. J. C. (1950), dt. Übers. Neukirchen
1968.
K. Reuter. Grundverständnis der Theologie C,s.
Neukirchen 1963.
H. Stadtland – Neumann. Ev. Radikalismen in
der Sicht C's. Neukirchen 1966.
T. Stadtland. Rechtfertigung und Heiligung bei
C. Neukirchen 1972.
D. Kempff. A Bibliographie of Calviniana
1959–1974. Potchelstroom 1975.
T. H. L. Parker. J. C. A bibliographie. London
1975.
K. Reuter. Vom Scholaren bis zum jungen Re-
formator. Neukirchen 1981.

Wolfgang Fabricius Capito

(Wolfgang Fabricius Köpfel)

*1478 in Hagenau
†4. Nov. 1540 in Straßburg

Er besuchte die bekannte Lateinschule in
Pforzheim und studierte dann in Ingolstadt
und Freiburg. Während er in Ingolstadt
Mag. geworden war, promovierte er in
Freiburg 1498 zum Dr. der Medizin und der
Jurisprudenz. Nachdem er durch den Tod
seines Vaters, des Schmiedemeisters Johannes Köpfel, in den Besitz eines großen
Vermögens gelangt war, widmete er sich
seinen wissenschaftlichen Neigungen. 1512
berief ihn der B. von Speyer, nachdem er
auch in der Theol. sich als akademischer
Lehrer betätigt hatte, als Stiftspred. nach
Bruchsal. Nach 3 Jahren ging er als Dom-
pred. nach Basel und verkehrte hier viel
mit den Humanisten, vor allem mit Erasmus. Seine eigenen Studien setzte er fort
und gab einen hebr. Psalter und eine hebr.
Sprachlehre heraus. Seit 1518 trat er in
Briefwechsel mit Luther und setzte in amt-
licher Eigenschaft diesen Verkehr fort, als
er 1519 in die Dienste des Eb. Albrecht von
Mainz trat. Der kurfürstliche Rat hatte vergeblich den Ausgleich mit Luther von humanistischen Voraussetzungen aus versucht. Zweimal war er in Wittenberg, denn
ihn bedrängte das Anliegen Luthers immer
mehr. In Worms trat er schon für Luther
ein, 1523 ging er nach Straßburg, um seine
Propstei am Thomasstift zu übernehmen.
Hier setzte er sich, wenn auch maßvoll, für
die Ref. ein und trug nicht wesentlich zu ihrem Siege bei. Zell, Bucer und Hedio halfen ihm getreulich. Er wagte es 1524, wie
seine Freunde, zu heiraten. Neben Bucer
gehörte er fraglos zu den Führern der Reformation und genoß dort das höchste Ansehen, obwohl er gelegentlich der Auseinandersetzung mit den Täufern sich oft zu
nachgiebig zeigte und erst nach 1534 eine
festere Haltung einnahm. An wichtigen
praktisch-theol. Arbeiten, wie dem Kate-

chismus und der Tetrapolitana, nahm er teil. Wesesentlich sind seine Bemühungen um Vereinigung mit den Schweizern und beträchtlich sein Eintreten für die Wittenberger Konkordie. Sein Interesse galt nicht so sehr theol. Bestrebungen als praktischen, wie er selbst von tiefer Innerlichkeit und aufrichtigem frommem Gemüt war. Nachdem er noch bei Rel.-Gespr. in Worms 1540 und auf dem Reichstag in Regensburg 1541 gewesen war, raffte ihn die Pest dahin.

ADB 3 (1876), 772 ff.
NDB 3 (1957), 132 f.
RE 3 (1897), 715 ff.; 23 (1913), 294.
TRE 7 (1981), 636 ff.
W. Baum. C. und Butzer. Elberfeld 1860.
W. Usteri. Die Stellung der Straßburger Ref. Butzer und C. zur Tauffrage (ThStKr 1884, 456 ff.).
Ernst und Adam. Katechetische Geschichte des Elsasses. Straßburg 1888, 22–36.
P. Kalkoff. W. C. im Dienste EB. Albrechts v. Mainz (NSGTK 1), Berlin 1907.
Joh. Adam. Ev. KG. der Stadt Straßburg. Straßburg 1922.
O. Strasser. C's Beziehungen zu Bern. Bern 1928 (m. Bibliogr.).
O. Strasser. La pensée theologique de W. Capiton. Lausanne 1938.
B. Stierle. C. als Humanist (QFRG 42). Gütersloh 1974.
J. Kittelson. W. C. from humanist to reformer. Leiden 1975.

Andreas Cellarius

(Keller)

*1503 in Rottenburg a. N.
†18. 9. 1562 in Wildberg

Über seinen Werdegang vor seinem Auftreten als Prediger in seiner Vaterstadt im Frühjahr 1524 ist nichts überliefert. Da das Land von Österreichern besetzt war, war C. in Württemberg gefährdet. Er ging ins Elsaß. In Wasselnheim bei Straßburg verfaßte er seinen inzwischen verschollenen Katechismus »Bericht der Kinder zu Wavelheim, in Frag und Antwort gestellt«. Als die Reformation in Württemberg durchgeführt wurde, ist C. als Pfarrer nach Wildberg geholt worden. Die Straßburger wollten ihn 1542 zurückholen, aber die Württembergische Kirche ließ ihn nicht gehen. In den folgenden Jahren brauchte man seinen Rat in Fragen des Konzils, später auch bei der Abfassung der Confessio Wirttembergica von 1551. Neben seinem pfarramtlichen Dienst befaßte er sich in den letzten Jahren mit Übersetzungen.

RE 10 (1901), 203.
Th. Keim. Schwäbische Ref. Gesch. Ulm 1855, 24 ff.
G. Bossert. A. C. (BWKG 1888, 5, 4 ff.).
Württemb. KG. Calw. u. Stuttgart 1892, 272 ff.

Martin Cellarius

(Bürkß, Borrhus, Borrhaus)

*1499 in Stuttgart
†1564 in Basel

C. studierte bis 1519 in Tübingen: 1515 mag. art., befreundet mit Melanchthon, geht er 1520/21 zu Reuchlin nach Ingolstadt und promoviert zum Dr. theol. unter dem Dekanat von Johann Eck. Da er sich mit Eck entzweit, geht er zu Melanchthon nach Wittenberg und unterrichtet an seiner schola privata Mathematik. Von den Zwickauer Propheten beeindruckt, ließ er sich auch von Luther nicht umstimmen, sondern ging in die Schweiz, wanderte mit Felix Manz durchs Land, zog durch Österreich und Polen nach Preußen. Die Königsberger waren vor ihm gewarnt worden. Er wird veranlaßt, seine Anschauungen zu Papier zu bringen und soll sich Luther stellen. Obwohl das Gespräch befriedigend ausfiel, wollte er in Wittenberg nicht bleiben, sondern ging nach Straßburg. Dort heiratete er ein Fräulein v. Utenheim, lebte auf ihren

Gütern, mußte aber nach ihrem Tode 1536 weichen. In Basel verdiente er seinen Unterhalt als Glasbläser, bis ihm Simon Grynäus half, an die Universität zu kommen; zuerst lehrte er in der Artistenfakultät, bis er 1544 den Lehrstuhl für AT erhielt. Für seine Schüler sorgte er ständig, sonst blieb er ein eigenwilliger Sonderling. Für seine Haltung typisch ist, daß er sich an Castellio und Curio anschloß.

ADB 3 (1876), 179.
RE 3 (1897), 332 f.
P. Tschackert. Paul Speratus von Rötlen (SVRG 33). Halle 1891.
Narratio de Martini Borrhai vita ed. B. Riggenbach (Basler Jahrbuch 1900, 47–84).

Michael Cellarius

(Keller)

*Burgheilen bei Rain am Lech
†Februar 1548 in Augsburg

C. studierte in Leipzig und wurde Pfarrer in Wasserburg. Als er wegen seiner evangelischen Predigten vom Bischof Predigtverbot erhielt, verließ er Bayern und ging 1524 nach Wittenberg, um sich dann nach Augsburg zu begeben. Auf den Rat des Urbanus Rhegius wurde er Prediger am Barfüßerkloster. Dort vermochte er die Reformation einzuführen. Es kam zu heftigen Disputationen, so vor allem über die evangelischen Räte. C. veröffentlichte sie in der Schrift »Frag und Antwort etlicher Artikel zwischen M. Michaelen Keller und D. Mathia Krezen... newlich begeben. Augsburg 1525.« Mit seiner derben Art, beißendem Spott und Witz hatte er das Volk hinter sich. Nachdem seine Kollegen Frosch und Urbanus Rhegius ihm mit gutem Beispiel vorangegangen waren, heiratete auch C., und zwar 1526 Felicitas Oesterreicher. Als der Abendmahlsstreit in Augsburg heftig ausgetragen wurde, stellte C. sich auf die Seite der Zwinglianer und widerstrebte der Annäherung an Wittenberg. Nach wie vor hatte er großen Einfluß auf die Bevölkerung der Reichsstadt. Ihm wird nachgesagt, daß seine Predigtweise den Bildersturm in Augsburg ausgelöst habe. Er vermochte auch über die Grenzen der Stadt hinaus zu wirken, so z. B. in Kaufbeuren.

ADB 4 (1876), 82.
NDB 3 (1957), 181.
G. Uhlhorn. Urbanus Rhegius. Elberfeld 1861, 55 u. ö.
F. Roth. Zur Lebensgeschichte des M. Michael Keller (BBKG 5. 1899. 149–163).
F. Roth. Augsburgs Reformationsgeschichte. 1901/11.

Martin Chemnitz

*9. 11. 1522 in Treuenbrietzen
†8. 4. 1586 in Braunschweig

M. Ch. war der Sohn eines Tuchmachers. Trotz des frühen Todes des Vaters gelang es ihm, die Schule in Magdeburg und die Universitäten Frankfurt/O. und Wittenberg zu besuchen. Nach Königsberg empfohlen, leitete er die Schule in Kneiphof, dann seit 1550 die Schloßbibliothek. Als er infolge des Osiandrischen Streites den Abschied nahm, wurde Mörlins Mitarbeiter in Braunschweig. Mit ihm ging er 1567 für kurze Zeit wieder nach Königsberg. Da Mörlin dort blieb, wurde ihm Mörlins Amt in Braunschweig angetragen, unter der Bedingung, dort sein Leben zu beschließen. Ch. widmete viele Jahre seines Lebens dem Konkordienwerk und half, manche Schwierigkeiten zu überwinden. Mit Herzog Julius, der seine Söhne nach katholischem Ritus in kirchliche Ämter einführen ließ, geriet er in Spannung, ebenso auch mit J. Andrae. Mit Selnecker und Kirchner gab er eine Apologie der FC heraus, die von Helmstedter Theologen beanstandet wurde. 1583 wurde in Quedlinburg darüber verhandelt, ohne eine Einigung zu finden. Verbittert legte Ch. sein Amt nieder. Theologisch war Ch. ausgeglichen. Die Freundschaft mit Mörlin bewog ihn freilich, die lutherische Abendmahlslehre stärker zu betonen und sich gegen den Zwinglianismus zu wenden. Von größerem Einfluß waren seine christologischen Schriften, in denen er die Communicatio idiomatum entwickelte. Auch gegen die Jesuiten setzte er seine Feder an. 1565–1573 war er an seinem großen Werk Examen Concilii Tridentini beschäftigt. Aus dem Nachlaß wurden seine Loci theologici, quibus Ph. Melanchthonis communes loci perspicue explicantur 1591 von Polycarp Leyser herausgegeben. Diese nicht völlig selbständige, alles Bekannte zusammenfassende Dogmatik hat die Grundlage für die großen dogmatischen Werke des 17. Jhs. geschaffen.

ADB 4 (1876), 116f.
NDB 3 (1957), 201.
RE 3 (1897), 796ff.
TRE 7 (1980), 714f.
S. G. H. Lentz. Martin Chemnitz. Braunschweig 1866.
H. Hachfeld. Martin Chemnitz. Hamburg 1867.
O. Ritschl. Dogmengeschichte des Protestantismus 4, Göttingen 1926.
R. Mumm. Die Polemik des M. Ch. gegen das Konzil von Trient. Leipzig 1905.
P. Schwartz. Die Verh. d. Markgrafen Johann von Küstrin mit M. Ch. (JBrKG 6, 1918, 48–56).
G. Noth. Grundzüge der Theologie d. M. Ch. Leipzig 1930.
Th. Mahlmann. Das neue Dogma in der luther. Christologie. Göttingen 1969.

David Chytraeus

(Kochhafe)

*26. 2. 1531 in Ingelfingen b. Schwäbisch-Hall
†25. 6. 1600 in Rostock

Als Sohn eines schwäbischen Pfarrers aufgewachsen, bereits 1539 in Tübingen immatrikuliert, machte er die humanistische Schulung bei Camerarius, Volmar und Schnepf durch, kam 1544 nach Wittenberg und schloß sich eng an Melanchthon an, hörte aber auch bei Luther, Eber und Forster. Nach dem Schmalkaldischen Kriege ging er zuerst nach Heidelberg und Tübingen, kehrte aber 1548 nach Wittenberg zurück. Melanchthon empfahl ihn 1550 nach Rostock, wo er Einführungsvorlesungen hielt. 50 Jahre lang wirkte er an dieser Universität und lehnte alle an ihn gelangenden Berufungen ab. Seine Theologie blieb im Grunde die Melanchthons. Befreundet war er mit Aurifaber und Draconites. Trotz der Teilung des Landes blieb die Universität bestehen. Ch. galt als ihre Säule. Über die Grenzen Mecklenburgs hinaus hatte er Einfluß. Er nahm am Naumburger Fürstentag, dem Braunschweiger Konvent und anderen Tagungen teil, beteiligte sich auch an dem von Jac. Andreae eingeleiteten Einigungswerk. Mehrfach reiste er nach Österreich, um für die Protestanten K. O. und Agende auszuarbeiten. Als Vertreter eines milden Luthertums wurde er auch nach Skandinavien hin wirksam. In der Kirche Mecklenburgs galt sein Ansehen uneingeschränkt. Die Herzöge bewiesen ihm ihre Gunst. Von seinen Schriften fanden weiteste Verbreitung die Historia Augustanae Confessionis, das Onomasticon Theologicum, besonders aber das Chronicon Saxoniae.

ADB 4 (1876), 284.
NDB 3 (1957), 234f.
RE 4 (1898), 112f.
TRE 8 (1981), 88ff.
Th. Pressel. D. Ch. Elberfeld 1862.

O. Krabbe. D. Ch. Rostock 1870.
D. Klatt. D. Ch. als Geschichtslehrer (Beitr. z. Gesch. d. Stadt Rostock 5), 1–2. 1911.
G. Scherer, Gesch. d. KG an Universitäten. Berlin 1927.
H. Krimm. Die Agende der niederösterreich. Stände. v. J. 1571. 1933.
J. Holtz. D. Ch. und die Wiederentdeckung der Ostkirche (Wiss. Zs. d. Univ. Rostock 2, 1953, 93–101).

Adolf Clarenbach

*bei Lennep (Berg. Land)
†29. 9. 1529 in Köln (verbrannt)

Auf dem Hofe »zum Busche« bei Lennep im Bergischen Lande ist er in einer kinderreichen Familie aufgewachsen. Da er »sonderliche Lust« zur Schule hatte, bemühten sich seine Eltern, ihm eine gute Ausbildung zu geben. Bis 1514 besuchte er die Domschule in Münster, um dann zum Studium nach Köln zu gehen, wo er in die Laurentianerburse eintrat.
Nach dem Studium in Köln kam er Anfang der 20er Jahre aus Köln wieder nach Münster zurück und unterrichtete hier an einer der drei Lateinschulen. Es wird aus dieser Zeit berichtet, daß er Buchführern manches Buch Luthers abkaufte und für Verbreitung der reform. Lehre sorgte. Daraufhin mußte er Münster verlassen. In Wesel erhielt er die Konrektorstelle, wurde aber in einen Kampf mit den Franziskanern verwickelt und mußte aus dieser Stadt weichen. Nun zog er nach Osnabrück; ohne dort ein öffentliches Amt zu bekleiden, hielt er Schule und gab den Bürgern Schriftauslegungen und Unterweisungen. Aufgrund dieser Zusammenkünfte wurde er ausgewiesen. Die Wanderschaft führte ihn weiter nach einem Besuch in seiner Vaterstadt Lennep über Bremen nach Meldorf in Holstein. Aber dort hielt es ihn nicht lange. Bald finden wir ihn in Büderich bei seinem Freund, dem späteren Wieder-

täufer Klopris. Als dieser nach Köln vorgeladen wurde, begleitete er ihn und wurde selbst im April 1528 dort verhaftet. Klopris entkam zwar in der Neujahrsnacht 1529 aus dem Gefängnis, er selbst aber blieb dort im Frankenturm anderthalb Jahre.
Die Inquisition in Köln eröffnete gegen ihn und Peter Fliesteden einen Prozeß, der 8 Monate dauerte. Er mußte 79 Fragen beantworten. 23 Art. wurden bei ihm als ketzerisch befunden. Am 4. 3. 1529 wurde daraufhin das Urteil gefällt. Er hatte angegeben, das Ev. gelehrt zu haben. Durch Luthers Schriften hätte er die Anregung dazu bekommen. »In der leer Christi«, so gestand er weiter, »hab ich gethan nach der Gnad, mir von Gott gegeben, und wo Luther dieselbige leret und schreibt, will ich mich seiner nit schemen.« Die beiden Bekenner endeten auf dem Scheiterhaufen, nachdem sie eine seltene Festigkeit und Glaubensfreudigkeit gezeigt hatten.

ADB 3 (1876), 16, 61f.
NDB 3 (1957), 261f.
RE 10 (1901), 508ff.
C. Krafft. Gesch. d. beiden Märtyrer A. C. u. Peter Fliesteden. Elberfeld 1886.
K. Rembert. Die Wiedertäufer im Herzogtum Jülich. Berlin 1899.
H.-Klugkist Hesse. A. C. und P. Fliesteden (Theol. Arbeiten d. Rhein. Wiss. Predigervereins 45). 1929.
W. Rotscheidt. A. C. Bibliographie 1529–1929 (Mh. f. rhein. KG 23, 1929, 257ff.).
H. Müller-Diersfordt. Der blaue Stein in Köln und Peter Fliestedens Hinrichtung 1529 (Mh. f. rhein. KG, NF 9, 1960, 74).
Allein Gottes Wort. Vorträge, Ansprachen, Besinnungen anläßlich des 450. Todestages der Märtyrer A. C. und Peter Fliesteden (SVRG 62). Köln 1981.

Johannes Comander

(Dorfmann)

*vor 1490 im Rheintal
†Januar 1557 in Chur

Über C's Kindheit und Jugend ist nichts bekannt. Erst 1523 tritt er hervor, als er sich als Pfarrer in Igis der reformatorischen Bewegung anschloß. Der Rat der Stadt Chur, der in diesem Jahr die Leitung der kirchlichen Angelegenheiten übernahm, berief ihn an die St.-Martinskirche, an der er 34 Jahre wirken sollte. C. stand in Verbindung mit Zwingli, Vadian und anderen Reformatoren. In Chur wurde er von den Humanisten und zeitweise auch von der französischen Partei unterstützt. Nach der Schlacht bei Pavia 1525, als die Altgläubigen sich wieder stärker fühlten, verlangte der Bischof von Chur C's Aburteilung. Das Gericht entschied sich aber für ihn. Wie die meisten evangelischen Prediger geriet er nach Zwinglis Tode in Bedrängnis, konnte sich aber behaupten. In den folgenden Jahren eröffnete er im Dominikanerkloster eine Gelehrtenschule und baute mit Bullingers Unterstützung synodale Einrichtungen auf. Als 1550 seine älteren Mitarbeiter der Pest erlagen, konnte er mit seinem jungen Kollegen Gallicius die Confessio Raetica 1553 aufstellen, die 1566 von der Helvetica posterior abgelöst wurde. Vergerios Auftreten in Graubünden beunruhigte ihn, doch konnte er die ev. Kirche durch alle Gefahren hindurchsteuern.

ADB 4 (1878), 428. 16 (1888), 497.
A. Sulzberger. Geschichte der Reformation in Graubünden. Chur 1880.
W. Jenny. Lebensgeschichten der Reformatoren der Stadt Chur. 2 Bde. Zürich 1969/70.

Conrad Cordatus

(Hertz)

*1480/83 in Leombach
†25. 3. 1546 bei Spandau

Der Bauernsohn aus Leombach bei Wels erhielt seine humanistische Ausbildung bei Conrad Celtis in Wien. Danach ging er nach Italien und erwarb in Ferrara den Dr.-Grad. 1510 sehen wir ihn in Ofen. Wegen »aufrührerischer« Predigt wurde er dort eingekerkert. 1523 hielt er sich in Wittenberg auf, zog aber 1525 wieder nach Ungarn, wo er wieder gefangen und nur von einem Wächter befreit wurde. Seitdem hielt er sich in Norddeutschland auf: von Wittenberg ging er 1526 nach Liegnitz, wo Herzog Friedrich II. eine Universität eröffnen wollte, die aber nicht zustande kam. In den folgenden Jahren war er Prediger in Zwickau, Niemegk und Eisleben, bis er 1540 als Superintendent nach Stendal kam, wo er seine letzten Jahre verbrachte. Mit Melanchthon und Cruciger hatte er über die Rechtfertigungslehre gestritten, da er die frühe Position Luthers einnahm. Melanchthon hat ihm nichts nachgetragen und ihm einen rühmlichen Nachruf gewidmet, der als Vorrede zu C.s posthum in Nürnberg 1554 gedruckter Postille erschien. Seine letzte Wirksamkeit hatte er in der Altmark gefunden.

ADB 4 (1876), 475f.
NDB 3 (1957), 356f.
L. Götze. C. C. (14. Jahresber. d. Altmärk. Ver. f. Gesch. u. Altertumsk. Salzwedel 1861, 67–77).
H. Wrampelmeyer. Tagebuch über Luther geführt v. C. C. Halle 1885.
J. Müller. O. Clemen. C. C., der erste Sup. in Stendal (ZVKGS 14, 1917, 111–114; 16, 1919, 117–119).
G. Breuninger. Quellenkrit. Untersuchungen zu Luthers TR in der Sammlung d. C. C. (Diss.) Tübingen 1926.
W. Friedensburg. Zwei Briefe des C. C. an den Kanzler Joh. Weinleben (1543 u. 1546). (ZKGS 31/32, 1936, 62–65).

G. Hammann. C. C. Leombachensis. Sein Leben in Österreich (Jb. d. oberösterreich. Musealvereins. 109, 1964, 250 ff.).

Antonius Corvinus

*11. 4. 1501 in Warburg
†5. 4. 1553 in Hannover

A. C. wurde als unehelicher Sohn des Junkers von Canstein geboren und bei den Dominikanern in Warburg erzogen. Auf Betreiben seiner Mutter, der Schwester des Abtes Lambert v. Balven, trat er mit 18 Jahren in das Zisterzienserkloster Loccum ein. Nach einigen Jahren kam er ins Kloster Riddagshausen, geriet aber wegen der neuen Lehre mit dem Abt in Streit und mußte das Kloster verlassen. Auf Amsdorfs Empfehlung wurde er Prediger in Goslar, mußte aber von dort weichen und wurde Pfarrer in Witzenhausen/Hessen. 1536 erwarb er in Marburg den Magistergrad und nannte sich fortan Corvinus. Dem Landgrafen leistete er gute Dienste. Unter anderem verhörte er in seinem Auftrag die gefangenen Täuferführer von Münster und ordnete das Kirchenwesen in Lippe. Bischof Franz von Waldeck hätte ihn gern 1540 nach Münster geholt, aber die Herzogin Elisabeth von Braunschweig hielt ihn fest, damit er die Reformation in Kalenberg durchführte. Als Landessuperintendent dieses Gebietes schrieb er die Kirchenordnung und hielt auch Synoden. Als nach dem Interim Herzog Erich die Regierung übernahm und zur alten Kirche zurückkehrte, ließ er C. auf dem Kalenberg gefangensetzen. Umsonst bemühten sich viele Kreise um seine Befreiung. Nach dreijähriger Kerkerhaft entlassen, starb C. wenige Monate darauf in Hannover. Ihn zeichneten aus charakterliche Festigkeit und Glaubensstärke ebenso wie die Fähigkeit zu verhandeln und zu leiten.

ADB 4 (1876), 508 f.
NDB 3 (1957), 371 f.
RE 4 (1898), 302–305; 23, 1913, 323.
TRE 8 (1981), 216 f.
G. J. Rosenkranz. Paderborner Gelehrte aus dem Ref. Zeitalter: 3. A. C. WZ 16, 1855, 1–37.
G. Uhlhorn. A. C. (SVRG 37). Halle 1892.
G. Geisenhof. Corviniana I–V. (ZGNKG 3, 1898, 298–323; 5, 1900, 1–222; 26, 1921, 26–140).
Wolters. D. verschollene Dialog des A. C. über seine Gefangenschaft (Ebd. 25, 1920, 114–129).
P. Tschackert. A. C. Leben u. Wirken (Quellen u. Darst. z. Gesch. Niedersachsens 3). Hannover 1900; Briefwechsel d. A. C. hg. v. P. Tschackert (Quellen u. Darst. 4). Hannover 1900.
Ders. A. C,s ungedr. Bericht vom Colloquium in Regensburg 1541 (ARG 1, 1903/04, 84–97).
Ders. Analecta Corviniana (Quellen u. Darst. 16). Leipzig 1910.
W. Ollrog. A. C. Herkunft und Nachkommen (Norddeutsche Familienkunde 4, 1955).
R. Stupperich. A. C. Westfälische Lebensbilder 7, Münster 1959, 20–39.

Thomas Cranmer

*2. 7. 1489 in Aslacton
†22. 3. 1556 verbrannt

C. studierte in Cambridge, begeisterte sich für Erasmus und die klassische Bildung. Im Jahre 1523 wurde er zum Dr. theol. promoviert und Professor an seinem College. Das Vertrauen Heinrichs VIII. machte ihn zum englischen Gesandten beim Regensburger Religionsfrieden 1532. In Nürnberg verkehrte er im Hause Osianders und heiratete heimlich dessen Nichte. Als Erzbischof von Canterbury erreichte er die päpstliche Bulle für den König und war bereit, die Scheidung zu vollziehen. Die Verhandlungen wurden ungeschickt geführt. Als der König seine Suprematie verfügte, war ihm C. in allem gefügig. Da Heinrich katholisch bleiben wollte, verbot er ev. Verkündigung. Luther war falsch informiert. Erst die Wittenberger Gesandten erkannten, daß der König keine Reformation wünschte. C's 10 Artikel und das Statut von 1539 brachten ihn in Gefahr. In seinen Äußerungen war er daher doppelzüngig. Erst nach dem Tode des Königs 1547 trat C. offen hervor. Seine erasmische Grundposition kam nun voll zum Ausdruck, als er unter Eduard VI. freie Hand bekam. Die Paraphrasen des Erasmus zu den Evangelien führte er als amtliches Kirchenbuch ein. Seine bedeutsamste Arbeit wurde 1549 das Common Prayer Book, das das Parlament gleich annahm. Seine Abendmahlsauffassung war calvinisch. Nach dem Tode Eduards VI. 1553 geriet C. in Todesgefahr. Bei einer Disputation in Oxford wurde er für überwunden erklärt. Sogleich wurde Anklage auf Ketzerei erhoben. Den Flammentod Latimers und Ridleys mußte er mit ansehen. Zuerst revozierte er. Als er aber sicher war, daß ihm dasselbe Schicksal bevorstand, nahm er alles wieder zurück, ehe er den Scheiterhaufen bestieg.

RE 4 (1898), 317–329.
A. F. Pollard. Th. C. and the English Reformation. London 1927.
F. E. Hutshinson. Th. C. and the English Reformation. New York 1951.
C. W. O. Woodward. Reformation and Resurgence. London 1963.
Th. Maynard. The life of Th. C. London 1956.
G. W. Bromiley. The C. theologian. London 1956.
J. Ridley. Th. C. Oxford 1962 (C.-Bibliographie 412–432).
P. Brooks. The C's doctrine of the Eucharistie. London 1965.
Harrison Thomson. Das Zeitalter der Renaissance. München 1969, 468–486.

Adam Crato

(siehe: Adam Krafft)

Caspar Creutziger

(siehe: Caspar Cruciger)

Caspar Cruciger d. Ä.

(Caspar Creutziger oder
Caspar Crutzinger)
* 1. 1. 1504 in Leipzig
† 16. 11. 1548 in Wittenberg

C. entstammte einem wohlhabenden Leipziger Bürgerhaus. Von humanistischen Lehrern, vor allem von Helt aus Forchheim vorbereitet, konnte er mit 12 Jahren die Univ. seiner Vaterstadt beziehen. In humanistischen Kreisen wuchs er unter dem Einfluß von Mosellanus heran und erlebte als 15jähriger die Disputation zwischen Luther und Eck mit. Durch die Pest aus Leipzig vertrieben, kam er mit seinen Eltern 1521 nach Wittenberg und wurde hier gleichzeitig mit Medler, Dietrich und 156 anderen Studenten inskribiert. Nun lernte er Hebräisch und wurde immer stärker in die reform. Welt hineingezogen. Aber ähnlich wie Melanchthon, mit dem er befreundet war, entwickelte er sich nicht einseitig; er trieb auch Naturwissenschaften, Mathematik und Astronomie. In diesem Jahre half er schon Luther beim Übersetzen des AT und bewährte sich in der klassischen Philologie so, daß ihm Melanchthon die Lektur des Quintilian verschaffen wollte, um ihn in Wittenberg festzuhalten. Aber dieser Vorschlag fand keine Zustimmung, und er ging 1525 – vermutlich auf Betreiben Amsdorfs – als Rektor der Johannisschule nach Magdeburg. Da die berühmten Wittenberger Theologen in dieser Zeit oft abwesend waren, wurde er bereits 1528 nach Wittenberg zurückgerufen, um gegebenenfalls theol. Vorlesungen fortzusetzen und in der Schloßkirche zu predigen. Auf sein Urteil wurde viel gegeben, daher wurde er zur Abfassung von Gutachten und theol. Besprechungen herangezogen. Zugleich mit Bugenhagen erwarb er den Dr.-Grad und trat 1533 in die theol. Fakultät ein. Seitdem hielt er exegetische und dogmatische Vorlesungen und ließ eine Reihe von Lehrbüchern erscheinen, die nicht so sehr durch neue Gedanken als durch gediegene, gleichmäßige Verarbeitung ihren Wert erhielten. Aufgrund seiner Mitarbeit an der Bibelausgabe wurde er von Luther sehr geschätzt. Wegen seiner Rechtfertigungslehre wurde er von Cordatus angegriffen und dadurch veranlaßt, seine Auffassung in Disp. näher darzulegen.

Bei der Ref. seiner Vaterstadt Leipzig im Jahre 1539 leistete er zusammen mit Myconius Wesentliches. Der Rat von Leipzig hätte ihm gern die Superintendentur übertragen, wenn ihn Wittenberg freigegeben hätte. Aber nicht nur für örtliche Organisation erschien er geeignet. Im folgenden Jahre 1540 wurde er zusammen mit Melanchthon zum Rel.-Gespr. nach Worms abgeordnet. Theol. stand er Melanchthon besonders nahe, unterhielt aber auch zu den anderen Wittenberger Theologen freundschaftliche Beziehungen. Während der Katastrophe des Schmalkaldischen Krieges, als alle anderen Wittenberg verließen, blieb er zurück und verwaltete 2 Jahre lang das Rektorat. Die Kämpfe und Auseinandersetzungen dieser Jahre verzehrten seine schwachen Kräfte. Bugenhagen hielt ihm die Leichenpredigt, während Melanchthon eine Gedächtnisrede auf ihn verfaßte, die bei einem akademischen Festakt vorgetragen wurde.

C. war verheiratet mit Elisabeth von Meseritz, der ersten ev. Dichterin (vgl. EKG Nr. 46), die bereits 1535 starb.

ADB 4 (1876), 621f.
NDB 3 (1957), 427f.
RE 4 (1898), 343f.
TRE 8 (1981), 238ff.
O. G. Schmidt. C. C. Hamburg 1862.
H. Petrich. C. C. Berlin 1904.
Th. Pressel. C. C. Elberfeld 1862.
W. Friedländer. Gesch. d. Univ. Wittenberg. Leipzig 1917.
G. Schulze. Die Vorlesung Luthers über den Galaterbrief (ThStKr 78/79, 1926, 18–82).
H. Volz. Woher stammte… Elisabeth C.? (JLH 11, 1966, 622).

Kaspar Cruciger d. J.

*19. 3. 1525 in Wittenberg
†1597 in Kassel

C. C. ist als ältester Sohn des Wittenberger Theologen in der Elbestadt geboren und aufgewachsen. Seine Mutter (Elisabeth von Meseritz) verlor er als Zehnjähriger. Nach gründlichen Studien an der Heimatuniversität schlug er die akademische Laufbahn ein. Wie sein 1548 verstorbener Vater schloß er sich eng an Melanchthon an. Neben Georg Maior und Paul Eber wurde er eine Stütze der Philippisten. Seit 1568 gehörte er der Theologischen Fakultät an (Lehrstuhl Bugenhagens), nachdem er eine Zeitlang in Königsberg gewirkt hatte. Beim Altenburger Religionsgespräch 1568/69 vertrat er die Wittenberger. 1574 wurde er von der Katastrophe der Kryptocalvinisten erfaßt. Als er die Unterschrift unter das »Kurz Bekenntnis und Artikel vom Hl. Abendmahl« verweigerte, wurde er verhaftet und 1576 nach seiner Entlassung des Landes verwiesen. C. ging nach Hessen und wirkte noch 20 Jahre als Pfarrer in Kassel und als Vorsitzender des Konsistoriums.

ADB 4 (1876), 622f.
NDB 3 (1957), 428.
RE 4 (1898), 344.
H. Heppe. Geschichte des deutschen Protestantismus 2, Marburg 1853, 312ff.
W. Friedensburg, Gesch. d. Universität Wittenberg, Lpz. 1917, 263.

O. Ritschl. Dogmengeschichte d. Protest. 2. Lpz. 1912, 320; 4, Göttingen 1927, 34 ff.

Abraham Culvensis

(Abraomas Kulviētis)

*in Kulva (Litauen) oder in Kaunas
†19. 7. 1546 in Kulva

Ihm gebührt der Ruhm, als erster dem litauischen Volke die reformatorische Botschaft vermittelt zu haben. Einem alten begüterten Adelsgeschlecht entstammend, studierte er in Krakau. Als er von der Erneuerung der Wissenschaften durch den Humanismus hörte, ging er zuerst an die Univ. Löwen zu Erasmus von Rotterdam, dann 1536 nach Wittenberg zu Luther. Wohlhabend, wie er war, konnte er sich auch die Reise nach Italien leisten und erwarb in Siena die Würde des Dr. der Rechte. Ob er auch den theol. Dr.-Grad erlangte, ist nicht ganz deutlich. In seiner Confessio von 1543 heißt es, daß er nach Erlangung der Dr.-Würde die Aufgabe übertragen bekommen habe, die Schrift auszulegen und Disp. zu halten.

Dank seiner Verbindungen in der Heimat konnte er zunächst ungehindert in Wilna Vorlesungen halten. Er baute eine Schule auf, die von 60 Schülern besucht wurde. Aber als ev. Schulrektor wurde er stark angefeindet und schließlich gezwungen, seine Heimat zu verlassen. Es lag nahe, daß er nach Königsberg ging und dort in den Schuldienst eintrat. Er wurde der erste Leiter des herzöglichen Particulars, das auf das Univ.-Studium vorbereitete. Bei der Eröffnung der Univ. erhielt er als erster den Lehrstuhl für griech. und hebr. Sprache. Wie ein Brief des B. Speratus an ihn zeigt, genoß er hohe Achtung an der Univ. wie in der Kirche. Speratus forderte ihn auf, Lehrer seiner Volksgenossen in der ev. Glaubenserkenntnis zu werden. Auf diese Anregungen geht der erste litauische Katechismus zurück, der 1547 in Königsberg gedruckt wurde. Auch ev. Lieder wurden von ihm ins Litauische übersetzt.

Auf die Nachricht hin, daß seine Mutter im Sterben liege, reiste er 1546 in die Heimat. Hz. Albrecht hatte ihm beim König von Polen freies Geleit erwirkt, aber er trat diese Reise bereits als kranker Mann an und kam in die Heimat nur, um dort mit dem klaren Bekenntnis zum Ev. sein Leben zu beschließen. Das Gerücht wollte wissen, daß er von seinen Feinden vergiftet worden sei.

P. Tschackert. Urk. Buch z. Ref. Gesch. im Hzt. Preußen. 1, 1890, 248, 342.
Th. Wotschke. A. C. (Altpreuß. Monatsschrift 42, 1905, 153–252).
Ed. Kneifel. Die Pastoren der Ev.-Augsb. Kirche in Polen, o. J. 213.

Valentin Curtius

(Korte)

*6. 1. 1493 in Lebus
†27. 11. 1567 in Lübeck

Nach dem Schulunterricht in seiner Heimatstadt studierte K. in Rostock und trat 1512 in den Franziskanerorden ein. Nach vielen Jahren wurde er durch Joachim Slüter für die neue Lehre gewonnen. 1528 wurde er Prediger an der Hl.-Geist-Kirche. In liturgischen Fragen war er konservativer als Slüter und der Syndicus Oldendorp. Obwohl er von der Gemeinde geachtet wurde, verließ er wegen der genannten Gegnerschaft 1534 die Stadt. Wohin er von Rostock aus gegangen ist, bleibt ungeklärt. Seit 1545 ist er Pastor an St. Petri in Lübeck. Nach dem Tode von Hermann Bonnus wurde er zum Stadtsuperintendenten gewählt. Im Kampf zwischen Philippisten und Gnesiolutheranern hielt er zu den Letzteren. Er warf Melanchthon sein Nachgeben dem Augsburger Interim gegenüber vor und wandte sich auch gegen G. Major. In Lübeck trat C. für die streng luth. Abendmahlsauffassung ein, nahm auch an mehreren Konventen teil, die aus Anlaß dieser Streitigkeiten notwendig geworden waren (Koswig 1557, Mölln 1558, Braunschweig 1561). Ihre Erklärungen unterschrieb C. als erster. Einige der abgegebenen Gutachten waren von ihm verfaßt. Die Formula consensus de doctrina Evangelii (Lübecksche Formel) von 1560 weist schon auf die FC hin. In Lübeck blieb sie bis 1685 in Geltung. C. verfaßte auch die Protestatio contra synodum Tridentinam von 1561, um die Unrechtmäßigkeit des Konzils und seines Anspruchs zu beweisen. Da seine Bibliothek einem Brande zum Opfer fiel, sind weitere Werke von ihm nicht erhalten. Wenn er auch kein überragender Theologe war, so ist seine Leistung und Überzeugungstreue durchaus respektabel.

ADB 4 (1876), 652 f.; 13 (1881), 792.
RE 4 (1898), 358 f.
W. Prediger. Matthias Flacius Illyricus. 2 Erlangen 1861, 33 ff.
W. D. Hauschild. KG Lübecks. Lübeck 1981. 244 u. ö.

den und der Pfalz zu vereinigen. In dieser Zeit übersetzte er den Heidelberger Katechismus ins Holländische, revidierte die Confessio Belgica und bearbeitete die französischen Psalmen des C. Marot. 1566 in die Heimat gerufen, um als Feldprediger zu dienen, kehrte er bald in die Pfalz zurück. D. war bereits so bekannt, daß er als Moderator in Wesel und als Vorsitzer beim Frankentaler Religionsgespräch 1571 fungierte. Nach Gent berufen, kritisierte er die Handlungsweise Wilhelms von Oranien und mußte daraufhin das Land verlassen. Die Erfahrungen, die er in seiner Heimat machte, nahmen ihm die Zuversicht. Über Husum ging er nach Danzig und Elbing, wo er als Arzt wirkte.

ADB 4 (1878), 764 f.
RE 4 (1897), 495 f.
NDB 3 (1957), 521.
J. G. Fredriks. Een portret van P. D. (NAGK 7, 1888/90, 74 ff.).
A. A. van Schelven. P. D. (NAGK 10, 1913, 323 ff.).
Th. Ruys. P. D. Utrecht 1919 (Diss. Amsterdam).
H. J. Jaanus. P. D. (Documenta Reformatoria 1960, 247 ff.).

Petrus Dathenus

* 1531/32 in Kassel bei Hazebrouk
† 16. 2. 1590 oder 17. 3. 1588 in Elbing

Der vom Evangelium ergriffene Karmelitermönch mußte während der Verfolgungswelle aus Flandern ausweichen und ging nach England. 1555 wurde er von dort nach Frankfurt am Main berufen, um dort die flämische Gemeinde zu betreuen. Der Rat verbot jedoch den Reformierten öffentlichen Gottesdienst zu halten. Daraufhin nahm D. mit 60 Familien Zuflucht in der Pfalz, wo sie in Frankental eine blühende Kolonie gründeten. D. wurde Hofprediger des Kurfürsten und bemühte sich, die Reformierten aus Frankreich, den Niederlan-

Nikolaus Decius

(Tech oder vom Hofe)

* ca. 1485 in Hof/Oberfranken
† ca. 1546

Herkunft aus alter Familie in Hof. D. studierte seit 1501 in Leipzig, wurde Mönch und ist um 1515 in Braunschweig als Stiftspropst des Nonnenklosters Steterburg bei Wolfenbüttel nachweisbar. Luthers Auftreten zog ihn nach Wittenberg, um 1523 ist er dort zum zweiten Mal. Luther empfahl ihn dem Herzog Bogislaw von Pommern, wo er neben Paul vom Rode an St. Nikolai in Stettin wirkte. Bis 1527 blieb er dort. Nach einigen Jahren finden wir ihn in Mühlhausen bei Elbing, wo er sich der holländischen Flüchtlinge annahm. Kurze Zeit (seit 1540) war er auch Hofprediger des Herzogs Albrecht. Dann verlieren sich seine Spuren.

ADB 4 (1876), 791 ff.
NDB 3 (1957), 542 f.
RE 4 (1898), 528 f.
Altpreußisches biographisches Wörterbuch s. v. H. Heyden. Kirchengeschichte Pommerns. 2, Köln 1957, 68.
F. Bahlow. Wer ist N. D.? (ARG 4 [1906/07], 351–369).

Gabriel Didymus

(siehe: Gabriel Zwilling)

Veit Dietrich

(Vitus Theodorus)

*8. 12. 1506 in Nürnberg
†25. 3. 1549 in Nürnberg

Er war Sohn eines Schuhmachers; wohlhabende Gönner ermöglichten ihm den Besuch des Gymnasium illustre und der Univ. Wittenberg. Im März 1522 wurde er dort immatrikuliert. Melanchthon hatte die große Begabung dieses Studenten gleich erkannt und empfahl ihn seinen Nürnberger Freunden. Später wurde er Luthers Hausgenosse und Famulus. Als solcher begleitete er Luther nach Marburg zum Rel.-Gespr. und auf die Coburg. Bei Luther genoß er großes Vertrauen, und Melanchthon und andere benutzten seine Vermittlung, um ihre Anliegen Luther nahezubringen. Nachdem er 1529 Mag. geworden war, lehrte er eine Zeitlang in der art. Fak. Differenzen mit Luthers Frau veranlaßten ihn 1535, Wittenberg zu verlassen, versehen mit Empfehlungsbriefen Melanchthons an Camerarius in Tübingen. Aber die Nürnberger hielten ihren Landsmann fest und übertrugen ihm eine Pfarrstelle an der Sebalduskirche. Hier heiratete er und begann sein praktisches Wirken. Die ihm nun angebotene Professur in Wittenberg schlug er aus. In Nürnberg genoß er besonderes Vertrauen beim Rat und war einer der beliebtesten Pred. Mit Melanchthon blieb er in vertrautem Verkehr, und dieser bestimmte ihn zuweilen, seine heftige Polemik einzuschränken. Seine Art blieb schlicht, eindringlich und bestimmt. Seine Arbeiten konzentrieren sich neben seiner erbaulichen Wirksamkeit zuerst auf die Veröffentlichung Lutherscher Auslegungen und einiger Traktate Melanchthons.

Auch die Herausgabe von Luthers Hauspostille verdanken wir ihm. Am weitesten ging die Verbreitung seiner »Summaria«, zuerst über das AT, dann nach 1544 auch über das NT. Dieses Buch hat bis ins 19. Jh. als Erbauungsbuch in vielen Gemeinden gedient. Seine Vorzüge sind Einfachheit und Lehrhaftigkeit. In seiner geraden und offenen Art sagte D., was die Stunde erforderte, und stärkte die geschwächten Glieder in den angefochtenen Nachbargemeinden.

In Schmalkalden vertrat er 1537 seine Vaterstadt. Im übrigen war er mehr Melanchthon als Luther verpflichtet. Besonders in der Ausgestaltung der kirchl. Ordnung hat er sich bewährt. Auch als Pred. ist er nicht weniger bedeutend denn als Organisator. Außer Predigten hat er auch aktuelle Flugschriften veröffentlicht. Nach der Niederlage im Schmalkaldischen Krieg zeigte er erst recht seine Größe. Er beugte sich nicht und trat offen gegen das Interim auf, rief auch andere zum Bekennen auf. Das Verhalten des Rates schmerzte ihn sehr. Die Änderung der Lage hat er jedoch nicht mehr erlebt.

ADB 5 (1877), 196 f.
NDB 3 (1957), 699.
RE 4 (1898), 653 ff.

Bibliographie in: P. Meinhold. Die Genesis –
Vorlesung Luthers u. ihre Herausgeber (Forsch.
z. Kirchen- u. Geistesgesch. 8, Stuttgart 1936).
B. Klaus. V. D. Leben und Werk. Nürnberg 1958.
Ds. V. D. in: Fränkische Lebensbilder 3, 1969,
141 ff.

Johannes Dölsch

*in Feldkirch (Vorarlberg)
†29. 7. 1524 in Wittenberg

Dölsch wird ein Altersgenosse Luthers ge-
wesen sein. 1503 bis 1504 studierte er in
Heidelberg. Zus. mit seinem Freunde
Bernhardi zog er an die neugegründete
Univ. Wittenberg und wurde dort am 23. 5.
1504 immatrikuliert. Im Herbst desselben
Jahres wird er Bacc. und am 10. 2. 1506
Mag. der freien Künste. In seiner Heimat-
stadt Feldkirch feierte er im nächsten Jahr
seine Primiz. Aber die Heimat hielt ihn
nicht.
Im Herbst 1507 sehen wir ihn wieder in
Wittenberg, wo er sich auf die akademische
Laufbahn vorbereitete. Zus. mit Amsdorf,
Karlstadt und Bernhardi trat er in den
Kreis der Lehrer der art. Fak. ein, um sehr
bald in die theol. Fak. überzuwechseln. Inzwischen wurde er auch zum Stiftsherrn am
Allerheiligen-Stift gewählt (1510), während ihn seine Heimatstadt Feldkirch zu ihrem Pfr. wünschte. Im Gedenken an seine
Eltern wollte er wohl die Wahl annehmen,
verzichtete aber schließlich doch, um seine
akademische Wirksamkeit fortsetzen zu
können. 1516 wurde er zum Rektor der
Univ. gewählt. In dieser Zeit las er aristotelische Philosophie »secundum viam Scoti«
und bedauerte später sehr, zwölf der besten
Jahre dieser Arbeit gewidmet zu haben.
Er muß ein sehr befähigter, aber unent-
schlossener Mann gewesen sein. So hat er
erst 1518 den Grad des Lic. theol. erworben, und mit dem Doktorat ließ er sich bis
1521 Zeit. Um diese Zeit wurde er in die

theol. Fak. als ordentliches Mitglied aufgenommen, da er Kustos der Stiftskirche
wurde. Er bekennt selbst, zuerst Luther widerstanden zu haben, ehe ihn dieser über-
wand und er ihm zum Helfer wurde. Als
Luther mit seinen Thesen gegen die scholastische Theol. auftrat, stand Dölsch schon
zu ihm. Auch öffentlich trat er für seine
Überzeugung ein: Er schrieb gegen Alveld
und setzte sich im April 1520 für Luther in
einer Verteidigungsschrift gegen die Löwe-
ner und Kölner Fak. tapfer ein. D. bestand
fest auf der Autorität der Schrift, das Ev.
von Christus und der Glaube standen ihm
im Mittelpunkt der Betrachtung. Er bekennt, die Wahrheit der Schrift selbst erfahren zu haben, als er noch Scholastiker
war. Auch die Thesen, die er in diesen Jahren aufstellte, sind gut luth., wie denn sein
Anschluß an Luther sehr eng zu denken ist.
Aus diesem Grunde wohl hatte ihn Eck
1520 ebenso wie Karlstadt auf die Bann-
Androhungsbulle »Exsurge, Domine« gesetzt. Die Univ. trat für ihre Glieder ein,
und so kam es, daß Dölsch fester stand, als
man zunächst von ihm annahm, und nicht
widerrief. Wie standhaft er in seiner Auffassung war, beweisen seine Disp.-Thesen.
Dazu war er auch als gebannter Professor
so angesehen, daß er 1520 noch als Dom-
pred. nach Bamberg berufen werden sollte.
Sein Schicksal war mit dem Luthers zunächst verbunden, ehe er sich mit ihm im
Streit um die Messe entzweite. Freilich trat
Luther heftig gegen das Stift auf, in dem die
Messe noch gelesen wurde (WA 8, 475 ff.);
er grollte auch seinem alten Schüler, der
sich in diesem Punkte schwach gezeigt
hatte. Der Ref. hat Dölsch trotzdem gute
Dienste getan und hat manchen seiner
Schüler für sie erwärmt. Sein Tod trat unerwartet ein.

Th. Kolde. Wittenberger Disputationsthesen
1516–1522 (ZKG 11, 1890, 448).
F. Kropatschek. Joh. Dölsch aus Feldkirch.
(Diss.) Greifswald 1898.

K. Bauer. Die Wittenberger Universitätstheologie. Tübingen 1928.

Johann Draconites

(Johann Drach)

*1494 in Karlstadt (Main)
†18. 4. 1566 in Wittenberg

Anscheinend früh verwaist, konnte er doch 1509 das Studium in Erfurt beginnen. In der vorgeschriebenen Zeit erfüllte er alle Anforderungen und wurde 1514 Mag. Unter dem Einfluß der Erfurter Humanisten hatte er sich in seinen Entscheidungen an Erasmus angeschlossen, dann sich aber doch für Luther entschieden, besonders seit dieser auf der Reise nach Worms in Erfurt gepredigt hatte. Drach war damals zusammen mit Jonas Canonicus am Severi-Stift in Erfurt. Nach den Erfurter Unruhen (Pfaffensturm), an denen er nicht unbeteiligt war, ging er zunächst nach Wittenberg, wo er zum Dr. promovierte, um dann einem Ruf in die Heimat zu folgen als Pfr. in Miltenberg am Main. Seine entschiedene Tätigkeit, bei der er die Bürgerschaft auf seiner Seite hatte, erfuhr allerdings ein jähes Ende. Er wurde exkommuniziert und mußte die Stadt verlassen, die kurz darauf mit Gewalt zum kath. Glauben zurückgeführt wurde. Aus Nürnberg und aus Erfurt sandte der vertriebene Pfr. Trostbriefe an seine Gemeinde, und auch Luther schrieb »ein christlich Trostbrief an die Mildenberger aus dem 119. Psalm«. Von 1525 an wirkte er dann in Waltershausen, wo er sich nicht recht durchzusetzen vermochte. Aus diesem Grunde zog er sich wieder nach Erfurt zurück. Als aber Schnepf nach Württemberg ging, nannte er Draconites als seinen Nachfolger an der Univ. Marburg. Die 13 Jahre, die er dann dort verbrachte, waren von reger Tätigkeit erfüllt. Aus dieser Zeit stammen von ihm zahlreiche Gutachten, aber zu seiner wissenschaftlichen Lebensarbeit kam er hier nicht, da er fünfmal in der Woche predigen und fünf Vorlesungen halten mußte. Trotzdem veröffentlichte er einige Auslegungen biblischer Bücher und manche Predigt. Der Landgraf ließ ihn an wichtigen Konventen teilnehmen und schickte ihn 1541 zum Rel.-Gespr. nach Regensburg. Dort widmete der überzeugungsfeste Pred. dem Rat der Stadt seine Auslegung des 117. Psalms, in der er den Wunsch aussprach, die Stadt möge der Lehre, »so man itzt luth. nennt«, folgen. Auf Verlangen des Kanzlers Granvella mußte er die Stadt verlassen. Neben Krafft ist er als die Säule der Wittenberger Theologen in Marburg anzusehen. Er war es auch, der 1546 vor der Univ. die Gedenkrede auf Luther hielt. Aber bald geriet er in Gegensatz zu Thamer, der von dem jungen Landgrafen Wilhelm begünstigt wurde, und nahm daraufhin seinen Abschied. Zuerst ging er nach Lübeck in der Hoffnung, hier sein lange geplantes Werk über die messianischen Weissagungen erscheinen lassen zu können.

Auch öffentliche Vorlesungen hielt er dort. 1551 wurde er nach Rostock berufen, wo er eine angesehene Stellung an der Univ. einnahm und seit 1557 als Stadtsup. wirkte. Im Streit der übrigen Geistlichen mit dem Rat der Stadt wegen der Sonntagshochzeiten nahm er eine versöhnliche Stellung ein. Da er auch hinsichtlich der Zulassung zum Abendm. weniger streng war, wurde er von Heßhusen scharf angegriffen. Eine fürstliche Kommission gab ihm Unrecht und verweigerte ihm die Bestätigung als Stadtsup. Daraufhin nahm er 1560 einen Ruf nach Königsberg als Präsident des Bistums Pomesanien an. Seine wissenschaftlichen Neigungen konnten aber auch hier bei der Fülle der praktischen Arbeit nicht zufriedengestellt werden. Er erbat sich daher vom Herzog Urlaub, um seine Lebensaufgabe, eine Polyglottenbibel, in Wittenberg zum Druck zu bringen. Unter großen Opfern hatte er einen Teil dieser Arbeit zu veröffentlichen vermocht. Da er jedoch trotz der Mahnungen des Hz. bei dieser Arbeit blieb und nicht nach Marienwerder zurückkehrte, brach dieser die Beziehungen zu ihm ab. Der Liebe zur Wissenschaft hatte Drach sein Amt und sein Vermögen geopfert. Beachtlicher als seine wissenschaftliche Leistung bleibt trotz allem seine praktische Tätigkeit.

ADB 5 (1877), 371. NDB 4 (1959), 95. RE 5 (1898), 12 ff.
E. Diestel. Geschichte des AT's in der christlichen Kirche. Jena 1869, 271 ff.
O. Albrecht. Die ev. Gemeinde Miltenberg u. ihr erster Prediger. Halle 1896.
G. Kawerau. J. D. aus Karlstadt (BBKG 3, 1897, 247–275).
H. Hermelink – S. Kähler. Die Philippsuniversität zu Marburg (1527–1927). Marburg 1927.
E. O. Kiefer. Die Theologie des J. D. Beitr. z. Gesch. d. D.-Forschung und z. Frage der Schriftauslegung im Zeitalter der Reformation. Heidelberg 1938.

Johannes Dreyer

(Dreger oder Dreier)

*in Bega/Lippe um 1500
†1544 in Minden

D's Vater war Ratsherr in Bega, dessen Bruder Hermann war im Augustiner-Orden aufgestiegen und mehrfach Provinzial der sächsischen Ordensprovinz gewesen. J. D. ist wahrscheinlich in den Osnabrücker Konvent des Ordens eingetreten. Es wird berichtet, daß Gerhard Hecker sein Lehrer gewesen ist. Im Orden wurde er promoviert. Wo die Promotion geschehen ist, steht nicht fest. Bereits in den Entscheidungsjahren der Reformation hatte er sich der Lehre Luthers zugewandt, war jedoch öffentlich erst 1524 damit hervorgetreten. Der ganze Herforder Konvent hatte sich ebenso wie das Herforder Fraterhaus früh-

zeitig zu Luther bekannt. Hamelmann meint, daß D. erst nach dem Tode seines Onkels diesen Schritt gewagt hat. Johann Langs Brief an ihn vom 18. 6. 1529 hellt rückblickend jene Zeit ein wenig auf. Wo D. und Lang zusammen gewesen sind, wird nicht ausdrücklich gesagt, vermutlich in Wittenberg. Auch in Braunschweig muß D. gewesen sein. Als die Stadt ihn zum Prediger haben wollte, lehnte er ab, widmete aber den Braunschweigern ein treffliches Büchlein »Eine korte underwysynge yn dem hylgen Worde Goddes« (1528). Dieses bemerkenswerte Buch vermittelt einen Eindruck von der damaligen biblisch-dogmatischen Predigtweise. Als die Stadt Herford sich dem Ev. öffnete, verfaßte D. für sie die Kirchenordnung »Ordinantie kerken ampte der erliken stadt Herford«. Die Durchführung wurde durch Einspruch des Herzogs Johann von Kleve und durch Spannungen mit Luther wegen der beabsichtigten Schließung des Fraterhauses hinausgeschoben. Gedruckt wurde die K. O. erst 1534 in Wittenberg. Der Augustinerkonvent in Herford löste sich schon 1532 auf und übergab sein Haus der Stadt zur Einrichtung einer Schule. D. blieb bis 1540 in Herford. Da ihn die Stadt zu kurz hielt, ging er nach Minden, wo es ihm auch nicht besser erging. Auch da begegnete ihm die Stadt mit Undank. Spannungen und Kämpfe verkürzten sein Leben.

ADB 5 (1877), 393 f.
L. Hölscher. Reformationsgeschichte der Stadt Herford. Gütersloh 1888.
R. Stupperich. Glaube und Politik in der westfäl. Ref. Geschichte. (JVWKG 45/46. 1953/3, 98 f.)
Ders. Die Eigenart der Herforder Reformation (ebd. 75, 1982, 129 ff.).

Franciscus Dryander

(Francesco de Enzinas)

*ca. 1520 in Burgos
†30. 12. 1552 in Straßburg

Francesco de Enzinas stammt möglicherweise aus einer Maranenfamilie. Um 1530/31 schickten ihn die Eltern zu Verwandten nach Brügge, um dort die Schule zu besuchen. Nach fünf Jahren verlangten sie, daß er nach Hause zurückkehrte, und nötigten ihn, seine Studien aufzugeben. D. setzte jedoch seinen Willen durch. Um 1539 war er wieder in den Niederlanden. In Löwen traf er mit Georg Cassander und Jan Laski zusammen; auch Hardenberg lernte er dort kennen. Über Paris ging er nach Wittenberg, wo ihn Melanchthon bei sich aufnahm. Auf seinen Rat hin übersetzte er das NT ins Spanische und ließ seine Übersetzung in Antwerpen drucken. Am 23. November 1543 überreichte er sein Werk Karl V., der es freundlich annahm, ihn aber dann verhaften ließ und in Spanien der Inquisition auslieferte. D. konnte 1545 aus dem Gefängnis entfliehen. Wieder strebte er nach Wittenberg. Melanchthon regte ihn an, seine »Denkwürdigkeiten« zu schreiben, in denen er die kirchlichen Zustände Spaniens schilderte. In Straßburg wohnte er bei Bucer und nahm Verbindungen mit Bullinger, Vadian und A. Blarer auf. In Basel, wo er als Korrektor bei Oporin arbeitete, erfuhr er vom Märtyrertod seines Bruders Jaime, der in Rom als Ketzer im März 1547 verbrannt wurde. Von Straßburg, wo er geheiratet hatte, zog er wie Bucer nach England, konnte aber dort nicht Fuß fassen. 1552 kehrte er nach Straßburg zurück, besuchte auch Calvin in Genf, starb aber bald darauf an der Pest. Seine Geschichte der Ermordung des Juan Diaz, die mit einem Vorwort Bucers erschien, erregte damals die Gemüter.

RE 18 (1906), 580. 582.
C. A. Campan. Mémoires de F. de E. Brusselles 1862 (dt. Übersetzung von E. Boehmer. Bonn 1893).
E. Boehmer. 50 Briefe des F. D. (ZHTh 40, 1870, 386–442).
A. Hoermann. F. de E. und sein Kreis. (Diss.) Berlin 1902.
B. A. Vermaseren. Autour de l'Edition de l'Histoire de l'Etat du Pays – Bas et la Réligion d'Espagne par F. de Enzinas dit Dryander. (Bibl. de L'Humanisme et Renaissance 27, 1965, 463–478.)
M. Bataillon. Erasme et l'Espagne. Paris 1967.

Balthasar Düring

*1466 in Königsberg/Franken
†1529 in Coburg

D. besuchte die Ratsschule seiner Heimatstadt und die Domschule in Würzburg. 1490 kam er an die Universität Leipzig, wo er den Magistergrad erwarb. Später beteiligte er sich auch am Unterricht. Wann er mit Luther in Beziehung getreten ist, steht nicht fest. Auch Melanchthon muß er früh kennengelernt haben, auf dessen Empfehlung er die Pfarrstelle an St. Moritz in Coburg erhielt. In den 20er Jahren korrespondierten die Wittenberger mit ihm. D. begann in Coburg mit der Reform des Gottesdienstes, wobei er sich an Luthers Formula missae et communionis hielt. Als Friedrich der Weise 1524 die neue Gottesdienstordnung guthieß, schieden die altgläubigen Priester aus und der Franziskanerkonvent löste sich auf. Düring führte auch die erste evangelische Kirchenvisitation in der Veste Coburg (1528/29) durch, die die kirchenrechtlichen Verhältnisse festlegte. Der Rat der Stadt stand ganz auf seiner Seite. Nach seinem Tode bat der Rat Luther unmittelbar um einen Nachfolger, der das Werk Dürings abzuschließen vermöchte.

Sehling. Ev. KOO des 16. Jhs. 1, Leipzig 1901, 47.

A. Greiner. Magister B. D., der Coburger Reformator. Coburg 1929.
G. Berbig. Die erste Kursächs. Visitation im Ortsland Franken (ARG 3 [1905/06], 353 ff.).

Joachim Dutzo

(siehe: Joachim Slüter)

Paul Eber

*8. 11. 1511 in Kitzingen
†10. 12. 1569 in Wittenberg

Der begabte Sohn eines Schneiders kam auf die Lateinschule nach Ansbach. Als er mit 13 Jahren von seinem Schulort nach Hause ritt, fiel er vom Pferde und blieb seit diesem Unfall verwachsen. Trotz seiner Kränklichkeit besuchte er in den folgenden Jahren die Schule von St. Lorenz und das 1526 in Nürnberg neu errichtete Gymnasium. Im Jahre 1532 konnte er mit Unterstützung Nürnberger Wohltäter nach Wittenberg ziehen, wo sich besonders Melanchthon seiner annahm. 1536 legte er das Mag.-Examen ab und begann in der art. Fak. die lat. Sprache und Physik zu lehren. Seine Interessengebiete erstreckten sich auf die alten Sprachen, Geschichte, aber auch Naturkunde. Aus seinen in Wittenberg gehaltenen Vorl. erwuchsen Lehrbücher, die oft mehrere Auflagen erlebten, so z. B. sein Lehrbuch der Geschichte des jüdischen Volkes. Er war ein Gelehrter von erstaunlicher Vielseitigkeit. Neben seinen philos. und astronom. Studien zeigte er auch viel Sinn für die Gesch. und veröffentlichte 1550 ein Calendarium Historicum, in dem zu jedem Tage des Jahres wichtige geschichtliche Ereignisse und Daten bedeutender Persönlichkeiten verzeichnet waren. Dieser Gesch.-Kalender ist zu seiner Zeit mehrfach aufgelegt und auch ins Fran-zösische übersetzt worden.

Im Jahre 1556 wurde er Forsters Nachfolger als Prof. und Schloßpred. Bugenhagen ordinierte ihn zu diesem Amt. Als aber jener selbst aus dem Leben schied, wurde Eber zu seinem Nachfolger gewählt. Nun begann erst recht für ihn eine umfassende Arbeit, unter der er in den nächsten Jahren fast zusammenbrach. Abgesehen von den Aufgaben seines Lehramtes und der Kirchenleitung führte er einen umfangreichen Briefwechsel mit Fürsten und Gelehrten. Auch nahm er 1557 an dem Rel.-Gespr. zu Worms gemeinsam mit Melanchthon teil. Theologisch folgte er ganz seinem Lehrer Melanchthon, als dessen Repertorium er scherzhaft bezeichnet wurde. Diese Gefolgschaft ließ ihn in den Kämpfen der späteren Jahre die gleiche Stellung beziehen. Er trat dafür ein, daß Melanchthon seine Ansicht über das Abendmahl deutlicher aussprechen sollte. Als die Wittenberger und Leipziger Theologen im März 1561 in Dresden zusammenkamen, um über ihre Haltung in diesen Auseinandersetzungen zu beraten, legte er ein auf der Wittenberger Konkordie aufbauendes Bekenntnis vor und vertrat auch fernerhin die milde Ausprägung des Luthertums. Für diese Stellung spricht seine Schrift »Vom Heiligen Sakrament des Leibes und Blutes unseres Herrn Jesu Christi«, 1562, der er die Sätze der Wittenberger Konkordie vorausstellte. Lehnte er die Lehrweise Calvins ab, so wollte er doch die Calvinisten nicht als Irrlehrer bezeichnet wissen. Bei der Realpräsenz vertrat er den modus nobis ignotus et impervestigibilis. Den Flacianern trat er auf dem Altenburger Colloquium (Oktober 1568–März 1569) scharf entgegen. Von seiner Frömmigkeit zeugen die von ihm gedichteten Lieder, unter denen die bekanntesten »Wenn wir in höchsten Nöten sein« und »Christi Blut und Gerechtigkeit« sind. Posthum erschienen seine Auslegungen der Sonntagsevangelien u. seine Katechismus-Predigten.

72

ADB 5 (1877), 529 ff. NDB 4 (1959), 225. RE 5 (1899), 118; 23 (1913), 361.
Th. Pressel. P. E. Elberfeld 1862.
G. Buchwald. P. E. Leipzig 1897.
K. Wackernagel. Gesch. d. deutschen evang. Kirchenliedes. Leipzig 1864/77. Bd. 1, 272; Bd. 4, 3 ff.

Johann Eberlin

*ca. 1465 in Günzburg
†1533 in Wertheim

Die sozialen Gedanken, die er in seiner Predigt in den 20er Jahren des 16. Jhdts. mit großer Kraft verkündigte, machen diesen schwäbischen Reformator zu einer der interessantesten und anziehendsten Erscheinungen seiner Zeit. Er hatte seine Jugend unter sehr schweren Verhältnissen verlebt, bekam daher frühzeitig einen Blick für die Härten des Lebens und wurde durch Erfahrungen mitleidig und hilfsbereit. Vermutlich verlor er schon früh seine Eltern und wurde auf seinem Lebensweg von Verwandten beeinflußt. Er studierte in Ingolstadt und Basel, wo damals noch der althergebrachte Schulbetrieb herrschte. Auf Anraten seiner Verwandten trat er bei den Franziskaner-Observanten ein und wurde 1519 als Pred. nach Tübingen berufen. Bald darauf erfolgten die Ernennungen zum Lesemeister des Klosters in Ulm und in Freiburg. Inzwischen hatten ihn auch Luthers Schriften erreicht und eine innere Wandlung in ihm hervorgerufen. Da er seine neue Überzeugung auch auf der Kanzel nicht verschwieg, setzte der Kampf des Ordens gegen ihn ein. Im Sommer 1521 mußte er Ulm verlassen. Zuerst wandte er sich in die Schweiz. Er sah es als seine Aufgabe an, sich in Predigten und Flugschriften für den reform. Glauben einzusetzen. In Basel erschien seine erste Schrift »Fünfzehn Bundesgenossen«, die seine publizistische Kraft schon deutlich zeigt. Ent-

lehnte er auch manche Gedanken Luthers Schrift »An den christl. Adel«, so verwertete er sie doch in ganz selbständiger Weise.

Es hielt ihn nicht in der Schweiz, er mußte nach Wittenberg, zum Quell der deutschen Ref. gehen. Trotz seines Alters wollte er noch lernen. Die Wittenberger Unruhen waren gerade vorüber. Von Karlstadt war er schon früher beeinflußt worden. Nun wandte er sich in seinen Schriften gegen die kirchl. Zeremonien und schrieb Sendschreiben, in denen er auf die ihm gestellten Fragen einging. Wie mancher einstige Ordensmann bekämpfte er scharf das Klosterwesen. In seiner aufschlußreichen Schrift »Mich wundert, das kein gelt im land ist« von 1524 berichtet er selbst, daß er ein unstetes Leben führte und als Wanderprediger von Ort zu Ort ritt, »wohin ihn Gott ruft und wozu ihn Gott haben wolle«. Er besaß eine feine Beobachtungsgabe und ein starkes Empfinden für die sozialen Bedürfnisse der Zeit. Als die Volkserregung in Thüringen um sich griff, trat er mutig unter die Menge und konnte den offenen Aufruhr eine Zeitlang aufhalten. Nachdem er in Erfurt gewirkt u. geheiratet hatte, zog er über Ilmenau ins fränkische Land. Beim Grafen Georg von Wertheim fand er Aufnahme. Hier schrieb er seine letzte Ermahnungsschrift an die Bauern »Getreue Verwarnung an die Christen in der Burgauischen Mark«. In den folgenden Jahren wird es still um ihn. Sein Pfarramt in Wertheim wird ihn voll beansprucht haben. Auch erhielt er die Superintendentur. 1529 erschien die von ihm verfaßte K. O. Nach dem Tode des Grafen entließ ihn der katholisch gebliebene ältere Graf. E. übernahm das Pfarramt in Leutershausen, erkrankte aber dort und starb im Oktober 1533.

ADB 5 (1877), 575 f.
NDB 4 (1959), 247 f.
RE 5 (1898), 122.

B. Riggenbach. J. E. von Günzburg u. sein Reformprogramm. Basel 1874.

M. Radelkofer. J. E. von Günzburg u. sein Vetter Wehe von Leigheim. Nördlingen 1887.

Th. Kolde. Zur Gesch. E. von Günzburg (BBKG 1, 1894/95, 265 ff.).

K. Schornbaum. Die Stellung des Markgrafen Kasimir. Erlangen 1900.

H. Neu. Gesch. d. ev. Kirche in der Grafschaft Wertheim. Wertheim 1903.

J. Werner. J. E. von Günzburg. Heidelberg²1905.

K. Schornbaum. Leutershausen und das Ende E. v. G. (BBKG 11, 1905, 5–34; 78–92).

U. Wulkau. Das kirchliche Ideal des J. E. v. G. (Diss. Masch.) Halle 1921.

E. Deuerlein. J. E. v. G. (Lebensbilder a. d. Bayer. Schwaben 5, 1956, 70–92).

H. Weidhase. Kunst und Sprache im Spiegel der reformatorischen und humanistischen Schriften des J. E. v. G. Tübingen 1967.

Johann Eck

*1494 in Kulmbach
†4. 5. 1554 in Coburg

E. war Sohn eines Bäckers. Mit 20 Jahren ging er zum Studium nach Leipzig und war nach 1517 als Schulmeister in Coburg und seit 1518 als Rektor der Lateinschule in Kulmbach tätig. Die Nachricht, daß Luther auf der Reise nach Augsburg 1518 hier gepredigt und ihn dadurch für das Ev. gewonnen habe, ist nicht zu erhärten. Sicher ist nur, daß Eck zu den ersten Verkündern der reform. Botschaft in Franken gehört und seit 1523 oder 1524 in Kulmbach offen dafür eintrat. Gegen seine Einsetzung als Pfr. in Kulmbach erhoben der B. von Bamberg und der Abt von Langheim Einspruch, so daß er erst seit 1529 sein Recht auf die Einkünfte geltend machen konnte. Als der Streit entschieden war, war die Ref. in Kulmbach in vollem Gange. In den nächsten Jahren wurde die Visitation durchgeführt, an der Eck tätigen Anteil nahm. Aus seinem späteren Leben wird nur sein Widerstand gegen das Interim hervorgehoben. Als Kulmbach 1554 belagert und zerstört wurde, ging er nach Coburg, wo er von M. Mörlin aufgenommen wurde. Die überstandenen Anstrengungen bereiteten seinem Leben ein vorzeitiges Ende.

G. K. H. Vollrath. War Martin Luther im Jahre 1518 auf seiner Reise nach Augsburg in Kulmbach? (BBKG 2, 1896, 33 ff.)

K. Schornbaum. Die Stellung des Markgrafen Kasimir. Erlangen 1900.

W. Gußmann. Quellen und Forschungen z. Gesch. d. Augsb. Glaubensbekenntnisses. 1, 2 Leipzig 1911, 335 f.

Sylvius Egranus

(Johannes Wildenauer)

*in Eger
†1. 6. 1535 in Joachimsthal

W. studierte um 1500 in Leipzig und erwarb dort 1507 den Magistergrad. Um 1516 ist er als Prediger in Zwickau nachweisbar. Dort hatte er einen Streit mit den Franziskanern über die damals beliebten St.-Anna-Legenden. Zu seiner Apologetica responsio gegen Hieronymus Dungersheim in Leipzig schrieb Luther, zu dem sich Egranus früh bekannte, eine Vorrede (WA 1,315). Das Büchlein erschien im April 1518. Infolge von Konflikten mit Müntzer 1520/21 ging er nach Joachimsthal. Von dort begab er sich 1523 auf eine große Reise, besuchte Pirckheimer in Nürnberg und Erasmus in Basel. Auch weiterhin blieb er ein Bewunderer des Erasmus, lehnte daher Luthers De servo arbitrio ab.

ADB 5 (1877), 692 f.

NDB 4 (1959), 341 f.

G. Buchwald. Die Lehre des J. S. E. in ihrer Beziehung zur Reformation (BSKG 4, 1888, 163–202).

O. Clemen. J. S. E. (Mitt. d. Altertumsver. in Zwickau 6, 1899, 1–39; 7, 1902, 1–2). Ungedruckte Predigten d. J. S. E., hsg. v. G. Buchwald (Quellen u. Darstellungen 18). Leipzig 1911.

Magister Eisleben

(siehe: Johann Agricola)

Paul von Eitzen

*25. 1. 1521 in Hamburg
†25. 2. 1598 in Schleswig

Als Sohn wohlhabender Eltern in Hamburg aufgewachsen, besuchte v. E. das Johanneum. Näheres über seine Familie ist nicht zu ermitteln. Mit 17 Jahren ging er nach Wittenberg, wo er sich Melanchthon anschloß, dem er bis zu seinem Tode die Treue hielt. Kurze Zeit lehrte er in Rostock Didaktik, 1548 wurde er als lector secundarius an den Dom seiner Vaterstadt berufen. Aepin ordinierte ihn und führte ihn in sein neues Amt ein. Im Streit über die Höllenfahrt Christi stand er auf Aepins Seite. Nach Aepins Tode blieb die Superintendentur lange Jahre vakant, bis der Rat sich 1555 entschloß, v. E. zu wählen. Vorher sollte er in Wittenberg promovieren. In den theologischen Streitigkeiten der nächsten Jahre vertrat er eine gemäßigte Richtung. Um die Einheit der Lehre zu sichern, ließ er alle Hamburger Pastoren 5 Bekenntnisschriften unterschreiben, darunter das vermutlich von ihm verfaßte »Bekenntnis der Prediger zu Hamburg vom hochwürdigen Sakrament«. Trotzdem erreichte er den Frieden nicht. Deshalb nahm er 1562 den Ruf Herzog Adolfs von Holstein-Gottorp als Hofprediger und Superintendent seines Teilgebiets an. Schon vorher nahm er im Auftrag des Herzogs am Naumburger Für-

stentag und an der Tagung wegen des Hardenberg-Streites teil. Seit 1564 war er Generalsuperintendent für ganz Schleswig und Holstein. In Schleswig setzte er sich für die Errichtung einer Hochschule am Dom ein, die bis zum Tode Herzog Adolfs bestehen blieb. v. E. vertrat zeitlebens ein mildes Luthertum. Daher verhinderte er die Annahme der F. C., zumal auch der dänische König sie ablehnte. Bekannt geworden ist v. E. durch den Gottorper Ordinationseid von 1574. In dieser Richtung blieb seine Wirkung bestehen.

ADB 6 (1877), 481–485.
NDB 4 (1959), 426 f.
E. Feddersen. P. v. E., der erste schleswiger Gen.-Sup. Kiel 1919.
E. Feddersen. KG Schleswig-Holsteins (Schr. z. schl. holst. KG 15) 1925.
W. Jensen. Schleswig-Holstein u. d. Konkordienformel (ebd. II, 15). 1957.

Matthias Erb

*1494 in Ettlingen
†13. 3. 1571 in Rappoltsweiler

Er besuchte die Schule in Bern und eignete sich die in der Schweiz geltenden Anschauungen an. Als Feld-Pred. machte er mit den bernischen Truppen den Feldzug von 1531 mit. Dann wirkte er bis 1536 als Prediger in der Stadt Baden, wurde von dort aber vertrieben. Im Zuge der württembergischen Ref. konnte die Herrschaft Reichenweyer und die Grafschaft Mömpelgard schließlich auch das Ev. einführen. Vom Grafen Georg von Württemberg, dem Bruder Hz. Christophs, berufen, setzte E. dieses Werk in Verbindung mit Straßburger und Basler Theologen durch. In den strittigen Anschauungen, die das Abendmahl betrafen, stimmte er mit den Straßburgern überein. Als Sup. führte er im Lande eine einfache Liturgie ein und gründete in Reichenweyer eine Lateinschule. Ausgedehnter Briefwechsel verband ihn mit den führenden Theologen. Für die Familie von Rappoltstein übersetzte er manche Schriften der Kirchenväter ins Deutsche.

Die Zeit des Interim drohte das blühende Werk zu zerschlagen. Er hatte viel Not auszustehen, als Graf Georg in die Reichsacht erklärt und die kaiserliche Restitutionspolitik eingeleitet wurde. Erst als 1551 die kath. Priester aus dem Lande abzogen, konnte der ev. Gottesdienst wieder hergestellt werden. Als aber nach dem Tode des Grafen (1558) das Land von Hz. Christoph verwaltet wurde, zog die strengere luth. Auffassung auch hier ein. Es wurde 1559 eine Visitation gehalten und eine neue K. O. eingeführt, gegen die er mit Berufung auf die Straßburger Überlieferung auftrat. Zus. mit anderen Pfr. wurde er daraufhin entlassen. Die letzten Lebensjahre verbrachte er in Rappoltsweiler. Die Einführung der Ref. durch den Herrn von Rappoltstein war das letzte Werk, an dem der unermüdliche Mann mitgeholfen hat.

ADB 6 (1877), 184.
T. W. Röhrich. M. E. (Mitt. a. d. Gesch. d. Ev. Kirche d. Elsasses. 3), Straßburg 1855, 275–297.
Th. Pressel. Anecdota Brentiana. Tübingen 1868.

Theodor Fabricius

(Dietrich Smit)

*1501 in Anholt
†Sept. 1570 in Dessau

F. war armer Leute Kind. Sein Vater hatte Frau und Kind verlassen, und Dietrich mußte als Kind den Unterhalt für seine kranke Mutter und sich durch Betteln erwerben. Später kam er zu einem Schuster nach Emmerich in die Lehre, während gute Menschen sich seiner Mutter annahmen. Erst mit 15 Jahren lernte er lesen und schreiben. Wohltäter schickten den begabten Jungen auf die Lateinschulen in Emmerich und Münster. Graf Oswald von Berg ermöglichte ihm sogar den Besuch der Univ. Mit 24 Jahren trat er in Köln in die Montanerburse ein. Aber Köln mit seiner scholastischen Lehrmethode sagte dem im humanistischen Geiste erzogenen Studenten nicht zu. So zog er 1522 nach Wittenberg, um seine humanistischen Studien weitertreiben zu können. Dabei gingen ihm die Augen für das Ev. auf. Er hörte theol. Vorlesungen und lernte Hebräisch. Bei Wasser und Brot, so berichtete er, brachte er dort 4 Jahre zu, bis er so weit fortgeschritten war, daß er andere unterrichten konnte.

Nachdem der junge Gelehrte nach Köln zurückgekehrt war, konnte er zunächst die »heilige Sprache« lehren und erhielt den Beinamen »der Hebräus«. Aber bald wurde er mit seiner ev. Gesinnung von der Univ. verdrängt. Er zog sich zu Gesinnungsgenossen nach Jülich zurück, heiratete dort, ließ in Köln seine hebr. Grammatik erscheinen und hielt in den Häusern deutsche Predigten. Auch die inzwischen in Köln im Gefängnis gehaltenen A. Clarenbach und Peter Fliesteden suchte er zu unterstützen und schrieb für sie eine Appellation an den Kaiser. Vom Rat wurde er dann selbst 7 Wochen gefangengesetzt. Nach seiner Entlassung ging er 1531 nach Hessen, wo er vom Landgrafen aufgenommen und zu besonderen Missionen des öfteren verwandt wurde. Als die Unruhen in Münster ausbrachen, schickte ihn der Landgraf 1533 hin, um die Ruhe wieder herzustellen. Täglich mußte er vor dem lärmenden Volk zweimal predigen, und als einziger der Pred. konnte er sich gegen die Übermacht der Wiedertäufer noch behaupten. Endlich wiesen ihn diese aus, und er kehrte nach Hessen zurück. Ein halbes Jahr später wurde er vom Landgrafen wieder nach Münster und nach Kleve geschickt. Auf der Rückreise wurde er in Hamm gefangengesetzt. Bei allen Verhandlungen hielt er den hessischen Kurs ein. Während des Feldzugs in Württemberg (1535) war er Feldprediger des Landgrafen Philipp. Der Landgraf ließ ihn später in Hessen mit Wiedertäufern verhandeln. Seine Verhöre sind in den Wiedertäuferakten aus Hessen veröffentlicht. Von 1536 bis 1542 war er Pfr. in Allendorf (Werra). Da er sich gegen die Doppelehe des Landgrafen erklärte, konnte er dort nicht bleiben.

In diesem Augenblick erbot er sich dem Rat von Köln, wieder ein Univ.-Amt zu übernehmen, in der Annahme, daß die Ref. des E. B. Hermann durchgedrungen sei. 20 Jahre nach seinem ersten Aufenthalt kommt er schließlich wieder in die Lutherstadt, jetzt mit einer großen Familie. Hier wird ihm die hebr. Lektur übertragen, und er kann auch am 25. 4. 1544 den Dr.-Grad erwerben. Die Lektur übernimmt nach ihm Flacius, als er Aussicht hatte, nach Dessau zu kommen. In seiner Selbstbiographie berichtet er ausführlich über diese Zeit. Es ist ein Zeichen für die ihm entgegengebrachte Hochachtung, daß man in Brandenburg erwog, ihn als Albers Nachfolger zu berufen und ihm die Professur in Frankfurt (Oder) zu übertragen. Eine Zeitlang wirkte er auch in Brandenburg, wo sich seine Frau bei der Krankenpflege ansteckte und 1557 starb. Er kehrte nach Dessau zurück und heiratete dort zum zweitenmal. Als Sup. hatte er nun die Aufgabe, Visitationen durchzuführen. Er rügte mit aller Offenheit Übergriffe der Obrigkeit auf kirchl. Gebiet und wurde auch von seinen Pfr. infolge der zu großen Strenge und der zu großen Anforderungen verklagt. Seine Freunde sprachen ihn jedoch frei. Schiedsrichter waren Melanchthon und Bugenhagen. Seine Kraft war aber schon gebrochen. Im Grunde war er ein Mann von großer Zielstrebigkeit, Gründlichkeit und Treue. Ein Epitaph bestätigt, daß er in seinem Amt gewissenhaft gewesen sei.

NDB 4 (1959), 738.
Selbstbiographie: Th. Fabricii vita. Bremen 1720, im Auszug wiedergegeben von W. Rothscheidt in Mh. f. rhein. KG 2, 1908, 33 ff. und 161 ff.
K. Ennen. Geschichte der Stadt Köln. Köln 1876, 260 ff.
C. A. Cornelius. Historische Arbeiten. München 1899.
C. Krause. Melanchthoniana. Zerbst 1885.
F. Münnich. Th. F. (Zerbster Jahrbuch 16, 1931, 37 ff.).
R. Stupperich. Die Bedeutung der Lateinschule (JVWKG 1951, 99 f.).
O. Hütteroth. Althessische Pfarrer der Reformationszeit. Marburg 1953, 78 f.

Paul Fagius

(Paul Büchlein)

* 1504 in Rheinzabern (Pfalz)
† 13. 11. 1553 in Cambridge

Er war Sohn eines Schulmeisters und Stadtschreibers. Seit 1515 studierte er in Heidelberg, von 1522 an hielt er sich in Straßburg auf, wo er mit M. Zell, Bucer und Capito befreundet war. Bei diesem lernte er auch Hebr. Eine kurze Zeit war er Schulmeister in Isny, studierte dann Theol. und wirkte dort von 1537 bis 1543 als Prediger. Gleichzeitig betrieb er seine hebr. Studien weiter und galt als anerkannter Gelehrter auf diesem Gebiet. Nach Capitos Tode wurde er als dessen Nachfolger nach Straßburg berufen. Mit Genehmigung der Straßburger ordnete er vorher das Kirchenwesen in Konstanz und trat sein Amt in Straßburg um 1544 an. Aber nur kurz war die Zeit der ruhigen und sorglosen Arbeit. Inzwischen wünschte der Kf. Friedrich III. seine Mitarbeit bei der Ref. der Univ. Heidelberg. Aber dort stieß er auf so starken Widerstand, daß sein Versuch scheiterte.

Er gab den Psalmen-Kommentar des Kimchi heraus, Erklärungen der Bücher des AT und Studien zur hebr. Sprache. Außerdem liegen von ihm einige erbauliche Bücher vor. In Isny und Straßburg wurde er als Pred. sehr geschätzt und vertrat die auf

Bildung chr. Gemeinschaften zielende Richtung, mit der er die Arbeit Bucers stark unterstützte. Da er zu dessen engsten Mitarbeitern zählte, mußte auch er nach dem Interim Straßburg verlassen. K. Zell hatte beide noch 4 Wochen in ihrem Hause verborgen gehalten, ehe sie, der Einladung Cranmers folgend, ihren Weg nach England nahmen. In Cambridge erhielt F. die hebr. Professur, aber schon nach einem halben Jahre ereilte ihn der Tod.

ADB 6 (1877), 533f. NDB 4 (1959), 77. RE 5 (1897), 733.
W. Baum. Capito und Butzer. Elberfeld 1860.
L. H. Schaeffer. P. F., zweiter Prediger an Jung-St. Peter. Straßburg 1877.
R. Raubenheimer. P. F., sein Wirken als Reformator und Gelehrter (Veröff. Ver. f. KG d. Pfalz 6). Grünstadt 1957.

Guillaume Farel

*1489 in Gap (Dauphiné)
†13. 9. 1565 in Metz

F. stammt aus altadligem Geschlecht. Er studierte in Paris unter Faber Stapulensis und gehörte auch zum Kreise um den Bischof Briçonnet von Meaux. Die ersten Verfolgungen der ev. Gesinnten nötigten ihn, nach Basel zu gehen. Unter dem Einfluß Oekolampads stellte er 13 reformatorische Sätze auf gegen Werkgerechtigkeit und Messe. Am 14. 2. 1524 kam es darüber zur Disputation. Zuweilen predigte F.; als er sich in einer Predigt gegen Erasmus wandte, veranlaßte dieser den Rat, F. aus der Stadt auszuweisen. Über Straßburg ging F. nach Mömpelgard. Da er auch hier nicht Maß hielt, mußte er weiterwandern. In Aigle erhielt er die Predigerstelle. 1528 nahm er an der Berner Disputation teil und erhielt das Recht, in allen dem Kanton Bern unterstehenden Gebieten zu predigen. Auf diese Weise konnte er auch in Lausanne und Neufchâtel predigen. 1532

kam er nach Genf. Wegen seiner reformatorischen Predigt wurde er vor das bischöfliche Gericht gestellt und mißhandelt. F. entfloh nach Orbe, konnte aber bald wieder nach Genf zurückkehren. Der Ertrag war der, daß er am 27. 8. 1535 die Annahme der Ref. erreichen konnte. Durch Calvins Ankunft wurde seine Arbeit verstärkt. Bis zu ihrer Ausweisung 1538 arbeiteten sie zusammen. Während Calvin nach Straßburg ging, wandte sich F. wieder nach Neufchâtel. Mit Calvin kehrte er 1541 nach Genf zurück, wirkte aber dann in Metz und schließlich bis zu seinem Tode in Neufchâtel. Seine Stärke war seine Predigt. Sonst war er leidenschaftlich und schroff und erregte dadurch bisweilen Ärgernis.

RE 5 (1898), 762–767.
Ch. Schmidt. W. F. und P. Viret (Leben u. Schriften der Väter u. Begründer der reformierten Kirche 9,4). Elberfeld 1860 (Bibliographie: S. 68–71).
G. F. Goguel. Histoire de G. F. Monbéliard 1873.
G. F. 1489–1565. Bibliographie nouvelle écrite d'après les documents originaux. Neuchâtel (Repr.) Genève 1978.
E. Jacobs. Die Sacramentslehre G. F.s (Zürcher Beiträge zur Reformationsgeschichte 10). Zürich 1978.

Christoph Fischer

*1518 in Joachimsthal
†11. 9. 1598 in Celle

F. wuchs als Sohn eines Richters in Joachimsthal auf. Wie üblich, kam er 1537 zum Studium nach Wittenberg, wo er 1541 den Grad des Baccalaureus und 1543 den des Magister artium erreichte. Ein Jahr blieb er noch als Famulus bei Luther, dann wurde er als Diakonus nach Jüterbog berufen und von Bugenhagen ordiniert. In Jüterbog heiratete er Katharina Knod und zog als Pfarrer nach Bensen. Melanchthon schrieb ihm gelegentlich. Auch fand er die Zeit, ein katechetisches Büchlein zu schreiben, das er seinem Vater widmete. Melanchthon empfahl ihn als Pfarrer und Superintendenten für Schmalkalden, doch mußte F. warten, bis sein Vorgänger abging. Dafür wurde er 1555 zum Landessuperintendenten für die ganze Grafschaft Henneberg bestimmt. Eine Zeitlang wirkte er in Meiningen, dann in Halberstadt, ehe er 1583 bereits in höherem Alter Generalsuperintendent in Celle wurde. Es bleibt eine offene Frage, ob es eine gewisse Unstetigkeit war, die ihn zu häufigem Wechsel veranlaßte, oder ob die Umstände ihn dazu nötigten.

Ph. Meyer. Die Geistlichen der Hannoverschen Landeskirche. 1, Göttingen 1940, 161.

Matthias Flacius Illyricus

(Matthias Vlacich)

*3. 3. 1520 in Albona (Istrien)
† 11. 3. 1575 in Frankfurt (Main)

Er entstammte einem machthabenden Hause. Sein Vater unterrichtete ihn zuerst selbst, schickte ihn aber bald nach Venedig, wo er eine gründliche humanistische Ausbildung erhielt. 1539 wies ihn sein Onkel auf die reform. Schriften hin und gab ihm den Anstoß, zum Studium nach Deutschland zu gehen. Über Augsburg gelangte er nach Basel, ging aber von hier nach Tübingen, von wo er 1541 von Camerarius nach Wittenberg empfohlen wurde. Dort nahm sich Melanchthon seiner bes. an. Der begabte Schüler wurde von ihm außerordentlich gefördert, so daß er 1546 Mag. werden und dann an seiner ersten Schrift »De voce et re fidei« arbeiten konnte. Auch mit Luther trat er in Beziehungen und fand bei ihm seelsorgerlichen Zuspruch in seinen Anfechtungen. Die Wittenberger setzten auf den jungen Gelehrten, der seit 1549 Hebr. lehrte, große Hoffnungen. Durch seinen Kampf gegen das Interim wurde er auch weithin bekannt. 1549 trennte er sich von Wittenberg und zog nach Magdeburg. Von dort bekämpfte er seinen einstigen Lehrer Melanchthon. In den Auseinandersetzungen des interimistischen oder adiaphoristischen Streites wurde er von Amsdorf, Gallus u. a. unterstützt. Seinem publizistischen Wirken verdankt der deutsche Protestantismus die Erhaltung von Luthers Erbe. Da aber der Streit persönlich geführt wurde, verkannte man weitgehend seine Verdienste. Ein Ausgleich der Parteien konnte weder in diesem noch im synergistischen Streit mit Major erreicht werden. F. war in seinen Forderungen zu maßlos und zu überheblich. Der Versuch des Hz. Albrecht, ihn für die Anschauungen Osianders zu gewinnen, schlug fehl. In seiner Rechtfertigungslehre blieb er Schüler Melanchthons. Gegen Osiander ließ er 17 Streitschriften ausgehen. Ebenso kämpfte er gegen Schwenckfeld.

Als die Ernestiner ihre Hochschule in Jena begründeten, übernahm er 1557 dort eine Professur. Sein Einfluß bestimmte die Haltung der Jenenser Theologen auf dem Wormser Rel.-Gespr. 1557 und ihre Sezession. Die Formulierungen des Weimarer Konfutationsbuches wußte er zu verschärfen. Im eigenen Lager hatte er Auseinandersetzungen mit Strigel über die Erbsünde. Sein Auftreten verstimmte endlich den Hz., der ihn 1561 absetzen und des Landes verweisen ließ. Von Regensburg aus führte der unruhige Mann seine Polemik weiter. Sein Kampf galt grundsätzlich der reinen Lehre. Die Richtigstellung vermeintlicher Irrtümer genügte ihm nicht. In erster Linie richtete er sich gegen die päpstliche Kirche und gegen das Konzil von Trient.

In diesen Kampf trat er mit 2 großangelegten geschichtlichen Werken ein: Das eine war der Catalogus testium veritatis (1556), ein Verzeichnis der 400 vor der Reformation gegen die Papstkirche sich wendenden

Zeugen, das andere die Ecclesiastica historia... secundum singulas Centurias, kurz die Magdeburger Zenturien genannt, eine gewaltige, nach Jahrhunderten eingeteilte Darstellung der KG, die die protestantische Geschichtsauffassung deutlich herausstellte und von großer praktischer Bedeutung wurde. Auf die Zeitgenossen haben beide Werke großen Eindruck gemacht und die Gegenseite zu entsprechenden Antworten herausgefordert. So schematisch die Anordnung war, die Darstellung war, abgesehen von den gewaltigen Mengen des zusammengetragenen Stoffes, für die Folgezeit vorbildlich. Im wesentlichen arbeitete er bis zum 7. Bd. aktiv mit. Die späteren Bde. sind dagegen in der Hauptsache das Werk Wigands. Die wissenschaftliche Leistung dieses unter seinen Zeitgenossen gelehrtesten Theologen muß daher anerkannt bleiben.

Die fortwährenden Streitigkeiten, in denen er sich erschöpfte, machten ihn schließlich in Deutschland bei allen verhaßt. Er hatte kaum noch Freunde. So ist die Einschätzung seiner Person und Leistung vielfach verdunkelt worden. Neben der großen kirchenhistorischen Arbeit ist er auch für die Bibelwissenschaft von größter Bedeutung geworden durch seine Hermeneutik »Clavis scripturae sacrae seu de sermone Sacrarum literarum« und durch sein Bibelwerk »Glossa compendiaria in N. T.« (1567). Seine Hermeneutik ist jahrhundertelang in der protestantischen Welt in Gebrauch gewesen.

Da ihm der öffentliche Schutz entzogen wurde, konnte er weder in Regensburg noch anderswo länger bleiben. Eine Zeitlang blieb er in Antwerpen, wo er der luth. Gemeinde diente, aber vom Kriege vertrieben wurde. Über Frankfurt zog er nach Straßburg, von Marbach dort gern begrüßt. Aber Kf. August von Sachsen verfolgte ihn mit seinem Haß, so daß auch der Rat von Straßburg ihn nicht mehr schützen konnte. Überall wurde er in neue Auseinandersetzungen hineingezogen, so daß er als Streittheologe verschrien war. Endlich nahm ihn die Priorin von Meerfeld im Kloster zu den weißen Frauen in Frankfurt (Main) gegen den Willen des Rates mit seiner großen Familie auf. Er unternahm zwar noch einige Reisen nach Thüringen und Schlesien zu Colloquien, aber 1574 mußte der vielgehetzte kranke Mann diese Tätigkeit aufgeben.

ADB 7 (1877), 88 ff.
NDB 5 (1961), 220 ff.
RE 6 (1899), 82 ff. und 23 (1913), 448.
W. Gaß. Gesch. d. prot. Dogmatik. 1, Leipzig 1854, 160 f.
G. Frank. Gesch. d. prot. Theologie 1, Leipzig 1862, 247 f.
J. W. Preger. Matth. Flacius Illyricus und seine Zeit. 2, München 1861, 539 ff.
A. Holländer. Der Theologe M. F. I. in Straßburg 1567–1573 (Dt. Zs. f. Gesch. NF 2, 1898, 203 ff.).
E. Moldaenke. Schriftverständnis und Schriftdeutung im Zeitalter der Reformation. Stuttgart 1936.
H. Chr. v. Hase. Die Gestalt der Kirche Luthers. Der casus confessionis im Kampf d. M. Fl. I. gegen das Interim 1548. Göttingen 1940.
J. Massner. Kirchliche Überlieferung und Autorität im Flaciuskreis (Studien zu den Magdeburger Zenturien). Berlin 1964.
H. Scheible. Die Entstehung der Magdeburger Zenturien (SVRG 183). Gütersloh 1966.
H. Wagner. An den Ursprüngen des frühkatholischen Problems (Frankfurter theologische Studien 14). Frankfurt 1973.
P. Barton. M. F. I. (Gestalten der KG 6). Stuttgart 1981, 277 ff.

Johannes Fontanus

*1545 in Zoller (Hzt. Jülich)
†1615

Sein eigentlicher Name Puts wurde von seinem Lehrer Zacharias Ursinus in Heidelberg in Fontanus geändert. Mit 23 Jahren schloß er seine theologischen Studien in Heidelberg mit der Promotion zum Dr. theol. ab und wurde Prediger im Stift Neuhausen bei Worms. Als Pfalzgraf Ludwig VI. zur Regierung kam und die reformierten Prediger das Land verlassen mußten, ging Fontanus nach Ceppel bei Siegen. Dort lernte ihn Graf Johann von Nassau kennen. Da er große Stücke von ihm hielt, nahm ihn der Graf, als er Statthalter in Geldern wurde, 1578 dorthin mit. In Arnhem wurde er der erste ev. Prediger und übte in der ganzen Provinz mit seinen Predigten Einfluß aus. F. nahm an der ersten reformierten Synode in Duisburg 1610 teil und trat als erster gegen die Arminianer auf, die von der Regierung gestützt wurden. Um den Nachwuchs für die reformierte Kirche zu sichern, gründete er die Hochschule in Harderwyk.

RE 6 (1899), 124.
J. W. Staats Evers. Joh. Fontanus, Arnhems eerste Predikant. Arnhem 1882.

Johann Forster

*1496 in Augsburg
†8. 12. 1556 in Wittenberg

Er studierte seit 1515 in Ingolstadt und erwarb sich bei Reuchlin gründliche hebr. Kenntnisse. Von hier kam er als junger Mag. nach Leipzig und wurde Lehrer an der Zwickauer Schule, der er bis 1529 angehörte. Versehen mit einem Zwickauer Ratsstipendium reiste er im folgenden Jahr nach Wittenberg, wo er Luther bei der Übersetzung des AT gute Dienste leistete und sich als Schüler eng an ihn anschloß. Als er aber 1535 nach Oberdeutschland zurückging, konnte er sich weder in Augsburg noch in Tübingen, wo ihm Camerarius den Lehrstuhl der hebr. Sprache verschaffte, behaupten. In Tübingen war er der erste, der nach der Ref. der Univ. den theol. Dr.-Grad erwarb. Im Zusammenhang mit den auch dort tobenden Abendm.-Streitigkeiten wurde er 1541 vom Senat der Univ. entlassen. Von Tübingen ging er nach Nürnberg und dann nach Regensburg. Seit 1543 wirkte er in Schleusingen und wurde zum eigentlichen Reformator der Grafschaft Henneberg. In 2 Visitationen ordnete er dort das Kirchen- und Schulwesen. Wenn diese Arbeit auch nur 3 Jahre dauerte, so blieb sie doch nicht ohne Wirkung. Er war freilich der Meinung, daß er in den Fragen der Kirchen-Zucht von der Obrigkeit und den Pfr. des Landes nicht genug unterstützt wurde. Ohne ein neues Amt zu haben, zog er mit seiner großen Familie von hier fort. Erst 1548 gelang es Melanchthon, ihn als Sup. nach Merseburg zu bringen. Im folgenden Jahr eröffnete sich ihm nach dem Tode Crucigers die Möglichkeit, in Wittenberg Fuß zu fassen. Außer den Vorl. Crucigers und dem Predigtamt in der Schloßkirche lehrte er das Hebr., das in Wittenberg nach dem Fortgang des Flacius keine Pflege mehr gefunden hatte. Seine wissenschaftliche Leistung liegt auf dem Gebiete dieser Studien. In einem umfassenden »Dictionarium hebraicum novum«, das 1557 (posthum) in Basel erschien und 1564 eine 2. Auflage erlebte, faßte er seine Studien zusammen. Dieses Wörterbuch wurde für die hebr. Studien in Deutschland von entscheidender Bedeutung. In Wittenberg stand er Melanchthon treu zur Seite und vertrat seine kirchl. Richtung. Dies bedeutete, daß er in seinen letzten Lebensjahren über das Abendm. und die Kirchen-Zucht milder zu denken begann. Wie Melanchthon, so wandte auch er sich theol. gegen seinen einstigen Amtskollegen Osiander.

ADB 7 (1877), 165f.
NDB 5 (1961), 304.
RE 6 (1900), 129–131.
Forster. J. F., ein Bild a. d. Reform. Zeit (ZHTh 29, 1869, 210ff.).

W. Germann. Dr. J. F., d. Henneberger Reformator (N. Beitr. z. Gesch.). Meiningen 1894.

Martin Frecht

*1494 in Ulm
†14. 9. 1556 in Tübingen

Er entstammte einer angesehenen Handwerkerfamilie. Seit 1513 studierte er in Heidelberg, wo er 1517 die Mag.-Würde erlangte und auch Vorl. in der art. Fak. hielt. Luthers Heidelberger Disp. hat er mit Teilnahme beigewohnt. 1523–26 war er Dekan der Art. Fakultät. Er stand hier in so hohem Ansehen, daß er 1529 die theol. Professur bekam und 1530/31 Rektor wurde. Mit seinen alten Studiengenossen Brenz, Bucer, Isenmann, Löner, aber auch mit Oekolampad und Schnepf war er befreundet. In den Auseinandersetzungen der Ref.-Zeit bewahrte er eine vorbildliche Haltung. Auf Bitten des Rates übernahm er 1531 die Lektion der Hl. Schrift in seiner Vaterstadt. Nach Sams Tode wurde er der eigentliche Leiter der Ulmer Kirche, ohne die Entschiedenheit und Volkstümlichkeit zu besitzen, die dieses Amt erforderte. Durch Visitationen und Reformen aller Art suchte er das Kirchen- und Schulwesen zu bessern. Da er in Ulm den Kämpfen mit Franck und Schwenckfeld nicht ausweichen konnte, mußte er sich in seiner theol. Haltung Bucer und Luther stärker nähern. Er beteiligte sich an der Wittenberger Konkordie und ebenso an den Verhandlungen mit den Altgläubigen bei den Rel.-Gespr. in Worms und Regensburg.
Da er dem Interim widersprochen hatte, wurde er zusammen mit allen ev. Predigern verhaftet und in Kirchheim wochenlang gefangengehalten. Im März 1549 erhielt er die Freiheit wieder, blieb aber aus Ulm verbannt. Seitdem lebte er still und zurückgezogen in Nürnberg und Blaubeuren. Von Hz. Christoph wurde er 1551 als Stiftsvorsteher nach Tübingen berufen und erhielt im folgenden Jahr dort auch eine Professur. Trotz der ehrenvollen Stellung, die er dort einnahm, und des Umgangs mit Brenz und anderen blieb er hier einsam.

ADB 7 (1878), 325 ff.
NDB 5 (1961), 384 ff.
RE 6 (1900), 242 ff.
Th. Keim. Reformation d. Reichsstadt Ulm. Stuttgart 1851.
G. Bossert und Meyer. Briefe F.s an seine Gattin (WVLG 1881, 252 ff.; 1882, 251–265).
G. Bossert. Das Interim in Württ. (SVRG 46/47) 1895.
A. Hegler. Zwei Briefe F.s an Seb. Franck (Beitr. z. Gesch. d. Mystik). Tüb. 1906, 97–101.
M. Leube. Gesch. d. Tüb. Stifts. Tüb. 1921, 14 f.
E. Stähelin. Akten u. Briefe J. Oekolampads. Lpz. 1927/34.
W. Köhler. Zwingli u. Luther. Lpz./Gütersloh 1924. 1953.
Briefe in: BWKG 1931, 130–149. 179. 186.
W.-U. Deetjen. M. F., Professor u. Prädikant (Einführung der Reformation in Ulm). Ulm 1981, 269 ff.

Johann Freder

*1510 in Köslin
†1562 in Wismar

Freder gehörte der Generation an, die bereits bewußt die neue Lehre ergriff. Zum Studium ging er nach Wittenberg und wurde dort Luthers Hausgenosse. 1540 wurde er Domprediger in Hamburg, ohne ordiniert zu werden, da das Domkapitel ihn ablehnte. Auf Empfehlung Aepins wurde er 1547 Superintendent in Stralsund. Dort verbot ihm der Rat, sich vom Gen.-Sup. Knipstro ordinieren zu lassen, um keine kirchenrechtliche Abhängigkeit eintreten zu lassen. Nach dem Interim entlassen, war F. kurze Zeit Professor in Greifswald. Durch Vermittlung Knipstros wurde er dann Superintendent der Insel Rügen, die kirchenrechtlich dem Bischof von Roskilde unterstand. Der Herzog Philipp untersagte ihm die Reise nach Dänemark, so daß der Ordinationsstreit erneut aufbrach. Die Wittenberger Fakultät sollte ein Gutachten abgeben und erklärte die Ordination für ein Adiaphoron. Freder, der selbst sich in einer Schrift »Van upplegginge der Hande« mit der Ordinationsfrage beschäftigt hatte, war von dem Wittenberger Spruch nicht befriedigt. Trotz des Verbots des Landesherrn ging er nach Kopenhagen und ließ sich von Peter Palladius am 1. Oktober 1551 ordinieren und auf die dänische K. O. verpflichten. Nun wurde er vom Herzog amtsentsetzt, der Runge nach Wittenberg zur Klärung der Ordinationsfrage schickte. Die Fakultät erklärte, daß hier keine Lehrdifferenz vorläge. F. wurde nun Superintendent in Wismar. 1554 übersetzte er die neue Pommersche K. O. ins Niederdeutsche.

ADB 7 (1877), 327 ff. NDB 5 (1961), 367 f. RE 10 (1901), 594 ff.
G. Mohnike. Des J. F. Leben und geistliche Gesänge 1–5. Stralsund 1837–40.
K. Schmaltz. KG Mecklenburgs 2, Schwerin 1936, 28 u. ö.

Sebastian Fröschel

*24. 2. 1497 in Amberg (Opf.)
†20. 12. 1570 in Wittenberg

F. studierte seit 1514 in Leipzig, wo er zu den Schülern des Humanisten Georg Helt gehörte. 1519 wurde er dort Mag. Von der Leipziger Disp. hatte er einen wesentlichen Eindruck empfangen. In den folgenden Jahren kam er nach Merseburg, wurde 1521 zum Priester geweiht, geriet aber schon bald mit Vertretern der Kirche in Gegensatz. Daher wandte er sich 1522 nach Wittenberg, wo er theol. Vorl. hörte. Als er es wagte, auf Bitten seiner Freunde in Leipzig zu predigen, wurde er auf Anzeige des B. von Merseburg vom Hz. festgenommen und des Landes verwiesen. Als er nach Wittenberg zurückkehrte, nahm ihn Bugenhagen als seinen Gehilfen an. 1528 wurde er dritter Diakonus an der Stadtkirche. In dieser Stellung blieb er bis an sein Lebensende. Seine Gemeinde schätzte den treuen Seelsorger sehr, der sich in Notzeiten bewährte. Auch als Prediger hatte er seine Bedeutung. Luther hörte seine Predigten gern, Bugenhagen war von seinen Katechismuspredigten besonders angetan und empfahl sie wegen ihrer Volkstümlichkeit. Zuweilen war er bei der Ordination in der Stadtkirche beteiligt. Dort fand er auch seine letzte Ruhestätte.

Seine Schriften entstammten seiner Predigttätigkeit und fallen in seine letzten Lebensjahre. Melanchthon lieferte ihm Entwürfe und Material (CR 14, 535). Ihm scheint er sich in seinen Lehrausführungen besonders angeschlossen zu haben. Die Vorreden berichten von persönlichen Erinnerungen an die entscheidenden Jahre der Ref. und an die größten Gestalten dieser Zeit.

ADB 8 (1878), 149 f.
RE 6 (1899), 295 f.
K. F. Köhler. M. S. F. (ZHTh 42, 1872, 514 ff.).
G. Laubmann. Bio-Bibliographie über M. S. F. (ZHTh 43, 1873, 442 ff.).
O. Germann. S. F., sein Leben und seine Schriften (BSKG 14, 1899, 1–126).

Johannes Frosch

(Rana)

*um 1480 in Bamberg
†1533 in Nürnberg

Herkunft und Jugend sind nicht bekannt. Um 1504 kam F. nach Erfurt zum Studium. Wo er in den Karmeliterorden eingetreten ist, bleibt ungesichert, möglicherweise in

Toulouse. Im April 1514 kam er nach Wittenberg. Da er bereits früher studiert hatte, wurde er am 29. 1. 1516 zur Promotion zugelassen. Im folgenden Jahr finden wir ihn als Prior im Karmeliterkloster St. Anna in Augsburg. Als Luther zum Verhör vor Kardinal Cajetan am 7. Okt. 1518 nach Augsburg kam, stieg er zuerst bei den Augustinern ab, ging aber dann zu seinem Freunde Frosch, der ihn köstlich bewirtete. Frosch begleitete Luther zum Verhör. Nach Luthers Abreise folgte er ihm nach Wittenberg, wo er am 21. Nov. 1518 zum Dr. promoviert wurde. Der Stadtrat von Augsburg berief ihn zurück, um mit Rhegius und Stephan Agricola für die Reformation tätig zu sein. Weihnachten 1524 teilte er mit Rhegius das Abendmahl unter beiderlei Gestalt erstmalig aus. Am 25. 3. 1525 (drei Monate vor Luther) heiratete er und wurde von Rhegius getraut. Auf kaiserlichen Druck während des Reichstages 1530 entlassen, wurde er von Luther unterstützt und konnte 1531 seine Arbeit in Augsburg wieder aufnehmen. Da er aber mit den Bürgern Schwierigkeiten hatte, die daran Anstoß nahmen, daß er auf der Kanzel eine Brille trug (!), ging er nach Nürnberg, konnte sich aber an St. Sebald nicht mehr voll entfalten.

ADB 8 (1878), 147f. NDB 4 (1961), 563f.
G. A. Will. Nürnbergisches Gelehrtenlexikon. Altdorf 1795.
G. Uhlhorn. Urbanus Rhegius. Elberfeld 1860.
R. Roth. Reformationsgeschichte Augsburgs. Leipzig 1902.
M. Simon. J. F. in: Lebensbilder a. d. bayrischen Schwaben. 2, 1953, 181 ff.
ders. Nürnberger Pfarrerbuch. Nürnberg 1965, 362.

Philipp Gallicius

*4. 2. 1504 in Pustvyla/Graubünden
†1566 in Chur

Philipp Saluz nennt sich nach dem Namen seiner Mutter. Es wird daraus gefolgert, daß die Mutter auf ihn stärkeren Einfluß hatte. Von seinem Verwandten, dem Dekan Bursella, wird er gefördert. Die Schulbildung erhielt er bei den Benediktinern in Marienberg. Bei wem er Griechisch und Hebräisch gelernt hat, bleibt unsicher. Als Kaplan in Camogask (1524) begann er zu predigen, geschützt vom Stadtpfarrer Comander in Chur. 1526 wurde er verbannt, setzte aber seinen Kampf für freie Verkündigung fort. Seine Heirat war der Anlaß zu erneuter Vertreibung. Unter Entbehrungen und Leiden setzte er seine Arbeit bis in den Engadin fort. Wohl hielt Zwinglis Niederlage und Tod den Lauf der Reformation in der Schweiz auf, aber 1537 kam es auch in Graubünden zum Durchbruch. Sieben Tage lang wurde auf einer Disputation gestritten, bis der Richterspruch zugunsten des G. ausfiel. Von nun an konnte er die reformatorische Verkündigung bis in die letzten Orte tragen. Aber nun bekam er es auch mit den Schwärmern zu tun. 1550 wurde G. an die St.-Regula-Kirche in Chur berufen. Von hier aus sorgte er für die ganze Kirche Graubündens. Mit Bullinger und Calvin stand er im Briefwechsel. Vergerio und die italienischen Flüchtlinge in Chiavenna bereiteten ihm wohl manchen Kummer. 1553 verfaßte er die Confessio Rhaetica, die er aber nach der Annahme der Helvetica posterior aufgeben wollte. Da er sich schon lange darum bemühte, das räto-romanische Idiom zur Schriftsprache zu erheben, sorgte er auch für eine Bibelübersetzung. Mitten aus der Arbeit wurde er hinweggerissen. Mit ihm ging seine ganze Familie an der Pest zugrunde.

ADB 8 (1877), 335f.
NDB 6 (1964), 50.

Georg Leonhardi. Ph. G., Reformator Graubündens. Bern 1865.

Ch. Kind. Ph. G. (ZHT 38, 1868, 312–401).

T. Schieß. Ph. G., ein Lebensbild. Chur 1904.

Nikolaus Gallus

* 1516 in Köthen
† 1570 in Zellerbad

Als Sohn des Bürgermeisters wurde Nikolaus Hahn in Köthen geboren. Bereits 1530 wurde er in Wittenberg immatrikuliert und wurde 1537 dort Magister. Mit Empfehlungsbriefen Melanchthons reiste er nach Süddeutschland. Als in Regensburg die Reformation eingeführt wurde und der Rat sich aus Nürnberg einen angesehenen Prediger erbat, ging zuerst Forster hin, nach ihm Hieronymus Nopus aus Wittenberg. Dieser nahm G. als Diakonus mit, nachdem er von Bugenhagen ordiniert worden war. In Regensburg heiratete G. 1544. Als er nach dem Interim 1548 sein »Bedenken auf das Interim« verfaßte, mußte er die Stadt verlassen. Er kehrte nach Wittenberg zurück, vertrat eine Zeitlang Caspar Cruciger und wurde bald darauf an St. Ulrich nach Magdeburg berufen. Dort schloß er sich Flacius an und bekämpfte die Philippisten. Nach der Kapitulation der Stadt 1550 blieb er zunächst dort, konnte aber 1553 nach Regensburg zurückkehren, wo er fortan den Standpunkt der Gnesiolutheraner vertrat. Außer Melanchthon bekämpfte er auch J. Brenz, der ihm aber geschickt antwortete. G. vertrat seine Partei auf dem Konvent in Frankfurt 1557. Es gelang ihm auch, die Stadt Regensburg dafür zu gewinnen. Seine Gemeinde achtete den Streittheologen um seines Fleißes, seiner aufrechten Haltung und seines strengen Lebenswandels willen. In den Kämpfen war er schnell gealtert, bei einer Kur starb er.

ADB 8 (1878), 351 ff.

NDB 6 (1964), 55 f.

RE 6 (1899), 360 ff.

W. Preger. Matthias Flacius. 2, München 1876, 540 ff.

K. Schottenloher. N. G. und M. Flacius. Mainz 1920, 36 ff.

D. Theobold. Reformation der Reichsstadt Regensburg. 2. 1951, 36 f.

H. Voit. N. G. (Einzelarb. z. KG Bayerns 54). Neustadt 1977.

Johannes Garcaeus

* 1502 in Pritzwalk oder Spandau
† 24. 8. 1558 in Neubrandenburg

Kindheit und Jugend sind in Dunkel gehüllt. 1521 wird er in Wittenberg immatrikuliert und bleibt dort vermutlich bis 1530. In den folgenden Jahren wirkt er in Hamburg am Johanneum, bis er 1534 an die Petrikirche in Hamburg berufen wird. Dort bleibt er bis 1543. Der von Aepin entfachte Streit um die Höllenfahrt Christi (descensus ad inferos) läßt ihn Hamburg verlassen. G. geht nach Spandau, vermag aber dort nicht festen Boden zu gewinnen. Ostern 1546 sehen wir ihn doch wieder im Pfarramt in Hamburg an St. Jacobi als Nachfolger von Joh. Fritze. Als der Streit um die Höllenfahrt Christi erneut aufkam und Draconites und Wigand den Superintendenten Aepin unterstützten, Melanchthon aber, der ebenso mit Aepin wie mit G. befreundet war, nur zum Frieden riet, ließ sich der Rat nicht zurückhalten und entsetzte alle Gegner Aepins ihrer Ämter. 1552 zog G. mit seiner großen Familie (6 Söhne und 2 Töchter) nach Greifswald, wo er Prof. der Theologie und im folgenden Jahr Rektor der Universität wurde. Wirtschaftliche Gründe nötigten ihn, Greifswald zu verlassen und die besser dotierte Superintendentur in Neubrandenburg als Nachfolger des Erasmus Alber zu übernehmen. Melanchthon schätzte G. sehr und bemühte sich für ihn ebenso in Greifswald wie in Rostock. Die Berufung nach Rostock kam 1553 nicht zustande. Auch die Tätigkeit in Neubrandenburg war nur von kurzer Dauer.

Er wurde oft verwechselt mit seinem gleichnamigen Sohn, der seit 1556 Professor der Theologie in Greifswald und Pastor an St. Jacobi war.

ADB 8, 1878, 368ff.

Thomas Gassner

*? in Bludenz/Vorarlberg
†13. 2. 1548 in Lindau

Über seine Herkunft ist nichts bekannt. Eine akademische Bildung hat er nicht gehabt. Zuerst wird er als Kaplan beim Vogt von Bregenz in Hohenems genannt. Wegen seiner ev. Gesinnung mußte er 1524 fliehen und kam nach Lindau, wo er gern aufgenommen wurde und bald der führende Prädikant war. Im März 1525 feierte er dort das erste ev. Abendmahl. Der Bauernkrieg wirkte hemmend ein. G. war ein »seufzender Zuschauer«. Er riet der Obrigkeit zu milden Maßnahmen. Bald wurden unter seinem Einfluß sittliche Reformen in der Stadt durchgeführt. War er zuerst stark von Luthers Schriften beeindruckt, so geriet er allmählich unter Schweizer Einfluß. Durch die Berner Disputation bestärkt, ließ er endgültig die Messe abschaffen, Stifte und Klöster schließen. Schon 1528 wurden teilweise, 1530 allgemein die Bilder beseitigt. Dieses Jahr bedeutete einen tiefen Einschnitt: Lindau unterschrieb die Tetrapolitana und näherte sich den Straßburgern. Nun begann G.s innerkirchliche Wirksamkeit: Von ihm, der 1530 die vorgesehene Äbtissin Katharina von Ramschnag heiratete und von den Bürgern sehr geliebt wurde, rührt die Lindauer Zuchtordnung von 1533 her (Einfluß des Zürcher Ehege-richts und der Konstanzer Zuchtordnung). G. trat auch für die Wittenberger Konkordie ein, ohne selbst dabei gewesen zu sein. Bucer brachte die Beziehung zustande. Obwohl er das gesamte Lindauer Kirchenwesen leitete, ordnete G. sich dem Rat unter. Im Alter trat seine Neigung zum Luthertum deutlicher hervor.

K. Wolfart. Geschichte der Stadt Lindau am Bodensee. 1, 1, Lindau 1909, 263–271.
W. Koehler. Zürcher Ehegericht und Genfer Konsistorium. 2, Leipzig 1942, 186–203.

Johannes Gehauf

(siehe: Thomas Venatorius)

Gerard Geldenhauer

*1482 in Nijmegen
†1542 in Marburg

Nach seinem Geburtsort Noviomagus genannt, studierte G. in Löwen und vertrat mit Überzeugung den Humanismus erasmischer Prägung. Von Kaiser Maximilian wurde er zum poeta laureatus gekrönt. Als Mönch war er Vorleser und Sekretär Karls V., später des B. Philipp von Burgund in Utrecht. Nach dessen Tode reiste er nach Wittenberg und schloß sich der reformatorischen Bewegung an. 1526 von seiner Pfarrstelle Tiel in Geldern vertrieben, besuchte er die oberdeutschen ev. Städte. In Straßburg zog ihn besonders Bucer an, der sich des schwermütigen zurückhaltenden Mannes annahm und ihn an die Universität Marburg empfahl, um das Amt Lamberts von Avignon zu übernehmen. Mit seinem Lehrer Erasmus geriet er in Konflikt, mit anderen Humanisten hielt er die Verbindung aufrecht. In seinen Schriften wie in seinem Verhalten zeichnete er sich durch den Geist der Milde aus, bes. gegenüber den Täufern. G. unterschrieb die Schmalk. Art., wurde auch vom Landgrafen Philipp zu den Religionsgesprächen nach Hagenau und Worms entsandt. Als er starb, hielt ihm Draconites die Gedenkrede.

ADB 8 (1878), 530f.; NDB 6 (1964), 170.
J. Prinsen. Gerardus Geldenhauer Noviomagus. Leiden 1899.
P. Kalkoff. Hedio und Geldenhauer als Chronisten (ZGO 33, 1918, 348–362).
Hermelink-Kähler. Univ. Marburg 1527–1927. Marburg 1927, 122ff.
R. Stolzle. G. G. (ARG 14, 1927, 65–77).
O. Hendriks. G. G. (Studia Catholica 31, 1956, 176–196).
C. Augustijn. G. G. und die religiöse Toleranz (ARG 69, 1978, 132–156).

Georg III., Fürst von Anhalt

*15. 8. 1507 in Dessau
†17. 10. 1553 in Dessau

Ein regierender F. und ev. Geistlicher – das ist das Besondere an der Gestalt dieses B. von Merseburg, der sein Fürstentum reformierte und ebenso an der Ref. im Hzt. Sachsen und in Kurbrandenburg tätigen Anteil nahm.
Bald nach dem Tode des Vaters, des Fürsten Ernst von Anhalt, wurde er dem B. Adolf von Anhalt in Merseburg zur Erziehung übergeben. 1519 kam er nach Leipzig, um Kirchenrecht zu studieren, und mit 17 Jahren war er bereits Dompropst in Magdeburg. Als solcher arbeitete er an der Stiftsregierung in Halle mit. Sein Vetter, Wolfgang von Anhalt, war schon vor ihm ev. geworden. Nach dem Tode der Mutter tat nun auch er diesen Schritt, da die C. A. es ihm angetan hatte. Seitdem stand er in Verbindung mit Wittenberg und führte zus. mit seinen beiden Brüdern 1532 die Ref. in Anhalt durch. Als Hof-Pred. wurde Hausmann nach Dessau berufen. Die Visitation des Landes führte der Fürst selbst durch. Im Januar 1537 nahm er bereits Einfluß auf Kurfürst Joachim II., und seinem Einwirken ist die Durchführung der Ref. in Brandenburg zu verdanken. Auf ihn geht auch die Brandenburgische K. O. von 1540 im wesentlichen zurück. 1541 suchte er Luthers Zustimmung zum Regensburger Buch zu erreichen. Als er 1544 B. von Merseburg wurde, erhielt die weltliche Regierung des Stiftes Hz. August von Sachsen. Da dieser 1548 durch den Kaiser zum Verzicht genötigt wurde, sah sich auch Georg genötigt zu resignieren. Das Bt. erhielt jetzt Helding, während Georg mit der Propstei Meißen abgefunden wurde. Immerhin hatte er in den wenigen Jahren hier so gründlich gearbeitet, daß es Helding nicht mehr gelang, das Gebiet zu rekatholisieren. Georg sorgte nicht nur für seine eigenen Lande, sondern veröffentlichte auch seine Predigten in seelsorgerlicher Verantwortung für die Gemeindeglieder. Er schämte sich nicht, als Landesherr zugleich Prediger zu sein. Seine Friedensliebe trieb ihn zu Ausgleichsversuchen auf der Grundlage chr. Gemeinsamkeit. Nicht umsonst wurde er der Gottselige oder der Fromme genannt. Die letzten Jahre seines Lebens verbrachte er im Anhaltischen und blieb unverehelicht.

ADB 8 (1878), 595f.
NDB 6 (1964), 197.
RE 6 (1899), 521f.
E. Sehling. Die Kirchengesetzgebung unter Moritz von Sachsen und Georg III. von Anhalt. Leipzig 1899.
N. Müller. Beziehungen zwischen dem Kurfürsten Joachim I. u. II. und dem Fürsten Georg III. von Anhalt (Beitr. z. brandenburg. KG). Leipzig 1907.
E. Körner. Fürst Georg von Anhalt, der erste ev. Dompropst zu Meißen (NASG 43, 1922, 221–238).
F. Lau. Fürst Georg von Anhalt, erster ev. »Bischof« von Merseburg (Wiss. Zs. d. Univ. Leipzig 3, 1953/54, 139–152).

R. Stupperich. Über die Zusammenarbeit Georgs III. v. Anhalt mit Melanchthon (ARG 53, 1962, 181–193).
R. Stupperich. Aus Melanchthons Briefverkehr mit dem anhaltinischen Fürstenhause (ARG 59, 1968, 42–64).

Theobald Gernolt

(siehe: Theobald Billicanus)

Johannes Gigas

(Heune)

*22. 2. 1514 in Nordhausen
†12. 7. 1581 in Schweidnitz

J. Heune (Hüne) besuchte die Schule in seiner Heimatstadt und später in Magdeburg. Frühzeitig hatte er sich Justus Jonas angeschlossen. Nach dem Studium in Wittenberg und Leipzig wurde er Rektor der Lateinschule in Joachimsthal, ging aber bald darauf nach Marienberg in Meißen und 1543 an die Fürstenschule nach Pforta. Als Humanist schrieb er eine Methodus scribendi carmina und verfaßte Epigramme und andere Dichtungen. Nach 1545, des Schuldienstes müde, trat er in den Kirchendienst ein. Er ging nach Schlesien und wirkte 27 Jahre lang als Pfarrer in Freystadt und seit 1577 in Schweidnitz. Dort gab er Katechismuspredigten heraus (1577), die viel benutzt wurden, und auch geistliche Lieder.

ADB 9 (1879), 167.

Johann Glandorp

*1501 in Münster
†1564 in Herford

G., Sohn eines Schneiders in Münster, erhielt seine Ausbildung an der Domschule seiner Vaterstadt. Mit 17 Jahren ging er nach Rostock, kehrte 1522 wieder und wurde Lehrer an der Domschule. Sieben Jahre hatte er in diesem Amt gestanden, als er nach Wittenberg ging. Es war nicht so sehr Luther als vielmehr Melanchthon, der ihn hinzog. Die Freundschaft mit dem wenig älteren praeceptor ließ ihn diesen öfter besuchen. Als sich Münster der Reformation zuwandte, sollte G. eine große Lateinschule in Münster übernehmen, die im Minoritenkloster eingerichtet wurde. Diese hatte keinen langen Bestand. Da G. sich gegen Rothmann und die Bestreiter der Kindertaufe wandte, mußte er im Februar 1534 die Stadt verlassen. Der Rat von Soest bot ihm eine Predigerstelle an, doch diese übernahm G. nicht. Er bat den Landgrafen Philipp, ihn in Hessen aufzunehmen, und dieser übertrug ihm die Professur, die Hermann v. d. Busche vor ihm innegehabt hatte. Da ihm mehr an erzieherischen Aufgaben lag und er um die Bedeutung der Schule für die Kirche wußte, verließ er 1536 Marburg, um in den folgenden Jahrzehnten die Leitung der Lateinschulen in Braunschweig, Hameln, Hannover, Goslar und zuletzt in Herford zu übernehmen. Seine humanistischen Fähigkeiten wurden so hoch geschätzt, daß ihn Lud. Geiger den »Klassiker des Humanismus« nennen konnte.

A. Overmann. Joh. Glandorp (1501–1564). (Münstersche Beiträge zur Geschichtsforschung 18) Münster 1938.
H. Schwartz. Die Reformation in Soest. Soest 1932, 130.

Nikolaus Glossenus

(Clossenus)

Die Herkunft ist unbekannt. G. tritt erst als Wittenberger Magister hervor. Vielleicht ist er identisch mit Nikolaus Cördes in Hamburg. Auf Luthers Empfehlung berief ihn der Rat der Stadt Reval am 9. 7. 1533 als Superintendenten. Vier Kandidaten vor G. hatten abgelehnt. G. nahm an und blieb vier Jahre in der Hansestadt. Als die Universität Greifswald 1539 als lutherische Universität neu eröffnet wurde, hatte G. dort größere Aussichten. Zuerst ging er als Propst nach Greifswald, dann erhielt er die Stelle, die vor ihm Knipstro innehatte, und wurde noch im selben Jahr zum ersten Professor ernannt. Doch auch dieses Amt befriedigte ihn nicht lange. Als Amsdorf nach Naumburg ging und seine Stelle in Magdeburg frei wurde, wurde G. 1544 sein Nachfolger.

H. Moderow. Die Evangelischen Geistlichen Pommerns. 2 Teile. Stettin 1903/12.
H. Heyden. Pommerns Kirchengeschichte 2, Köln 1957, 71.

Johann Goldschmid

(siehe: Johann Aurifaber I)

Kaspar Gräter

(auch Greber, Gretter)
*ca. 1501 in Gundelheim am Neckar
†21. 4. 1556 in Stuttgart

G. erhielt eine gute Erziehung, studierte 1519/20 in Heidelberg. Ohne Abschluß ging er als Lehrer nach Heilbronn und widmete sich katechistischen Studien. 1533 nahm er Urlaub, um in Heidelberg weiter-zustudieren. Dort wurde er 1534 Magister und übernahm das Pfarramt in Herrenberg bei Tübingen, wo er die Reformation durchführte. Auf dem »Götzentag« in Urach vertrat er eine vermittelnde Stellung. 1538 wirkte er in Cannstadt und wurde dann als Hofprediger nach Stuttgart berufen. Dort hatte er täglich Herzog Ulrich eine Predigt zu halten. Eine dieser Predigten fiel zu scharf aus und veranlaßte ihn zur Flucht. Georg von Ow bewegte ihn zur Rückkehr. G. wurde nach Mömpelgard geschickt und vermochte dort einen konfessionellen Ausgleich zu erreichen. Auch in der Interimszeit wirkte er beschwichtigend. Unter Herzog Christoph erlangte er größeren Einfluß, beteiligte sich an der Abfassung der Confessio Wirttembergica und war bestimmend bei den Pfarrbesetzungen. Mit Brenz war er eng verbunden.

ADB 9 (1879), 599f.
NDB 6 (1964), 717f.
RE 7 (1903), 58.
Th. Pressel. Anecdota Brentiana. Tübingen 1868, 434ff.
F. Cohrs. Die ev. Katechismusversuche vor Luthers Enchiridion 2, Leipzig 1900, 313ff.
M. Reu. Quellen zur Geschichte des Katechismusunterrichts 1. Gütersloh 1904, 290ff., 314ff.

Johannes Gramann

(Graumann)
(siehe: Johannes Poliander)

Daniel Greser

(Gresser)
*6. Dez. 1504 in Weilburg/Lahn
†29. Sept. 1591 in Dresden

Von G.s Herkunft und Kindheit verlautet nichts. Studiert hat er in Kassel, Gotha, Erfurt und Mainz. Von Erhard Schnepff, der in seiner Vaterstadt Weilburg wirkte, für das Werk der Reformation gewonnen, zog G. mit Schnepff nach Marburg. Dort lernte er auch Joh. Brenz kennen und wurde für die konsequent lutherische Auffassung gewonnen. 1531 wurde er zum Pfarrer in Gießen berufen und wirkte dort, bis ihn Herzog Moritz von Sachsen 1542 nach Dresden berief. Gegenüber den zahlreichen Kryptokalvinisten hielt er dort an seiner strengen Position fest, was nicht ohne Härten abging. 1567 schrieb er eine Postille (Enarratio... Evangeliorum et Festivalium), 1570 gab er 51 Bußpredigten (Homiliae de poenitentia) heraus, die einen bemerkenswerten Stil zeigen, und schließlich eine Lebensbeschreibung (Historia und Beschreybung des gantzen Laufs meines Lebens. 1587).

ADB 9 (1879), 641.
NDB 7 (1966), 49f.
P. Tschackert und G. Kawerau. D. G.s Bericht über die von ihm gehörte Predigt Luthers (ZKG 21, 1900, 137ff., 457ff.).
F. Herrmann. Aus dem Leben D. G.s 1532–1542 (Mitt. d. Oberhess. Gesch. Ver. N. F. 9, 1900, 20–40).
O. Clemen. Zur Biographie D. G.s (BSKG 20, 1906/7, 248–252).
G. Bossert. D. G.s Reise nach Weinsberg und Hall 1531/32 (Württemb.-Franken N. F. 9, 1906, 1–14).
F. Heymach. D. G. (Annalen d. Verf. f. Nassau. Altert. u. Gesch. Forsch. 41, 1910/11, 70–85).
H. Butte. D. G. (JHKGV 2, 1950, 144–171).

Argula von Grumbach

(geborene Reichsfreiin von Stauff)

*um 1492 in Seefeld
†um 1568?

Als ihr Vater, der in scharfem Gegensatz zum Hz. von Bayern stand, mit seinem »Löwlerbund« unterlag, ging der Familie ihr reicher Besitz verloren. A. kam dann als Hoffräulein an den Münchener Hof zur Herzogin Kunigunde, einer Tochter Kaiser Friedrichs III., einer gebildeten Frau, der sie ihre Bildung verdankt. Als ihre Eltern 1509 an der Pest starben, nahm sich die Herzogin ihrer besonders an. 1516 heiratete sie den fränkischen Ritter von Grumbach, der Pfleger in Dietfurt war.

Wie und wann sie mit der Ref. in Berührung kam, ist nicht näher bekannt. Sie stand mit dem früheren Würzburger Dompred. Speratus in Verbindung, der ihr wohl Luthers Schriften vermittelte. 1523 konnte sie von sich sagen, von Dr. Martinus alles gelesen zu haben, was in deutscher Zunge ausgegangen sei. Sie schrieb auch selbst an Luther. Ebenso stand sie mit Spalatin und Osiander in Briefwechsel.

Als in Ingolstadt der 18jährige Wittenberger Mag. Seehofer zum Widerruf gezwungen und ins Kloster Ettal verbannt wurde, reiste sie zu Osiander, um mit ihm zu beraten, was zu tun sei. Osiander war über die Bibelkenntnis dieser Frau erstaunt. Nun trat sie mit einigen Sendschreiben an den Hz. und an die Univ. hervor, die großes Aufsehen erregten. Besonders bemerkenswert ist ihre Schrift »Ain christenlich schrifft einer Erbarn Frauen vom Adel, darin sy alle christenliche obrigkeit ermant, bey der Warheit und dem Wort Gottes zu bleyben und solches auf christenliche pflicht ernstlicher zu handthaben« (1523). Ihr Eintreten für die Ref. sollte ihr viel Leid einbringen. Ihrem Gatten wurde das Amt genommen, die Familie geriet in Not, die Verwandtschaft trat scharf gegen sie auf. Diese Rückschläge konnten aber die tapfere Frau nicht bezwingen. Luther nannte sie in einem Brief an seinen Freund Brießmann in Königsberg »ein einzigartiges Werkzeug Christi« und betonte, daß sie ihren großen Kampf mit Geist und chr. Erkenntnis führe.

Sie hatte ihre Hoffnung zuerst auf den 2. Nürnberger Reichstag gesetzt. Sie erschien auch dort und wurde vom Pfalzgrafen zu einem Gespräch gebeten. Ihre Hoffnungen sollten sich jedoch nicht verwirklichen. Luther, der ihr nicht unmittelbar schreiben konnte, bat Spalatin, der 1524 in Nürnberg weilte, sie von ihm zu grüßen und sie zu trösten. In den späteren Jahren trat sie publizistisch nicht mehr hervor. Es wird um sie still und einsam. Wir hören, daß sie 1530 Luther auf der Coburg besuchte und mit ihm ein Gespräch hatte.

Von ihrem späteren Lebensweg sind nur wenige Nachrichten erhalten. Nachdem ihr Gatte 1530 gestorben war, heiratete sie 1533 zum zweitenmal, einen Grafen Schlick zu Passau, wurde aber bald wieder Witwe. Ihrer ev. Gesinnung blieb sie treu. Wann sie gestorben ist, steht nicht ganz fest. Während früher 1554 als Todesjahr angenommen wurde, hat Theobald auf Grund der Angaben des Straubinger Urkundenbuches es als wahrscheinlich angesehen, daß sie als 70jährige Greisin noch 1563 in Straubing in den Kerker geworfen wurde, weil sie ihre Untertanen in Köfing zum Abfall von der kath. Kirche durch Vorlesen aufrührerischer Bücher veranlaßt habe.

Sie war zwar nicht die einzige Frau der Ref.-Zeit, die zur Feder griff, um für ihren Glauben einzutreten, wohl aber die bemerkenswerteste.

ADB 10 (1879), 7f.
NDB 7 (1966), 212.
RE 18 (1907), 779.
Th. Kolde. Arsacius Seehofer und A. v. G. Erlangen 1905.
M. Heinsius. Das Bekenntnis der A. v. G. München 1928.
R. Stupperich. Die Frau in der Publizistik d. Ref.-Zeit (Arch. f. Kulturgesch. 37, 1955, 218ff.).
Ders. Eine Frau kämpft für die Reformation. Das Leben d. A. v. G. (Zeitwende 27, 1956, 676–681).
H. Seefeld. A. v. G., die Schloßherrin von Lenting (Sammelbl. d. Histor. Ver. Ingolstadt 69, 1960, 42–53).
A. Zimmerli-Witschi. Frauen der Reformationszeit (Diss.). Zürich 1981, 90–103.

Simon Grynaeus

*1493 in Vehringen (Hohenzollern)
†1. 8. 1541 in Basel

G. entstammt einer schlichten Familie. Mit 14 Jahren kam er auf die berühmte Schule nach Pforzheim, die von Georg Simler geleitet wurde. Später studierte er in Wien, war eine Zeitlang Lehrer in Budapest, ging aber von dort nach Wittenberg. In den Jahren 1524–1529 lehrte er Griechisch in Heidelberg. Ökolampad vermittelte ihm eine Berufung nach Basel, um ihm aus seiner wirtschaftlichen Notlage zu helfen. Bei einer Reise nach England erhielt er den Auftrag, ev. Theologen zur Ehescheidung Heinrichs VIII. Stellung nehmen zu lassen. Nachdem er in Basel Professor der Theologie geworden war, berief ihn Herzog Ulrich zur Durchführung der Ref. nach Württemberg. Mit den Basler Freunden blieb er verbunden, beteiligte sich an der Abfassung der Helvetischen Konfession. Dennoch bemühte er sich, die Schweizer zur Annahme der Wittenberger Konkordie zu bewegen. Zuletzt war er noch am Religionsgespräch in Worms beteiligt. Er galt als der größte Gelehrte seit Erasmus, seinem Vorgänger.

ADB 10 (1879), 72f.
NDB 7 (1906), 241f.
RE 7 (1899), 218f.
Thommen. Gesch. d. Univ. Basel (1532–1632). Basel 1889, 109–113.
G. Gauss. Die Berufung d. S. G. nach Tübingen. 1534/35. (Basler Jb. 1911, 88–130.)

Augustin Gschmus

(Gemuseus)

*um 1490 in Mülhausen/E.
†1543 in Mülhausen

Der Sohn des Krämers N. Gschmus in Mülhausen sollte geistliche Bildung erhalten. Daher kam er zuerst (wahrscheinlich) auf die Lateinschule nach Schlettstadt. Zum Studium ging er nach Basel (ca. 1505). Dort trat er in den Augustinerorden ein, wurde Priester und verwaltete 1505–11 das Spital bei der Johanneskapelle in Mülhausen, bis er im April 1513 als Kaplan an die Stephanskirche in St. Beat berufen wurde.

In den beginnenden 20er Jahren bezeichnete er sich bereits als Erasmianer und überzeugten Anhänger Luthers. Überlegen und vermittelnd setzte sich G. für die Verbreitung des Evangeliums ein. Anfang der 20er Jahre war auch der Rat Mülhausens von ihm dazu gebracht worden, die Reformtätigkeit in die Hand zu nehmen. Außer der ev. Predigt wurde eine neue Liturgie eingeführt. Unterricht und Diakonie wurden von den biblischen Voraussetzungen aus gestaltet. G. wurde vom Rat zu den Disputationen nach Baden (1526) und Bern (1528) abgeordnet. Nach seiner Rückkehr aus Bern übernahm er als erster Evangelischer das Pfarramt in Mülhausen. Im selben Jahr heiratete er. Als es in der Schweiz um das Bekenntnis ging, trat G. auf den großen Synoden von Basel und Aargau 1535/36 gelegentlich hervor. Auch beim Abschluß der Wittenberger Konkordie vertrat er seine Stadt und leistete seine Unterschrift. Da er Parteigänger Straßburgs war, mußte es zum Gegensatz zwischen ihm und den Zürchern kommen (1538).

J. Lutz. Les réformateurs de Mulhouse: Augustin Gschmus (Mitt. d. Histor. Museums von Mülhausen 21, 1897, 34ff. und 23, 1899, 5–32).
E. Meininger. Les pasteurs de Mulhouse. Ebd. 43, 1923, 69f.
Ph. Mieg. La réforme à Mulhouse 1518–1538. Strasbourg 1948.

Rudolf Gualther

(Rudolf Walter)

*9. 11. 1519 in Zürich
†25. 12. 1586 in Zürich

Nach dem frühen Todes seines Vaters, eines Zimmermanns, nahm sich Bullinger des Knaben an. Er besuchte die Schulen in Kappel, Basel, Straßburg, Lausanne und Marburg und studierte außer der Theol. auch Mathematik und betrieb Poetik. In Lausanne lernte er Französisch und Italienisch. Landgraf Philipp von Hessen nahm den begabten Studenten 1541 zum Regensburger Rel.-Gespr. mit. Als er nach Zürich zurückkehrte, erhielt er die Pfarrstelle an St. Peter als Nachfolger von Jud. Jetzt heiratete er Zwinglis Tochter Regula.

Er war ein anregender und beliebter Prediger. Seine Predigten und biblischen Betrachtungen sind oft gedruckt und viel gelesen worden. Daß er als Zwinglis Schwiegersohn dessen Erbe zu wahren suchte, derselben theol. Richtung folgte und für die Verbreitung der Werke Zwinglis in der romanischen Welt durch lat. Übersetzungen sorgte, ist erklärlich. Für Bullinger war er ein wertvoller Mitarbeiter in der Leitung der Züricher Kirche und in seinem weitverzweigten Briefwechsel. Abgesehen von geschichtlichen Darstellungen verfaßte er zahlreiche Übersetzungen und lieferte lat. Dichtungen und geistliche Lieder. Auf Wunsch Bullingers wurde er 1575 als sein Nachfolger zum Antistes am Großen Münster gewählt. 10 Jahre lang führte er dieses schwierige Amt, bis er 1585 in geistige Umnachtung fiel.

ADB 10 (1879), 239f.
NDB 7 (1966), 360f.
RE 7 (1899), 222ff.
A. Zimmermann. Zürcher Kirche. Zürich 1978, 73–103.

Johann Eberlin von Günzburg

(siehe: Johann Eberlin)

Caspar Güttel

(Caspar Guethel)

*1471 in Rentz (Opf.)
†?

Er gehört zu Luthers ältesten Freunden. Von seiner Jugend ist nichts bekannt. Seine fromme Neigung ließ ihn wiederholt an Wallfahrten nach Altötting teilnehmen. Seit 1494 studierte er in Leipzig und erwarb dort den Mag.-Grad. Ob er auch mit seinem Freunde Scheurl in Italien gewesen ist, bleibt unsicher. Aus innerem Grunde ließ er sich 1494 zum Priester weihen und war in Brüx in Böhmen und in Zwickau tätig. Als Prediger trat er für die kirchl. Lehre ein und veröffentlichte 1504 eine Lobrede auf den Marien- und Annenkult. Da er als Weltpriester »nicht Ruhe noch Rast in seinem Gewissen« fand, entschloß er sich 1514, dem Aug.-Orden in Neustadt (Orla) beizutreten. Seine Mönchspflichten erfüllte er mit Eifer und Hingebung. Die Klosteroberen wurden auf ihn aufmerksam. Sie teilten ihn dem neuen Kloster in Eisleben als Pred. zu. Im Januar 1517 erwarb er den Dr.-Grad in Leipzig, trat aber im Ablaßstreit auf Luthers Seite. Auf dem Heidelberger Konvent wurde er zum Prior in Eisleben gewählt. In der Krisenzeit des Ordens trat er auch in seinen Predigten für Luther ein. Auch als der Eislebener Konvent sich 1523 auflöste, blieb er in der Stadt und setzte seine Predigten fort, von denen viele in Zwickau im Druck erschienen. Bald wurde er Pred. an der Hauptkirche. Seine Predigten zeigen, in welchem Geist seine Wirksamkeit verlief. Er kämpfte gegen kirchl. Mißbräuche, vor allem auch gegen den Marienkult, den er früher selbst befür-

wortet hatte. Es war ein persönliches Bekenntnis, als er im 57. Lebensjahr noch heiratete. Sein Wirken war darauf gerichtet, die Bürger aus der neutralen Haltung zur Entscheidung für die Ref. zu führen. Bis 1538 mußte er Witzel entgegentreten, gleichzeitig auch J. Agricola widerstehen. Als treuer Seelsorger hat er für die Gemeinde viel bedeutet. Es steht fest, daß die Einführung der Ref. in Eisleben wie in der Grafschaft Mansfeld zum großen Teil sein Verdienst war.

ADB 10 (1879), 225 ff.
Th. Kolde. Die deutsche Augustinerkongregation. Gotha 1879.
G. Kawerau. C. G. (Zs. d. Harzvereins f. Gesch. u. Altert. 14, Halle 1882. Darin G.s Bibliographie, 77 ff.)

Johann Habermann

*10. 8. 1516 in Eger
†5. 12. 1590 in Zeitz

Mit 24 Jahren kam H. nach Wittenberg, um Theologie zu studieren; in den nächsten 2 Jahrzehnten war er als Pfarrer in Kursachsen tätig, sodann 1564–1571 in Falkenau bei Eger. Aufgrund seiner intensiven Beschäftigung mit der hebräischen Sprache, seiner hebräischen Grammatik und seines hebräischen Wörterbuches erhielt er die Berufung nach Jena und nach Wittenberg. Doch zog er es vor, als Superintendent nach Naumburg und Zeitz zu gehen. Er veröffentlichte auch eine Reihe von Predigten, die jedoch bald vergessen waren. Dagegen fand sein Gebetbüchlein »Christliche Gebete für allerley Not und Stende der gantzen Christenheit«, Wittenberg 1567, ungewöhnlich starke Verbreitung. Im Verlauf von drei Jahrhunderten ist dieses Büchlein, das so sehr dem Bedürfnis in Nord- wie in Süddeutschland entsprach, immer wieder aufgelegt und als tägliches

Erbauungsbuch benutzt worden. Das »Habermännle« wurde zu einem Begriff.

ADB 1 (1875), 699.
NDB 1 (1953), 467.
RE 8 (1900), 281f.
H. Beck. Die Erbauungsliteratur der ev. Kirche Deutschlands. Gotha 1891, 270ff.
L. Bönhoff. J. H. (BSKG 29, 1915, 213ff.).

Michael Haenlein

(siehe: Michael Meurer)

Berthold Haller

*1492 in Aldingen bei Rottweil
†25. 2. 1536 in Bern

H. besuchte die Schule in Rottweil, wo er mit Melchior Volmar, dem späteren Lehrer Calvins, befreundet war, dann in Pforzheim, wo Melanchthon sein Mitschüler war. In der Absicht, Priester zu werden, studierte er in Köln und hoffte, nach Freiburg zu kommen. Als Schullehrer nach Bern berufen, wurde er dort Helfer Wittenbachs und 1519 sein Nachfolger. Seit 1521 stand H. in Briefwechsel mit Zwingli und ließ sich von ihm beraten. Seine schlichte, aber gedankenreiche Schriftauslegung fand in Bern Anklang. Beim Rückschlag von 1526 weigerte sich H., wieder die Messe zu lesen. Die Berner Disputation, bei der er tatkräftig hervortrat, ermöglichte das Reformationsedikt vom 7. 2. 1528. Der Widerstand der Altgläubigen war bald gebrochen. Auch das Berner Oberland konnte sich nicht lange sperren. H. trat für ein mildes Verfahren gegenüber abweichenden Ansichten ein. Sein Versuch, 1530 auch Solothurn auf die evangelische Seite zu bringen, mißlang. Dagegen gelang es den Bernern, unter H's Mitwirkung Einfluß auf das Waadtland zu gewinnen.

ADB 10 (1879), 427ff., 36, 133.
NDB 7 (1953), 552.
RE 7 (1899), 366–370.
C. Pestalozzi. B. H. (Leben u. ausg. Schr. d. Väter d. reform. K. 9, 2). Elberfeld 1861.
J. M. Usteri. Zw's Korrespondenz mit B. H. über die Tauffrage (ThStKr 56, 1883, 616ff.).
E. Blösch. E. neue Quelle z. Gesch. d. Berner Disp. (ThZS 1891, H. 8, 157ff.).
Th. de Quervain. Kirchl. u. soz. Zustände in Bern nach Einführung der Reformation (1528–1536). Bern (Diss.) 1906.
W. Köhler. Zwingli und Bern. Tübingen 1928. (SGV 132).
O. E. Strasser. Capitos Beziehungen zu Bern. Neufchâtel 1928.
L. Caflisch. Zur Ikonographie B. H's. (Zwingliana 4, 1928, 455–70).
Th. de Quervain. Gesch. der bernischen Kirchenreformation. Bern 1928.
K. Guggisberg. Bernische Kirchengeschichte. Bern 1958.

Hermann Hamelmann

*1532 in Osnabrück
†1598 in Oldenburg

H., Sohn eines Notars und späteren Kanonikus, besuchte nach humanistischer Vorbildung in Osnabrück, Münster, Emmerich und Dortmund kurz die Universitäten Köln und Mainz und wurde 1550 in Münster zum Priester geweiht. Hier wie in anderen Städten Westfalens wirkte er als heftiger Gegner der Reformation, bis er sich 1553 in Kamen von der Wahrheit der luth. Lehre überzeugte. Nach einem Studienaufenthalt in Wittenberg, Leipzig und Magdeburg wurde er ev. Prediger in Bielefeld und Lemgo, förderte auch anderwärts die Predigt des Evangeliums. 1558 promovierte er zum Lic. theol. in Rostock, kehrte nach Lemgo zurück, um 1566/67 in Antwerpen tätig zu sein, 1568 Gen.-Sup. in Gandersheim, seit 1573 in gleicher Stellung in Oldenburg. H. war ein ungewöhnlich fruchtbarer Schriftsteller. Außer umfangreichen historischen Werken verfaßte er eine Menge theologischer Schriften, die meist polemischen Charakter tragen. Als Vertreter der luth. Frühorthodoxie hat er keine Gelegenheit unterlassen, sich für die Lehre des Luthertums einzusetzen.

ADB 10 (1879), 475.
NDB 7 (1966), 585f.
RE 7 (1899), 385.
A. Falkmann, H. H. in Lemgo (ZHVNS 48/1883, 88ff.).
L. Schauenburg. 100 Jahre oldenb. KG von H. bis Cadovis. I. Oldenburg 1894.
E. Knodt. H. H. (Jb. d. Ver. f. ev. Kg. d. Gfsch. Mark I, 1899, 1–93).
H's geschichtliche Werke, hsg. v. H. Detmer u. C. Löffler I–II. Münster 1902/13.
III. Oldenburgische Chronik, hsg. v. G. Rüthning. Münster 1940.
J. W. Pont. De lutersche kerken in Nederland. I. Amsterdam 1929.
E. Thiemann. Die Theologie H. H's. (Beiheft z. JVWKG 4), 1959.

Albert Rizaeus Hardenberg

*1510 in Hardenberg (Overijssel)
*18. 5. 1574 in Emden

Seine verarmten Eltern übergaben den 7jährigen den Brüdern vom gemeinsamen Leben in Groningen. Nach 10 Jahren entschloß er sich, im Bernhardinerkloster Aduard die Kutte zu nehmen. Der junge Mönch wurde 1530 zum Studium nach Löwen geschickt, um später seinem Abt nachfolgen zu können. Auf der Reise nach Italien begriffen, erkrankte er in Mainz, blieb dort und erwarb dort 1537 den Dr.-Grad. Jetzt schloß er sich an Laski immer näher an. Zusammen mit ihm ging er nach Löwen, wo er wegen seiner ref.-freundlichen Haltung angeklagt und zur Verbrennung seiner Bücher verurteilt wurde. Nach kurzem Aufenthalt in Aduard erhielt er die Aufforderung, nach Köln zu kommen. Inzwischen war der reform. Geist in ihm stärker geworden, und er reiste auf Melanchthons Rat nach Wittenberg, wo er 1543 eintraf. Mit Melanchthon blieb er befreundet. Von Wittenberg ging er 1544 zum E. B. Hermann von Wied, der ihn mit der Durchführung der von Bucer und Melanchthon eingeleiteten Ref. betraute. Diese Arbeit hielt er für so wichtig, daß er mehrere Berufungen in dieser Zeit ausschlug. Im Anschluß an den Reichstag von Worms von 1545 hielt er sich längere Zeit in Straßburg, Basel und Zürich auf. Sein Dienst in Köln hörte erst auf, als Hermann von Wied sein Amt aufzugeben gezwungen war. Jetzt nahm er eine Feld-Pred.-Stelle beim Grafen Christoph von Oldenburg an und wurde auf Vorschlag des Grafen nach der Befreiung Bremens dort zum Dom-Pred. ernannt. Außer wöchentlich 2 Predigten hatte er auch eine theol. Vorlesung zu halten. Mit den Pfr. und Pröpsten hatte er ein gutes Verhältnis. Aber bald wurde seine zwinglische Abendmahls-Lehre festgestellt. Der Streit glomm fort, da Melanchthon für seinen Freund eintrat. Einen Ruf nach Emden lehnte er trotz Laskis Zuspruch ab. Mehrfach trat er im Namen der Stadt Bremen mit kirchl. Gutachten hervor. Die Unterschiede in der Abendmahls-Auffassung traten schließlich stärker hervor und lösten den Bremer Abendmahls-Streit aus. H. versuchte, seine Auffassung nicht deutlicher hervorzukehren. 1555 brach aber der Streit erneut auf, als Timann für die Ubiquitätslehre eintrat. Eine Aussprache zwischen Hardenberg und ihm brachte keine Klärung. Die ganze Stadt nahm an dem Streit teil. Als sich König Christian III. von Dänemark einschaltete und ebenso wie die Städte Hamburg und Lübeck seine Entfernung forderte und Heßhusen gegen ihn auftrat, wurde 1561 der niedersächsische Kreistag mit der Klärung dieser Frage befaßt. Dem Domkapitel von Bremen wurde befohlen, ihn zu entlassen. Er protestierte und verließ Bremen. Der Dom blieb bis 1638 geschlossen. 1562 trat ein Umschwung zugunsten der philippistischen Richtung ein, die zum ref. Bekenntnis hinüberführte. H. blieb indessen im Kloster Rastede in Oldenburg und ging dann nach Sengwarden bzw. Emden, wo er bis zu seinem Tode wirkte. Er ist in der großen Kirche in Emden begraben.

ADB 10 (1879), 558 ff.
NDB 7 (1966), 603.
RE 7 (1899), 404 ff.
B. Spiegel. Albert Rizäus Hardenberg. (Bremer Jb. 4) Bremen 1869.
J. Moltmann. Christoph Pezel u. d. Calvinismus in Bremen. Bremen 1958, 16 ff.
H. Engelhardt. Der Irrlehreprozeß gegen A. H. 1547–1561 (Diss.) Frankfurt 1961.
H. Engelhardt. Das Irrlehreverfahren des Niedersächsischen Reichs-Kreises gegen A. H. 1560/61 (JGNKG 61, 1963, 32 ff.).
H. Engelhardt. Der Irrlehrestreit zwischen A. H. und dem Bremer Rat 1547–1561. (Hospitium Ecclesiae 4, 1964, 32 ff.).
W. Neuser. H. u. Melanchthon. Der Hardenbergische Streit 1554–60 (JGNKG 65, 1967, 142 ff.).
C. Rottländer. Der Bürgermeister von Büren und die Hardenbergschen Religionshändel in Bremen. Göttingen 1982.

Nicolaus Hausmann

*ca. 1479 in Freiberg/Sa.
†6. 11. 1538 in Freiberg

H., vertrauter Freund Luthers, den dieser gern immer um sich gehabt hätte. H. studierte in Leipzig, wurde in Altenburg zum Priester geweiht, wirkte als solcher zuerst in Schneeberg, dann in Zwickau, wo er in schwere Kämpfe mit den »Propheten« verwickelt wurde. Da er an gottesdienstlichen Reformen interessiert war, widmete ihm Luther seine »Formula missae et communionis« (1523). Auf H's Plan, eine Beratung über gottesdienstliche Fragen zu halten, ging Luther nicht ein, stand aber weiter mit ihm im Gedankenaustausch über die deutsche Messe und einen ev. Katechismus. Zur Reform des Kirchenwesens schrieb H. die Schrift »Musterung und Anschlag«. Wichtig ist besonders sein Anteil an der Visitation in Kursachsen, für die er bereits 1525 dem Kurfürsten Vorschläge unterbreitete. Von der Visitation erwartete er Abhilfe der eingerissenen Übelstände. Seine praktischen Anregungen nahm Luther gern nach dem Bauernkrieg auf. Auf Luthers Empfehlung kam H. 1532 nach Dessau und beeinflußte die Durchführung der Reformation in Anhalt. Die von ihm verfaßte K. O. blieb ungedruckt. Nach fünf Jahren wurde er als Superintendent in seine Vaterstadt Freiberg berufen. Bei seiner Antrittspredigt wurde er auf der Kanzel vom Schlage gerührt und starb bald darauf. – H. war unverheiratet geblieben. Allgemein hochgeachtet, galt er als ein Prediger, der nicht nur lehrte, sondern sich vor allem um ein christliches Leben mühte. Gerühmt wurde er als Vater der Armen.

ADB 11 (1880), 98 f.
NDB 8 (1969), 126.
RE 7 (1899), 487.
L. Preller. N. H., der Reformator von Zwickau u. Anhalt. (ZHTh 22, 1852, 325–379).
O. G. Schmidt. N. H., der Freund Luthers. Leipzig 1860.
M. Meurer. N. H.'s Leben. (D. Leben d. Altväter d. luth. K.). 1863, 271–320.
J. Bobbe. N. H. und die Reformation in Dessau. (Neujahrsblätter aus Anhalt 2). Dessau 1905.
O. Clemen. N. H. in Alt-Zwickau. Zwickau 1921, 6–8.
P. Wahl. Drei kostbare Porträts i. d. Georgs-Bibliothek zu Dessau (Anhalt. Gesch. Bll. 10/11, 1934/35, 83–89).

Gerhard Hecker

*1470?
†ca. 1538 in Osnabrück

Eine der wirksamsten Persönlichkeiten im Augustinerorden, die sich vor allem für Luther und die neue Lehre einsetzte. Über seine Herkunft und seinen Studiengang ist nichts überliefert. Bekannt ist nur, daß er 1497 Magister geworden ist. Sonst werden nur die Jahre genannt, in denen er Ordensämter bekleidet hat: 1500, 1508, 1513 und 1520 war er Provinzial der sächsischen Provinz. Seine Haltung wurde im Luther-Prozeß deutlich. Als er 1518 vom Ordensgeneral beauftragt wurde, als Kommissar für die Ablaßpredigt zu wirken, um Gelder für ein in Venedig abzuhaltendes Generalkapitel zu erhalten, entzog er sich. Auf dem Reichstag in Augsburg erhielt er am 25. 8. 1518 den Befehl des Ordensgenerals Gabriel Venetus, Luther gefangennehmen zu lassen und ihn nach Rom auszuliefern. Seine Reaktion ist undeutlich. Vielleicht hat er den Brief nicht erhalten. Jedenfalls unterblieb die geplante Aktion. 1520 ist schon ein anderer Provinzial da. Auf dem Reichstag in Worms 1521 ist er wieder zugegen. Seitdem hielt er sich im Osnabrükker Konvent auf. Auf einzelne Ordensbrüder hatte er starken Einfluß. Nach Hamelmann hat er dort öfter gepredigt. Sein Briefwechsel mit Luther ist nach seinem Tode vernichtet worden.

Th. Kolde. Die deutsche Augustiner-Kongregation. Gotha 1879, 318.
Th. Kolde. Luther und sein Ordensgeneral in Rom (ZKG 2, 1881,476).
Th. Beckmann. Das ehem. Augustiner-Eremiten-Kloster zu Osnabrück (Osnabrücker Gesch.-Quellen und Forsch. 13). 1970.
W. Delius. Der Augustiner-Eremiten-Orden im Prozeß Luthers (ARG 63, 1972, 27).

Kaspar Hedio

(Kaspar Heyd)
(Kaspar Bock)
(Kaspar Böckel)
*1494 in Ettlingen
†17. 10. 1552 in Straßburg

Als Sohn wohlhabender Eltern aufgewachsen, besuchte er die berühmte Lateinschule in Pforzheim, wo zahlreiche, später berühmte Männer der Ref.-Zeit seine Schulkameraden waren. Sein Studium begann er in Freiburg, wo er unter dem Rektorat des späteren Straßburger Münster-Pred. Matthäus Zell Mag. wurde. Sein Studium führte er weiter in Basel, wo er mit einer Disputation unter Capito über die Eigenschaften Gottes und die Prädestination zum Lic. promovierte. Um dieselbe Zeit nahm er schon Beziehungen zu Zwingli auf, für den er sich begeisterte, und schrieb am 23. 6. 1520 in gleichem Sinne an Luther. Nachdem er kurze Zeit in Basel Kaplan gewesen war, trat er auf Capitos Empfehlung in kurmainzische Dienste. Seine Wirksamkeit konnte hier nur von kurzer Dauer sein, da er sich bereits für die ref. Bewegung entschieden hatte und aus seiner Überzeugung kein Hehl machte. In Mainz hatte Hedio zwar noch den theol. Dr.-Grad erworben, aber bald bewarb er sich um die Predigerstelle am Straßburger Münster, die er im November 1523 übernahm. Seine ev. Überzeugung unterstrich der 30jährige Prediger durch seine Heirat mit der Patriziertochter Margarete Trenz (1524), die vom Domkapitel auch nicht beanstandet wurde.

In Straßburg wirkte er von Anfang an in Gemeinschaft mit Capito und Bucer. Er beteiligte sich an der Auseinandersetzung mit der alten Kirche und veröffentlichte im Oktober 1524 seine »Ablehnung uf Cunrats Tregers Büchlin«. In der Straßburger Ref.-Gesch. nimmt er nächst Zell und den beiden maßgebenden Reformatoren Capito und Bucer die geachtetste Stellung ein. Theol. stand er allerdings weniger im Vordergrund. Nur an den Disp. und später an den Vorlesungen war er beteiligt. Dafür trat er aber als Organisator stärker hervor und erwarb sich um das Unterrichtswesen große Verdienste. Auf dem Marburger Rel.-Gespräch war er zugegen, ohne dabei besonders hervorzutreten. Das von ihm geschriebene Itinerar ist von großem Interesse. In Straßburg nahm er in diesen Jahren an den sozial-politischen Bestrebungen starken Anteil. Er schrieb einen Traktat vom Zehnten, übersetzte die Schrift des humanistischen Sozialreformers Vives »De subventione pauperum« und nahm praktisch an der Armenpflege stark Anteil. Als Prediger ist er von den Zeitgenossen sehr gerühmt und geliebt worden. Manche seiner Predigten sind auch im Druck erschienen.

Nach außen wirkte er weit über die Grenzen Straßburgs hinaus. Im Oberelsaß, in der badischen Markgrafschaft und in der Pfalz ist er ständig als Reformator beratend tätig gewesen. Seinem Landesherrn, dem Pfalzgrafen Ottheinrich, schickte er manches Gutachten und manche Ratschläge. So empfahl er ihm z. B. die Gründung einer Bibliothek, die auch dem Volk offenstehen sollte. Als Melanchthon nach Frankreich eingeladen wurde, war Hedio von Straßburg ausersehen, ihn zu begleiten. Auswärtige Missionen übernahm er in den folgenden Jahren in mehreren Fällen. So ging er als Straßburger Vertreter zum Rel.-Gespr. nach Worms, 1541 nach Regensburg und 1551 nach Dornstadt. Zur Vorbereitung der Kölner Ref. wurde er neben Bucer nach Bonn abgeordnet und für längere Zeit beurlaubt.

H. war stark historisch interessiert. Er übersetzte zahlreiche Traktate der Kirchenväter, gab eine Chronik der alten chr. Kirche nach Euseb und Sozomenos heraus und stellte schließlich eine Weltchronik zusammen, die von vielen gelesen und beachtet wurde. So hatte er sich in den Anfängen der protestantischen Gesch.-Schreibung einen geachteten Namen gemacht. Nach dem Interim lehnte er jegliche Konzession ab, um seinen Gemeindegliedern kein Ärgernis zu bereiten. Er verzichtete daher auf die Dom-Predigerstelle und begnügte sich mit dem bescheidenen Amt eines Frühpredigers in der einstigen Dominikaner-Kirche. Als letzter Überlebender aus der Generation der Begründer der Straßburger Kirche übernahm er nach Bucers Fortgang die Leitung des Kirchenkonvents, hatte aber bei seiner vermittelnden theol. Haltung manchen Gegensatz zu erfahren.

ADB 11 (1880), 223 f.
NDB 8 (1969), 188 f.
RE 7 (1899), 515 ff.
T. W. Röhrich. Mitteilungen a. d. Gesch. d. ev. Kirche d. Elsasses. Bd. 3, 1855.
W. Baum. Capito u. Butzer. Elberfeld 1860.
Ch. Spindler. C. H. 1864.
E. Himmelheber. C. H. Karlsruhe 1881.
C. Varrentrapp. Hermann von Wied u. s. Reformationsversuch in Köln. Leipzig 1878.
F. Roth. Friedrich II. v. d. Pfalz u. d. Reformation. Heidelberg 1904.
J. Adam. Versuch einer Bibliographie K. H's (ZGO N. F. 31 1916, 424–429).
J. Adam. Ev. KG d. Stadt Straßburg. 1922. 54 ff. u. ö.
Ders. Ev. KG d. elsäss. Territorien. Straßburg 1928.
W. Gunzert. Kleine Beitr. z. Gesch. d. Grafsch. Hanau-Lichtenberg (Elsaß-lothr. Jb. 19, 1941, 129–141).
H. Keute. K. H. als Historiograf. Göttingen 1980.

Jacob Heerbrand

*12. 8. 1521 in Giengen a. d. Brenz
†22. 5. 1600 in Tübingen

H. stammte aus einer Handwerkerfamilie. Nach gründlicher Vorbereitung kam er 1536 auf die Schule in Ulm und studierte auf Wunsch seines Vaters in Wittenberg (Alb. Vitt. 1538, S. 171). Dort stand er 5

Jahre lang im Umgang mit den großen Lehrern. Als Magister zog er 1543 nach Hause und übernahm das Pfarramt in Tübingen, aus dem er durch das Interim verdrängt wurde. 1550 erwirbt er in Tübingen den Dr.-Grad und erhält von Herzog Christoph die Pfarrstelle in Herrenberg. H. nahm teil an der Confessio Wirtembergica und an der Gesandtschaft nach Trient. Kurze Zeit wirkte er für die Reformation in Pforzheim, ehe er als Professor nach Tübingen berufen wurde, wo er 40 Jahre wirken sollte. Stand er auch hinter dem Kanzler der Universität zurück, so hatte er doch als Stiftsdechant großen Einfluß. An der Universität war er achtmal Rektor. Auswärts genoß er hohes Ansehen. Die Vertretung des lange von Tübingen abwesenden J. Andreae, vermehrte Arbeit mit den Studenten und die Kämpfe mit den Jesuiten hielten seine literarische Arbeit auf. Sein Compendium theologiae (1571) wurde eins der bekanntesten Lehrbücher. H. war Anhänger Melanchthons. Sein Verhältnis zu seinen Lehrern und Freunden kam in seinen Nachrufen deutlich zum Ausdruck: Melanchthon (1560), Brenz (1570), Andreae (1590).

ADB 11 (1880), 242 ff.
NDB 8 (1969), 194 f.
RE 7 (1899), 519 ff.
G. Frank. Gesch. d. protest. Theologie 1. Leipzig 1862, 43 f.

Johannes Hefentreger

(Trygophorus)

*1497 in Fritzlar
†3. 6. 1542 in Wildungen

H. entstammte einer frommen Familie. Seit 1516 studierte er in Erfurt. 1521 wurde er zum Priester geweiht und erhielt die Stelle des Beichtvaters in einem Kloster seiner Vaterstadt. Das Lesen der Lutherschriften führte ihn zu evangelischer Erkenntnis. Die Heirat bekräftigte seine Überzeugung. Nach längerer Zeit fand er eine neue Wirkungsstätte in Waldeck. Graf Philipp holte ihn dann nach Wildungen, von wo er die Reformation des ganzen Landes Waldeck organisieren konnte. Auf diesem Gebiet lag seine besondere Gabe. Um die Reformation zu sichern, verfaßte er die Wildunger Sätze von 1539, die die K. O. ersetzen sollten, schrieb den Katechismus-Unterricht und eine besondere Agende. Nach seinem frühzeitigen Tode schrieb sein Sohn seine Lebensgeschichte. Die Reformation Waldecks war gesichert und erfuhr auch später keine Veränderung.

RE 20 (1908), 145 f.
V. Schultze. H's Konfirmationsordnung (NKZ 1900, 233 f.).
Ders. Waldeckische Reformationsgeschichte. Leipzig 1903.
O. Hütteroth. Althessische Pfarrer der Reformationszeit. Marburg 1953, 127.

Peter Hegemon

(Peter Herzog)

*im Ansbachischen (?)
†26. 3. 1560 in Königsberg/Pr.

H. studierte in Wittenberg Sprachen und wurde 1530 mit Melanchthons Empfehlung nach Königsberg entsandt, um dort die Kneiphofsche Lateinschule zu übernehmen. Zehn Jahre lang nahm er dieses Amt wahr, bis mit der Errichtung des Particulars die Schule aufgelöst wurde. Jetzt wurde in ihm der Wunsch lebendig, ins Pfarramt einzutreten. Der Hz. gewährte ihm die Bitte, nahm ihn für zwei Jahre unter seine Stipendiaten auf und schickte ihn zum Studium der Theologie nach Wittenberg. Statt zwei blieb er 4 Jahre in Wittenberg und promovierte dort am 3. 7. 1545 noch zum Lic. und Dr. unter Luthers Dekanat. Hz. Albrecht trug auch dafür die Kosten.

Da inzwischen Brießmann, durch Krankheit und Alter gehindert, die Last des Pfarramtes nicht mehr tragen konnte, wurde H. zu seinem Nachfolger gewählt. »Der fromme, ehrliche Biedermann« wird er hier genannt. Außer dem Dompfarramt übernahm er 1547 auch eine außerordentliche Professur an der neugegründeten Univ. und las dort 2stündig. Nach wenigen Jahren (1550), als J. Mörlin nach Königsberg kam, trat er ihm die Dompfarrstelle ab und übernahm selbst die Löbenichsche.

H. war verheiratet und hatte mehrere Kinder. Er muß in der Öffentlichkeit nicht nur ein gutes Ansehen genossen, sondern auch Geschick bei Verhandlungen gezeigt haben, da ihn Hz. Albrecht am 28. 10. 1550 zu seinem Rat ernannte. Seiner theol. Stellung nach war er treuer Lutheraner, lehnte daher das Interim bedenkenlos ab und gehörte auch zu Osianders Gegnern. Wigand, der ihn noch in Königsberg gekannt und seine Vita beschrieben hat, bezeichnet ihn als schlichten und geraden Mann, der in klarer und unverfälschter Weise die Wittenberger Theologie vortrug. Neben dem ersten Theol.-Prof. Staphylus, der bald abfiel, war er der zweite, sicher aber der gediegenere. Der Hz. legte Wert darauf, daß eine Verbindung des Pfarramtes und des akademischen Amtes in Königsberg durchgeführt wurde, und dieser Weg mußte schon aus dem Grunde beschritten werden, weil es schwer war, gute Gelehrte für Königsberg zu gewinnen.

ADB 1 (1875), 690.
RE 2 (1897), 288 ff.
P. Tschackert. UB 1, 298. 3, 282.
W. Hubatsch. Gesch. d. ev. Kirche Ostpreußens. 1. Göttingen 1968, pass.

Christoph Hegendorf

*um 1500 in Leipzig
†8. 8. 1540 in Lüneburg

H. studierte die artes und Theologie in seiner Vaterstadt Leipzig. Als Humanist wird er Schüler des Petrus Mosellanus. Mit Melanchthon stand er in Briefwechsel; dieser empfahl ihn nach Posen, wo H. eine Zeitlang als Lehrer des Griechischen wirkte. Als Petrus Mosellanus 1524 starb, wurde er als dessen Nachfolger auf den Lehrstuhl für Griechisch in Leipzig berufen. Später ging er in gleicher Eigenschaft nach Frankfurt/Oder. Diese Tätigkeit befriedigte ihn offenbar nicht. Promoviert hatte er zum Dr. iur. in Frankfurt/O. Da er nach praktischer Arbeit verlangte, ging er bereits 1537 als Syndikus der Stadt nach Lüneburg. Offenbar verfügte er über organisatorisches Talent. Er wurde so sehr gerühmt, daß die Universität Rostock ihm die Aufgabe übertrug, das Hochschulwesen zu reformieren. Als H. nach Lüneburg zurückkehrte, wurde er 1539 zum Stadtsuperintendenten berufen. Kaum daß er dieses Amt übernommen hatte, wurde er 1540 von der Pest dahingerafft. Theologisch konnte er sich nicht mehr betätigen. Von ihm liegen Klassikerausgaben und einige lateinische Schulkomödien vor.

ADB 11 (1880), 274; 13 (1882), 794; 24 (1913), 785.
A. Wrede. Die Einführung der Reformation in Lüneburg. Lüneburg 1887.
H. Reinhardt. Die ev. Pastoren in Lüneburg. (Reformation vor 450 Jahren. Eine lüneburgische Gedenkschrift). Lüneburg 1980, 113 ff.

Jacob Hegge
gen. Finkenblock

Geb. als Sohn eines Schneiders in Danzig, zum Priester geweiht, hält im Oktober 1522 die erste evangelische Predigt in Danzig, und zwar im Freien außerhalb der Stadtwälle. Da er exkommuniziert wurde und keine Kirche benutzen durfte, stellten ihm seine Anhänger auf dem Gertruden-Kirchhof eine Kanzel auf. Für kurze Zeit ging er nach Wittenberg. Als in Danzig 1524 die ev. Volksbewegung immer stärker wurde, wurde er zum Pfarrer an S. Katharinen bestimmt, aber auf Verlangen des Königs 1526 aus dem Amt entfernt. Vor dem gewaltsamen Eingreifen König Sigismunds in Danzig verließ er die Stadt und folgte auch der Vorladung vor das königliche Hofgericht nicht. Längere Zeit hielt er sich in Stralsund auf, stand 1529 in Flensburg auf seiten Melchior Hoffmans, revozierte aber vor Bugenhagen in Hamburg. Hier verlieren sich seine Spuren.

Gerhard Lippky. Die ersten Danziger Reformationsprediger (Danzig – westpreußischer Kirchenbrief 1967).
Heinz Neumeyer. KG von Danzig und Westpreußen. 1. Bd. Leer 1971. 77 ff.
W. Drost. Kunstdenkmäler der Stadt Danzig. Bd. 3, Stuttgart 1979. 207–216.

Kaspar Heidenreich

*ca. 1510 in Freiberg
†30. 1. 1586 in Torgau

Über seine Herkunft und seine Frühzeit ist nichts bekannt. In den Jahren 1528/29 studierte er in Wittenberg. Wohin er sich dann wandte, bleibt dunkel. Erst 1540 tritt er hervor, als er Schulrektor in Joachimsthal wurde (WABr 10, 372). Freilich wurde er bald aus Böhmen verjagt. In Wittenberg erlangte er in der nun folgenden Zeit 1541 den Magistergrad und war Tischgenosse bei Luther. Er unterließ es nicht, Luthers Tischreden aufzuschreiben. Seine Nachschriften gehören zu den besten. Im Oktober 1543 berief ihn die Herzogin Katharina zu ihrem Hofprediger. In dieser Stellung blieb er bis 1553, als er zum Pfarrer und Superintendenten in Torgau berufen wurde. Erhalten ist eine beachtliche Synodalpredigt von 1564.

P. Kreysig. Sächsisches Pfarrerbuch. Dresden 1893.

Peter Herzog

(siehe: Peter Hegemon)

Johann Heß

*1490 in Nürnberg
†5. 1. 1547 in Breslau

Heß stammt aus einer wohlhabenden Bürgerfamilie in Nürnberg. Gründlich humanistisch vorgebildet, studierte er 1505–1510 in Leipzig, dann 2 Jahre in Wittenberg, wo er sich an Lang und Spalatin anschloß. Von hier ging er nach Breslau und trat in den Dienst des B. Johann Turzo, der ihm ein Kanonikat in Neiße verlieh. 1518/19 unternahm er eine Italienreise und erwarb (in Ferrara?) den Dr.-Grad. In Breslau empfing er (1520) die Priesterweihe, blieb aber mit den Wittenberger Freunden in Verbindung. Melanchthon mahnte ihn oft wegen seiner Ängstlichkeit. Nach dem Tode des B. ging er daher zuerst als Hofprediger zum Hz. von Oels, dann 1523 nach Nürnberg. Der Breslauer Magistrat berief ihn dann zum Pfarrer an St. Maria-Magdalena. Dort blieb er bis zu seinem Tode. Nach der Disputation von 1524 begann er in aller Stille, Wittenberger Ordnungen einzuführen und das Schul- und Armenwesen zu verbessern. Die Neuerungen blieben in engen Grenzen. Diese Eigentümlichkeit behielt die Breslauer Ref. bis ins 19. Jh. Auf diese Weise wurde der konfessionelle Friede erhalten. Heß hielt jeden theologischen Streit von Breslau fern. Er lehnte die Schweizer ebenso wie Schwenckfeld ab. An den großen Auseinandersetzungen im Reich nahm er nicht teil. Wohl besaß er eine umfassende Bildung, äußerte sich aber nicht literarisch. In der Welt der Reformatoren stand er trotzdem in hohem Ansehen und führte mit den bedeutendsten Theologen Briefwechsel. 1540/41 besuchte er zum letztenmal seine Vaterstadt und reiste mit Veit Dietrich zum Religionsgespr. nach Regensburg. In seinen letzten Jahren trat er nicht mehr hervor. Die Reformation Schlesiens hängt aufs engste mit ihm zusammen.

ADB 12 (1880), 283.
NDB 9 (1972), 7f.
RE 7 (1899), 788–791.
W. Hentschel. J. H., der Reformator Breslaus. Halle 1901.
G. Kretschmar. Die Reformation in Breslau (Quellen zur ostdt. und osteuropäischen Kirchengeschichte, H. 3/4). Ulm 1961.
O. Wagner. Die Reformation in Schlesien. Leer 1967, 5ff.

Tileman Heßhusen

*3. 11. 1527 in Nieder-Wesel
†25. 9. 1588 in Helmstedt

H. stammt aus einer einflußreichen Familie in Wesel. In Wittenberg wurde er Melanchthons Schüler und stand ihm als solcher nahe. Während der Interimszeit hielt er sich in Oxford und Paris auf. 1550 las er als Mag. in Wittenberg Rhetorik und Dogmatik. 1553 wurde er Superintendent in Goslar, erwarb auf Kosten der Stadt den Dr.-Grad in Wittenberg, geriet aber mit der

Stadt in Streit und ging bald als Prof. nach Rostock. Auch dort gab es Streit wegen der Sonntagshochzeiten. Melanchthon verschaffte ihm die Berufung als Gen.-Sup. nach Heidelberg. Dort kam es 1559 zum Abendmahlsstreit. Friedrich III. setzte ihn ab, und Melanchthon gab ihm recht. Auch in Bremen spielte er in der gleichen Frage keine rühmliche Rolle. Von Magdeburg aus schrieb er Antworten an seine Gegner und bemühte sich, strengstes Luthertum durchzusetzen. Es kam zu heftigem Tumult, und H. wurde verjagt. Selbst seine Vaterstadt Wesel verweigerte ihm das Asyl. Pfalzgraf Wolfgang von Pf.-Zweibrücken nahm ihn auf; nach dessen Tod ging H. nach Jena. Dort vertrat er den Standpunkt, daß neben Wort und Sakrament der Gehorsam gegen das Amt zu den Kennzeichen der Kirche gehöre. Daher bekämpfte er Jac. Andreae und alle, die das luth. Unionswerk betrieben. Als Kf. Johann Wilhelm die Verwaltung Thüringens übernahm, mußten ca. 100 Pfarrer das Land verlassen. H. und Wigand gingen nach Königsberg. Dort wurde H. 1573 zum Bischof eingesetzt, als aber Wigand sich gegen ihn stellte, aus dem Amte entlassen. Chemnitz verhalf ihm zu einer Professur in Helmstedt. Auf dem Herzberger Konvent 1578 erhielt er recht gegen Wigand. Ein tüchtiger Theologe, aber maßlos in seiner Rechthaberei, der Typus der Frühorthodoxie.

ADB 12 (1880), 314ff.
NDB 9 (1972), 24f.
RE 8 (1900), 8ff.
K. v. Helmolt. T. H. und seine sieben exilia. Leipzig 1859.
C. Wilkens. T. H., ein Streittheologe der Lutherkirche. Leipzig 1860.
P. F. Barton. Um Luthers Erbe. Studien und Texte zur Spätreformation T. H. (Untersuch. z. KG 6). Witten 1972.

Kaspar Heyd

(siehe: Kaspar Hedio)

Heinrich Himmel

(oder Hümmel)

*in Emmerich?
†?

H. H. trat vermutlich in Köln in den Augustiner-Eremiten-Orden ein. Bei seiner Immatrikulation in Wittenberg 1516 wurde er mit seinem Klosternamen als Augustinus de Embrica eingetragen (Album 1, 64). Er muß ein tüchtiger Theologe gewesen sein, denn seit 1521 hält er im Kölner Konvent theologische Vorlesungen. Die Kölner Theologische Fakultät untersagt es ihm, doch ohne Erfolg. Der Erzbischof leitete ein Verfahren gegen ihn ein, doch vergeblich. Der Chronist schreibt, daß im Kloster weiterhin »Irrtum und Zank« herrschten. Die Visitation, die Johann Spangenberg als Ordensvikar durchführt, hat nur vorübergehende Wirkung. Die Spannungen hielten an. Der neue Prior legte deshalb sein Amt nieder. Luther nennt H. (gelegentlich wird er auch Coelum genannt) »fein, still, sittig, gelehrt und fromm«. Als er aus dem Kloster ausschied, hielt er sich zuerst als Prediger in Köln auf, dann in Wittenberg an der Schloßkirche (WABr 4, 274). Auf Empfehlung der Visitatoren kam er 1529 nach Colditz. Später sollte er Superintendent von Altenburg werden. Wie weitere Lutherbriefe zeigen, blieb Luther bei seiner hohen Meinung von ihm (WABr 8, 128).

Th. Kolde. Die deutsche Augustiner-Kongregation. Gotha 1879.
C. H. Burckhardt. Gesch. d. sächsischen Kirchen und Schulvisitationen 1524–1545. Leipzig 1879.

Johannes Hoeck

(siehe: Johannes Aepinus)

Sebastian Hofmeister

(Sebastian Oikonomos)
(Sebastian Wagner)

*1476 in Schaffhausen
†26. 9. 1533 in Zofingen

Er wurde schon in jungen Jahren Franziskaner. Den begabten Mönch führte sein Weg nach Paris, wo er studierte und den Dr.-Hut erwarb; erst 1520 kam er in seine Heimat zurück. Er war nicht nur in den klassischen Studien, sondern auch im Hebr. bewandert. Als Lesemeister im Barfüßer-Kloster in Zürich kam er mit Zwingli zusammen und begann 1523 in Luzern unter seinem Einfluß im reform. Sinne zu wirken. Aus Luzern vertrieben, wandte er sich wieder in seine Vaterstadt, wo seine Predigten gegen die kirchl. Mißstände starken Eindruck machten, aber auch heftige Kämpfe auslösten. In diesem Jahre noch erschien seine Schrift »Ein treuwe Ermanung an die Eidgenossen, daß sie mit durch ire falschen propheten verfürt, sich wider die lere Christi setzend«. Als Eck sich auch gegen den Zürcher Reformator wandte, sekundierte H. seinem Freunde Zwingli tüchtig mit der Schrift »Anwort auf die ableinung Doctor Eckens«. Auch bei den großen Zürcher Disp. von 1523 und 1524 wirkte er tatkräftig mit.

Aus Schaffhausen verdrängt, stand er eine Zeitlang auf der Kanzel des Fraumünsters in Zürich, kämpfte beim Rel.-Gespr. in Ilanz in Graubünden mit und 1528 in Bern. Die Berner hielten ihn zuerst als Lehrer, dann als Pfr. in Zofingen zurück, wo er das Chorherrenstift zu reformieren und die kirchl. Verkündigung gegenüber dem um sich greifenden Täufertum zu treiben hatte. Seine dialektischen Fähigkeiten waren so groß, daß er wie bei früheren Gelegenheiten, so auch hier sich durchsetzte. Freilich war ihm im Berner Gebiet nur eine kurze Wirksamkeit beschieden. H. gilt wohl als Reformator Schaffhausens, obwohl es ihm nicht vergönnt war, dort den Durchbruch des Ev. zu erleben. Aber an vielen andern Orten der Schweiz hat er ebenso entscheidend für die Ref. gewirkt. Sein rastloses Leben fand ein plötzliches Ende.

ADB 12 (1880), 643 f. 13, 794. 15, 795.
NDB 9 (1972), 470.
RE 8 (1900), 241 f.
M. Kirchhofer. S. W., genannt Hofmeister. 1918.
J. Wipf. S. H., der Reformator von Schaffhausen. Schaffhausen 1918.
Ders. Ref.-geschichte d. Stadt u. Landschaft Schaffhausen. Zürich 1929, 99–219.
F. Schoder. Aus dem Leben u. Wirken S. H's. Zofinger Neujahrsblatt 22, 1937, 40–47.

Johannes Honterus

*1498 (?)
†23. 1. 1549 in Kronstadt

Aus der Frühzeit des J. H. ist nichts Sicheres bekannt. Vielleicht war sein dt. Familienname Gras. Er studierte 1515 in Wien, nach größerer Unterbrechung in Krakau (1530) und hielt sich anschließend in der Schweiz auf. 1533 kehrte er in seine Heimat zurück, heiratete und wirkte als freier Schriftsteller und Buchdrucker. Allmählich wurde das ganze Sachsenland auf den Weg der Reformation gebracht. Ohne Streit vollzog sich der Übergang auch vom Humanismus zum reinen Evangelium. Auf H. geht die 1543 geschaffene Kirchenordnung für Kronstadt und das Burgenland zurück. 1544 wurde er zum Pfarrer in Kronstadt berufen und entfaltete in dieser Eigenschaft eine große reformatorische und literarische Tätigkeit. Der Gegensatz zwischen der Wittenberger und der Schweizer Auffassung mußte überwunden werden.

Die Kirchenordnung von 1547 sollte auf Beschluß der Nation für das ganze Land gelten, ebenso das von H. geschaffene neue Rechtsbuch (Compendium iuris civilis). H. hatte die Weichen gestellt und die Richtung gewiesen, die für Generationen bestimmend wurde. Daher wird er als *der* Reformator Siebenbürgens in Kirche und Volk verehrt.

ADB 13 (1881), 78.
NDB 9 (1972), 603 f.
RE 8 (1900), 333–340.
O. Netoliczka. Beitr. z. Gesch. d. J. H. und seiner Schriften. Kronstadt 1930.
K. K. Klein. Der Humanist und Reformator J. H. München 1935.
Erich Roth. Die Reformation in Siebenbürgen. Ihr Verhältnis zu Wittenberg und der Schweiz. Köln 1962.
Oskar Wittstock. J. H., der Siebenbürger Humanist u. Reformator. Göttingen 1970.

John Hooper

*um 1500 in Somersetshire
†1555

H. studierte in Oxford. Während dieser Zeit.haben ihn Zwinglis Schriften stark beeindruckt. Als in England die Verfolgungen einsetzten, entkam er 1539 nach Frankreich. Bucer nahm sich seiner an. In Zürich schloß er sich besonders an Heinrich Bullinger an. Nach dem Tode Heinrichs VIII. kehrte er nach England zurück, wurde Kaplan des Herzogs von Somerset und einer der beliebtesten Prediger des Landes. Als er aber Bischof von Gloucester werden sollte, gab es Schwierigkeiten, da er keine kirchlichen Gewänder anlegen und dem Metropolitan keinen Eid leisten wollte. Cranmer forderte Martin Bucer und Peter Martyr zu Gutachten auf, die für die Anerkennung der kirchlichen Ordnung plädierten. Hooper ließ sich aber nicht beschwichtigen und sprach sich in seinen Predigten gegen Ordination und bischöfliche Kleidung aus. Daraufhin wurde er gefangengesetzt. Nun änderte er seinen Sinn, leistete den Eid und predigte vor dem König Eduard im bischöflichen Ornat. 1551 wurde er geweiht. Seitdem verwaltete er außer dem Bistum Gloucester auch das von Worcester. Mit großem Eifer widmete er sich der Seelsorge und hielt streng auf Kirchenzucht. 1555 wurde er eins der Opfer der Rekatholisierung Englands. Er starb auf dem Scheiterhaufen.

RE 8 (1894), 346.
C. H. Smyth. Cranmer and the Reformation under Edward VI. London 1926.
A.Lang. Puritanismus und Pietismus. Neukirchen 1941, 38 ff.
P. Meissner. England im Zeitalter des Humanismus, der Renaissance und der Reformation. Heidelberg 1952, passim.

Johann Horn

(Jan Roh)

*ca. 1490 in Taus in Böhmen
†1547 in Jungbunzlau

Ohne theologische Bildung, nur mit gründlicher Bibelkenntnis ausgerüstet, wurde H. Prediger der Böhmischen Brüder in Weißwasser. Mit Michael Weiße, der sein Breslauer Kloster verlassen hatte, machte er sich 1522 auf den Weg nach Wittenberg. Einen Auftrag zu Verhandlungen mit Luther hatten sie nicht. 1524 war er zum zweitenmal dort. In der Brüderkirche war er sehr geschätzt. Bereits 1529 wurde er vom Bischof geweiht und 1532 zum Richter (senior oder leitender Bischof) gewählt. In dieser Eigenschaft schrieb er das Vorwort zur Confessio Bohemica. Während er sich anfangs Luther anglich, wandte er sich nach 1546 doch wieder stärker der Überlieferung der Böhmischen Brüder zu und hielt sich an die Schriften des Lukas Chelcitzky. In der Abendmahlslehre kam er nach wie

vor Luther nahe. 1544 erneuerte er Michael Weißes Gesangbuch.

ADB 50 (1905), 466.
Jos. Müller. Die deutschen Katechismen der Böhmischen Brüder. Berlin 1887.
J. Th. Müller. Geschichte der Böhmischen Brüder. 2 Bde. Berlin 1931.
Erh. Peschke. Die Theologie der Böhmischen Brüder in ihrer Frühzeit. 1/2 Stuttgart 1935/40.

Kaspar Huberinus

*21. 12. 1500 in Wilsbach, Bayern
†6. 10. 1583 in Oehringen

Unter seinen Zeitgenossen wie unter den Nachlebenden übte er eine bedeutende Wirkung aus, ohne selbst in stärkerem Maße hervorzutreten. Seine Stärke lag in der Publizistik. H. soll Mönch gewesen und aus dem Kloster entlaufen sein. 1522 ließ er sich in Wittenberg einschreiben und trat dort in persönliche Beziehungen zu Luther. In Augsburg um 1525 wurde er Gehilfe des Rhegius und verfaßte eine Reihe von Sermonen und kleinen erbaulichen Traktaten, die gern gelesen wurden. Eine dieser Schriften wurde von Luther mit einem Vorwort versehen; die meisten erschienen in Wittenberg. Zu den in Augsburg bestimmenden Zwinglianern stand er in scharfem Gegensatz. Nach dem Augsburger Reichstag 1530, als die Stadt sich den Lutheranern nähern mußte, unterstützte er Frosch und St. Agricola und wirkte durch seine publizistischen Schriften für das Luthertum. Mit Wittenberg unterhielt er ständig Verbindung. Daher wurde er auch unter dem Einfluß Bucers dazu ersehen, die offizielle Verbindung dorthin herzustellen. Am 21. 6. 1535 reiste er nach Wittenberg und Celle, um Rhegius für Augsburg zurückzugewinnen. Während Forster an seine Stelle trat, entfaltete er als Helfer des Musculus eine reiche katechetische Tätigkeit und veröffentlichte Katechismen, Predigten und weitere Erbauungsschriften. In seinem »Streitbüchlein« von 1541, das die zentralen luth. Anschauungen in schöner und schlichter Weise als Bewährung im Leben darstellt, hat er seine zwinglianischen Gegner nur in dunklen Farben gemalt. In den folgenden Jahren ist er Pfr. in Oehringen, erklärte sich aber für das Interim, wurde nach Augsburg wiederberufen, 1552 aber von Moritz von Sachsen vertrieben. Er mußte es erleben, daß ihm daher »Abfall vom Ev.« vorgeworfen wurde. In seiner Postille und einem Brief an den Rat von Oehringen rechtfertigt er sich. Wenn sein Standpunkt auch schwer zu verstehen ist, so betont er, nach seinem Gewissen gehandelt zu haben. Seine Erbauungsschriften sind dagegen eindeutig und kraftvoll. Auch einige Kirchenlieder gehen auf ihn zurück.

ADB 13 (1881), 258f.
NDB 9 (1972), 701.
RE 8 (1900), 415ff.
H. Beck. Die Erbauungsliteratur in der ev. Kirche Deutschlands. Berlin 1889.
F. Germann. Johann Forster. Meiningen 1894.
F. Roth. K. H. und das Interim in Augsburg (BBKG 11). 1905, 201.
G. Franz. H. – Rhegius – Holbein. Bibliographie und druckgeschichtliche Untersuchung der verbreitetsten Trost- und Erbauungsschriften. (Bibliotheca humanistica et reformatorica 7). Nieuwkoop 1973.

Konrad Hubert

*1507 in Bergzabern
†13, 4. 1577 in Straßburg

Er kam 1519 nach Heidelberg auf die Schule. Seit 1526 studierte er in Basel und wurde hier für das Ev. gewonnen. Oecolampads Vorl. gaben ihm viel, noch mehr konnte er aber als dessen Famulus lernen. Der Aufenthalt im Hause dieses Gelehrten vermittelte ihm auch zahlreiche persönliche Beziehungen, die er in seinem Briefwechsel weiter pflegte. Als nach der Schlacht bei Kappel in der Schweiz sich keine neuen Möglichkeiten boten, empfahl ihn Oecolampad seinem Freunde Bucer, der von Huberts »freundlicher und guter Art« sehr angetan war und ihn als seinen Helfer in Straßburg an St. Thomas annahm. Dieses Amt füllte er 18 Jahre lang mit größter Pflichttreue aus. Seine Bescheidenheit war so groß, daß er nie Einfluß auszuüben trachtete. Für Bucer war er ein unschätzbarer Helfer, der die riesengroße Arbeit des vielbeanspruchten und oft auf Reisen befindlichen Präsidenten des Kirchenkonvents durchzuführen und zu erleichtern trachtete. Zahlreiche Schriftstücke mußte er ins reine schreiben und Entwürfe genau ausführen. Theol. stand er ganz auf Bucers Seite und suchte in Milde und Nachgiebigkeit die Mitte zu halten. Mit der nach Bucers Fortgang 1549 durch Marbach und Rahns zur Herrschaft gekommenen luth. Richtung konnte er sich nicht verstehen. 1557 wurde er daher aus dem Kirchenkonvent verstoßen und 1563 aus seinem Amt als Helfer an St. Thomas entlassen. Seitdem konnte er nur als »Frei-Prediger« gelegentlich Gottesdienst halten. Auch als er Bucers Schriften herausgeben wollte, fand er viel Gegensatz. In der Vorrede zum »Tomus Anglicanus« sprach er sich über sein Verhältnis zu Bucer aus. Er zog sich bald vom kirchl. Leben immer mehr zurück. Seine literarischen Arbeiten, seine Treue zur Straßburger Art, aber auch seine Lieder lassen ihn nicht in Vergessenheit geraten.

ADB 13 (1881), 261ff.
NDB 9 (1972), 702f.
RE 8 (1900), 417ff.
W. Baum. Capito und Butzer. Elberfeld 1860. 586ff.
T. W. Rörich. K. H. (Mitt. 3. 1865, 245–274).
G. Anrich. K. H. (Mschr. f. Gottesd. u. kirchl. Kunst 1897, 72ff.).

J. Adam. Ev. KG der Stadt Straßburg. Straßburg 1922. 189 u. ö.

Andreas Hyperius

(Gerhardi)

*16. 5. 1511 in Ypern/Flandern
†1. 2. 1564 in Marburg

Andreas Gerardi war der Sohn eines angesehenen Juristen. Humanistisch vorgebildet, führte er seit seinem 12. Lebensjahr das übliche Scholarendasein. 1523 lernte er in Lille, 1528 in Löwen. Von dort ging er als Magister nach Paris, um Theologie und Kanonisches Recht zu studieren. Johann Sturm, mit dem er dort befreundet war, leitete ihn zur reformatorischen Auffassung hin. Nun ging er an deutsche Universitäten, an denen evangelische Theologie vertreten wurde. Als sein väterliches Erbe erschöpft war und er weder in der Heimat noch in England eine Stelle fand, wandte er sich an seinen Landsmann Geldenhauer, der ihn in Marburg festhielt. Hier sollte er sein Nachfolger werden. Nach der langen Wanderzeit fand er hier sein bleibendes Wirkungsfeld. Er heiratete Catharina Ort. An der Universität gewann er hohes Ansehen. Nach Achelis vertrat er Bucers Theologie und hielt in der Hauptsache exegetische Vorlesungen. Sein enzyklopädisches Hauptwerk De recte formando theologiae studio, Basel 1556, und seine Homiletik De formandis concionibus sacris, Basel 1553, machten ihn bekannt. Seitdem gilt er als Begründer einer wiss. Predigtlehre. Eine nicht geringe Bedeutung hat er auch für die hessische Landeskirche. Landgraf Philipp hatte großes Vertrauen zu ihm und berief ihn in alle Synoden und Visitationen. Zuletzt arbeitete er noch eine Landesagende aus, die posthum (1566) erschien, aber 1574 durch eine andere abgelöst wurde.

ADB 13 (1881), 490f.
NDB 10 (1974), 108.

RE 8 (1900), 501–506.
K. F. Müller. A. H. Kiel 1895.
M. Schian. Die Homiletik des A. H., ihre wiss. Bedeutung f. d. praktische Theologie (ZPTh 1896, 289–324. 1897, 27–66. 120–149).
W. Caspari. Die Bestrebungen des A. H. auf dem Gebiet der praktischen Theologie. Erlangen 1901.
E. Achelis u. E. Sachse. Die Homiletik u. Katechetik des A. H. Leipzig 1901.
F. W. Kantzenbach. A. H., Prof. d. Theol. zu Marburg (JHKGV 9, 1958, 55–82).
D. Freilinghaus. Ecclesia und vita. Untersuchungen z. Ecclesiologie d. A. H. Marburg 1966.
G. Krause. A. H. (Beitr. z. hist. Theol. 56). Tübingen 1977.

Christoph Irenäus

(Deutscher Name nicht bekannt)

*1522 in Schweidnitz
†um 1595 in Bernburg

Von seinen Eltern wissen wir, daß sie in bescheidenen Verhältnissen lebten. Er besuchte die berühmte Schule Trotzendorfs in Goldberg und ging vermutlich von dort nach Wittenberg. Neben seinem Studium unterrichtete er und war von 1545–47 Schulrektor in Bernburg. Dann empfahl ihn Melanchthon nach Schweinfurt; er übernahm jedoch die Schule in Aschersleben. Hier heiratete er die Tochter des Sup. Plateanus, ließ sich 1552 von Bugenhagen ordinieren und übernahm ein Pfarramt. Aus seinen Predigten über das Glaubensbekenntnis erwuchs ein großes Werk, das in streng luth. Geiste gehalten war. Die Grafen von Mansfeld beriefen ihn dann nach Eisleben, wo er mit dem strengen Gnesio-Lutheraner C. Spangenberg befreundet war. 1566 wurde er Hof-Pred. in Weimar. Seinen Einfluß benutzte er, um Anhänger des Flacius in Kirchen und Univ. ins Amt zu bringen. Er blieb strenger Verfechter dieser Richtung. Jede Vermittlung, wie sie Chemnitz und J. Mörlin unternahmen, lehnte er ab. Gegen die Einigungsbestrebungen Andreäs stritt er mit Wort und Schrift. Vergeblich wollte Andreä 1570 mit ihm in Weimar verhandeln. Als die ev. Fürsten sich über das Treiben der Flacianer in Thüringen beschwerten und daraufhin Hz. Joh. Wilhelm einige von ihnen entlassen mußte, wurde er als Sup. nach Neustadt (Orla) versetzt. Da er auch hier nicht milder auftrat und der Obrigkeit widerstand, mußte er schließlich sein Amt verlassen und nach Mansfeld gehen. Selbst die Theologen von Jena schrieben jetzt gegen ihn. Der Kampf erregte auch die Bürgerschaft. Wie Flacius ist auch er seitdem ständig auf Wanderschaft. Bis 1590 soll er noch siebenmal vertrieben worden sein. Selbst in seiner schlesischen Heimat konnte er sich nicht halten. Bald tauchte er in Hessen, bald am Rhein auf. In Franken wurde er von Eberhard von Stetten aufgenommen. Von hier führte er den Kampf gegen Andreä und die F. C. weiter. Eine persönliche Begegnung mit Andreä ließ den Kampf noch heftiger werden. Auch die anderen Mitarbeiter an der F. C., Chemnitz, Selnecker und Kirchner lehnten ihn scharf ab. Er verfaßte einige Erläuterungsbriefe, von denen »der Spiegel des ewigen Lebens« viel gelesen wurde, verzehrte aber seine Kräfte im Kampf. Als alter Mann wirkte er eine Zeitlang in Niederösterreich, mußte aber auch dort das Feld räumen und fand schließlich wieder Zuflucht in Bernburg, wo er seine Postillen herausgab.

ADB 14 (1881), 582.
NDB 10 (1974), 178f.
RE 9 (1901), 41–413.
Th. Preger. M. Flacius Illyricus. 2. Bd. München 1895.

Franz Irenicus

(Friedlieb)

*1495 in Ettlingen
†ca. 1559 in Gemmingen

I's Jugend ist nicht bekannt. Er besuchte die Lateinschule in Pforzheim und war mit Melanchthon befreundet. Beide gehörten in Tübingen zu den Neckargenossen. 1517 ging er nach Heidelberg. Dort hörte er Luthers Disputation, verkehrte mit bekannten Humanisten und schrieb sein später berühmtes, in drei Auflagen verbreitetes Geschichtswerk Exegesis Germaniae, das zuerst 1518 gedruckt wurde. Als er 1524 geheiratet hatte, wurde er Pfarrer in seinem Heimatort Ettlingen, begleitete auch den Markgrafen von Baden zum Reichstag nach Speyer 1526. Spannungen mit dem Landesherrn veranlaßten ihn, nach Gemmingen überzusiedeln. Dort wurde David Kochhafe (Chyträus) sein Schüler. Im Abendmahlsstreit vertrat er nachdrücklich den lutherischen Standpunkt gegen die Zwinglianer. Die Schriften, die er in diesen Jahren geschrieben haben soll, sind alle verloren. I. gehört zu den historisch wirksamen Humanisten, die der Reformation gute Dienste geleistet haben.

ADB 14 (1881), 582f.
NDB 10 (1974), 178f.
A. Horawitz. Nationale Geschichtsschreibung im 16. Jahrhundert (HZ 25, 1871, 82–90).

Johann Isenmann

(Johann Isenmenger)

*um 1495 in Schwäb. Hall
†1574 in Anhausen

Er studierte in Heidelberg, wurde hier 1516 Mag. und gehörte der art. Fak. an. 1524 ging er als Pred. nach Schwäbisch Hall, wo sein Freund Brenz schon 2 Jahre zuvor zu wirken begonnen hatte. Das Zusammenwirken dieser beiden Männer brachte es zur Ref. der Reichsstadt, in der jetzt die alten Bräuche aufgehoben und eine ev. K. O. eingeführt wurde. Bei der engen Verbindung zwischen Brenz und ihm ist es nur zu verständlich, daß auch er für das Syngramma Suevicum eintrat und diesen Streit mit den Schweizern tapfer durchstand. Bei der Ref. in Württemberg fiel ihm manche Aufgabe zu. So schuf er die K. O. für Schwäbisch Hall und reformierte Wimpfen.

Der Schmalkaldische Krieg und erst recht das Interim vertrieben ihn wie die meisten württembergischen Pfr. aus ihren Gemeinden. Während Brenz vor dem Zorn des Kaisers flüchten mußte, konnte er zunächst bleiben. Da aber auch er die Ablehnung des Interims angeraten hatte, wurde er vom Rat entlassen. Er erhielt nun die Pred.-Stelle in Urach, wurde aber 1551 zu größeren Aufgaben gerufen. Ihm fiel das Amt des Gen.-Sup. für den Südwesten zu. In dieser Eigenschaft beteiligte er sich an der Vorbereitung der Confessio Wirtembergica für das Trienter Konzil und reiste 1551 mit Beurlin nach Sachsen, um dieses Bekenntnis mit der Confessio Saxonica zu vergleichen. Hz. Christoph nahm ihn 1557 nach Frankfurt mit und ließ ihn 1561 an der A. C. Wirtembergicae mitarbeiten.

Aus der Überzeugung heraus, daß er den Aufgaben nicht mehr voll gewachsen sei, wurde er vom Amt des Gen.-Sup. abberufen. In seinen letzten Lebensjahren war er Abt des Klosters Anhausen.

ADB 14 (1881), 634.
RE³ 9 (1901), 443f.
Th. Pressel. Anecdota Brentiana. Tübingen 1868, 153.
G. Bossert. Das Interim in Württemberg (SVRG 46/47, 1889).

Johann Isenmenger

(siehe: Johann Isenmann)

Thomas Jäger

(siehe: Thomas Venatorius)

Matthias von Jagow

*um 1480 in Aulosen bei Seehausen
†1544

Er studierte in Paris Theologie und in Bologna die Rechte (Dr. iur. utr.). Dort befreundete er sich mit Ulrich von Hutten. 1522 war er in Speyer am Kammergericht, ging aber 1525 als Dompropst nach Havelberg. Schon im nächsten Jahr wurde er zum Bischof von Brandenburg gewählt. Die päpstliche Bestätigung erhielt er erst nach fünf Jahren. Offenbar mißtraute ihm die Kurie. Als Bischof erlaubte er, in Brandenburg die Messe deutsch zu lesen. Auf seinen Rat lud der Kurfürst Joachim II. 1538 Melanchthon nach Berlin ein, um mit ihm die kirchliche Lage zu erörtern. Melanchthon widerriet, den vom Dechanten Elgersma in Berlin vorgelegten reformerischen Entwurf einer Kirchenordnung anzunehmen. Aufsehen erregte die Begegnung des Bischofs mit zehn Edelleuten am 18. 4. 1539 in Teltow, bei der er ihnen nahelegte, Prediger der reinen Lehre anzustellen. Auch die Ausarbeitung der neuen Kirchenordnung, an der Stratner, Buchholzer und Witzel beteiligt waren, wird nicht ohne seine Kenntnis erfolgt sein. Am Allerheiligentag 1539 reichte er dem Kurfürsten und dem Hof das Abendmahl in beiderlei Gestalt (Bericht d. Matthias von Schwanebeck als Augenzeugen). Der Kirchenordnung von 1540 gab er ein Nachwort mit (Sehling 3, 89). 1541 heiratete der Bischof die Tochter seines Gutsnachbarn, Katharina von Rochow. Dies war das letzte Zeichen, daß er sich nicht mehr zur alten Kirche rechnete. Als Jurist wollte er die alten Ordnungen erhalten wissen. Er war mehr als nur ein Förderer der Reformation. Ohne ihn wäre sie in Brandenburg nicht so leicht durchzusetzen gewesen.

O. Heidemann. Die Reformation in der Mark Brandenburg. Berlin 1889.
P. Steinmüller. Einführung der Reformation in der Kurmark (SVRG 76). Halle 1903.
J. H. Gebauer. Beitr. z. Geschichte des Matthias v. Jagow, Bischofs von Brandenburg 1526–1544 (JBrKG 4, 1911).
L. Lehmann. Bilder aus der Reform. Geschichte der Mark Brandenburg. Berlin 1921.

Justus Jonas

*5. 6. 1493 in Nordhausen
†9. 10. 1555 in Eisfeld

Jodocus Koch (oder Jodocus Jonae) nannte sich schon von früh an Justus Jonas. 1506 kam er an die Universität Erfurt und wurde dort 1510 Magister. Er schloß sich dem Mutianschen Kreise an und wollte die Rechte studieren. 1511 studierte er in Wittenberg, wo er mit Spalatin und Linck bekannt wurde. In Erfurt promovierte er zum Dr. beider Rechte, empfing zugleich auch die Priesterweihe. 1519 besuchte er Erasmus, der an ihm Gefallen fand und ihn veranlaßte, sich stärker mit der Theologie zu befassen. Als Rektor der Universität Erfurt hielt J. Vorlesungen über die Paulusbriefe. Jetzt nahm er Verbindung zu Luther auf, begleitete diesen auf der Reise nach Worms, wurde auf den Lehrstuhl für Kirchenrecht und als Propst an die Schloßkirche in Wittenberg berufen. Im selben Jahr trat er zur Theologischen Fakultät über, deren Dekan er von 1523 bis 1533 wurde. Seine kirchenpolitische Tätigkeit entfremdete ihn allmählich der Universität. Abgesehen von den Visitationen nahm er an allen großen Zusammenkünften (Marburg, Augsburg 1530 u. a.) teil. Sonntäglich predigte er in der Schloßkirche, unterhielt großen Briefwechsel, beteiligte sich an der Durchführung der Reformation im albertin. Sachsen, in Halle u. anderwärts. 1542 wurde er Superintendent in Halle und verzichtete auf sein Universitätsamt. Rührig war er im Übersetzen von Schriften Luthers und Melanchthons (De servo arbitrio, Loci 1535, Apologie, Von conciliis und Kirchen). Im Febr. 1546 begleitete er Luther auf der letzten Reise nach Eisleben. Dort stand er ihm in der Sterbestunde bei. Im Schmalkaldischen Kriege mußte er Halle verlassen. Er hielt sich in Mansfeld, Nordhausen und Hildesheim auf, bis ihm Moritz von Sachsen die Rückkehr nach Halle erlaubte. Im Osiandrischen Streit trat er noch einmal hervor. Trotz der Hilfe Melanchthons gelang es aber dem früh gealterten Mann nicht mehr, festen Fuß zu fassen. Obwohl er in guten Jahren zu den engsten Mitarbeitern Luthers zählte, blieb seine geschichtliche Wirkung aus. In seinen letzten Jahren litt er schwer an Anfechtungen.

NDB 10 (1974), 593.
ADB 14 (1881), 492 ff.
RE 9 (1901), 341–346.
Th. Pressel. J. J. (Leben u. ausgew. Werke... 8, 1). Elberfeld 1862.
G. Kawerau. Der Briefwechsel d. J. J. Halle 1884 (Nachdruck Hildesheim 1964).
Köster, Beitr. z. Ref.-Gesch. Naumburgs 1535–1545 (ZKG 22, 1901, 281 ff.).
Berbig. Urkundliches a. d. Ref.-Gesch. (ThStKr 1906, 436 ff.).
G. Buchwald. Ref.-Gesch. d. Stadt Leipzig. Lpz. 1909.
O. Clemen. Berichte a. d. Ref.-Zeit (ZKG 31, 1910, 83 ff.).
G. Kawerau. Der Streit über reliquiae sacramenti in Eisleben 1543 (ZKG 33, 1912, 286 ff.).
O. Clemen. Unbek. Drucke, Briefe und Akten a. d. Ref.-Zeit. Leipzig 1942 (ZBB, Bh. 73) (Über J. J's Übersetzertätigkeit).

M. E. Lehmann. J. J. a collaborator with Luther. (Lutheran Quarterly 2, 1950, 189–200).
W. Delius. J. J. Berlin 1952.
Ders. Ref.-Gesch. d. Stadt Halle/Saale (Beitr. z. KG Deutschlands 1). Berlin 1953.

Leo Jud

*1482 in Gemar/Elsaß
†19. 6. 1542 in Zürich

J. war Priestersohn. Seinen Vater kannte er kaum. Er besuchte die berühmte Lateinschule in Schlettstadt und begann in Basel Theologie zu studieren. Hier lernte er Zwingli kennen. Er ging als Pfarrer nach St. Pilt im Elsaß, Zwingli veranlaßte ihn, sein Nachfolger in Einsiedeln zu werden. Unter dem Einfluß von Erasmus begann er dort mit der Bibelübersetzung und setzte diese Arbeit fort, als er 1522 als Pfarrer an St. Peter in Zürich gewählt wurde. Bei den Zürcher Disputationen stand er Zwingli treu bei. J. war kein selbständiger Denker. Er sah seine Aufgabe darin, die Gedanken anderer, die ihm wichtig erschienen, zu verbreiten. Zuerst übersetzte er einige Schriften des Erasmus, später Zwinglis. In der Zürcher Prophezey war er ein tätiges Mitglied. Die Leitung der Zürcher Kirche wollte er nach dem Tode Zwinglis nicht übernehmen, da er sich dafür nicht für geeignet hielt. Er unterstützte aber den jungen Bullinger nach Kräften. Gemeinsam mit diesem verfaßte er die Zürcher Kirchenordnung. Eine Zeitlang unterlag er dem Einfluß Schwenckfelds, doch konnte er diese Krise überwinden. J. legte der Kirchenzucht großen Wert bei. Seine Katechismen übten in Zürich starken Einfluß aus. Seit 1541 wurden die von ihm empfohlenen öffentlichen Katechisationen eingeführt.

ADB 14 (1881), 651–654.
RE 9 (1901), 550–553.

C. Pestalozzi. Leo Judä. (Leben u. ausgew. Schriften der Väter und Begründer der reform. Kirche 9, 2). Elberfeld 1860.
J. J. Mezger. Geschichte der dt. Bibelübersetzungen in der Schw.-ref.-Kirche. Zürich 1876, 58 f.
L. Weiß. L. J., H. Zwinglis Kampfgenosse. Zürich 1942.
K. H. Wyss. L. J., seine Entwicklung zum Reformator 1519–1523. Zürich 1976.

Matthäus Judex

(Richter)

*21. 9. 1528 in Dippoldiswalde/Meißen
†15. 5. 1564 in Rostock

R. stammte aus ärmlichen Verhältnissen, bekam aber die Möglichkeit, die Schulen in Dresden und Magdeburg zu besuchen. Seit 1546 studierte er in Wittenberg und wurde zuerst Konrektor, dann Diaconus an St. Ulrich in Magdeburg. In seinen Auffassungen war er schon in jungen Jahren sehr streng und übte harte Kirchenzucht. In Magdeburg schloß er sich den Gnesiolutheranern an, vor allem seinem Lehrmeister Wigand. 1557 nahm er am Coswiger Gespräch teil, 1560 mit seinen Freunden als Professor an die Universität Jena berufen, wurde er mit ihnen auch abgesetzt und ging 1561 nach Magdeburg zurück. Die Stadt wollte sich aber seiner Auffassung nicht fügen und nötigte ihn 1562 zur Auswanderung. J. ging nach Wismar, wo Wigand Superintendent geworden war, und wurde von dort als Prediger nach Rostock berufen. Vor Antritt seines neuen Amtes starb er. Bekannt geworden war J. durch seine Mitarbeit an den Magdeburger Centurien und die gemeinsam mit Wigand herausgegebenen Corpora doctrinae ex vetere et novo Testamento collecta. Trotz einseitiger Auffassungen bewährte er sich als fester Charakter durch seinen brennenden Eifer und große Gelehrsamkeit.

ADB 14 (1881), 655.
NDB 10 (1974), 639.

Franz Junius
(François du Jon)

*10. 5. 1545 in Bourges
†23. 10. 1602 in Leiden

Als Sohn eines königlichen Rates wuchs F. J. auf. Zu Hause vorbereitet, bezog er mit 12 Jahren die Universität seiner Vaterstadt, um die Rechte zu studieren, ging aber bald nach Lyon, um seine humanistische Bildung zu ergänzen. Vom humanistischen Atheismus befreite ihn ein schlichter Bauer. Nun ging er nach dem Tode seines Vaters nach Genf und studierte unter schweren Entbehrungen Theologie. 1565 wurde er als Prediger nach Antwerpen berufen. Zeitweise war er auch Feldprediger der Hugenotten. Trotz seiner Jugend wurde er ausersehen, die Confessio Belgica des J. de Bry zu prüfen. Denn bei aller Gelehrsamkeit und Entschiedenheit war er gerecht und milde. Den Bildersturm in Flandern suchte er mit allen Mitteln zu verhindern. 1567 mußte er fliehen und wurde Prediger einer französischen Gemeinde in Schönau in der Pfalz. Da er weiter wissenschaftlich arbeitete, wurde er 1573 als Nachfolger von Tremellius nach Heidelberg berufen. Beim Regierungsantritt des Kurfürsten Ludwig V. mußte auch er als reformierter Theologe weichen und begab sich zu Johann Kasimir nach Neustadt. In dieser Zeit schrieb er das Werk über das Presbyterial-Synodale System, das ihn in der reformierten Welt bekannt machte. 1584 sollte er wieder nach Heidelberg kommen. Eine ungeschickte Publikation verleidete ihm jedoch dort den Aufenthalt. Er ging daher 1591 nach Leiden, wo er noch ein Jahrzehnt als gewissenhafter Schüler Calvins segensreich wirkte.

ADB 14 (1881), 234 ff.

RE 9 (1901), 636 ff.
F. W. Cuno. F. J., Professor der Theologie und Pastor. Amsterdam 1891. (Repr.: Genf 1971)
Ch. de Jonge. De irenische Ecclesiologie van F. J. (1545–1902) (Theol. Diss.). Leiden 1980.

Leonhard Käser

(siehe: Leonhard Kaiser)

Leonhard Kaiser

(Kaysser oder Käser)

*um 1480 in Raab bei Schärding
†16. 8. 1527 in Schärding

K. entstammte einer angesehenen und wohlhabenden Familie im bayrischen Innviertel. Er studierte seit 1502 in Leipzig und erwarb sich dort den Grad des Bacc. 1517 kam er als Vikar in das Dorf Witzenkirchen, südöstlich von Passau. Als zu Beginn der 20er Jahre hier auf oberösterreichischem Gebiet das Ev. immer intensiver verkündet wurde, war er es, der »dem Volk die Wahrheit des Ev.« anzeigte. Weit über die Gemarkung seines Dorfes hinaus wirkte der ruhige, nicht mehr ganz junge Kaplan, ehe er vom Pfründeninhaber wegen der geringer werdenden Einkünfte als Lutheraner angezeigt und 1524 zum Widerruf gezwungen wurde. Aber das Gewissen ließ ihm keine Ruhe. Er entschloß sich, die Heimat zu verlassen und nach Wittenberg zu gehen.

In der aufgeregten Zeit nach dem Bauernkriege traf er dort ein und ließ sich an der Univ. einschreiben. Wie er sich dem Einfluß Luthers nicht entziehen konnte, so gewann ihn, wie es heißt, Luther seinerseits besonders lieb. Von Wittenberg schickte K. Briefe und Bücher nach Hause und wirkte dadurch auf seine Freunde in der Heimat weiter ein. Um seinen todkranken

Vater noch einmal zu sehen, reiste er 1526 heim, im Vertrauen darauf, daß in Bayern noch niemand wegen der »Lutherei« umgekommen sei. Er wirkte auf seine Umgebung ein und trat auch mit Michael Stiefel in persönliche Verbindung.

Aber die Lage hatte sich geändert. Der Administrator von Passau, Hz. Ernst von Bayern, war zum Äußersten bereit. Auf die Anzeige des Pfr. von Raab wurde K. am 10. 3. 1527 verhaftet. Durch Stiefel von den Ereignissen in Kenntnis gesetzt, schrieb Luther an ihn einen Trostbrief und mahnte ihn, ob er befreit würde oder nicht, »den väterlichen Willen Gottes an ihm zu erkennen, zu tragen, zu lieben und zu loben mit gutem Herzen« (WABr 4, 205). Luther bat auch seinen Kf. und den Markgrafen Kasimir, sich für ihn zu verwenden. Auch der heimatliche Adel ließ es sich nicht nehmen, für den beliebten Pred. einzutreten. Aber der bischöfliche Administrator konnte durch diese Fürsprecher und ihre Bitten nicht bewogen werden, ihn freizugeben. Von einer Kommission, zu der auch Joh. Eck gehörte, wurde er verhört. Er selbst berichtete über diesen »Prozeß« an seine Verwandten, die den Bericht später an Luther gelangen ließen. So ist der Verlauf dieses »Ketzergerichts« bekannt geworden. Seine »Rückfälligkeit« und seine Beziehungen zu Luther waren dabei belastend genug. Seine Anschauungen erwiesen sich als ganz luth. Er berief sich nämlich immer nur auf die Schrift. Ein Widerruf war von ihm nicht zu erreichen. So wurde er auf Grund des geltenden Rechtes als Ketzer verurteilt und dem weltlichen Arm zur Hinrichtung übergeben. Am 16. 8. 1527 wurde er in Schärding als Ketzer verbrannt.

Der Bevölkerung bemächtigte sich eine nicht geringe Erregung angesichts dieses Justizmordes. Eine anonym erschienene Flugschrift, die Kaiser verherrlichte, machte den Machthabern zu schaffen, so daß Eck eine Antwort darauf schrieb, die freilich sehr schwach ausfiel. Inzwischen schickten Michael Stiefel und Kaisers Vetter das Material an Luther, den der Feuertod eines weiteren seiner Schüler sehr bewegt hatte. 1527 veröffentlichte Luther die Schrift: »Von Ern Lenhard Keiser ynn Bayern um des Evangelii willen verbrannt«. Daß Kaiser zu den Wiedertäufern gerechnet wurde, beruht auf einem Mißverständnis.

ADB 15 (1882), 435f.
RE 9 (1901), 703.
F. Roth. L. K., ein Märtyrer aus dem Innviertel (SVRG 66). Halle 1900.
F. Leeb u. F. Zoepfl. L. K. (BBKG). München 1928.

Kaspar Kantz

*in Nördlingen
†6. 12. 1544 in Nördlingen

Einer angesehenen Handwerkerfamilie entstammend, war er in jungen Jahren ins Karmeliterkloster seiner Vaterstadt eingetreten. 1501 finden wir ihn als Studenten in Leipzig, wo er in den nächsten Jahren die akademischen Grade bis zum Sententiarius erlangte (1505 Mag., 1511 Bacc., 1515 Sententiarius). Im heimatlichen Kloster zum Prior erhoben, geriet er doch bald mit dem Ord.-Provinzial in Differenzen und wurde seiner Ämter für verlustig erklärt. Offenbar war seine reform. Einstellung der Grund für diese Spannung. Der Rat der Stadt setzte sich in dieser Lage für das Stadtkind ein. Bereits 1522 trat er mit einer neuen Gottesdienstordnung hervor, der er Betrachtungen über »die Summa chr. Gerechtigkeit und des glaubens vollkommenheit« voranschickte. Es handelt sich bei seiner im Druck erschienenen Schrift »Von der ev. Meß« um den ersten Versuch, von ev. Grundlage aus die Gottesdienstordnung zu entwerfen. Da diese Entwürfe in der Klosterkirche praktiziert wurden, beschwerte sich der Provinzial erneut, und da er in derselben Zeit heiratete, wurde er vom Rat auch aus der Stadt verwiesen. Nun ging er nach Wittenberg, während Billicanus als ev. Pred. in Nördlingen blieb. Aber dieser Studienaufenthalt war nur kurz. Bald findet er sich wieder in seiner Vaterstadt ein und schreibt in dieser Zeit sein ausgezeichnetes Krankenbüchlein »Wie man den Kranken und Sterbenden menschen warnen, trösten und Gott befehlen soll«. Dieses Büchlein hat eine Reihe von Auflagen erlebt. Aber auch Predigten aus diesen Jahren ließ er im Druck erscheinen. Als Pred. wird er erst 1535 wieder genannt, als er anstelle Billicans das gesamte Kirchenwesen in Nördlingen zu leiten übernahm und mit Eifer und Geschick zu heben wußte. So arbeitete er jetzt die Nördlinger K. O. aus, die 1538 gedruckt vorlag. Aber auch Passionsbetrachtungen schrieb er.

Sowohl durch seine liturgische als auch durch seine kirchenrechtliche Arbeit hat er sich einen Namen geschaffen. Bei echter, tiefer Frömmigkeit besaß er auch Energie und Festigkeit genug, um seine Gedanken in die Tat umzusetzen. Medler wurde sein Nachfolger.

RE 10 (1901), 22–25.
Geyer. Chr., Eine deutsche Messe vom Jahre 1524, in: Siona, 18 (1893), 83–87, 103–106.
Geyer, Chr., Die Nördlinger ev. K. O. des 16. Jhdts. München 1896.
Geyer, Chr., Kaspar Kantz, (BBKG, 5 [1899], 101–127).
Cantz, Max, Caspar Kantz, in: JHN, 12 (1928/29), 153–175 und 14 (1930/31), 18–30.
H. Ch. Rublack. Eine bürgerliche Reformation: Nördlingen (QFRG 51). Gütersloh 1982.

Georg Karg

(Georg Parsimonius)

*in Heroldingen (Schwarzwald)
†1576 in Ansbach

Er zog im Winter 1531/32 nach Wittenberg. Nach vierjährigem Studium wurde er hier Mag. Seine ersten Predigten müssen schwärmerischen Charakter getragen haben; er ließ sich aber von Luther zurechtweisen und gewann bald das Vertrauen seiner Lehrer wieder. Als Graf Ludwig von Oettingen sein Landeskind zum Pred. in Oettingen begehrte, stellte ihm Luther ein gutes Zeugnis aus.

Bis zum Interim hat er in seiner Heimat mit großem Eifer für die Ref. gewirkt. Von hier vertrieben, fand er in Schwabach Aufnahme und wurde 1552 nach Ansbach berufen, wo er zum Gen.-Sup. aufstieg. Nach dem Passauer Vertrag ließ er alle zunächst angenommenen alten Bräuche wieder fallen und trat sehr entschieden auf. Der Markgraf Georg Friedrich betraute ihn mit der Vertretung seiner K. nach außen. K. nahm teil an der Beratung der Wittenberger Theologen über die Beschickung des Konzils von Trient, am Frankfurter Konvent und 1557 auch am Wormser Rel.-Gespr.

K. hatte Neigung zu abweichenden theol. Ansichten. Während er zunächst wegen der Abendmahlslehre einen Streit in Ansbach ausfocht, wurde er hauptsächlich durch seine besondere Auffassung von der Rechtfertigungslehre bekannt. Der Kargsche Streit brachte die Theologen von Württemberg, Straßburg und Wittenberg in Bewegung. Es ging um die Frage des aktiven Gehorsams Christi und um die Pflicht des neuen Gehorsams. Sein Katechismus ist von großer Wirkung gewesen. In diesen schweren theol. Kämpfen suchte Andreae mehrfach zu vermitteln.

ADB 15 (1882), 119f.
NDB 11 (1977), 151f.

RE 10 (1901), 70ff.
G. Wilke. G. K. (Diss.) Erlangen 1904.

Andreas Karlstadt

(A. Bodenstein)

Leonhard Kaysser

(siehe: Leonhard Kaiser)

Stephan Kempe

*Ende des 15. Jhs. in Kempen/NL
†3. 10. 1540 in Hamburg

Aus Kempes Frühzeit ist nichts überliefert. Wir begegnen ihm zuerst 1531, als er zum Studium nach Rostock gekommen war. Immatrikuliert ist er als Stephanus de Kempis. Kurz danach trat er in Rostock ins Franziskanerkloster St. Ägidien ein. Offenbar zeigte er schon dort seine Predigtbegabung, denn der Orden schickte ihn als Prediger nach Hamburg. Die Mehrzahl der Bürger war von ihm dermaßen angetan, daß sie ihn 1527 zu ihrem Pfarrer an St. Katharinen wählte. Nun legte K. die Kutte ab. Als Pfarrer muß er sehr gewissenhaft gewesen sein. 1528 beteiligte er sich an der großen Disputation, bei der er mit Joh. Fritze aus Lübeck gegen 8 Mönche stritt. Dieses Gespräch entschied die kirchliche Lage in Hamburg. K. hat darüber selbst einen Bericht verfaßt. Mit der Durchführung der Reformation, die der Rat beschlossen hatte, wurde Johann Bugenhagen beauftragt. Nach einjähriger Tätigkeit schrieb er die K. O. für Hamburg. Inzwischen sollte auch die Entscheidung im Kampf mit den »Schwärmern« fallen. Auf dem Flensburger Religionsgespräch, an dem Bugenhagen und K. von Hamburg aus teilnahmen, wurden Melchior Hoffman und Karlstadt widerlegt. Als um dieselbe Zeit sich die Lage auch in Lüneburg klärte und der Rat am 28. 3. 1529 beschloß, die altkirchlichen Bräuche abzuschaffen, wurde K. nach Lüneburg berufen. Unter Verwendung der K. O. von Hamburg arbeitete er eine solche für Lüneburg aus. (Vom Ampt und Dienst der Kirchen – Sehling 6, 1 [1955], 625 ff.) Nach 10 Monaten kehrte K. wieder nach Hamburg zurück, wo er sein »Pröve-Book« schrieb. Über das weitere Wirken des Reformators von Lüneburg hören wir nichts Näheres mehr.

J. M. Lappenberg. Hamburgische Chroniken in niedersächsischer Sprache. Hamburg 1861, 479 ff.
G. Matthaei. Einführung der Reformation in Lüneburg vor 400 Jahren. Lüneburg 1930.
W. Jensen. Die hamburgische Kirche und ihre Geistlichen seit der Reformation. Hamburg 1958, 98 f.
H. J. Behr. S. K. und die erste lutherische Kirchenordnung der Stadt Lüneburg (JGNKG 64, 1966, 70–81).
U. Plath. S. K's Aufenthalt in Lüneburg u. der Durchbruch der Ref. (Ref. vor 450 Jahren. Eine Gedenkschrift. Lüneburg 1980, 41–56).

Johann Keßler

*um 1502 in St. Gallen
†24. 2. 1574 in St. Gallen

Als Kind armer Bürgersleute war er für den geistlichen Stand bestimmt worden. Über seine Jugendentwicklung ist wenig bekannt. Er studierte zunächst in Basel, wo er in den entscheidenden Jahren der Ref. auf Luther zu hören begann. Dieser Einfluß bestimmte ihn, 1522 nach Wittenberg zu gehen. Berühmt geworden ist sein Bericht über das Zusammentreffen mit dem von der Wartburg kommenden Luther im Wirtshaus »Zum Bären« in Jena. Er hatte an seine Landsleute in Wittenberg, die Brüder Schurf, Empfehlungsbriefe mit, so daß er dort bald persönliche Beziehungen zu den Reformatoren gewann. Besonders viel verdankte er in dieser Zeit Melanchthon.

Nach seiner Rückkehr in die Heimat brachte er es nicht mehr fertig, sich zum Priester weihen zu lassen; er ergriff auch keinen gelehrten Beruf, sondern begab sich in die Lehre zu einem Sattler. Als Meister wurde er später von seinen Zunftgenossen aufgefordert, ihnen biblische Vorträge zu halten. Auf diese Weise kam er dazu, den ersten Johannesbrief und den Römerbrief auszulegen. Rat und Bürgerschaft billigten sein Unterfangen und standen fest zu ihm. Da die Tagsatzung auf das Gerücht hin, daß in St. Gallen ein Winkelprediger aufgetreten sei, den Rat ernstlich zum Einschreiten ermahnte, mußte K. sich eine Zeitlang zurückhalten. Den Täuferkreisen stand er fern, ohne sie zu verurteilen.

In seinen Mußestunden schrieb nun der Sattlermeister einen chronikartigen Bericht, den er »Sabbata« nannte und in dem er über die Ereignisse der Schweizer Ref. von 1519–39 aufs beste Auskunft gibt. Da er als Pred. geschätzt war, wurde er von 1525 an wieder zur kirchl. Arbeit herangezogen. Als Schullehrer und zeitweise auch als Pfr. konnte dieser Freund und spätere Biograph Vadians seiner Vaterstadt gute Dienste leisten. In den aufgeregten Zeitläuften verhielt er sich auch Andersgerichteten gegenüber wohlmeinend und vertrat einen gemäßigten theol. Standpunkt. Nach dem Tode Vadians (1551) mußte er einen Teil von dessen Arbeit übernehmen. Als Synodalschreiber und Vorsteher bemühte er sich um die Befestigung des reform. Charakters in der Kirche St. Gallens. Es war ihm vergönnt, noch zwei Jahrzehnte tätig zu sein.

ADB 15 (1882), 657f.
NDB 11 (1977), 546f.
RE 10 (1901), 264f.
J. K's Sabbata mit kleinen Schriften und Briefen, hg. v. R. Egli (mit einer Biographie K's von Egli). St. Gallen 1902.
K's Sabbata bearbeitet v. T. Schieß (SVRG 103/4). Leipzig 1911.

R. Pfister. Kirchengeschichte der Schweiz. 2, Zürich 1974, 82ff.

Heinrich von Kettenbach

(eigentlich Johann Rott)

*in Franken (?)
†in München (?) 1524 (?)

Außer den wenigen Angaben aus seinen eigenen Schriften erfahren wir nichts über ihn. Zur gleichen Zeit wie Eberlin von Günzburg gehörte er dem Franziskanerkloster in Ulm an. Infolge seiner Gesinnung, aus der er kein Hehl machte, war er gezwungen, Ende 1522 aus dem Konvent, dem er nur etwas über ein Jahr angehört hatte, auszutreten. Seine Predigt von »Fasten und Feiern« wurde viel beachtet und oft nachgedruckt. Seine Ablehnung der kirchl. Gebote hatte ihn mit dem Dominikaner Nestler in Ulm in Streit gebracht. Mit ihm rechnete er in seinem Sermon »Wider des Papstes Küchenpred. zu Ulm« scharf ab. Im selben Jahre veröffentlichte er noch eine weitere Predigt »Von der christlichen Kirche«, in der er ihr wahres Wesen entwickelt und als ihren Grund Christus bezeichnet. Seine kühne Haltung konnte sich aber nicht gegen alle Gewalten durchsetzen. Aus Ulm mußte er plötzlich fliehen, ohne von seiner Gemeinde Abschied nehmen zu können. Diese vergaß er aber nicht, sondern sandte ihr noch ein Abschiedswort und schließlich einen Traktat »Gespräch mit einem Altmütterlein in Ulm«, in dem er die verwirrten Gewissen über die römischen Kirchenbräuche aufklärte und sie den wahren Trost in Christi Werk finden ließ. Dunkel bleibt, wo er sich in den folgenden Jahren aufgehalten hat. Vielleicht suchte er bei Sickingen Zuflucht. Seine späteren Trostschriften sind bald in Erfurt, bald in Wittenberg und Zwickau gedruckt, ohne daß man weiß, ob er auch selbst dort gewesen ist. Seine Schriften aus dem Jahre

1523 verteidigen in scharfer Weise Sickingen und bes. Luther. Vor allem seine Flugschrift: »Verantwortung des Mordgeschreys der Papisten über die Lehre Martin Luthers« (Wittenberg, 1523) ist hier zu nennen. Aus den folgenden Jahren ist nur eine Predigt mit heftigen Angriffen auf die Mönche bekannt, dann verstummt er. 1524 lag er in München im Gefängnis. Wahrscheinlich ist er dort umgekommen.

ADB 15 (1882), 676–678.
NDB 8 (1969), 412 f.
RE 10 (1901), 265–268.
O. Clemen. Flugschriften aus den ersten Jahren der Reformation 2. Leipzig 1908.
P. Kalkoff. Die Prädikanten: Kettenbach (ARG 25, 1928, 128–150).
A. R. Berger. Die Sturmtruppen der Reformation. Leipzig 1931, 59 f. und 217–241.

Thomas Kirchmeyer

(Thomas Naogeorgus)

*1511 bei Straßburg
† ?

Mit seinen dramatischen Dichtungen hat er eine große Wirkung in der Ref.-Zeit ausgeübt. Er besaß eine gründliche humanistische Bildung, die er in Tübingen erworben haben soll. Wie er mit der reform. Verkündigung in Berührung gekommen ist, bleibt unbekannt. Von ihm selbst hören wir nur, daß er Luther die große Erkenntnis seines Lebens verdankte und durch ihn zum Kampf bestimmt worden war. Hinsichtlich der Lehre stand er aber auch später frei und selbständig da, so daß die Wittenberger Lehrer mit ihm nicht immer einverstanden waren.
Aus Sulza, wo er zunächst Pred. war, siedelte er 1541 nach Kahla über. Als er seine Auslegung des 1. Johannesbriefes veröffentlichen wollte, verweigerten die Wittenberger die Druckerlaubnis, da sie an seiner Lehre Anstoß nahmen, die Erwählten behielten trotz ihrer Sünde den hl. Geist (CR 5, 295 ff.). Bei Hofe war er wegen seiner Dichtungen gut angeschrieben und setzte den Druck seines Werkes durch, wurde sogar 1544 als Pred. zum Speyerer Reichstag mitgenommen. Nach Luthers Tod kam er erneut in Verdacht, in der Abendm.-Lehre nicht richtig zu lehren. Aquila wandte sich gegen ihn. Beim Verhör in Weimar konnte er sich rechtfertigen betreffs der Abendmahlslehre, bezüglich der Sündlosigkeit der Erwählten wurde er abgelehnt. Da verließ er Kahla und ging nach Augsburg, das ihn früher als Pred. haben wollte. Aber in den Wirren des Interims konnte er nirgends Fuß fassen. Bald ist er im Allgäu, bald in Schwaben. In Eßlingen konnte er nicht bleiben, weil er sich zu sehr in einem Hexenprozeß exponierte. Berühmt machten ihn seine Dramen, die nicht nur verdeutscht, sondern auch in andere Sprachen übersetzt wurden. Stark ist seine Polemik gegen das Papsttum. Seine Gedichte sind in der Hauptsache während seiner unsteten Wanderschaft entstanden. In den sechziger Jahren verlieren sich seine Spuren.

ABD 23 (1886), 245 ff.; 26 (1888), 832.
RE 10 (1901), 496; 23 (1913), 764 f.
H. Holstein. Die Reform. im Spiegelbild der dramatischen Literatur des 16. Jhs. Halle 1886, 198 ff.
L. Theobald. Th. N., der Tendenzdramatiker der Ref.-Zeit (NKZ 17, 1906, 764–794 und 18, 1907, 65–90, 327–350, 409–425).
Ders. Das Leben und Wirken des Th. N. seit seiner Flucht aus Sachsen. Leipzig 1908.
A. Hübner. Studien zu N. (ZDA 54, 1913, 297–338 und 57, 1920, 193–222).
P. H. Diehl. Die Dramen des Th. N. in ihrem Verhältnis zur Bibel und zu Luther. Diss. München 1915.
P. Vetter. Th. N. Flucht aus Kursachsen (ARG 16, 1919, 1–53 und 144–189).
L. Theobald. Zur Lebensgeschichte des Th. N. (ZBK 6, 1931, 143–165).

H. Levinger. Die Bühne des Th. N. (ARG 32, 1935, 145–166).

Timotheus Kirchner

*6. 1. 1533 in Döllstädt
†14. 9. 1587 in Weimar

K. ist als Sohn eines Lehrers aufgewachsen. Er besuchte die Schule in Gotha, studierte in Jena und Erfurt und wurde in sehr jungen Jahren Dorfpfarrer. Er ist den Gnesiolutheranern zuzurechnen. Aus Herbstadt bei Gotha vertrieben, ging er nach Jena. Nach Jahren der Unsicherheit wurde er 1568 dort Professor. In diesem Jahre beteiligte er sich am Colloquium in Altenburg. Noch vor der Vertreibung der Gnesiolutheraner aus Jena ging er als Generalsuperintendent nach Wolfenbüttel und von dort 1574 nach Helmstedt, wo er bei der Eröffnung der Universität 1576 Prof. prim. und erster Vicerektor wurde. Als er sich tadelnd über die Bischofsweihe des Prinzen Heinrich Julius äußerte, wurde er 1579 vom Herzog seiner Ämter entsetzt. Nun ging er nach Erfurt und verfaßte dort das Erfurter Buch zur Verteidigung der Konkordienformel. 1580 vom lutherischen Kurfürsten nach Heidelberg berufen, wurde er vom reformierten Kurfürsten Johann Kasimir 1583 entlassen. Zuletzt war er Superintendent in Weimar, wo er, erst 54 Jahre alt, sein bewegtes Leben beschloß. Seine Schriften waren meist aktuellen Tagesfragen gewidmet. Darunter befinden sich auch schlichte Erklärungen der Glaubensfragen. Wichtig wurde sein Register zu Luthers Werken.

ADB 16 (1882), 22 f.
NDB 11 (1977), 664 ff.

Jacob Knade

(Knode oder Knothe)

*in Danzig ?
†1564 in Loitz/Pommern

J. K. war in Frankfurt/Oder immatrikuliert, 1516 zum Priester geweiht, trat aber 1518 in den Ehestand mit der Danzigerin Anna Rastenberg. Der Bischof von Ivangrodek (Leslau) ließ ihn daraufhin gefesselt nach Subkau bringen. Ein halbes Jahr blieb er im Gefängnis und wurde genötigt, auf seine Pfarrstelle an S. Petri et Pauli in Danzig zu verzichten. Er ging nach Thorn und wurde Schloßprediger auf einem Adelssitz. Als er 1525 nach Danzig zurückkehrte, wurde er erneut eingekerkert. Er gehörte zu den evangelischen Predigern, die zum Tode verurteilt, aber von Herzog Albrecht bei König Sigismund freigebeten wurden. Über Marienburg und Soldau gelangte er 1530 nach Mohrungen. Dort gelang es Friedrich von Heideck, ihn für Schwenckfelds Auffassung zu gewinnen. Darüber hatte er sich vor Bischof Paul Speratus zu rechtfertigen. Sein eingefordertes Glaubensbekenntnis genügte dem Bischof nicht, der eine Gegenschrift verfaßte (UB 1, 937). Da Knade sich weigerte, seine Auffassung aufzugeben, und der Herzog selbst keine Vermittlung zustande brachte, mußte er Preußen verlassen. Er ging nach Pommern: 1534 wirkte er im Kreise Stolp, seit Ende der 30er Jahre in Anklam, wo er aber wegen Teilnahme an den vom Pfarrer Hagemeister erregten Unruhen von der Synode 1543 abgesetzt wurde. Er wirkte dann in Ückermünde, Demmin und Loitz, wo er 1564 starb. Seine Frau, die die erste evangelische Pfarrfrau Deutschlands genannt wird, ging nach Danzig zurück, wo sie 1581 starb.

P. Tschackert. UB zur Reformation im Hzt. Preußen. Leipzig 1890.
H. Heyden. KG Pommerns. 2. Bd., Köln 1957, 43, 47 f.

H. Neumeyer. KG von Danzig und Westpreußen. 1. Bd., Leer 1971, 77.

Johannes Knipstro

*1. 5. 1497 in Sandau (Elbe)
†4. 10. 1556 in Wolgast

Über sein Elternhaus und seine Jugend wissen wir nichts. Schon in früher Jugend trat er in den Franziskaner-Orden ein und schloß sich einem schlesischen Konvent an. Er wurde von seinen Ord.-Oberen zum Studium nach Frankfurt (Oder) geschickt. Offenbar trieb er dort seine Studien innerhalb des Ordens, da er an der Univ. nicht inscribiert worden ist. Als Luther mit seinen 95 Thesen hervortrat und der Ablaßstreit in Frankfurt sein Nachspiel mit der Promotion Tetzels fand, nahm Knipstro unerschrocken für den Wittenberger Aug. Partei. Sein Auftreten gegen Tetzel gehört freilich der Legende an. Die Zeitgenossen berichten nichts davon.

Die Parteinahme für Luther hatte für ihn zur Folge, daß er ins Kloster Pyritz versetzt wurde. Aber auch dort vertrat er die reform. Linie und predigte unentwegt das Ev. Als ihn der B. von Cammin gefangensetzen wollte, entwich er unter den Schutz des Hz., bei dem Rode bereits als Pred. wirkte, nach Stettin. Seit 1523 oder 1524 mit einer früheren Nonne aus Pyritz, Anna von Steinwehr, verheiratet, war er bald in Stargard, dann wieder in Stralsund als ev. Pred. tätig. Seine Verkündigung hatte die Folge, daß die Evangelischen im Stadtregiment die Mehrheit bekamen. Stralsund wurde eine ev. Stadt. Johannes Aepinus aus Hamburg stellte die K. O. auf, die sogleich durchgeführt wurde. Mit Aepinus und Bonnus war er eng befreundet und nannte sie seine »sunderlich bekannten und getreuen Freunde«.

Während er zunächst noch Diakonus an St. Marien war, sollte er bald 1. Pfr. an St. Nikolai werden. Von hier aus unternahm er zahlreiche Reisen, um für die Ref. in der pommerschen Kirche tätig zu sein. Er predigte 1531 in Greifswald, wirkte 1534 auf dem entscheidenden Landtag zu Treptow mit und beteiligte sich am Theologenkonvent in Hamburg, als es galt, Wiedertäufer und Zwinglianer abzuwehren. Unter den pommerschen Pred. stand er an erster Stelle. Daher berief ihn der Hz. 1535 zum Hofpred. nach Wolgast und übertrug ihm bald darauf das Amt des Gen. Sup., in das er von Bugenhagen eingeführt wurde. Von jetzt ab setzte er sich für den Ausbau des kirchl. Lebens ein und bewirkte vor allem, daß das chr. Leben gepflegt, Synoden einberufen und Glaubensfragen erörtert wurden.

Als 1531 die Univ. Greifswald neu geordnet wurde, stellte er sich für die theol. Professur zur Verfügung. Bis 1543 verwaltete er dieses Amt nebenbei, von 1543–1552 hauptamtlich. Wir sind über seine theol. Tätigkeit nur ungenau unterrichtet. In den Tagen des Interim hatte er mannhaft zum Bekenntnis gestanden und in einem »Bedencken aufs Interim der pommerschen Pred.« tapfer dagegen Stellung genommen. Nahmen die Herzöge nominell das Interim an, so schwieg er, zumal das Kirchenwesen unverändert blieb. Als der osiandrische Streit nach Pommern hineinspielte, verfaßte er »die Antwort der Theologen und Pastoren in Pommern auf die Confession Osiandri«, die 1552 in Wittenberg gedruckt wurde.

In den 50er Jahren wurde er in einen unfruchtbaren Streit mit dem der dänischen K. unterstellten Sup. Freder auf Rügen verwickelt. Dieser sog. Ordinationsstreit wurde zwar in Wittenberg entschieden, ging aber trotzdem weiter. K. befand sich in voller Übereinstimmung mit den Wittenberger Lehrern. Auch die Greifswalder Synode von 1556 trat ganz auf seine Seite. Diese Genugtuung erlebte er noch, ehe der Tod ihn erreichte. Der Aufbau der pommerschen Kirche durch Synoden, Visitationen und Konsistorien war sein Werk.

ADB 16 (1882), 298.
NDB 12 (1980), 188 f.
RE 10 (1901), 594 ff.
F. Bahlow. J. K., der erste Gen.-Sup. von Pommern–Wolgast (SVRG 62). Halle 1898 (S. 58 f. Verz. seiner Werke).
M. Reu. Quellen z. Gesch. d. kirchl. Unterrichts 1,1 Gütersloh 1904, 423 f.
M. Wehrmann. Begründung d. ev. Schulwesens in Pommern. Stettin 1905.
R. Plantiko. Pommersche Ref.-Gesch. Greifswald 1922.
H. Heyden. KG Pommerns 1, Köln 1957, 203 ff.

Andreas Knopken

(Andreas Modestinus)

*um 1493 nahe Sonnenburg bei Küstrin (Oder)
†18. 2. 1539 in Riga

Seine Eltern werden schlichte Landleute gewesen sein. 1511 begann er das Studium an der Univ. Frankfurt (Oder) und ging dann, wie aus einem Brief seines Bruders Jacob, Domherr in Riga, an den Heermeister von Plettenberg hervorgeht, zu diesem nach Riga, wurde aber von den kirchl. Zuständen in der reichen Hansestadt abgestoßen. Er zog es vor, 1517 an die blühende Humanistenschule nach Treptow zu gehen, um sich seinen Studien und der Lehrtätigkeit zu widmen. In Bugenhagen, dem Haupt des Treptower Kreises, fand er einen Geistesverwandten und wurde dessen Gehilfe. Auch zu Erasmus von Rotterdam nahm er in diesen Jahren Beziehungen auf, und dieser antwortete ihm auf mehrere Briefe am 31. 12. 1520.

Luthers Schrift »De captivitate babylonica« sollte wie für Bugenhagen so auch für ihn zum Schicksal werden. Hatte sich Bugenhagen zuerst gegen Luthers Angriffe gewehrt, so waren sie doch bald beide in den Bann der Wittenberger Bewegung gezogen. Seitdem in Treptow von ihnen das Ev. in Kirche und Schule öffentlich vertreten wurde, konnten Unruhen nicht ausbleiben. Es kam zum Bildersturm. Die Ratsschule wurde geschlossen. Während sich Bugenhagen 1521 nach Wittenberg wandte, kehrte K. mit einigen aus Livland stammenden Schülern nach Riga zurück. Da auch hierher indessen Anregungen aus Wittenberg gelangt waren und Ritterschaft und Städte bestimmten, wurde er, zumal er eine Empfehlung von Melanchthon mitbrachte, gern aufgenommen. Der Stadtschreiber Lohmüller und andere Bürger schlossen sich ihm bald an. In diesem Kreise angeregter Rigascher Bürger hielt er eine Vorl. über den Römerbrief, die in Abschriften verbreitet wurde. Die paulinische Rechtfertigungslehre stand darin erklärlicherweise im Vordergrund. Er vertrat, was er von Luther und Melanchthon gelernt hatte. Das Buch wurde 1524 in Wittenberg auf Veranlassung von Bugenhagen gedruckt, der auch ein Vorwort dazu schrieb. Es folgten 3 Nachdrucke. Als sich der E.B. bei Plettenberg über ihn beschwerte, riet dieser zu einem freundschaftlichen Colloquium. In 15 Disp.-Thesen verteidigte er öffentlich seine Grundauffassung. Der Rat und die Gilden wählten ihn zum Archidiakonus an St. Petri, der E.B. aber wagte nicht zu widersprechen. Maßvoll und besonnen hatte K. sein Werk in Riga begonnen. Im Bildersturm trat er den Eiferern energisch entgegen und konnte die Gefahr bannen. In der Auseinandersetzung mit den Anhängern des alten Glaubens war er schonend und vorsichtig vorgegangen. Als sich durch Melchior Hoffman schwärmerische Gedanken in Livland verbreiteten, hatten er und Tegetmeier das Verführerische dieser Anschauungen noch nicht erkannt und ihn durch Zeugnisse ebenso wie Luther zunächst unterstützt. Diese Haltung änderte sich jedoch bald.

Unter all diesen Schwierigkeiten wurde die

Notwendigkeit einer K. O. in Riga immer mehr erkannt. Gemeinsam mit dem aus Königsberg nach Riga berufenen Brießmann arbeitete K. eine Ordnung für den Gottesdienst und das gesamte Kirchenwesen aus. Diese K. O. wurde 1530 in Riga eingeführt. Ihr war ein Gesangbuch beigegeben, das auch 5 Lieder von ihm enthielt. Nach dieser Ordnung sollte das kirchl. Wesen vom Ausschuß der Pastoren geleitet werden, in dem er und Tegetmeyer abwechselnd den Vorsitz führten. In verhältnismäßig kurzer Zeit war die Lage der reformat. Bewegung geklärt. Als er starb, war die Ref. in Riga gesichert.

ADB 16 (1882), 324.
NDB 12 (1980), 215ff.
RE 10 (1901), 599ff.
Ferd. Hörschelmann. A.K., der Reformator Rigas. Riga 1896.
L. Arbusow. Die Einführung der Reformation in Liv-, Est- u. Kurland. (QFRG 3) Leipzig 1921.
W. G. Schnackenburg. Die Lieder des Reformators A. K. (ARG 40, 1943, 221–246).
Baltische Kirchengeschichte, hsg. v. R. Wittram. Göttingen 1956, 37.

John Knox

*1505 in Giffordgate/Schottland
†24. 11. 1572 in Edinburgh

Sohn wohlhabender Eltern, besuchte er die Lateinschule und die Universität Glasgow, seit 1523 in St. Andrews. In dieser Zeit hielt er sich an die Theologie der Konziliaristen Gerson und d'Ailli. Nach der Priesterweihe wurde er Kaplan in Samuelston. Erst um 1543 schloß er sich der reformatorischen Bewegung an und begleitete den Prediger Wishart (1546 hingerichtet); beide hielten sich an die Zürcher Theologie. Die schottische Reformation bekam von K. ihren puritanischen Zug. Mit Nachdruck betonte er das Gesetz Gottes. Der kath. Kultus ist für ihn Götzendienst. Als die Bewegung mit

französischer Hilfe überwunden wurde, kam K. auf die Galeere. Durch Eintreten der Engländer für ihn wurde er aus der Gefangenschaft befreit. K. wurde Prediger in Newcastle und arbeitete an den 39 Artikeln mit. Die kath. Reaktion trieb ihn 1554 nach Genf, wo er richtig zu studieren begann. Dann wurde er Pfr. der Flüchtlingsgemeinde in Frankfurt am Main, mußte aber auf eine Denuntiation hin die Stadt bald verlassen. Trotz der gefährlichen Lage kehrte er nach Schottland zurück und versuchte, den ihn schützenden Adel zu schärferem Vorgehen zu bestimmen. Die Parteien standen einander schroff gegenüber. Beim Ausbruch des Krieges war K. eine der wichtigsten Gestalten. Seine Predigten bestimmten die Haltung des Adels. Nun verbot das Parlament den kath. Gottesdienst. K. trat dem König gegenüber als Fordernder auf. Er wollte die Reformation in Schottland völlig verwirklichen. Nach ihren Regeln organisierte er die schottische Kirche. Seit 1567 schrieb er seine Erfahrungen auf.

RE 10 (1901), 602ff.
F. Brandes. J.K. Elberfeld 1862.
H. R. Preedy. The life of J.K. London 1940.
H. Watt. J. K. in Controversy. Edinburg 1950.

Wolfgang Fabricius Köpfel

(siehe: Wolfgang Fabricius Capito)

Franz Kolb

*1465(?) in Inzlingen bei Lörrach
†10. 11. 1535 in Bern

Erst spät ist K. zu gelehrten Studien gekommen. 1491 wurde er in Basel immatrikuliert, und 1497 erreichte er dort den Mag.-Grad. Nachdem er eine kurze Zeit

Lehrer in Basel gewesen war, trat er in ein Karthäuserkloster in Schwaben ein. Von da wurde er nach Freiburg (Schweiz) gerufen, wo er als Pred. und Rektor der Schulen wirkte. 1507 begleitete er Schweizer Söldner als Feld-Pred. nach Italien, äußerte sich aber nach seiner Rückkehr so abfällig über die »Reisläuferei«, daß er sowohl in Freiburg als auch in Bern in den einflußreichen Kreisen starken Anstoß erregte.

1512 verließ er die Schweiz und ging nach Nürnberg ins Kloster. Lange Jahre muß er hier zugebracht haben. Erst als die reform. Bewegung unter dem Einfluß des Stadtschreibers Spengler und des Pred. Osiander sich weiter verbreitete, trat auch er als Pred. auf. Über seine innere Wandlung ist nichts bekannt. Seine radikale luth. Einstellung fiel auf. Auf Verlangen des päpstlichen Legaten, der 1522 zum Reichstag in Nürnberg weilte, mußte er das Feld räumen. Wohin er sich wandte, bleibt ungewiß. Möglicherweise begegnete er Luther, der ihn dem Grafen Georg von Wertheim als Pred. empfahl, so daß er wieder ein Betätigungsfeld vor sich sah. In einem aufschlußreichen Brief vom 27. 8. 1524 berichtete er Luther, welche Reformen er im Gottesdienst durchgeführt habe, und erbat sich weitere Ratschläge. Dieser Brief deutet aber schon seine Neigung für die Zwinglische Abendm.-Auffassung an. Im Auftrag des Grafen schrieb er 1524 auch eine Bekenntnisschrift »Wertheimer Ratschlag«. Wegen seiner zwinglischen Auffassung konnte er sich aber weder in Wertheim noch in Nürnberg halten. In Nürnberg wurde vermutet, daß er im Zusammenhang mit den Täufern stehe, und er mußte sich einem Glaubensverhör unterziehen. Daher wandte er sich wieder nach der Schweiz, besuchte Zwingli und wirkte dann in Bern als Gehilfe Hallers. Als im Januar 1528 in Bern die große Disput. gehalten wurde, nahm er daran entscheidenden Anteil. Als 70jähriger gab er sein Amt auf.

ADB 16 (1882), 456.
NDB 12 (1980), 440f.
RE 10 (1901), 641.
W. Koster. Die Berner Disputation. Bern 1928.
Martin Bucers Deutsche Schriften, hg. v. R. Stupperich, 2, Gütersloh (1962), 271.

Adam Krafft

(Adam Crato)

*1493 in Fulda
†9. 9. 1558 in Marburg (Lahn)

A. K. war Sohn des Bürgermeisters Hans K. in Fulda. Er besuchte die berühmte Klosterschule in Fulda und bezog 1512 die Univ. Erfurt, wo er die akad. Grade bis zum Mag. erlangte und sich der humanistischen Richtung anschloß. Im Kreise des Mutian kam er mit Jonas, Camerarius, Hutten und Draconites zusammen. Dort hielt er auch selbst humanistische Vorl. Neben diesen Einflüssen ist für ihn dann Luthers Einfluß bestimmend geworden, den ihm Lange vermittelte.

Wie andere Humanisten eilte auch er im Juni 1519 zur Disp., die Eck mit den Wittenberger Koryphäen hielt, nach Leipzig. Bei dieser Gelegenheit lernte er Luther persönlich kennen, wurde aber näher mit ihm erst 1521 bekannt, als Luther auf der Hinreise nach Worms durch Erfurt kam. In demselben Jahre begann Krafft in Fulda als Schulvikar zu wirken. Hier begann er auch vorsichtig mit der reform. Verkündigung. Brieflich mahnte ihn damals Luther, unaufhörlich auf Jesus zu sehen, auch wenn er klein von Statur wäre und inmitten einer Schar von Riesen stände. Im Bauernkrieg mußte er Fulda verlassen und wirkte teils in Hersfeld, teils als Feld-Prediger des Landgrafen. Die Beziehungen zu seinem Landesherrn vermittelten ihm Einfluß auf die Ref. in ganz Hessen. Landgraf Philipp ernannte ihn zu seinem Hof-Pred. und zum Sup. 1526 nahm er an der Homberger Synode teil, wo er Lamberts Thesen in deutscher Sprache verlas. Damals wurde ihm die Visitation der Hessischen Klöster und die Aufsicht über die Gotteskästen übertragen.

Nach der Begründung der Univ. Marburg wurde er zum Prof. berufen und war der erste Dekan der theol. Fakultät. Zugleich wirkte er als geistlicher Rat am Hofgericht mit. Jetzt schloß er sich ganz eng an Luther an und mit ihm der größte Teil der hessischen Geistlichkeit. Dem Marburger Rel.-Gespräch wohnte er nur als Zuhörer bei. Er hatte aber großen Anteil am organisatorischen Aufbau des hessischen Kirchenwesens. In den Auseinandersetzungen mit dem Täufertum konnte er seinen Einfluß geltend machen und wurde bald soweit bekannt, daß er auch über die Grenzen seines Vaterlandes hinaus wirken konnte. Verschiedentlich ist er bei der Ref. einzelner Städte, wie Göttingen, Höxter und Frankfurt (Main), aber auch benachbarter Landschaften, wie Wittgenstein, zu Rate gezogen worden. Bei den in Hessen vorhandenen verschiedenen theol. Richtungen mußte er vermittelnd auftreten. Jahrzehntelang galt er als das Haupt der hessischen Geistlichkeit und als der Reformator des Landes Hessen. Vielfach wurde er auch »Präses« und »Inspektor der Kirche von Hessen« genannt. Aus seiner kirchl. Tätigkeit ist seine Herausgabe des Marburger Gesangbuches von 1549 erwähnenswert.

NDB 12 (1980), 646 f.
RE 11 (1901), 57.
O. Hütteroth. Die althess. Pfarrer. Marburg 1966, 181.
G. Franz. Urk. Quellen z. hess. Ref.-Gesch. 2, Marburg 1954.
F. W. Schäfer, A. K., der Reformator Hessens. Darmstadt 1911.
P. Gundlach. Catalogus professorum Academiae Marburgensis, 1927, 4.
Hermelink-Kähler. Die Philipps-Univ. Marburg. Marburg 1927, 114 f.
W. Schäfer. A. K., landgräfl. Ordnung und bischöfliches Amt. (Monographia Hassiae 4). Kassel 1976.

Nikolaus Krage

*in Lüchow bei Dannenberg
†1559 in Salzwedel

Hofprediger des Grafen Erich von Hoya in Stolzenau. Der Graf erklärte sich nach längeren Verhandlungen damit einverstanden, daß Mindener Bürger Krage im Dezember 1529 nach Minden holten. Offenbar kannten sie ihn von seinen Predigten her. K. begann in allen Kirchen der Stadt zu predigen. Daneben arbeitete er die »Christliche Ordenung der ehrlyken Stadt Mynden« aus, die im Februar 1530 in Lübeck gedruckt wurde. Die Annahme der K. O. bedeutete Durchsetzung der Reformation. Die altgläubigen Geistlichen mußten die Stadt verlassen. Die Domherren zogen ab, begannen aber beim Reichskammergericht einen Prozeß, der schließlich dazu führte, Minden 1538 in die Reichsacht zu erklären. Nach der Bekanntgabe der K. O., die die erste ev. K. O. in Westfalen war, stellte Krage 19 Thesen auf, die er an alle Kirchentüren anschlug. Zur Disputation meldete sich niemand, so daß er als Sieger galt. Die von ihm nach der Predigt eingeführten Versammlungen machten ihn der Schwärmerei verdächtig. Sein aufbrausendes Wesen ließ den Rat sich von ihm trennen. Sein Verhalten setzte ihn ins Unrecht. Da er die niederen Stände hinter sich brachte, galt er als Aufrührer. Eine Zeitlang hielt er sich noch auf dem Fischerkietz. Als er sich aber bemühte, von dort aus sich der Stadt zu bemächtigen, wurde er ausgewiesen und wieder nach Stolzenau zurückgebracht. Dort konnte er sich auch nicht mehr halten. Er ging nach Holstein, vermochte aber nirgends festen Fuß zu fassen. 1543 gelang es ihm, deutscher Hofprediger Christians III. in Kopenhagen zu werden.

1547 mußte er aber die Stadt verlassen. Die letzten Jahre 1553–59 verbrachte er in Salzwedel/Altmark.

Dansk Biografisk Lexicon 5, Kopenhagen 1934, 445.
R. Stupperich. Entstehung d. Gymn. in Minden. (Land u. Leuten dienen) Minden 1980.
M. Krieg. Das Chronicon domesticum et gentile des Heinr. Piel. Münster 1981.

Gottschalk Kruse

*Ende des 15. Jhs.
†1527 in Celle

K. trat 1508 ins Benediktinerkloster St. Aegidien in Braunschweig ein. Vom Abt gefördert, konnte er in Erfurt das Studium beginnen. Enttäuscht kehrte er jedoch ins Kloster zurück. Nun begann er Luthers Schriften zu lesen. Mit Unterstützung seiner Freunde ging er 1520 nach Wittenberg. Luther förderte ihn so weit, daß er sein Studium 1521 mit der Promotion zum Dr. theol. abschließen konnte. Nach der Rückkehr mußte er aus Braunschweig vor Häschern Herzog Heinrichs fliehen. Luther empfahl ihn an Herzog Ernst von Lüneburg, der ihn nach Celle schickte. Dort fand er Gesinnungsgenossen in Henrich Bock, Johann Matthäi und Mylow. In Anwesenheit des Herzogs und des Rates der Stadt disputierte er mit den Franziskanern und bewies ihnen, daß sie von der Hl. Schrift abwichen. Herzog Ernst verhielt sich ihnen gegenüber vorsichtig. Erst 1528 wurde das Franziskanerkloster geräumt. Für die Durchführung der Reformation schrieb K. die 27 Artikel (Sehling 6,1, 492) und die Predigtanweisung (ebd. S. 522). Er verfaßte auch einige Traktate. Urbanus Rhegius fand an ihm eine große Stütze.

A. Wrede. Einführung der Reformation im Lüneburgischen durch Ernst den Bekenner. Göttingen 1887.
E. Wolters. Eine Spur des G. K., (ZGNKG 42, 1937, 239).

Konrad Kürsner

(siehe: Konrad Pellikan)

Abraomas Kulviētis

(siehe: Abraham Culvensis)

Johannes Kymaeus

(Kimmeus, Kimme)

*1498 in Fulda
†1552 in Feldberg

Anfangs Franziskaner, wird K. 1527 von Adam Krafft für die Reformation gewonnen. Seit 1529 studierte er in Marburg, um dann Prediger in Soden (1527–30) und Homberg (1530–1536) zu werden. Als besonnener und ruhiger Mann konnte er bald zu einer einflußreichen Position gelangen. K. gehörte auch dem Kreis der Theologen an, die den Landgrafen in kirchlichen Fragen berieten und größere Aufträge übernahmen. Da er schon in Hessen sich bemühte, die Täufer zu gewinnen, wurde er im November 1535 mit Antonius Corvinus nach Münster geschickt, wo sie die gefangenen Täuferführer (in Horstmar und Bevergern) verhörten. Seit 1538 war Kymaeus Superintendent des Kasseler Bezirks, wo er auch die Visitationen durchführte. In diesen Jahren ist er auch an den Beratungen über die Ziegenhainer Zuchtordnung und die Kasseler Kirchenordnung beteiligt. Beide sind von ihm mit unterzeichnet. Er verfaßte auch einige Flugschriften und dichtete einige Lieder für den Gottesdienst. 1548 erkrankte er so schwer, daß er sein Amt aufgeben mußte. Um seiner Verdienste willen wurde ihm eine Pension von 60 fl. bewilligt.

ADB 17 (1883), 446.
Urkundl. Quellen z. Hessischen Ref. Gesch. Hg. G. Franz Bd. 2–4, Marburg 1951 ff.
O. Hütteroth. Die althessischen Pfarrer des Ref. Zeitalters. Marburg 1953, 195 ff.
Martin Bucers Deutsche Schriften, hg. v. R. Stupperich. Bd. 7, 1964.
E. Sehling. Die ev. Kirchenordnungen des 16. Jhs. Bd. 8,1, Tübingen 1965, 20 ff.

Johann Lachmann

*um 1490 in Heilbronn
†1538 in Heilbronn

Er war der Sohn des Glockengießers Bernhard Lachmann. Zunächst besuchte er die Lateinschule seiner Vaterstadt, ehe er 1505 die Univ. Heidelberg bezog. Hier erlangte er 1508 den Mag.-Grad. Er muß ein begabter Student gewesen sein, der bei seiner Mag.-Prüfung bereits Bewunderung erregte. Nach dem art. Studium wandte er sich der Jurisprudenz zu und hielt daneben einige humanistische Vorl.

Als Pfr. nach Heilbronn berufen, versah er von 1514–1520 dieses Amt. Um diese Zeit muß er die neue Lehre angenommen haben. Vom Pfarramt trat er jetzt zurück, um nur noch als Pred. zu wirken. In Heidelberg erlangte er am 29. 4. 1521 den Dr.-Grad. Von da an wurde sein Auftreten in Heilbronn immer bestimmter, so daß er als die Stütze aller Evangelischen in der Umgegend angesehen wurde. Berlichingen wollte ihn zu einer Disp. nach Neckarzimmern holen. In den erregten Tagen des Bauernkrieges bat der Rat von Heilbronn ihn, auf die Bauern einzuwirken. Das tat er mit den »Drei chr. Ermahnungen an die Bauernschaft, ehe sie vor Weinsberg gezogen, von ihrem Fürnehmen abzustehen«

(Speyer 1525). Nach einigen Kämpfen im Rat erlangte er die Bestellung eines ev. Pfr., die Einrichtung des ev. Gottesdienstes mit Predigt und Abendmahl unter beiderlei Gestalt und die Abschaffung unnützer Zeremonien. 1527/28 wurde auch die Feier der Fastnacht abgeschafft. Er folgte dabei der Auffassung Luthers und war ein treuer Gefolgsmann des Brenz. Er unterschrieb auch das Syngramma Suevicum und hielt sich auch später zu diesen Anschauungen. Es war ein Bekenntnis zu seiner Überzeugung, als er 1526 mit der Tochter des Bürgermeisters, Barbara Weißbronn, die Ehe einging. Trotz aller Anfeindungen begann er frühzeitig mit katechetischen Unterweisungen an Knaben und Mädchen. In den folgenden Jahren gehörte Heilbronn schon zu den ev. Städten. In Augsburg ließ die Stadt dem Kaiser eine von ihm verfaßte K. O. überreichen.

In der theol. Welt stand er in hohem Ansehen und war in der Lage, vielen anderen ein Helfer zu sein. Wo es nötig war, erbot er sich, Vorlesungen für die Geistlichen zu halten. Bei seiner Erziehungsarbeit in der Gemeinde konnten die Täufer in Heilbronn nicht aufkommen. Schwankungen kannte er nicht. Er ging aufrecht seinen Weg zu Ende. Nachdem er noch 1537 zu einem Gutachten für den Tag von Schmalkalden aufgefordert worden war, brechen die Nachrichten über ihn jäh ab. Sein Amt wurde im Januar 1539 an einen seiner Kollegen übertragen. Wie Konrad Graeter in seiner Schrift »Der christliche Glaub« sagt, ist er der großen Last, die jahrelang auf ihm gelegen hat, erlegen.

ADB 17 (1883), 469.
RE 11 (1902), 197–201.
W. Gußmann. Quellen und Forschungen zur Gesch. des Augsb. Bekenntnisses. 1,2 Leipzig 1911, 355 f.
M. v. Rauch. J. L., der Reformator Heilbronns. Heilbronn 1923.
Ref. vor 450 Jahren. Heilbronn 1980.

Franz Lambert von Avignon

*1487 in Avignon
†18. 4. 1530 in Frankenberg/Hessen

Aus südfranzösischem Adelsgeschlecht stammend und Sohn eines päpstlichen Beamten, war er 1502 Franziskaner geworden. 1522 benutzte er die Gelegenheit einer Reise in die Schweiz, um zu flüchten. In einem Rechtfertigungsschreiben gab er selbst über die Gründe Auskunft, warum er das Kloster verlassen habe. Sieben Jahre waren ihm sodann in Deutschland beschieden. In dieser Zeit hat er durch sein Schicksal und durch seine Schriften eine starke Wirkung ausgeübt.

Nachdem ihn zunächst Zwingli aufgenommen hatte, kam er im Januar 1523 nach Wittenberg, hielt hier einige Vorl., übersetzte einige Luther-Schriften ins Französische und Italienische und heiratete im selben Jahr noch eine Bürgerstochter aus Herzberg. Von Wittenberg ging er aber im April 1524 nach Straßburg, wo er zahlreiche Freunde hatte. Auch hier entfaltete er eine reiche schriftstellerische Tätigkeit, schrieb einen Komm. zur Franziskanerregel und gab sein »Farrago omnium fere rerum theologicarum« heraus, das bis nach England Verbreitung fand. Wegen seiner Ablehnung der strengen Wissenschaft feindeten ihn die Humanisten an. Trotzdem setzte er sich durch. Auf Sturms Empfehlung kam er an die neue Univ. nach Marburg. Noch größere Bedeutung aber hatte er für die Organisation der Hessischen Kirche. Da er der deutschen Sprache nicht mächtig war, konnte er als Pred. nicht wirken. Um so größeren Einfluß erlangte er aber durch seine Vorl. und durch seine Schriften. Seine Absicht, die ganze Schrift auszulegen, konnte er nur zu einem bescheidenen Teil erfüllen. Diese Arbeit hatte er in Straßburg begonnen und in Marburg fortgesetzt. Erschienen sind einige alttestamentliche Komm. und hauptsächlich die Auslegung der Off. Johannis. Unter seinen Schriften verrät vor allem »De profetia, eruditione et linguis« einen stark ausgeprägten praktischen Zug. Ihm war es um die Verwirklichung des Reiches Christi und nur um diese zu tun.

Die Homberger Synode 1526 und die Ausarbeitung der Hessischen K. O. gaben ihm Gelegenheit, sich über Kirchenverfassung und Kirchenzucht weiter zu verbreiten. Er entwarf dabei das Bild einer Freiwilligkeits-Kirche. Bei dieser Gelegenheit mußte er mit dem Franziskaner Ferber aus Herborn die Klinge kreuzen. Seine 158 Paradoxa stellen eine Gesch. der Homberger Synode dar. Am Marburger Rel. Gespr. nahm er nur als Zuhörer teil. Hier entschied er sich für Zwinglis Auffassung, und noch auf dem Totenbett verfaßte er eine Schrift, die er als seine »Confessio« bezeichnete und die die Schweizerischen Anschauungen wiedergab. Er starb an der Pest.

ADB 17 (1883), 548 ff.
RE 11 (1909), 220 ff.
F. W. Hassenkamp. F. L. von Avignon. Elberfeld 1860.
W. Maurer. F. L. und das Verfassungsideal in der Reformatio ecclesiae Hassiae (ZKG 48, 1929, 219 ff.).
R. F. Winters. F. L. von Avignon. 1487–1530. Philadelphia 1938.
E. Küster. Lambert und N. Herborn. Münster 1951.
O. Hütteroth. Die althessischen Pfarrer d. Reformationszeit. Marburg 1953, 196 f.
G. Müller. F. L. von Avignon und die Reform. in Hessen. Marburg 1958.
R. Haas. F. L. und Patrick Hamilton in ihrer Bedeutung für die evangelische Bewegung auf den britischen Inseln. Marburg 1973.

Johann Lang(e)

*in Erfurt ca. 1487
†2. 4. 1548 in Erfurt

Auch bei L. sind Kindheit und Jugend in Dunkel gehüllt. Vermutlich ist er ein Altersgenosse Luthers gewesen. Im Jahre 1500 bezog er die Univ. Erfurt. Bei dem Humanisten Marschalk erlernte er nicht nur die Elemente des Griech., sondern eignete sich auch eine gute Allgemeinbildung an. Bald darauf bekam er Fühlung mit dem Kreise, der sich um den Kanonicus Muth sammelte, was ihn aber nicht zurückhielt, 1506 die klösterliche Stille zu suchen. Im Erfurter Aug.-Kloster kam er mit Luther zusammen, als dieser 1509 von Wittenberg zurückkehrte. Als Luther 1511 wieder nach Wittenberg ging, folgte er ihm bald. Im Wittenberger Konvent traf er Linck, von Zütphen, Westermann und Schnabel. Nachdem er dort Mag. geworden war, bekam er 1512 die Lektur der Moralphilosophie, die er mit großem Erfolg wahrnahm. Nun begann er ernsthaft, sich mit theol. Fragen zu befassen. 1516 führte Luther ihn als Prior seines alten Erfurter Klosters ein und unterstützte ihn auch weiter brieflich ständig in seinem Amt. L. begleitete ihn zur Heidelberger Disputation. Er blieb weiterhin Humanist, hielt auch gute humanistische Vorlesungen und erhielt 1519 den theol. Dr.-Grad, nachdem er ein Jahr zuvor an Luthers Stelle Distriktvikar geworden war. Die Leipziger Disp. sah ihn an der Seite Luthers. Er erreichte es auch, daß die Univ. Erfurt es ablehnte, Hz. Georg zu willfahren und Luther zu verurteilen. Nach dem Erfurter Pfaffensturm war seine Stellung in der Stadt schwierig geworden. Die Gegner forderten seine Entfernung von der Univ. Er ließ sich durch nichts davon abbringen, reform. Schriften zu verbreiten. In dieser Zeit entstand seine deutsche Übersetzung des Matthäus-Ev. 1522 verließ er das Kloster. Luthers Briefe beschwichtigten den in Erfurt versammelten Kreis. Der Kampf mit den kath. Kräften wurde immer heftiger. In dieser Lage griff Eberlin von Günzburg mit seinen Volkspredigten ein. Als Lange 1524 eine reiche Witwe heiratete, gab er seinen Gegnern erneut Stoff zu persönlichen Angriffen, erst recht 1528, als er die zweite Ehe einging. Indessen war der Sieg der Ref. in Erfurt entschieden. Die sozialen Nachwirkungen des Bauernkrieges konnten überwunden werden.

Nach 1526 hatte der Rat von Erfurt die Sorge, sein Lehnsherr Albrecht von Mainz könnte eingreifen, und gab weithin der kath. Reaktion nach. Lang hatte als Senior der ev. Kirche einen schweren Stand. Unterstützt wurde er ständig von den Wittenberger Freunden wie auch von F. Myconius. Jahre schwerer Kämpfe hielten für ihn an. In Schmalkalden 1537 konnte er im Namen seiner Amtsbrüder die Artikel unterschreiben.

Die Lage blieb gespannt; die kath. Kräfte griffen weiterhin an. Immer einsamer wurde er, als viele seiner Freunde dahingingen; Luther, Linck und sein engster Mitarbeiter Mechler. Seine letzte Arbeit war die Neuausgabe des kleinen Katechismus, die er um die »Christlichen Fragestücke« vermehrte.

Wenn auch seine Heimatstadt ihn so viel Mißgunst und Haß hatte ertragen lassen und ihn nie zu voller Auswirkung seiner Gaben kommen ließ, so hat er doch unter den Reformatoren seinen festen Platz durch die Einführung der Ref. in Erfurt und ihren Einzug in die Univ. Hier hat er mit fester Hand die Bewegung geleitet und sie in gesunden Bahnen gehalten, so daß sie sich in Erfurt behaupten konnte.

ADB 17 (1883), 635.
NDB 13 (1982). noch nicht erschienen.
Th. Kolde. Die dt. Augustiner-Kongregation. Gotha 1879.
H. Hering. Epistolae Langianae. Progr. Halle 1886.

M. Burgdorf. J.L., der Reformator Erfurts. Diss. Rostock 1911 (S. 4–9 Schriftenverzeichnis). P. Bertram. J.L. (Erfurter Lutherbuch). Erfurt 1917, 125–176. P. Kalkoff. Humanismus und Reformation in Erfurt. Erfurt 1926. J. Beumer. Briefw. zw. Erasmus und J.L. (Scrinium Erasmianum 2, Leiden 1969, 315–324).

Christoph Lasius

*6. 7. 1504 in Straßburg
†25. 6. 1572 in Senftenberg

Sein deutscher Name ist Rauch. Über seine Herkunft ist nichts bekannt. Erst als Student tritt er hervor. 1525 wurde er in Wittenberg Magister. Bei der Rückkehr nach Straßburg schloß er sich an Nikolaus Gerbel an. Wittenberg lockte ihn zurück. Einige Jahre war er Lehrer in Colditz, dann empfahl ihn Melanchthon nach Görlitz, wo er 1537–40 Rektor der Lateinschule war. Ob es an ihm oder am Rat lag, erfahren wir nicht: die Wege trennten sich. L. ging als Pfarrer nach Arnstadt, dann nach Greußen, blieb aber dort nur zwei Jahre. Nach einer Zwischenzeit in Spandau, wo er mit Johann Agricola in Streit geriet, kam er als Superintendent nach Lauingen. Zuletzt wirkte er in gleicher Eigenschaft in Cottbus. Auf Melanchthons Theologie eingeschworen, wandte er sich gegen Flacius und die Flacianer. Zwei seiner polemischen Schriften hatten größere Wirkung: »Fundament warer Bekehrung wider die flacianischen Klotzbriefe«. Frankfurt/O. 1568 und »Grundfeste der reinen evangelischen Wahrheit«. Wittenberg 1568. Kenntnisreich und begabt, konnte er keine größere Wirkung ausüben, denn das für seine Zeit charakteristische überhöhte Amtsbewußtsein und die Rechthaberei ließen ihn immer wieder in Streit geraten.

ADB 17 (1883), 733.
R. Jauernig. Mag. Ch. L. (Luther in Thüringen).

Berlin 1952, 174–81.

Jan Laski

*1499
†8. 1. 1560 in Pinczow

L. stammt aus hochadeligem Geschlecht. Von seinem Onkel, dem Primas von Polen, wurde er 1510 in Krakau im humanistischen Geiste erzogen. Als dieser zum 5. Laterankonzil nach Rom ging, nahm er seine Neffen mit, die in Bologna studieren sollten. Nach der Rückkehr erhielt J. L. reiche Pfründen und wurde 1521 zum Priester geweiht. Als sein Bruder in diplomatischer Mission nach dem Westen ging, reiste L. mit und kam über Paris zu Erasmus von Rotterdam nach Basel. Dort wurde er sein Hausgenosse. Seine Anschauungen waren erasmisch. Wie dieser sah er die Mängel der Kirche, nahm aber an, daß sie von innen geheilt werden könnten. 1526 wurde er nach Polen zurückgerufen, da seine Rechtgläubigkeit in Zweifel gezogen wurde. L. leistete einen Reinigungseid, doch auf die Dauer mochte er nicht in der polnischen Kirche bleiben. Er zog nach Löwen und von dort nach Emden. Die Gräfin Anna von Ostfriesland berief ihn 1542 zum Superintendenten. Hier entfaltete er seine Gabe der Leitung. Emden erhielt durch ihn die Prägung eines »nordischen Genf«. Sein Einfluß reichte bis Heidelberg. Das Interim vertrieb ihn aus Emden. L. ging nach England und wurde Th. Cranmers Berater bei der Neuordnung der englischen Kirche. In London gründete er die Fremdlingsgemeinde, für die er die Confessio Londinensis schuf und den De sacramento Ecclesiae Christi tractatus schrieb. Nach dem Umschwung in England 1553 mußten die Fremden das Land verlassen. Ein Teil ging nach Wesel, ein anderer nach Frankfurt. Dort erreichte L. der Ruf, die ev. Kirchen in Polen zusammenzufassen. 1556 traf L.

dort ein und bemühte sich, eine synodale Ordnung zu schaffen. Sein Wirken war zu kurz, um Bleibendes entstehen zu lassen. Seine schwache Gesundheit hielt die Anstrengungen nicht aus.

ADB 17 (1883), 736 ff.
RE 11 (1902), 292 ff.
W. Weerts. Gesch. d. prot. Kirchen Ostfrieslands. Emden 1859.
P. Bartels. J. L. Elberfeld 1860.
H. Dalton. J. L. Gotha 1881.
Ders. Lasciana. (Beitr. z. Gesch. d. ev. Kirche in Rußland 3) Berlin 1898; ebd. 4. Berlin 1905.
K. Hein. D. Sakramentslehre d. J. L. Berlin 1904.
R. Kruske. J. a Lasco u. d. Sakramentsstreit. Leipzig 1904.
O. Naunin. Die K. O. des J. L. (Dt. Zs. f. Kirchenrecht 41, 1909).
J. Kvačala. Beziehungen der Unität zu Flacius u. Laski. JGPÖ 1910.
Th. Wotschke. Gesch. d. Reformation in Polen. Lpz. 1911.
K. Völker. Kirchengeschichte Polens. Berlin 1930.
K. W. Jordt-Jörgensen. Ökumenische Bestrebungen unter den polnischen Protestanten bis z. Jahr 1645. Kopenhagen 1942.
O. Bartel. Jan Laski. I. (1499–1556). Warszawa 1955. Deutsche Übers. Berlin 1981.

Anton Lauterbach

*13. 1. 1502 in Stolpen (Meißen)
†18. 7. 1569 in Pirna

L. war 1517 zum Studium nach Leipzig gegangen. Als Baccalaureus kam er nach Wittenberg, wo er Luthers Schüler, Amanuensis und Tischgenosse wurde. Die tägliche Berührung mit dem Reformator veranlaßte ihn ebenso wie Rörer u. a., Luthers Tischgespräche, Vorlesungen und Predigten nachzuschreiben. Seine Nachschriften sind genauer als die anderer. Außer den Nachschriften liegt von ihm ein Tagebuch aus den Jahren 1538/39 vor, das eine wichtige Überlieferungsquelle darstellt. L. war zu-

erst im geistlichen Amt in Leisnig (1533–37), dann Diaconus an der Stadtkirche in Wittenberg, ehe er 1539 zur Durchführung der Reformation nach Pirna kam, wo er als Pfarrer und Superintendent bis zu seinem Tode wirkte. Da die Dresdner Regierung, wie Luther klagt, nicht viel unternahm, hatte der Superintendent reichlich zu tun. Seine literarische Arbeit hörte in dieser Zeit auf. Nur eine Trostschrift für die vertriebenen böhmischen Prediger gab er zusammen mit Pfeffinger und Greser heraus. Auch unterhielt er einen reichhaltigen Briefwechsel mit Luther und Melanchthon.

ADB 18 (1883), 74.
Lauterbachs Tagebuch aus dem Jahre 1538…
hg. v. J. K. Seidemann, Dresden 1872.
M. Luthers Selbstbekenntnis (nach L's Tagebuch) (Hist.-polit. Blätter 72, 1873, 126–139).
W. Meyer. Über Lauterbachs und Aurifabers Sammlungen d. Tischreden Luthers. Berlin 1896.

Johannes Lening

*14. 2. 1491 in Butzbach
†3. 5. 1566

Herkunft und Jugend liegen im Dunkel. Bekannt ist, daß L. 1514 als Kartäuser zu Eppenburg eintritt und dort bis 1527 verbleibt. Als er sich für die Reformation entschied, wurde ihm das Pfarramt in Melsungen übertragen, das er bis kurz vor seinem Tode innehatte. Da er sich mit dem Täufertum befaßte, schickte ihn der Landgraf zusammen mit Theodor Fabricius 1533 nach Münster. Dort verfaßten sie eine neue Kirchenordnung in 39 Artikeln. Als diese am 18. 11. 1533 fertig vorlag, schrieb L. an den Landgrafen, sie hätte ihn viel Schweiß gekostet. Da L. des Niederdeutschen nicht mächtig war, konnte er als Prediger auf die Bürger in Münster keinen Einfluß nehmen. Daher verließ er bald die Stadt. Seine Erfahrungen im Kampf mit dem Täufertum sollte er später in Hessen verwerten. 1536 wurde er in Hessen in den Wiedertäufer-Ausschuß gewählt, der aber nicht so viel erreichte wie Bucer, der mit den Täufern unmittelbar verhandelte.

Für die hessischen Prediger wurde die Lage schwer, als der Landgraf am 23. 6. 1540 die Doppelehe einging. Da sie genötigt waren, sich für ihn einzusetzen, veröffentlichten sie ihre Expostulatio, die die Unterschriften der Superintendenten, unter ihnen auch L.s trägt (vgl. WABr 9, 155 f.). Sie beschworen die Wittenberger Reformatoren, ihren Landesherrn und sie nicht im Stich zu lassen. Auf der Eisenacher Konferenz wegen der Doppelehe des Landgrafen verhandelte L. nicht allein, sondern zusammen mit den übrigen hessischen Superintendenten. Die unter dem Pseudonym Huldricus Neobulus ausgegangene Schrift »Dialogus... ob es göttlichem, naturlichem, keyserlichem und geystlichem Rechte gemesse oder entgegen sei, mehr dann ein Eeweib zugleich zu haben« (Frühjahr 1541) wurde L. zugeschrieben. L. fand sich auch bereit, nach dem Schmalkaldischen Kriege auf die Seite der Interimisten zu treten und die vom EB Sebastian von Hausenstein ausgeschriebene Mainzer Synode zu besuchen. Da der Landgraf die Annahme des Interim wünschte, um aus der Gefangenschaft entlassen zu werden, sollte L. für die Annahme des Interim im Lande werben. Im Auftrage der landgräflichen Räte reiste er in der Niedergrafschaft umher, wurde aber von der Bevölkerung abgelehnt. Es wurde ein Spottlied auf ihn gedichtet (Urkundl. Quellen 3,76). Daher lehnte er weitere Verwendung in der Werbeaktion ab. Die letzten Erfahrungen hatten ihn gebrochen, so daß er von seinem Amte zurücktrat und kurz darauf starb.

A. Uckeley. Die Selbstbiographie des Melsunger Pfarrers J.L. aus Butzbach (1564). (Beitr. z. Hess. KG 12, 1941, 93–114).

Quellen zur Hess. Reformationsgesch. Bd. 2–4. Hg. G. Franz. Marburg 1954.
F. Herrmann. Das Interim in Hessen. Friedberg 1904.
Das Politische Archiv des Landgrafen Philipp von Hessen. Hg. A. Küch und W. Heinemeyer. Bd. 2–4. Marburg 1910–1959.
O. Hütteroth. Althessische Pfarrer der Reformationszeit. 1–3. Marburg 1966, 203.
F. Braune. Stellung der hessischen Geistlichen... Diss. Marburg 1932.

Johannes Ligarius

(Bender)

*1529 in Nesse bei Norden/Ostfr.
†21. 1. 1596 in Norden

L. besuchte die Lateinschule in Emden und ging zum Studium über Magdeburg nach Wittenberg, wo er am 1. 1. 1547 immatrikuliert wurde. Als er nach langjährigen Studien 1556 in seine Heimat zurückkehrte, übernahm er nach kurzem Aufenthalt in Hage das Pfarramt Uphusen. Der konfessionelle Kampf war in vollem Gang, als er 1559 nach Norden berufen wurde. Als er wegen des Streitens auf der Kanzel abgesetzt wurde (1564), berief ihn der Häuptling Eger Houwerda nach Wolthusen vor den Toren Emdens. 1566 ging L. nach Antwerpen, wo er gemeinsam mit Flacius, Spangenberg u.a. für den Aufbau einer lutherischen Gemeinde sorgte und an der »Confessie oft Bekenntnisse... in der kerke binnen Antwerpen« mitarbeitete. In Antwerpen gab es sechs Prediger. Kurze Zeit war L. Feldprediger im Heer Wilhelms von Oranien, dann kehrte er nach Ostfriesland zurück und wirkte bescheiden in seinem Heimatdorf, bis ihn Graf Edzard II. 1577 als Hofprediger nach Aurich berief. Dieses Amt, das immer größere Bedeutung erlangte, erfüllte er bis 1585. L. setzte sich für die lutherische Abendmahlslehre ein. Mit seiner Schrift »Isagoge ad concordantiam in controversia de coena domini« suchte er einen Ausgleich der Gegensätze

130

zu erreichen. Unterstützt wurde er dabei von Württemberg. Die Gründe für seine Entlassung sind undeutlich, denn sein Nachfolger wurde Gottfried Heßhusen, der die Linie der Gnesiolutheraner fortsetzte. L. wirkte noch eine kurze Zeit in Woerden (Holland), dann zog er sich nach Emden zurück und befaßte sich mit exegetischen Studien. Das ostfriesische Luthertum verdankt ihm seine feste Prägung.

ADB 18 (1883), 641 f.
W. Weerts. Geschichte der prot. Kirchen Ostfrieslands. Emden 1859.
J. W. Pont. Nieuwe bijdragen tot kenntnis van de Geschiedenis en het wezen van het Lutheranisme in de Nederlanden. 6, 1915, 35–45.
H. Garrelts. J. L. Emden 1915.
H. K. Hesse. Menso Alting. Berlin 1928.
J. W. Pont. De Lutherske Kerken in Nederland. Amsterdam 1929.
M. Smid. Ostfriesische Kirchengeschichte. (Ostfriesland hinter dem Deich Bd. 6). Leer 1974, 213 ff.

Konrad Limmer

*1522 in Neustadt a. d. Orla
†15. 8. 1592 in Heilsbronn/Franken

L. kam aus einer Handwerkerfamilie. Wahrscheinlich war sein Vater Tuchmacher wie die meisten Bürger in Neustadt. Am 26. 12. 1541 wurde er in Wittenberg immatrikuliert; am 20. 1. 1543 war er bereits Magister. Er wurde Lehrer an der Lateinschule in Zwickau und wurde 1544 als Rektor nach Neustadt geholt. In diesem Amt wirkte er 11 Jahre lang, bis er auf Betreiben des Rates zum Pfarrer und Superintendenten bestellt wurde. L. war seit 1544 verheiratet und besaß eine große Familie. Der Herzog wollte zuerst den 33jährigen noch nicht zum Superintendenten ernennen, gab aber schließlich nach. Obwohl L. sich als Luther-Schüler bezeichnete, war seine theologische Stellung melanchthonisch.

Die Flacianer lehnte er ab und erklärte sich offen für die Declaratio Victorini. Als die Flacianer 1567 in Thüringen an die Macht kamen, mußte L. abtreten. Als er 1570 als Stiftsprediger nach Ansbach berufen wurde, verließ er Neustadt. In Franken eröffnete sich ihm ein neuer Wirkungskreis. Er wirkte mit bei der Formulierung der Norma doctrinae (1573), in der die melanchthonische Überlieferung stark nachklang. Als Jacob Andreae 1576 im Zuge des Konkordienwerkes nach Ansbach kam, wurde er abgelehnt, weil er Melanchthon zuwenig gelten ließ. Seit 1578 Abt von Heilsbronn, konnte L. dort seine pädagogischen Erfahrungen zur Geltung bringen. Auch hier blieb er, was er von jeher war, Anhänger Melanchthons. Als aber auch in Franken sich die theologische Lage änderte, wurde er 1589 abgesetzt.

K. Schornbaum. Hofprediger Georg Besserer und die Aufhebung der Norma doctrinae (ARG 27, 1930, 1 ff.).
R. Herrmann. Die Lateinschulen im Ernestinischen Thüringen (ZVThG 42, 1940, 231 ff.).
R. Herrmann. Konrad Limmer (Luther in Thüringen, hg. v. R. Jauernig. Berlin 1952, 182–189).

Wenzeslaus Linck

*8. 1. 1483 in Colditz (Zwickauer Mulde)
†12. 3. 1547 in Nürnberg

Er war Sohn eines Ratsherrn. Luther schreibt später, daß er mit ihm zuammen herangewachsen sei; vermutlich ist es in Magdeburg gewesen, wo sie zusammen die Schule besuchten
Er muß in sehr jungen Jahren Aug.-Mönch geworden sein. Wo er Profeß getan hat, steht nicht fest, möglicherweise in seiner Heimat, in Waldheim; denn als »Aug. aus Waldheim« bezeichnet ihn die Wittenberger Univ.-Matrikel, als er dort 1503 sein Studium begann. Er erwarb anderwärts

den Mag.-Grad und kam 1508 wieder in die Elbestadt, um die höheren Grade zu erlangen und 1511 zum Dr. theol. zu promovieren. Ein Jahr vor Luther wurde er in den akademischen Senat aufgenommen. Bei Luthers Promotion war er Dekan der theol. Fak. und zugleich auch Prior des Wittenberger Aug.-Klosters. Vor allem stand er Staupitz besonders nahe, und dieser ließ sich gern auf seinen Visitationsreisen von seinem Landsmann begleiten, den er als seinen vertrauten Freund ansah. Nachdem er kurze Zeit Pred. in München gewesen war, brachte ihn Staupitz in gleicher Eigenschaft nach Nürnberg, wo er sich in allen Bevölkerungsschichten großer Beliebtheit erfreute.

So viel er von Luther gelernt hatte, blieb er doch bei aller Volkstümlichkeit und Deutlichkeit recht vorsichtig. In seinen Predigten nahm die Allegorie einen breiten Raum ein. Eine dieser Predigten aus dem Jahre 1518 über Matt. 21, wurde unter der bezeichnenden Überschrift gedruckt: »Wie der grobe Mensch unsers Herrn Esel sein soll, ihn tragen und mit ihm eingehen gen Jerusalem, zu beschauen fruchtbarlich das Leiden Christi.« Wenn in seiner Predigtweise auch manches ganz mittelalterlich wirkt, so muß sein Zentralgedanke, der Weg zum Heil, in Nürnberg schon aufsehenerregend gewirkt haben. Mit Luther pflegte er eifrigen Verkehr. Er war es, der ihm sechs Obilisci zuschickte, ihn 1518 nach Augsburg begleitete und ihm dort treu zur Seite stand. Außer Lang stand niemand seiner Ord.-Brüder ihm näher. Ihr Briefwechsel legt davon Zeugnis ab.

Als er auf Staupitzens Wunsch dessen Nachfolger geworden war, erfreuten seine Maßnahmen Luther zunächst nicht. Denn er war bestrebt, den gleichen Weg wie Staupitz zu gehen. Auch die Verhandlungen mit Miltitz förderte er. Als aber die Bannbulle Luther traf, dachte er keinen Augenblick daran, sich von jenem zu trennen. Luther eignete ihm seine Schrift gegen

Catharinus zu. Indessen visitierte er 1521 die Aug.-Klöster. Das Wormser Edikt und die Wittenberger Unruhen stellten ihn vor schwere Entscheidungen. Er fragte jetzt Luther um Rat, wurde aber nur auf das Ev. verwiesen, mochten die Klöster darüber zugrunde gehen. Seine Stellung als Ord.-Vikar wurde immer unhaltbarer, bis der deutsche Konvent sich ganz auflöste. Im Januar 1523 übernahm er die Pfarrstelle in Altenburg, nachdem er sein Ord.-Vikariat niedergelegt hatte. Hier brachte er $1\frac{1}{2}$ Jahre zu und leistete Wesentliches für die Einführung der Ref. Es gelang ihm, dem Volke »den geistlichen Verstand des Ev.« nahezubringen. Vor Ostern 1523 konnte die Kommunion unter beiderlei Gestalt gefeiert werden. In dieser Zeit konnte Luther seinen alten Freund mit der Tochter des Altenburger Juristen Suicer trauen. In praktischer Hinsicht war die Arbeit des Altenburger Pfr. von bes. Bedeutung. Wesentlich ist die Grundlegung der Armenpflege, auf die die Nürnberger Almosenordnung eingewirkt haben mag. Auch zahlreiche Schriftauslegungen und Sermone sind in diesem Jahr von ihm in Altenburg gedruckt worden. Auch nach Zwickau wirkte er hinüber und predigte dort gegen schwärmerische Neigungen. Aus Luthers und Melanchthons Schriften stellte er das Büchlein »Vom Reiche Gottes« zusammen. Seine eigene Verkündigung hielt er in den »Art. und Positionen« fest. Auch als Übersetzer ist er in dieser Zeit hervorgetreten.

Als er im April 1525 vom Nürnberger Rat nach Nürnberg an die Sebalduskirche berufen wurde, sollte Spalatin sein Nachfolger in Altenburg werden. Die Bürgerschaft verabschiedete ihn mit großen Ehren, und der Kurfürst Johann schenkte ihm zum Abschied einen kostbaren Becher. Über 20 Jahre wirkte er in Nürnberg und erwarb sich hier ein großes Ansehen. In einem damals in Nürnberg ausgebrochenen Streit über die zweite Ehe war seine Auffassung durchschlagend. Er wollte keinen Unterschied in den Aufgaben und Pflichten zwischen den Geistlichen und der Gemeinde sehen. Bei der Durchführung der Ref. in Nürnberg war er einer der maßgebenden Männer, auf deren Rat die Obrigkeit hörte. Auch hier setzte er sich weiterhin für das volle Ev. ein und scheute sich vor dem Kampf mit Täufern und Schwärmern nicht. Trotz ehrenvollen Berufungen blieb er in Nürnberg, wo er neben Sleupner, Osiander, Venatorius und Dietrich der entscheidende Prediger blieb. Sein Hauptwerk in dieser Zeit ist die Auslegung des AT, die in den Jahren 1543–45 gedruckt wurde. Daneben veröffentlichte er noch eine Reihe praktischer Traktate.

ADB 18 (1883), 661 ff.
RE 11 (1902), 505.
H. W. Caselmann. W. L. (Leben der Altväter der Lutherischen Kirche) Dresden 1863.
Th. Kolde. Beitr. z. Reform.-Gesch. (Kirchengeschichtliche Studien Hermann Reuter gewidmet.) Leipzig 1887, 195–263.
R. Bendixsen. W. L. (ZKWL 8, 1888, 138 ff.).
W. Reindell. Dr. W. L. von Colditz. Marburg 1892.
J. Lorz. Das reformatorische Wirken Dr. W. L.s in Altenburg und Nürnberg (1523–1547). Nürnberg 1978.

Kaspar Löner

*1493 in Markt Erlbach (Franken)
†6. 1. 1546 in Nördlingen

Von der Schule im Kloster Heilsbronn aus bezog er die Univ. Erfurt, wo er 1508 eingeschrieben wurde. Ob er auch in Wittenberg studiert und Luther 1518 auf der Reise nach Augsburg begleitet hat, ist fraglich. Im Jahre 1520 begegnet er uns als Pfarrvikar in Nesselbach. Möglicherweise zog ihn die Wittenberger Ref. schon in dieser Zeit an, denn schon jetzt hielt er die kirchl. Handlungen in deutscher Sprache und ließ deut-

sche Lieder singen. Der Dompropst von Würzburg, Markgraf Friedrich von Brandenburg, versetzte seinen Kaplan bald darauf nach Hof, wo seine reform. Gesinnung erst recht offenkundig wurde. Da die Zwickauer Propheten auch nach Hof einwirkten, mußte er gegen sie Stellung nehmen. Nachdem der Dompropst den luth. predigenden Kaplan abgesetzt hatte, ging er nach Wittenberg, aber schon bald kehrte er in die Heimat zurück, da ihm Markgraf Georg auf Bitten der Gemeinde die Rückkehr nach Hof gestattete. Unterstützt von Medler, begann er nun seine große reform. Wirksamkeit. Er führte in Hof den ev. Gottesdienst ein, entwarf eine Gottesdienstordnung und schrieb einen Katechismus. Seine K. O. ist das Vorbild für Medlers spätere Naumburger K. O. geworden. Sie ist formenreich und will auch die kirchl. Amtshandlungen in den Gottesdienst eingegliedert sehen. Auch das von ihm geschaffene Gesangbuch ist ganz selbständig. Er hatte schon früher eine Reihe eigener Lieder unter dem Titel »Gantz newer geystlicher teutscher Hymnus und Gesang« im Druck erscheinen lassen. Insgesamt sind von ihm 37 Lieder bekannt, die alle eine lehrhafte Note haben. Auch sein Katechismus ist unter dem Titel »Unterricht des Glaubens oder chr. Kinderzucht in 72 Fragen und Antworten verfaßt« 1529 in Nürnberg gedruckt worden. Trotz einer gewissen Beeinflussung durch Luther und Althamer hat er in der katechistischen Gestaltung einen eigenen Zug. Auch an den Verhandlungen über die Brandenburgisch-Nürnbergische K. O. hat er Anteil genommen.

Die Anfeindungen, denen er in Hof ausgesetzt war, ließen jedoch seine Lage immer schwerer werden. Im Juli 1531 wurden Medler und er aus der Stadt verwiesen. Während Medler nach Wittenberg ging, zog er nach Oelsnitz, wo er zunächst die Pfarrstelle erhielt. Als die Ref. im Herzogtum Sachsen durchgeführt wurde, predigte er in Leipzig und sollte dorthin berufen

133

werden; aber die Berufung wurde nicht verwirklicht. So ging er dann 1542 als Pred. an den Naumburger Dom, von wo er 2 Jahre später nach Nördlingen übersiedelte. Hier konnte er seine organisatorischen Gaben wieder voll entfalten und schuf auch für Nördlingen eine Gottesdienstordnung, einen Katechismus und ein neues Gesangbuch. Während die K. O. der Hofer glich, ist der Katechismus in 128 Fragen neu gestaltet und durch 7 Katechismuslieder vermehrt. Aber auch hier hatte er manchen Widerstand zu überwinden.

ADB 19 (1884), 152 ff.
RE 11 (1902), 589–593.
Löners Briefbuch, hg. v. Enders. (BBKG 1–3). 1895/97.
Chr. Geyer. Die Hofer Gesangbücher d. 16.–17. Jhs. ebd. 4. 1898.
Chr. Geyer. Aus der Reform.-Gesch. Nördlingens. Nördlingen 1901.

Johannes Lonicer

*in Astern a. d. Unstrut
†1567 in Marburg

L. trat früh in den Augustinerorden ein. Als Mönch studierte er in Wittenberg und erwarb dort 1521 den Magistergrad. Im Esslinger Konvent begann er im evangelischen Sinne zu predigen. Sein Gesinnungswandel veranlaßte ihn jedoch, das Kloster zu verlassen. Sein »Berichtbüchlin, wie das ein yeglicher Christenmensch gewiß sey der gnaden, huld und gutes willens Gottes gegen ym. Dazu von der Eer und Anrufung der abgestorbenen Heiligen« (1523) brachte ihn dazu noch in Gegensatz zum Rat der Reichsstadt und ließ ihn nach Straßburg flüchten. Hier verdiente er seinen Unterhalt als Korrektor in der Druckerei. Mit Nikolaus Gerbel schloß er Freundschaft. Luther äußerte sich anerkennend über ihn (Br. v. 26. 4. 1525). Als Lehrer der griechischen Sprache wurde L. an die neu-gegründete Universität Marburg berufen, bis er als Nachfolger des Joh. Draconites in die Theol. Fakultät eintreten konnte. Im Sinne seiner Zeit legte er fortan das AT aus. In engere Beziehungen zu Luther trat er durch die Übersetzung von Luthers Auslegung des Propheten Jona. Mit Orth und Vietor wurde er von Erhard Schnepff zum Dr. theol. promoviert. Er vertrat zeitlebens einen milden lutherischen Standpunkt einschließlich der Ubiquitätslehre.

ADB 19 (1884), 158.
Gundlach. Catalogus professorum academiae Marburgensis. Marburg 1927, Nr. 531.

Johann Lüdecke (Ludecus)

Daten unbekannt

Der theologisch begabte Pfarrer in Frankfurt/Oder wurde zu Vorlesungen an der Universität herangezogen. Solange er nicht promoviert war, konnte er keine Professur erhalten. Der Kurfürst beauftragte daher Dr. Konrad Cordatus, der Wittenberger Doktor war, L. und Musculus zu promovieren. Auf der Reise von Stendal nach Frankfurt/Oder erkrankte Cordatus und starb bald darauf. Nun wurde Theodor Fabricius, ebenfalls Wittenberger Doktor, aus Zerbst geholt und vollzog die Promotion. Musculus hatte für diesen Zweck Thesen aufgestellt, darüber geriet er mit L. in Streit. Aus diesem Grunde konnte L. in Frankfurt nicht bleiben. Er wurde nach Stendal auf die Stelle des verstorbenen Cordatus berufen. Sein bisheriges Amt an der Oberkirche in Frankfurt übernahm Musculus. In Stendal entfaltete L. eine große reformatorische Tätigkeit, die weit über die Stadt hinausging. Er wurde daraufhin zum Generalsuperintendenten für die Prignitz und Altmark bestellt.
O. Clemen (WA Br 8,304) vermutet, daß J. L. mit Bugenhagens aus Greifenberg

(Pommern) stammendem Neffen Johann Lübbecke identisch sein kann. Dieser studierte in Greifswald (1516–1521). Im Jahre 1535 war er nachweislich in Cottbus. Luther schrieb an ihn wegen des Widerstandsrechts.

RE 13 (1903), 578.
R. Lehmann. Bilder aus der Reformationsgeschichte der Mark Brandenburg. Berlin 1921.
R. Lehmann. Die Reformation in der Niederlausitz (JBrKG 25, 1930, 97).
A. Fischer. Die Pfarrer der Mark Brandenburg. Berlin 1940.

Martin Luther

*10. 11. 1483 in Eisleben
†16. 2. 1546 in Eisleben

Als Sohn des Bergmanns und späteren Unternehmers Hans L. wuchs Martin L. in der Grafschaft Mansfeld auf, kam auf die Schule nach Magdeburg und Eisenach und studierte seit 1502 an der Universität Erfurt. 1505 trat er dort in den Augustinerorden ein, empfing 1507 die Priesterweihe und widmete sich auf Geheiß des Ordens der Theologie. Kurze Zeit lehrte er Philosophie in Wittenberg. Im Auftrag der Observanten-Klöster seines Ordens ging er nach Rom und gewann Einblick ins kuriale Leben. Nach seiner Rückkehr 1512 zum Doktor der Theologie in Wittenberg promoviert, begann er seine Lehrtätigkeit mit der Exegese der Psalmen und des Römerbriefes. In dieser Zeit löste er sich von der Tradition und entfaltete allmählich seine eigene Theologie auf der Grundlage der Schrift allein. Persönliche Erfahrung führte ihn zu der Erkenntnis, daß Gott den Sünder will und ihn gerecht macht aufgrund des Glaubens allein.

L.s Auffassung, durch seine 95 Thesen bald allgemein bekannt, führte ihn in schwere Kämpfe mit der amtlichen Kirche (Ablaß); es kam zum Prozeß in Rom, nachdem er den Widerruf gegenüber Kardinal Cajetan abgelehnt hatte. Die Leipziger Disputation verschärfte die Lage. Am 15. 6. 1520 erschien die Bannandrohungsbulle, die Eck in Deutschland verkündete. L. reagierte mit der Verbrennung der päpstlichen Bulle; die Exkommunikation folgte sogleich. Inzwischen waren die drei reformatorischen Hauptschriften erschienen, von denen die über die Babylonische Gefangenschaft der Kirche mit der Ablehnung der römischen Sakramentslehre am schärfsten war. Vor dem Reichstag zu Worms (1521) lehnte L. erneut den Widerruf ab und wurde in die Reichsacht erklärt (26. 5. 1521). Unter dem Schutz seines Kurfürsten lebte er auf der Wartburg, wo er außer einigen entscheidenden theologischen Schriften die Übersetzung des Neuen Testamentes herstellte. Durch die Wittenberger Unruhen bewogen, kehrte er im März 1522 nach Wittenberg zurück (Invocavitpredigten! Reform des Gottesdienstes).

Die Neuordnung des Kirchenwesens wurde durch den Bauernkrieg verhindert. Erst 1528 konnten die Visitationen beginnen. Der Landesherr sollte helfen, aber er sollte nicht bestimmend sein. Mit dieser Auffassung setzte sich L. nicht durch. Der Abendmahlsstreit mit Zwingli hemmte, aber vertiefte zugleich die Reformationsbewegung. War eine Verständigung mit der alten Kirche zu Augsburg 1530 nicht möglich, so hatten die aus diesem Anlaß entstandenen Bekenntnisse eine große Bedeutung gewonnen. L. bemühte sich selbst um die Einigung der umfangreichen reformatorischen Bewegung auf der Grundlage der Wittenberger Konkordie von 1536 und schrieb die Schmalkaldischen Artikel 1537. Die Auseinandersetzung mit Erasmus von 1524/25 gab die Veranlassung, die Prinzipienfragen zu durchdenken. Er lehnte jede natürliche Theologie ab und gründete sich allein auf die Schrift und die daraus gewonnene Gotteserkenntnis. Der Mittelpunkt der Schrift ist Christus, das lebendige Wort Gottes. Die Bibel spricht zu Glaubenden. Gott bleibt der menschlichen Vernunft unzugänglich. Auch sein Verhältnis zur Tradition präzisierte L. in der Schrift »Von Conciliis und Kirchen«. Las er zehn Jahre lang über die Genesis, so veranlaßte ihn die kirchliche Publizistik immer wieder, zur Feder zu greifen und verschiedene Fragen aufzunehmen. An den Ausgleich, wie ihn die Humanisten erhofften, glaubte er trotz der veränderten kaiserlichen Politik nicht mehr, obwohl er in der Reformatio Wittenbergica (1544) ein großes Entgegenkommen zeigte.

Die zerstrittenen Mansfelder Grafen sah er als seine Landesherren an. Um sie zu versöhnen, fuhr er nach Eisleben. Dort ging sein Leben zu Ende. L. war kein Organisator. Er vertraute auf die Wirkung des Wortes, das alles schafft.

ADB 19 (1884), 660ff.
RE 11 (1902), 720ff.
Luther-Bibliographie (jährlich) im Luther-Jahrbuch.
J. Köstlin – Kawerau. M. L. Berlin ⁵1903 (einzige vollst. Biographie).
O. Scheel. M. L. 2 Bde. Tübingen 1921/30.
H. Böhmer. Der junge L. hg. v. H. Bornkamm. 5. Aufl. Stuttgart 1951.
H. Bornkamm. M. L. in der Mitte seines Lebens. Göttingen 1979.
B. Lohse. M. L. München 1980.
L.s Theologie von P. Althaus, Fr. Gogarten, Rud. Herrmann, u. a.

Johannes Lycaula

(Wolfstall)

*?

†1572 in Soest

L. stammt aus dem Bergischen Land. Genaueres ist über seine Herkunft und seine Anfänge nicht bekannt. Zuerst soll er am Niederrhein und in Köln tätig gewesen sein. Seit 1537 ist er nachweislich in Altena in Westfalen. Dort führt er in dieser Zeit die Reformation ein. Auch heiratet er dort. Des Täufertums angeklagt, mußte er 1539 Altena verlassen. Er ging nach Solingen und verteidigte von dort aus seinen Altenaer Reformationsversuch in seiner »Apologia super eo verbo Domini Matth. 13,52«, Solingen 1539. Sein Standpunkt wird nicht ganz deutlich. Die Gräfin Anna von Waldeck beruft ihn 1544 nach Korbach, wo er eine beachtliche Wirksamkeit entfaltet und 1556 zum Landessuperintendenten von Waldeck ernannt wird. Sein Streit mit Michael Jacobinus über die Notwendigkeit der Taufe führte zu einer Synodalverhandlung, in der beide Partner veranlaßt wurden, ihr Amt aufzugeben. L. wurde aber allgemein für einen guten Theologen gehalten. 1562 wurde er daher nach Soest berufen, wo er noch zehn Jahre lang an der Hohnekirche (S. Maria zur Höhe) wirken konnte.

V. Schultze. Waldecksche Reformationsgeschichte. Leipzig 1906, 309. 355. 343.
Hugo Rothert. Kirchengeschichte der Mark. Gütersloh 1913.
H. Klugkist Hesse. Johannes Lycaula Montanus (ZBGV 59, 1930, 31).
H. Schwartz. Geschichte der Reformation in Soest. Soest 1932, 286.

Georg Major

*25. 4. 1502 in Nürnberg

†1574 in Wittenberg

Schon mit 9 Jahren wurde M. von Kurfürst Friedrich dem Weisen unter die Chorknaben aufgenommen, die an seinem Hofe erzogen wurden. Daher wurde er schon 1511 in die Univ.-Matrikel in Wittenberg eingetragen. Aber erst 10 Jahre später wurde er wirklich zum Studium an die Univ. entlassen. Luther erwirkte ein Nürnberger Stipendium, so daß er sein Studium durchführen und die philosophischen Grade erwerben konnte. Während er in den ersten

Jahren nach dem Mag.-Examen sich seinen Lebensunterhalt als Repetitor in Wittenberg erwarb, konnte er 1529 Crucigers Nachfolger an der Johannisschule in Magdeburg werden. In dieser Zeit gab er einige klassische Schriftsteller heraus und 1531 den kleinen Katechismus in lat. und plattdeutscher Fassung. Bereits 1537 kehrte er als Prediger an die Schloßkirche nach Wittenberg zurück und wurde von Luther ordiniert. Bald trat er auch in den Lehrkörper der art. Fak. ein und wurde im Studienjahr 1540/41 Rektor. Nachdem Jonas nach Halle übergesiedelt war, wurden ihm die Vorlesungen übertragen, die jener vorher gehalten hatte. Zu diesem Zweck mußte er 1544 den theol. Dr.-Grad erwerben und trat im darauffolgenden Jahre in die theol. Fak. ein.

Er genoß sowohl an der Univ. als auch am kurfürstlichen Hof ein so großes Vertrauen, daß er 1546 von Melanchthon zum Rel.-Gespräch nach Regensburg abgeordnet wurde. Auch als Pred. und Schriftsteller erfreute er sich großer Beliebtheit. Im Schmalkaldischen Krieg flüchtete er zunächst mit seinen 10 Kindern nach Magdeburg und vertrat dann eine Zeitlang den Sup. Musa in Merseburg. Eine Berufung an die Univ. Kopenhagen lehnte er ab. In den Interimsverhandlungen zeigte er sich ebenso wie Melanchthon zuerst ablehnend, dann aber nachgiebig. Diese Stellungnahme gegenüber dem Interim zog ihm den beständigen Zorn Amsdorfs und seiner Freunde zu. Die Gnesiolutheraner sorgten dafür, daß sein Ruf immer mehr nachließ. Es wurde ihm vorgeworfen, bestechlich und unzuverlässig zu sein.

Von seinen dogmatischen Arbeiten ist seine Hermeneutik »De origine et autoritate verbi dei« (1550) zu beachten. Auch stammt die deutsche Übersetzung der »Confessio Saxonica«, die freilich erst 1550 veröffentlicht wurde, von ihm. Gerade zu dem Zeitpunkt, als er mit Melanchthon nach Trient reisen sollte, wurde er nach dem Tode Spangenbergs zum Sup. in Eisleben ernannt. Statt seiner wurde daher Sarcerius Melanchthon beigeordnet. Als er in Eisleben sich wegen seiner Haltung im adiaphoristischen Streit verteidigen wollte, entfachte er selbst den Streit über die guten Werke. Im Verlauf dieser Auseinandersetzungen wurde er aus Eisleben vertrieben und nahm wieder seine Tätigkeit als Prof. in Wittenberg auf, wo er einer der rührigsten Vertreter der Schule Melanchthons wurde. Nach Bugenhagens Tode wurde er für lange Jahre Dekan der theol. Fak. In diesen Jahren veröffentlichte er zahlreiche Streitschriften über die Wertung der guten Werke, fortlaufende exegetische Schriften und auch eine polemische Schrift gegen die Antitrinitarier in Siebenbürgen. Er erlebte noch den ersten Sturz des Kryptocalvinismus in Kursachsen und unterschrieb auch die Torgauer Artikel. Erst der 4. Art. der F.C. rechtfertigte seine Auffassung. Seine Ehrenrettung hat er aber nicht mehr erlebt.

ADB 20 (1884), 109.
RE 12 (1903), 85–91.
G. L. Schmidt. Justus Menius. 2. Gotha 1867. S. 184 ff.
F. H. R. Franck. Theologie der Konkordienformel. 1. Erlangen 1858, 148 ff.
P. Tschackert. Entstehung d. luth. u. ref. Kirchenlehre. Göttingen 1910.
O. Ritschl. Dogmengesch. d. Protestant. 2. Bonn 1912, 370 ff.

Johann Mantel

* um 1470 in Miltenberg (Main)
† 1530 in Ellg (Kanton Zürich)

M. stand im vorgerückten Alter, als er sich der Reformation anschloß. Er studierte in Ingolstadt, bis er den Grad des Bacc. erreichte. Danach war er in Nürnberg in den Aug.-Ord. eingetreten und studierte als Mönch weiter. 1496 erlangte er dort die Mag.-Würde. In Tübingen stand er unter dem persönlichen Einfluß seines Priors Staupitz. Wenige Jahre darauf wurde er selbst an die Spitze des Nürnberger Klosters gestellt. Seine Verbindung zu Staupitz war so stark, daß er diesem nach Wittenberg folgte und sich dort 1507 die theol. Dr.-Würde erwarb. Im Wittenberger Album steht er als fünfter theol. Dr. eingetragen. Auch seine Lehrtätigkeit wurde an der neuen Univ. durchaus anerkannt. Und doch entschloß er sich, als ihn der Ruf nach Stuttgart erreichte, aus Wittenberg fortzugehen. Staupitz wird mit diesem Wechsel einverstanden gewesen sein, zumal er ihm als Stifts-Pred. in Stuttgart bei dem im Orden herrschenden Zwiespalt gute Dienste leisten konnte. Vier Jahre später sehen wir ihn in Straßburg seine Wirksamkeit im Studium generale des Ordens entfalten. In Straßburg wird er in den Entscheidungsjahren der Ref. für Luthers Lehre gewonnen worden sein. Als er 1520 das Stiftspred.-Amt in Stuttgart wieder übernahm, ließ er sich vom Rat bescheinigen, daß er ihn in allen Fällen schützen werde. Bald sammelten sich Gesinnungsgenossen um den Pred. des neuen Glaubens. Auch mit Michael Stiefel in Esslingen stand er im Austausch und nicht minder mit Lonicer. Als die Obrigkeit ihn ersuchte, sich stärker zurückzuhalten, ließ er sich nicht warnen. Unter dem Vorwand, er reize das Volk zum Widerstand gegen die Obrigkeit auf, wurde er verhaftet und auf die Burg Hohennagold gebracht, damit ihn die Stuttgarter Bürger nicht befreiten. Seine Gefangennahme muß die Bevölkerung, wie Eberlin von Günzburg berichtet, sehr aufgebracht haben. Vergeblich trat auch der Rat von Zürich für ihn ein. Erst unter der Drohung des Bauernkrieges wurde er von der österreichischen Regierung freigegeben. Aber die lange Gefangenschaft hatte ihn so weit geschwächt, daß er sich aktiv an den Auseinandersetzungen nicht mehr beteiligen konnte. Er ging in ein ländliches Pfarramt, heiratete und widmete sich seiner Familie und seiner Gemeinde. Als der Markgraf von Baden die Wiederherstellung des alten Kirchenwesens forderte, entsagte er mit zwanzig anderen Pfarrern seinem Amt. Als Flüchtling wurde er von Zell in Straßburg aufgenommen.

ADB 20 (1884), 250ff. und 26 (1888), 830.
RE 24 (191), 59.
Th. Keim. Schwäbische Ref. Gesch. Stuttgart 1860.
G. Buchwald. Zur Wittenberger Stadt- und Univ.-Geschichte. 1893.
G. Bossert. Das Interim in Württemberg (SVRG 46/47). Halle 1893.
Ders. D. Johannes Mantels Lebensende und der Eheprozeß des Michael Back und seiner Gattin (ARG, 12 [1915], 161–204).

Johannes Marbach

*14. 4. 1521 in Lindau
†17. 3. 1581 in Straßburg

Mit 15 Jahren kam der Bäckersohn aus Lindau auf die Akademie nach Straßburg, hörte Bucers Predigt über den Abschluß der Wittenberger Konkordie und entschloß sich 1539, nach Wittenberg zu gehen. Dort wurde er zusammen mit Matthesius Luthers Tischgenosse. Nach kurzer pfarramtlicher Tätigkeit in Jena und in Isny/Allgäu wurde er in Wittenberg promoviert. Als Nachfolger von Fagius in Isny hatte er einen Konflikt mit dem Rat und ging 1545 bereits nach Straßburg. Dort arbeitete er in Bucers Sinn und leistete vortreffliche Arbeit. In den Auseinandersetzungen um das Interim beriet er den Rat. Trotz seiner Jugend wurde er nach Hedios Tode Leiter des Straßburger Kirchenwesens. 1552 sollte er die Stadt in Trient vertreten. Als der Streit um die Altstraßburger Richtung entbrannte, trat M. auf die Seite der Lutheraner. Der Streit war nicht von ihm ausgegangen. Die Probleme der Zeit drängten. Das Abendmahlsverständnis mußte geklärt und

Stellung zur Ubiquitäts- und Prädestinationslehre bezogen werden. Es ging um H. Zanchi, dem sich Joh. Sturm angeschlossen hatte. Sturm mußte aus dem Schulwesen ausscheiden. Auswärtige Vermittlung legte den Streit bei. M. ist in dieser Zeit als überzeugter Anhänger der lutherischen Lehre hervorgetreten. Was Bucer gesät hatte, ging auf. M. ist kein Streittheologe, er ist als kirchlicher Organisator anzusehen. Trotz des Einspruchs des Rates ist er für die FC eingetreten. Auf dieser Grundlage ist die Straßburger Kirche in ihrer K. O. von 1598 geblieben. M. hatte auch die Kirchenvisitation in der Kurpfalz 1576 durchgeführt und sich 1578 in Pfalz-Zweibrücken für die lutherische Auffassung eingesetzt. Dabei ist die Lehre nicht seine starke Seite gewesen; seine Verdienste liegen auf dem Gebiet der kirchlichen Praxis.

ADB 20 (1884), 289f.
RE 12 (1903), 245–248.
A. Trenß. Zur Gesch. d. Straßb. Kirche unter Dr. M. (Beitr. z. KG des Elsasses). Straßburg 1886.
W. Horning. Dr. J.M. Straßburg 1887.
Ficker-Winkelmann. Handschriftenproben. Straßburg 1905, Bl. 89.
W. Sohm. Die Schule Joh. Sturms u. d. Kirche Straßburgs. Marburg 1912, 161ff.
J. Adam. KG d. Stadt Straßburg. Straßburg 1922.
R. Raubenheimer. Paul Fagius. Grünstadt 1957.

Hermann Marsow

*? in Riga?
†1555

Da M. Rigaer Kleriker war, ist anzunehmen, daß er aus Riga stammte. Studiert hat er 1505 an der Universität Greifswald. Nachdem er sich 1523 vermutlich in Riga der neuen Lehre angeschlossen hatte, ging er nach Wittenberg. Dadurch wurde er der erste unmittelbare Schüler Luthers in Livland. Als ev. Prediger begab er sich nach Dorpat, mußte aber schon nach seinem ersten Auftreten auf Verlangen des Bischofs Johann Blankenfeld die Stadt verlassen. Jetzt ging er nach Reval und predigte dort, geriet aber in Gegensatz zu Johann Ossenbrugge und anderen ehemaligen Ordensleuten, die sich ebenfalls ev. nannten. M. erwirkte sich zwar ein Gutachten Luthers, doch um seiner herausfordernden Haltung willen ließ ihn der Rat ausweisen. Indessen erklärte sich Luther gegen Ossenbrugge, der daraufhin nach Münster ging. An seine Stelle wurde Glossenius nach Reval berufen. M. jedoch konnte nunmehr am 1. 6. 1529 nach Dorpat kommen, wo er als erster die schwärmerische Art Melchior Hoffmans erkannte und nach heftigen Kämpfen ihn zum Abzug nötigte. Seine weitere Wirksamkeit scheint ruhiger verlaufen zu sein.

ADB 20 (1884), 446.
F. Napiersky. Lebensnachrichten von livländischen Predigern 2. Mitau 1856, 65.
C. Kallmeyer. Die ev. Prediger Livlands. Mitau 1910.
L. Arbusow. Einführung der Reformation in Liv-, Est- und Kurland. (QFRG 3). Leipzig 1921 (Nachdruck 1966). 697f.
M. Ottow und W. Lenz. Die ev. Prediger Livlands bis 1918. Köln 1977.

Johannes Matthesius

*1504 in Rochlitz
†1565 in Joachimsthal

M. studierte in Ingolstadt, kam nach inneren Kämpfen 1529 nach Wittenberg, um 1532 als Lehrer nach Joachimsthal in Nordböhmen zu gehen. Nach einem Jahrzehnt kam er wieder nach Wittenberg, war Luthers Tischgenosse, schrieb seine Tischreden nach und wurde 1542 von Luther ordiniert. Als Pfarrer wirkte er wieder in Joachimsthal und in ganz Nordböhmen. Weithin bekanntgeworden ist er durch seine Lutherpredigten, in denen er die Biographie des Reformators von der erbaulichen Seite her behandelte. Auch sonst entfaltete er eine weitreichende Predigttätigkeit. Mit seinem Kantor Nikolaus Herrmann war er eng befreundet.

ADB 20 (1884), 586. RE 12 (1903), 425 ff.
K. Amelung. J. M. Gütersloh 1894.
G. Loesche. J. M. 2 Bde. Gotha 1895.
H. Volz. Zum Briefwechsel des J. M. (ARG 24, 1927, 302–313).
H. Volz. Die Lutherpredigten des J. M. (QFRG 12), Leipzig 1930.

Nikolaus Medler

*1502 in Hof
†24. 8. 1551 in Bernburg

Er erhielt seinen Schulunterricht auf der Lateinschule im sächsischen Freiberg und studierte darauf in Erfurt und Wittenberg. Am 10. 1. 1522 in Wittenberg inskribiert, trat er bald in ein näheres Verhältnis zu Melanchthon, der ihn einerseits zu hebr. Studien, andererseits zu mathematischen Arbeiten anregte. Von der Univ. ging er ins Schulamt und hatte zunächst die Leitung der Schule in Eger inne. Als er hier ev. Schulpredigten gehalten hatte, mußte er die Stadt verlassen. Nunmehr nahm er die gleiche Tätigkeit in seiner Heimatstadt auf und brachte die Schule zu hoher Blüte. Bald wurde er zum Pred. neben Löner bestellt. Diese Wirksamkeit konnte nicht lange währen. 1531 mußten die mutigen Verkünder des Ev. aus der Stadt weichen. Er ging nun wieder nach Wittenberg und erlangte hier 1535 den theol. Dr.-Grad. Ein festes Amt besaß er in diesen Jahren nicht. Er half Luther aus oder diente der im Exil lebenden Kurfürstin Elisabeth von Brandenburg als Seelsorger. Da ersah ihn Luther zum Pred. für Naumburg, wo die Ref. schon seit 1526 Fuß gefaßt hatte. Hier schuf er eine Kirchen- und Schulordnung, die von seinen Lehrern gutgeheißen wurde, und übte als Sup. die Aufsicht über 32 Kirchen aus. Als guter Organisator und Pred. wurde er öfter auch zu auswärtigem Dienst, vor allem bei der Ref. des Hzt. Sachsen erbeten. In Naumburg setzte er die ev. Predigt nicht nur in den Stadtkirche, sondern auch im Dom durch. Als Amsdorf zum B. von Naumburg eingesetzt wurde und in Zeitz residierte, blieb er im kirchl. Leben Naumburgs trotzdem die Hauptperson. Der eifrige Sup. hatte viele Gegner, auch mit dem neuen B. gab es Spannungen, so daß der sächsische Kf. ihn nach Lichtenberg versetzte, wo er 1545 zum Hof-Pred. der Brandenburgischen Kurfürstin bestellt wurde. Im selben Jahr übernahm er aber die Superintendentur in Braunschweig, wo er mit dem gleichen Eifer die kirchl. Arbeit aufnahm und eine Schulordnung verfaßte. Als mutiger Verfechter der luth. Richtung trat er mit Energie gegen andersartige Auffassungen auf. Aufsehen erregten seine Angriffe gegen das Interim. Seine Predigten und Bedenken gegen das kaiserliche Kirchengesetz sind oft gedruckt worden. Auch in Braunschweig ist es bei seiner Eigenwilligkeit zu mancher Auseinandersetzung gekommen. Daher wurde es ihm nicht schwer, von dort fortzugehen und die Hof-Pred.-Stelle in Bernburg anzunehmen. Hier kam er jedoch zu keiner Wirkung mehr. Bei seiner ersten Predigt wurde er vom Schlage gerührt.

ADB 21 (1885), 170.
RE 12 (1904), 492 und 24,82.
Holstein. Dr. N. M. und die Reformation in Naumburg. (Z. f. preuß. Gesch. 1867, 4, 271 ff.)
Köster. Beitr. z. Ref.-Gesch. (ZKG 22, 1901, 612 ff.).
O. Albrecht. Mitt. aus den Akten der Naumburger Ref.-Gesch. (ThStKr 77, 1904, 32 ff.).

Kaspar Megander

(Großmann)

*1495 in Zürich
†18. 8. 1545 Zürich

Kaspar Großmann studierte in Basel, wo er 1518 den Magistergrad erlangte. Als Kaplan am Zürcher Spital heiratete er 1524. In der Disputation vom 6. Nov. 1525 trat er als entschiedener Anhänger Zwinglis auf und verteidigte energisch die Schlußreden. Eindrucksvoll war auch sein Auftreten bei der Berner Disputation 1528. Daraufhin beriefen ihn die Berner als Prediger und Professor. Als Haller gealtert war, trat M. in den Vordergrund. Bei Verhandlungen war er oft hitzig und handelte unklug. In seiner kirchlichen Arbeit richtete er sich nach Zürcher Vorbild. Bei Disputationen blieb er erfolgreich. In Lausanne setzte er 1537 die von ihm entworfene Kirchenverfassung durch. Bei der Wittenberger Konkordie war er der schärfste Gegner Bucers. In Bern wurde der Streit mit großer Heftigkeit geführt. Bucer wußte zwar zu erreichen, daß M. die Abendmahlslehre in seinem Katechismus »Kurzer Abriß christlicher Auslegung für die Jugend« ändern mußte. M. fügte sich nicht, wurde entlassen und ging nach Zürich und wirkte dort in seinen letzten Lebensjahren am Großmünster.

ADB 21 (1885), 178f.
RE 12 (1903), 501.
B. Hundeshagen. Der Konflikt des Zwinglianismus, Luthertums, Calvinismus in der Bernischen Landeskirche. Bern 1842.
K. Schweitzer. Die Berner Katechismen im 16. Jahrhundert. (ThZ 8, 1891, 87ff.).

Philipp Melanchthon

(ab 1531 schreibt er Melanthon)

*16. 2. 1497 in Bretten (damals Kurpfalz)
†19. 4. 1560 in Wittenberg

Als Sohn des Kurfürstlichen Rüstmeisters Georg Schwarzert wuchs Philipp M. (den Namen gräzisierte sein Großonkel Johann Reuchlin) in der kulturell regen Stadt Bretten auf. Nach dem frühen Tod seines Vaters kam er auf die berühmte Lateinschule nach Pforzheim und mit 12 Jahren an die Universität Heidelberg. Mit 15 erlangte er in Tübingen den Magistergrad. Außer seinen humanistischen Studien trieb er dort schon Theologie. Als Wittenberg einen Gräzisten suchte, vermittelte Reuchlin ihn 1518 in die Elbestadt. Luther hatte zwar einen anderen Kandidaten, war aber von M.s Antrittsrede über die Universitätsreform sehr angetan. Die persönliche Bekanntschaft ergab eine Freundschaft, die trotz mancher Anfechtung 27 Jahre lang bestand und für die Entwicklung der Reformation von grundlegender Bedeutung wurde. Während Luther manches aus der Gedankenwelt des Humanismus übernahm, begann M. seine Theologie zu vertiefen. Aus Bescheidenheit hat M. in der Theologie nicht promoviert. Er übernahm aber schon 1519 exegetische Vorlesungen, überwachte den Druck von Luthers Schriften und begleitete ihn zur Leipziger Disputation. Er wehrte auch den Angriff italienischer Gegner Luthers ab, wobei er der scholastischen Theologie die Absage erteilte. Der Schwärmerei der Zwickauer Propheten konnte er jedoch nicht Herr werden und blieb ihr zeitlebens feind. Aufgrund seiner Römerbriefvorlesung schrieb er die Loci communes, das erste evangelische Lehrbuch über Glauben und Leben, das 25 Auflagen erfuhr.

Die Obrigkeit zog M. in starkem Maße zur Reform der Schule und des Universitätswesens heran. Seine Gabe, genau und treffend zu formulieren, bewährte sich glänzend. An die Instruktion und den Unterricht der Visitatoren reihten sich Universitäts- und Fakultätsstatuten. Die Melanchthonische Lateinschule, für die er eine Fülle von Schulbüchern schrieb, bestimmte das humanistische Bildungswesen bis ins 19. Jahrhundert hinein und trug ihm den Namen des praeceptor Germaniae ein.

Als Autor der entscheidenden evangelischen Bekenntnisse: CA und AC, Repetitio Confessionis Augustanae und anderer reformatorischer Schriften wurde M. für die evangelische Kirche bestimmend. Seit Luthers Streit mit Erasmus prägte sich sein eigener theologischer Standpunkt deutlicher aus. In seinem Kommentar zum Kolosserbrief (1527) und zum Römerbrief (1532) kam die neue Haltung zum Ausdruck. Sie ist ebenso durch seine Übereinstimmung mit Bucer (1534) gezeichnet und bestimmte mit die Wittenberger Konkordie.

Schon seit Augsburg (1530) war M. theologischer Sprecher des Protestantismus geworden. Er genoß hohes Ansehen bei den Konfessionsverwandten. Sein Einfluß ist an seinem enormen Briefwechsel abzulesen. Laufend wurde er um Gutachten gebeten. Bei wichtigen kirchenpolitischen Verhandlungen konnte man auf ihn nirgends verzichten. Ob bei Einigungsverhandlungen mit Katholiken oder bei Tagungen des Schmalkaldischen Bundes und bei der »Kölner Reformation«: M. mußte dabei sein.

Nach Luthers Tod fiel M. die schwere Aufgabe zu, die verschiedenen Gruppen innerhalb des lutherischen Lagers zu versöhnen. Da er selbst Partei war, gelang der Ausgleich nicht. Gnesiolutheraner bekämpften seinen Standpunkt, besonders, wenn er nachgiebig wurde wie beim Interim oder in Tagen seelischer Depression. Viele wollten ihn nicht mehr als Autorität anerkennen. Schwere Anfechtungen bereitete ihm der Ausbruch der Gegner auf dem Religionsgespräch in Worms 1557. In seinen letzten Jahren wurde er entschiedener und kühner, wenn es galt, Angriffe von gegenreformatorischer Seite abzuwehren. Der Theologenstreit war ihm immer zuwider. Nach kurzem Krankenlager starb er in Wittenberg und wurde neben Luther in der Schloßkirche beigesetzt.

ADB 21 (1885), 268 ff.
RE 12 (1903), 513 ff.
W. Hammer. Die M.-Forschung im Wandel der Jahrhunderte. (QFRG. 35/36). Gütersloh 1967/68.
Melanchthons Briefe (Regesten) hg. v. H. Scheible. 4 Bde. Stuttgart 1972.
Ch. Schmidt. Ph. M. Elberfeld 1861.
A. L. Manschreck. M. the quiet reformer. New York 1958.
R. Stupperich. Ph. M. Berlin 1960.
M. Greschat. M. neben Luther. Witten 1965.
W. Maurer. Der junge M. Göttingen 1967/69.
R. Stupperich. Ph. M. (Klassiker der Theologie 1), München 1981.
H. A. Stempel. M.s pädagogisches Wirken. (UKG 11) Bielefeld 1979 (Lit. seit 1965).

Dionysius Melander

(Schwarzmann)

*1486 in Ulm
†10. 7. 1561 in Kassel

M. tritt 1525 aus dem Dunkel hervor. Zehn Jahre lang ist er Prediger in Frankfurt (1525–1535). Seine zwinglische Gesinnung bringt ihn in Gegensatz zu seinen Kollegen, zu Bucer und Luther. Als er seinen Abschied nehmen mußte, nahm ihn der Landgraf als Hofprediger an. Auf Unkenntnis beruhte diese Wahl nicht. Auch später noch äußerte der Landgraf über ihn: »Ob er schon seltsam, so ist er ein guter prediger« (Urk. z. Hess. Reform. 2,15). Seitdem gehört M. zu dem Kreise der Pfarrer, in deren Hand der Landgraf die Entscheidung kirchlicher Fragen legte. Des öfteren hat er Gutachten erstellt; 1538 ob es angängig sei, das päpstliche Konzil zu besuchen, ein anderes über die angesichts des täuferischen Einflusses notwendige Kirchenzucht. Öfter beteiligte er sich an der Abfassung gemeinsam aufgestellter Gutachten. Schwer belastete ihn das Votum für die Doppelehe des Landgrafen, bei der er die Lage im Unterschied zu Luther völlig übersah. M. vollzog auch die Trauung Philipps mit Margarete von der Sale. Die Verhandlungen über die Zulässigkeit der Zweitehe zogen sich über zwei Jahre hin. M. wandte sich scharf gegen alle, die anderer Meinung waren als er. Theodor Fabricius mußte deswegen das Land verlassen. Nach dem Interim beschwerte sich Kaiser Karl über ihn. Nun verlor er das Amt; der gefangene Landgraf wollte ihn aber halten, »bis er komme«. M. erhielt ein Pfarramt in Kassel, das er noch ein Jahrzehnt treu verwaltete.

ADB 21 (1885), 276f.
G. E. Steitz. D. M. (Archiv f. Frankfurter Gesch. u. Kunst. 5, 1872).
H. Dechent. Ref.-Gesch. d. Stadt Frankfurt. Frankf. 1913/21.
F. Braune. Stellung der Hessischen Geistlichen... Marburg (Phil. Diss.) 1932 (Masch.)
Quellen z. Hessischen Ref.-Gesch. Bd. 2–3 Hg. G. Frantz. Marburg 1954/55.
O. Hütteroth. Althessische Pfarrer der Reformationszeit. Marburg 1966.

Justus Menius

(Jodocus Mening)

*18. 12. 1499 in Fulda
†1558 in Leipzig

M. war Sohn begüterter Bürgersleute; der bekannte Humanist und Gothaer Kanonikus Muth war sein Onkel.

Der begabte, frühreife Knabe wurde 1514 in Erfurt immatrikuliert. Im nächsten Jahr ist er bereits Bac. und 1516 Mag. artium. Durch seinen Onkel wurde er in den Gothaer Humanistenkreis hineingezogen. Er

schloß bes. mit Camerarius Freundschaft, der ihn im Griechischen unterrichtete. Nach einigen Wanderungen, die ihn auch nach Italien führten, ging er, angelockt durch Melanchthon, nach Wittenberg. Hier fiel für ihn die Entscheidung. Bis 1523 blieb er dort, um dann ins kirchl. Amt zu gehen. Mit Luther und Melanchthon blieb er im Briefwechsel. Danach ging er nach Erfurt und wirkte hier neben Joh. Lange für die Festigung der Ref. Bes. kämpfte er gegen den Dom-Pred. Kling. Aber »Erfordia est Erfordia«, schrieb Luther ihm. Die Stadt zeigte eine schwankende Haltung, so daß er sie verlassen mußte. Von Gotha aus nahm er zusammen mit Melanchthon und F. Myconius an der ersten Visitation in Thüringen teil und trug dabei den größten Teil der Last. 30 Jahre seines amtlichen Wirkens widmete er dem Thüringer Lande, davon 18 Jahre in Eisenach und 12 Jahre in Gotha. Mit Myconius verfaßte er 1530 die erste zusammenfassende Widerlegung der Täuferlehre, auf die er bei der Visitation aufmerksam geworden war. Auch an späteren Visitationen nahm er Anteil: 1533 in Thüringen, 1539 im Hzt. Sachsen, 1545 in Schwarzburg und Naumburg. Von ihm stammen zahlreiche Visitationsakten und Berichte.

Wie hoch er geschätzt wurde, geht aus der Tatsache hervor, daß er zu allen wichtigen Verhandlungen herangezogen wurde, sowohl zum Marburger Rel. Gespr. als auch 1536 zur Wittenberger Konkordie und 1537 zur Tagung in Schmalkalden. Auch zum Rel. Gespr. in Worms von 1540 wurde er von kursächsischer Seite abgeordnet. In weiten Kreisen war er als friedliebender, gerechtdenkender Mann bekannt, vielseitig interessiert und beständig in seinen Anschauungen. Nach dem unglücklichen Ausgang des Schmalkaldischen Krieges hielt er sich tapfer auf der alten Linie, nahm Stellung gegen das Interim und verfaßte 1549 die Weimarische Konfession für die Söhne des gefangenen Kf., beteiligte sich aber nicht am Streit mit den Wittenbergern. Gegen Osiander trat er bereitwillig auf und unternahm sogar eine Reise nach Königsberg, um die Auseinandersetzungen zum Abschluß zu bringen, freilich ohne Erfolg. Als er zusammen mit Amsdorf, Schnepf und Stoltz 1554 zur thüringischen Visitation berufen wurde, für die er auch die Instruktion und zahlreiche Protokolle verfaßte, wollte Amsdorf diese Gelegenheit benutzen, um bestimmte Bücher als adiaphoristisch und maioristisch zu verurteilen. M. lehnte ab und wurde daraufhin selbst verdächtigt. Erst recht richteten sich die Angriffe gegen ihn, als er in einer Predigt das neue Leben als »notwendig für die Seligkeit« bezeichnet. Auch Flacius war unter seinen Gegnern, und er wurde Verhören unterworfen, die seine Kraft verzehrten. Um den Anfeindungen in Thüringen auszuweichen, ging er nach Langensalza und war nur bereit zurückzukehren, wenn der Hz. ihn vor seinen Widersachern schützte und ihm den Verkehr mit seinen »lieben Präzeptoren« in Wittenberg freigab. Da der Kanzler Brück nur eine unzureichende Antwort gab, nahm er auf Melanchthons Vermittlung die Berufung an die Thomaskirche in Leipzig an. Die Anfeindungen der Flacianer gingen weiter. Sie hielten ihm Mißverständnisse in der Rechtfertigungslehre vor. Flacius schrieb 1557 eine Schrift »Die alte und die neue Lehr Justi Menii«. M. anwortete mit dem »Bericht der Bittern warheit« 1558. M. veröffentlichte zahlreiche Übersetzungen von lat. Schriften Luthers und Melanchthons. Seine eigenen Arbeiten entstammen immer seinen konkreten Aufgabenbereichen. Waren es zuerst Streitschriften gegen die kath. Vertreter in Erfurt und gegen die Wiedertäufer, so schwieg er auch nicht zu innerprotestantischen Streitfragen. Seine Predigten und erbaulichen Schriften wurden gern gelesen.

ADB 21 (1885), 345 ff. RE 12 (1903), 577 ff.
G. L. Schmidt. J. M., der Reformator Thüringens.

Gotha 1867.
Briefe in ZHTh 1865, 303 ff.
ZVThG 1882, 243 ff.
ZKG 22, 1901, 612 ff. 23, 437.
ARG 22, 1925, 191 ff., 24, 118 ff., 26, 131 ff. 30, 101 ff.
O. Ritschl. DG d. Prot. 2, Bonn 1912, 378 ff.
P. Wappler. Die Täuferbew. in Thüringen. Jena 1913.
R. Herrmann. Die Generalvisitationen in den Ernestinischen Landen (ZVThG 1915, 77 ff.).
O. Clemen. D. Gothaer Codex A. 406 (ARG 35, 1938, 249 ff.).

Angelus Merula
(Engel van Merlen)
* 1482 in Den Briel
† 1557 in Bergen op Zoom

M. studierte seit 1504 an der Sorbonne und erwarb dort den Grad des Magisters und des lic. theol. In Utrecht 1511 zum Priester geweiht, wurde er zuerst Pfarrer in seinem Heimatort, seit 1530 in Heenvliet. In diesen Jahren befaßte er sich eifrig mit dem griechischen NT und mit den Kirchenvätern. Ohne Tumult wollte er die Kirche reformieren. Von der erasmischen Position kam er immer mehr zur evangelischen Überzeugung und vertrat den Grundsatz des allgemeinen Priestertums in weitreichender Korrespondenz. Von der römischen Kirche wollte er sich nicht trennen. Obwohl er ein stiller Gelehrter war, kam er in den Verdacht der Ketzerei. 1553 ging die Inquisition gegen ihn vor. Er wurde zum Tode auf dem Scheiterhaufen verurteilt. Bevor er ihn bestieg, ereilte ihn der Tod.

ADB 21 (1885), 474 ff.
RE 12 (1903), 649 ff. RGG³ (1960), 4, 881.

Michael Meurer

(Michael Haenlein)
(Michael a Muris Galliculus)

*in Hainichen (Sachsen)
†1537 in Königsberg (Pr.)

Er war Zisterziensermönch im Kloster Alt-Celle, zwischen Leipzig und Dresden gelegen. Dort zeichnete er sich durch seine Gelehrsamkeit in der Philosophie, Theol. und Musik aus. Bereits 1514 hatte er mehrere Schriften, darunter ein »Compendium musicae«, veröffentlicht. 1519 ließ er eine Schrift »De statu animae« drucken. Seit 1520 aber stand er mit Luther in Briefwechsel, trat bald darauf aus dem Kloster aus, ging nach Wittenberg und heiratete.

Luther schätzte diesen gelehrten und charakterlich gediegenen Mann sehr. Als Danzig 1525 einen tüchtigen Prediger anforderte und Bugenhagen nicht abkommen konnte, empfahl Luther ihn in seinem Brief an den Rat von Danzig vom 5. 5. 1525. Er muß sich gleich auf die Reise gemacht haben, denn nach 4 Wochen traf er bereits mit seiner Frau in Danzig ein. Die Kosten der Reise trug der Rat. In Danzig erhielt er die Kanzel der Marienkirche, auf der er am Pfingstfest zum erstenmal predigte. Diese Tätigkeit setzte er fort, bis sie ihm von den Vertretern der alten Kirche verboten wurde. Der König von Polen griff in Danzig ein, und die Ref. wurde blutig erstickt. Hz. Albrecht von Preußen vermochte nur Meurer und Hitfeld, einen zweiten Prediger, loszubitten, die er beide nach Preußen mitnahm. Meurer wurde Archidiakonus in Rastenburg und Stellvertreter des B. für Masuren. Im Auftrage des B. von Queiß führte er dort die Visitation durch und wirkte auf die Einrichtung von Synoden hin. 1531 wurde er nach Königsberg berufen und wirkte dort in Gemeinschaft mit Brießmann und Poliander.

An der Rastenburger Synode, die am 8. und 9. 6. 1531 die Verhandlungen mit den Schwenckfeldianern führte, nahm er führenden Anteil. Neben dem B. Speratus und ihm war dort die ganze masurische Geistlichkeit versammelt. Hz. Albrecht schätzte ihn und übermittelte ihm zuweilen bes. Aufträge. Für ihn übersetzte er Melanchthons Schrift »Sententiae patrum de coena domini« ins Deutsche, die 1532 in Wittenberg gedruckt wurde. Auch als Musikkenner war er dem Hz. teuer. Beachtlich ist auch, daß er sich schon Gedanken gemacht hat über die Versorgung der Hinterbliebenen von Pfr. Er arbeitete einen Entwurf aus »Bedenken betreffend die alten und gebrechlichen Pfr., ihre Witwen und Kinder«.

P. Tschackert. Urkundenbuch z. Gesch. d. Ref. im Hzt. Preußen. 1, Leipzig 1890, 137 ff.
W. Hubatsch. Gesch. d. Ev. Kirche in Ostpreußen. 1, Göttingen 1968, pass.

Andreas Meusel

(siehe: Andreas Musculus)

Sebastian Meyer

*1465 in Neuenburg/Br.
†1545 in Straßburg

Über seine Jugend und Schulbildung liegen keine Nachrichten vor. In jungen Jahren kommt er nach Freiburg und schließt sich dort dem Minoritenorden an. Gleichzeitig mit Capito studierte er an der Universität und erwarb den Grad des Dr. theol. Früh trat er auf die Seite der Anhänger Luthers, schrieb volkstümliche Schriften und beteiligte sich an Disputationen. 1524 trat er aus dem Orden aus. Die Beziehung zu Capito ließ ihn nach Straßburg gehen und ein Pfarramt an St. Thomas übernehmen. Sechs Jahre blieb er dort, ehe er 1531 nach Augsburg ging. Anscheinend hatte er sich so sehr an Bucer angeschlossen, daß er mit ihm auch 1534 nach Konstanz reiste, um die Wittenberger Konkordie vorzubereiten. Von 1536–1541, als er bereits siebzig war, wirkte er noch in Bern. Dann kehrte er nach Straßburg zurück, um dort sein tätiges und ruheloses Leben zu beschließen. Im letzten Jahrzehnt hatte er allerdings wegen mangelnder Sorgfalt und gemächlichen Lebens Anlaß zu Klagen gegeben.

Oliver Millet. Correspondance de W. Capiton. Strasbourg 1982.

Andreas Modestinus

(siehe: Andreas Knopken)

Joachim Mörlin

*8. 4. 1514 in Wittenberg
†29. 5. 1571 in Königsberg

Sein Vater war Prof. der Metaphysik in Wittenberg und ging bald nach der Geburt seines Sohnes als Pfr. in die Gegend von Coburg. Die Verhältnisse, in denen Joachim und sein Bruder Maximilian aufwuchsen, waren ärmlich. Trotzdem vermochte er 1532 das Studium in Wittenberg aufzunehmen, wurde 1536 Mag. und 1540 auf Luthers Wunsch Dr. theol. Luther empfahl ihn als Sup. nach Arnstadt. Da er sich jedoch nicht zurückhielt, auch den Grafen Schwarzburg zu mahnen, vertrieb ihn dieser, obwohl sich Luther für ihn eindringlich einsetzte. Er wurde indessen 1544 als Sup. nach Göttingen berufen und wirkte hier 4 Jahre, bis seiner Arbeit das Interim ein Ende bereitete. In den unsicheren Zeiten führte er ein Wanderleben, bis ihm Hz. Albrecht ein neues Wirkungsfeld in Preußen eröffnete. In Königsberg wurde ihm die DomPred.-Stelle samt der Inspektion übertragen. Hier wurde er aber in den Osiandrischen Streit hineingezogen. Osianders Angriffe auf Melanchthon machten ihn bedenklich und veranlaßten ihn, vermittelnd einzugreifen. Osiander wollte die Disp. nicht weitergeführt wissen. Der Streit wurde auf Kanzel und Katheder ausgetragen. Sachliche und persönliche Motive verquickten sich. Mit seinen Freunden appellierte M. an eine Synode; sie bildeten eine kirchl. Nebenregierung. Tapfer stritt er gegen Osiander und hielt sich dabei an die Rechtfertigungslehre der Wittenberger. Der Kampf spitzte sich 1552 immer mehr zu. Hz. Albrecht wurde gereizt, da die Gutachten der ev. Kirchen meist gegen Osiander ausfielen. Mitten im Kampf starb Osiander. Mörlin blieb Sieger, der zwar großen Mut bewiesen hatte, aber seinem Gegner doch nicht gerecht geworden war. Während Hz. Albrecht die vermittelnde Württembergische Linie in einem Mandat vorschrieb, trat M. auf der Kanzel dagegen auf und wurde vom Hz. ausgewiesen. Ganz Königsberg bat den Hz., ihnen Mörlin zu lassen. Da der Hz. jedoch jedes Gesuch ablehnte, mußte er sich einen neuen Wirkungskreis suchen. Um den tüchtigen Theologen bewarben sich Braunschweig, Lübeck und der Graf von Henneberg. M. ging nach Braunschweig. Auf seinen Wunsch bekam er Chemnitz als Koadjutor. Hier diente er in den Jahren nach dem Augsburger Religionsfrieden ordnend und leitend der Kirche wesentlich. Um das Eindringen des Calvinismus zu verhüten, ließ er alle Pfarrer das Corpus doctrinae unterschreiben. Trotz seiner entschiedenen Haltung war er ein versöhnlicher Mann. 1556 wurde er berufen, den Streit zwischen Timann und Hardenberg in Bremen beizulegen. Im Heidelberger Abendm.-Streit stellte er sich auf die Seite Heßhusens. Zwischen Melanchthon und Flacius suchte er vergeblich zu vermitteln. Im Wormser Rel.-Gespräch von 1557 ging er mit den Flacianern, redigierte mit an dem Weimarer Konfutationsbuch, trat für die Einberufung einer luth. Generalsynode ein und beteiligte sich 1561 am Lüneburger Konvent. Seine »Erklärung aus Gottes Wort« wurde in Braunschweig als Symbol eingeführt. Als Flacius seine radikalen Anschauungen ausprägte, mußte M., dem alles Extreme feind war, mit ihm brechen. Er hatte eine ausgeprägte Auffassung von Kirche und Amt. Er wußte wohl die Grenze zwischen den kirchl. Rechten und denen der Obrigkeit zu ziehen. Gegen Ende seines Lebens erlebte er es, daß er auf Verlangen der Stände nach Königsberg zurückgerufen wurde. Auf wiederholte Bitten hin gewährte ihm Braunschweig einen Urlaub, wobei ihn Chemnitz begleiten durfte. Die Befriedung der Kirche nahm er sogleich in die Hand und entwarf dazu die Repetitio corporis doctrinae christianae. Diese wurde der Synode vorgelegt und nach Zustimmung der Stände veröffentlicht. Im Herbst desselben Jahres gab Braunschweig ihm die Entlassung, so daß er zum B. von Samland ernannt werden konnte. Indessen übernahm Chemnitz sein Amt des Sup. in Braunschweig. Für Braunschweig und Niedersachsen hatte M. eine große Bedeutung, da er die Grundlage gelegt hatte, auf der die F.C. weiterbauen konnte. Eine einheitliche kirchl. Lehre war zum großen Teil sein Verdienst. Die letzten 3 Jahre seines Lebens baute er an der Preußischen Kirche. Er scheute vor keinem Kampf zurück. Er war zwar Streittheologe, aber einer von der besten Art, aufrecht, gerade, rechtschaffen, wenn auch bisweilen hart, ein starker Charakter.

ADB 22 (1885), 322ff.
RE 13 (1903), 237ff.
Walther. J.M. Arnstadt (Progr.) 1856 und 1863.
K.A. Hase. Herzog Albrecht und seine Hofprediger. Leipzig 1879.
F. Koch. Briefw. J.M's mit Hz. Albrecht (Altpr. Monatsschr. 39. 1902, 517–596).
E. Roth. Ein Braunschw. Theologe des 16. Jhs.
J.M. u. seine Rechtfertigungslehre (JGNKG 59, 1952, 59–81).
M. Stupperich. Osiander in Preußen. (AKG 44). Berlin 1973, 120–220.

Maximilian Mörlin

*14. 10. 1516 in Wittenberg
†20. 4. 1584 in Coburg

Er wuchs zusammen mit seinem älteren Bruder Joachim auf. Nach einer harten Jugend, in der er das Schneiderhandwerk erlernte, konnte er sich dann noch dem gelehrten Beruf zuwenden. Wie sein Bruder studierte er in Wittenberg und stand unter dem Einfluß Luthers und vor allem Melanchthons. Auf Empfehlung seiner Lehrer kam er 1544 als Hofpred. nach Coburg und visitierte hier im Auftrag des Hz. Kirchen und Schulen.

Nachdem er 1546 in Wittenberg zum Dr. promoviert und zum Sup. ernannt worden war, hatte er sich an den theol. Auseinandersetzungen der Zeit zuerst auf seiten des Flacius beteiligt. Er betrieb die Verurteilung des Menius, nahm 1557 am Wormser Colloquium teil und verfaßte 1559 zusammen mit Musaeus und Stössel das Weimarer Konfutationsbuch, das für die thüringische K. verpflichtend wurde. Hz. Johann Friedrich der Mittlere nahm ihn auch nach Heidelberg mit, um zu verhindern, daß sein Schwiegervater zum Reformiertentum übertrat. Die Disp., die dort vom 3.–4. 7. 1560 geführt wurde, blieb erfolglos. Den radikalen Kurs, den indessen Flacius einschlug, konnte er jedoch nicht gutheißen. Dazu war er zu stark von der melanchthonischen Tradition beeinflußt. Als Mitglied des Weimarer Konsistoriums redete er zum Frieden im Interesse der vermittelnden Theol. Melanchthons. Hz. Johann Wilhelm, selber Flacianer, vertrieb ihn 1569 aus dem Lande. Jetzt wurde er nach Dillenburg, später nach Siegen berufen und bemühte sich dort, seine Richtung gegen den ref. Einfluß geltend zu machen. 1573 konnte er nach erfolgloser Arbeit aus Siegen nach Coburg zurückkehren, um in seine früheren Ämter eingesetzt zu werden. Die Flacianer wurden von ihm entlassen. Sein Einfluß machte sich in der F. C. und ihrer Wirkung geltend. Als Pred. und als Vertreter des Kirchenregimentes war er ein bedeutender Mann.

ADB 22 (1885), 325.
RE 13 (1903), 247–249.
O. Beck. Johann Friedrich der Mittlere. Gotha 1867.

Ambrosius Moibanus

(Ambrosius Moyben)

*4. 4. 1494 in Breslau
†16. 1. 1554 in Breslau

Da er sehr begabt war, entschloß sich sein Vater, ein wohlhabender Schuhmacher, ihn nicht wie seine drei Brüder auch Schuhmacher werden zu lassen, sondern ihn auf die Schule zu schicken. Zunächst besuchte er die Pfarrschule in Breslau, dann die in Neiße, 1510 bezog er die Univ. Wie zahlreiche Schlesier ging er zuerst nach Krakau, um hier die Grundlage für seine humanistischen und theol. Studien zu legen, dann 1515 weiter nach Wien, wo er den Mag.-Grad erwarb.

Als der 24jährige nach Breslau zurückkehrte, übertrug ihm der B. die Leitung der Domschule. B. Turzo zeigte auch gegenüber der Wittenberger Bewegung lebhaftes Interesse, so daß Moibanus selbst 1521 nach Wittenberg gehen konnte, wo ihn Melanchthon kennenlernte und mit ihm pädagogische Fragen besprach. Nach dem Tode des B. trat er von der Leitung der Domschule zurück und übernahm statt dessen die Schule an der Magdalenenkirche. In Leipzig ließ er 1522 eine lat. Grammatik

und andere Lehrbücher erscheinen und mühte sich um die Hebung des Bildungsstandes. Da seinen Bemühungen kein Erfolg beschieden war, gab er das Schulamt auf und widmete sich seit 1523 in Wittenberg ausschließlich der Theol.

In dieser Zeit trat er außer Melanchthon und Bugenhagen auch Luther näher (CR. 1, 598). Mit Camerarius und Dietrich war er befreundet. Wie stark er hier innerlich angeregt wurde, zeigt das von ihm gedichtete Lied »eyn Lobgesang vom Vaterunser«, das bereits 1525 ins Zwickauer »Gesang Buchleyn« aufgenommen wurde. Aus einem Humanisten wurde er zum biblischen Theologen.

Inzwischen hatte ihm der Rat von Breslau mitgeteilt, daß er zum Pfr. an der Elisabethkirche gewählt sei, und bat ihn, nach Erlangung des Dr.-Grades sein Amt in Breslau zu übernehmen. M. war bereit, die Wahl anzunehmen. Er erwarb die theol. Grade des Lic. und Dr. Der Rat ließ ihn 1525 mit einem Gespann in Wittenberg abholen. B. von Salza war mit der Bestallung des neuen Pfr. einverstanden, und dieser versprach ihm Gehorsam in der Hoffnung, daß der B. die Ref. selbst einleiten würde. Selbst war der Pfr. sehr vorsichtig. Er wollte die kirchl. Autorität nicht verletzen, obwohl er die Widersprüche zwischen Gottes Gebot und menschlichen Satzungen deutlich empfand. Auch Heß war vorsichtig. Das Abendm. unter beiderlei Gestalt wurde nur heimlich denen gereicht, die danach begehrten. Das Meßopfer wurde noch gefeiert. Beide Prediger verständigten sich nun, schärfer vorzugehen und eine neue Gottesdienstordnung aufzustellen. Alles, was dem ev. Gewissen nicht anstößig war, wurde beibehalten. Verschwinden mußte das Meßopfer. Von allen Neuerungen machte der Rat dem B. Mitteilung. Gottesdienste mit der Predigt im Mittelpunkt wurden an allen Festtagen und Wochentagen gehalten. Für den Abendm.-Gottesdienst wurde ein eigener Kanon aufgestellt. Indi-

148

rekt fand diese Ordnung die Bestätigung der Obrigkeit.

Den Gegnern war er, der neben Heß der tatkräftigste Vertreter der reform. Botschaft war, ein Dorn im Auge. Sie streuten Pulver in seinen Predigtstuhl, wo er bei der Frühpredigt den Docht des Lichtes hinzuwerfen pflegte.

Als Seelsorger muß er größere Gaben besessen haben denn als Prediger. Aber auch katechetisch war er begabt. Sein Katechismus von 1533 wurde mehrfach lat. nachgedruckt. Die Vorrede zur deutschen Ausgabe stammt von Cruciger, die der lat. von Melanchthon. Sein Inhalt ist sehr reichhaltig. Die Gedanken werden in Gesprächsform entwickelt und haben seinen Schüler Ursinus später zum Heidelberger Katechismus angeregt. Aber auch biblische Texte hat der gelehrte Pfr. literarisch verarbeitet. Zu aktuellen kirchl. Fragen nahm er Stellung: Kinderkommunion, Zeremonialwesen, Fürstenpflichten und die Stellung in den Türkennöten.

Jahrelang hatte er sich darum bemüht, mit dem Bischof in friedlichem Abkommen zu einer freundlichen Lösung der Ref.-Probleme zu kommen. Noch Ende 1539 und bis in die 40er Jahre wandte er sich an den neuen B. mahnend mit einer Gratulationsepistel. Aber die Gegner, vor allem Cochläus, ruhten nicht, so daß er bald die Hoffnung, den B. zu gewinnen, aufgab.

Auch innere Kämpfe hatte er in der Breslauer Kirche zu bestehen, vor allem mit den Anhängern Schwenckfelds und Krautwalds. Diese Auseinandersetzungen, die brieflich ausgetragen wurden, gingen über ganz Schlesien. Melanchthon unterstützte ihn dabei von Wittenberg aus. 1537 schrieb er sein Hauptwerk gegen die Spiritualisten »Das herrliche Mandat Jesu Christi unseres Herrn und Heilandes Marci 16. Denen zu einem Unterricht, so das Predigtamt und die Sacrament Christi für unnötig zur Seelen Heil achten wollen, gehandelt!«. Die Schrift erschien mit einer Vorrede Luthers.

Durch diese Auseinandersetzung gewann er Verbindung mit Hz. Friedrich von Liegnitz und Hz. Albrecht von Preußen.

Er hatte sich als Schüler Melanchthons gezeigt und durch seine Fürsorge für die Schule und die Studien bewiesen, wie sehr er sich seinem Lehrer verpflichtet wußte. Nicht umsonst hat er für die Verbreitung der Schriften Melanchthons in Schlesien gesorgt. Auch mit Calvin stand er in Verbindung, und Sozzini ist sein Gast gewesen. Er besaß Weitblick und ließ in seiner Weitherzigkeit jeden gelten, der sich unter die Schrift stellte. Über alle dogmatischen Streitigkeiten war er erhaben.

ADB 22 (1885), 81 f.
D. Erdmann. Luther und Schlesien (SVRG 19). Halle 1887.
P. Konrad. A.M. (SVRG 34). Halle 1891.

Heinrich Moller

(siehe: Heinrich von Zütphen)

Hieronymus Weller von Molsdorf

(siehe: Hieronymus Weller)

Jakob Montanus

*ca. 1460 in Gernsbach
†ca. 1534 in Herford

J. Montanus (sein deutscher Name ist vermutlich Berg) stammt aus der Diözese Speyer, daher auch Spirensis oder einfach Spyr genannt, wurde in Deventer bei den Brüdern vom gemeinsamen Leben erzogen. Möglicherweise hat er danach in Köln studiert und ist dort Priester geworden.

Über Emmerich kam er an die Domschule in Münster und wurde von Rudolf v. Langen als Lehrer nach Herford empfohlen. Er wurde im Studentenhof tätig und schloß sich 1486 den Fraterherrn an. Als Humanist genoß er hohes Ansehen. Seine Werke brachten viel Anerkennung. Stand er zuerst mit zahlreichen Humanisten in Verbindung, so knüpfte er um 1522 Beziehungen zu den Wittenberger Reformatoren an. Er muß auch selbst in Wittenberg gewesen und Luther und die Seinen kennengelernt haben. Dieser rühmt ihn als den ersten Verkünder des Evangeliums in Westfalen. Montanus gewann das Fraterhaus für die Reformation und wurde darüber hinaus wirksam. Sein letzter Brief ist von 1533; kurz darauf wird er gestorben sein.

ADB 22 (1885), 176.
D. Reichling. Die Humanisten F. Horlenius und Montanus (WZ 36, 1876, 16ff.).
C. Löffler. Briefe von Montanus an Pirckheimer. Ebd. 72, 1914, 22ff.
Hamelmanns geschichtliche Werke Bd. 1–2. Hg. von H. Detmer u. C. Löffler. Münster 1902/13 pass.
R. Stupperich. Die Bedeutung der Lateinschule für die Reformation in Westfalen (JVWKG 44, 1951).
Ders. Devotio moderna und reformatorische Frömmigkeit (ebd., 1966, 11–26).

Ambrosius Moyben

(siehe: Ambrosius Moibanus)

Michael a Muris Galliculus

(siehe: Michael Meurer)

Antonius Musa

(Antonius West oder Wilsch)

*um 1485 in Wiehe an der Unstrut
†1547 in Merseburg

A.M. studierte 1506 in Erfurt, 1509 in Leipzig und beendete seine Ausbildung mit dem Mag. 1527 in Erfurt. Den humanistischen Namen Musa erhielt er in Erfurt von Eoban Hesse. Als Luther auf der Reise nach Worms durch Erfurt kam, war A.M. unter denen, die ihn bewillkommneten. In Erfurt fand er Anstellung zuerst an der Moritz-, dann an der Augustinerkirche. Von hier besuchte er häufig Luther. Als Karlstadts Anhänger Reinhard in Jena Verwirrung stiftete, wurde M. 1527 dorthin entsandt und stellte die Ordnung wieder her, wie ihm bei der Visitation 1527 bescheinigt wurde. Seitdem wirkte er als Superintendent und als Visitator im Vogtland und im Saalekreis. Als die Universität Wittenberg wegen der Pest nach Jena verlegt wurde, hatte M. viel mit Melanchthon zu tun. Anscheinend infolge von Intrigen bat er 1536 um Entlassung und übernahm das Pfarramt in Rochlitz. Die Verhältnisse müssen schwierig gewesen sein. Die Gründe sind nicht ersichtlich, warum ihm Herzogin Elisabeth den Dienst kündigte. M. ging 1544 nach Merseburg, wo er neben dem Predigtamt auch den Dienst im Konsistorium versah. Er war auch kirchenmusikalisch tätig. Wie er 1524 in Erfurt ein Gesangbuch mit 22 Liedern herausgab, so schuf er auch 12 fünfstimmige Kompositionen (Motetten und Kantaten).

Sächs. Pfarrerbuch. Freiberg 1940, 631.
O. Clemen. Beitr. z. Reformationsgeschichte 1, 1900, 62ff.
G. Planitz. Einf. d. Reform. in Rochlitz (BSKG 17, 1904).
P. Fleming. Die erste Visitation im Hochstift Merseburg. ZVKGS 3, 1906.
O. Clemen. Briefe von A.M. an Fürst Georg von Anhalt. (ARG 9, 1912, 23–78).

Herbert Koch. A.M., Jenas erster Sup. (ZVThG 34, 1940, 175–183).
R. Jauernig. A. M. in: Des Herrn Name steh uns bei. Berlin o. J.

Simon Musaeus

*25. 3. 1521 oder 1529 in Vetschau bei Cottbus
†11. 7. 1576 in Mansfeld

Simon Meusel stammte aus einer bäuerlichen Familie. Er kam auf die Lateinschule nach Cottbus, 1543 auf die Universität Frankfurt/Oder und 1545/47 nach Wittenberg. In Berlin ordiniert, übernahm er zuerst 1549 ein Pfarramt in seiner näheren Heimat in Fürstenwalde und dann in Crossen, wurde aber vom Bischof von Lebus vertrieben. Er übernahm nun nach dem Tode von Moibanus die Pfarrstelle an St. Elisabeth in Breslau, konnte sich aber bei seinem schroffen Wesen dort nicht halten. Von hier ging er nach Thüringen und war hintereinander Superintendent in Gotha und Eisfeld (1557/58). Es folgte eine vierjährige Professur in Jena (1558/61). Der Gnesiolutheraner sah sodann für sich eine Aufgabe in Bremen, wo vor ihm Hardenberg gewesen war (1561/62). Von hier ging er als Hofprediger nach Schwerin, wo er auch nur drei Jahre blieb. Zwei Jahre war er Superintendent in Gera, ebensolange in Thorn. 1570 wurde er als Generalsuperintendent nach Coburg berufen, wirkte eine Zeitlang in Braunschweig und in Soest, zuletzt noch als Generalsuperintendent in Mansfeld, wo ihn der Tod ereilte.

Der vielseitige und begabe Mann hat viel geschrieben: er ist Mitverfasser des Weimarer Konfutationsbuches (1559), veröffentlichte die Akten der Disputation zwischen Flacius und Striegel und wandte sich gegen Flacius in seiner »Sententia de peccato, quod non sit substantia« 1572, bearbeitete die K.O. Oemekens in Soest. Bemerkenswerterweise schrieb er auch Erbauungsbücher, die weite Verbreitung fanden, eine Postille sowie exegetische und katechetische Schriften.

ADB 23 (1886), 91 ff.
G. Wolf. Quellenkunde d. dt. Reformationsgeschichte 1, Gotha 1915, 2.
A. Burgdorf. Märkische Kirchengeschichte. Fürstenwalde 1907, 55–89.
Th. Krieg. Das geehrte und gelehrte Coburg. I, Coburg 1927.
H. Schwartz. Geschichte der Reformation in Soest. Soest 1932.
R. Herrmann. Thüringische Kirchengeschichte II. Weimar 1947.
K. Heussi. Geschichte der Theol. Fakultät zu Jena. Leipzig 1954.

Andreas Musculus

(Andreas Meusel)

*1514 in Schneeberg (Sachsen)
†29. 9. 1581 in Frankfurt (Oder)

Er besuchte die unter Weller stehende Lateinschule seiner Vaterstadt. Im Sommersemester 1531 ging er an die Univ. Leipzig, wo er nach 3 Jahren auch den Grad des Bacc. erlangte. Nachdem er einige Jahre als Hauslehrer zugebracht hatte, begab er sich 1538 nach Wittenberg, um sich zum Theologen ausbilden zu lassen. Jetzt erwarb er den Mag.-Grad und wurde 1541 durch seinen Schwager Agricola an die Univ. Frankfurt (Oder) empfohlen. Da Alexander Alesius Frankfurt verließ, war dort kein Dr. theol. mehr vorhanden, und der Kf. forderte 1546 Cordatus aus Stendal auf, nach Frankfurt zu kommen, um M. und Ludecus zu promovieren. Cordatus begab sich zwar auf die Reise, erkrankte aber und starb unterwegs. Statt seiner trat Fabricius aus Zerbst in die Lücke. Indessen begann Musculus seinen Kollegen Ludecus, seinen Lehrer Melanchthon und die Wittenberger Theol. anzugreifen. Ludecus kam nach Stendal, M. rückte zum ordentlichen Prof. auf und war lange der einzige Theologe in Frankfurt. Nach Agricolas Tode war er auch Gen. Sup. der Mark Brandenburg.

Er lag sein Leben lang immer mit jemandem im Streit; mit Ludecus, mit Stancaro, der aus Königsberg nach Frankfurt kam, mit dem Renegaten Staphylus, zuletzt mit Praetorius, der den melanchthonischen Standpunkt in der Frage der guten Werke vertrat. Diese letzte Auseinandersetzung schwankte jahrelang hin und her. Nach dem Tode Agricolas fiel M. die theol. Führung in der Mark zu; in scharfer Weise wandte er sich gegen den Philippismus und dementsprechend auch gegen den Calvinismus. In seinen letzten Jahren arbeitete er am Brandenburgischen Corpus doctrinae und auch an der endgültigen Fassung der F. C. Obwohl er oft gute Absichten und Gedanken hatte, verdarb er manches durch seine Heftigkeit und durch sein herrisches Wesen. Sein Landesherr Joachim II. zeigte ihm großes Vertrauen und unterstützte den oft übereifrigen, leidenschaftlichen Prediger und Kirchenführer.

ADB 23 (1886), 93f.
RE 13 (1903), 577ff.
Ch. W. Spieker. Lebensgesch. d. A. M. Frankfurt/O. 1858 (m. Schriftenverz.).
L. Grote. Zur Charakteristik des A. M. (ZHTh 1869, 277ff.).
G. Kawerau. Johann Agricola. Berlin 1881.

Wolfgang Musculus

*8. 9. 1497 in Dieuze (Lothringen)
†30. 8. 1563 in Bern

Als fahrender Schüler kam er früh nach dem Elsaß und trat mit 15 Jahren ins Benediktinerkloster Lizheim ein, dem er 15 Jahre angehören sollte. Hier studierte er Theol. und wurde zum Klosterpred. bestellt. Obwohl er sich zu Luthers Lehre bekannte, hatte er großen Einfluß unter den Klosterbrüdern. 1527 entfloh er dem Kloster, heiratete und kam mit seiner Frau nach Straßburg, wo er als Handwerker arbeitete, ehe er Helfer bei Zell wurde. Straßburg vermittelte ihm neue Anregungen und Kenntnisse.

1531 wurde er nach Augsburg berufen und wirkte dort in aller Stille. Es gelang ihm, die schwärmerischen Einflüsse zu überwinden. Er beteiligte sich an den Vergleichsverhandlungen zwischen Wittenberg und den Oberdeutschen und nahm an der Wittenberger Konkordie unmittelbaren Anteil. Auch an den Rel.-Gespr. in Worms 1540 und Regensburg 1541 nahm er teil und fungierte dort als Notar. Er war es auch, der die Ref. in Donauwörth durchführte und für diese Stadt einen lat. Katechismus schrieb. Auch Übersetzungen der Kirchenväter gingen von ihm aus.

Das Augsburger Interim vertrieb ihn aus seinem Amt. Er ging in die Schweiz, zuerst nach Basel; während Konstanz belagert wurde, zog er nach St. Gallen und später nach Zürich. Als ihn E. B. Cranmer nach England einlud, um Bucer zu ersetzen, lehnte er ab, ebenso später die Berufungen nach Marburg und Heidelberg. Inzwischen erhielt er durch Hallers Vermittlung eine Berufung als Prof. der Theol. nach Bern. Hier war es seine Aufgabe, zwischen der zwinglischen und der luth. Seite auszugleichen. Mit Bullinger wirkte auch er bei der Versöhnung der Züricher und Genfer Auffassung mit. Seine feste Gründung in der Hl. Schrift und seine patristischen Kenntnisse ließen ihn die nachfolgende Generation in der reform. Überlieferung erziehen. Seinen milden Straßburger Standpunkt behielt er bei. Die Gegensätze zwischen Bern und Genf wußte er 1558/59 zu überwinden. Auf die Jugend übte er starken Einfluß aus durch seine Vorl. und Komm.

ADB 23 (1885), 95f.
RE 13 (1903), 581ff.

L. Grote. W.M., ein biographischer Versuch. Hamburg 1853.
W.Th. Streuber. W.M. (Bern. Taschenbuch). 1960.

Friedrich Myconius

(Friedrich Mecum)

*26. 12. 1490 in Lichtenfels (Main)
†7. 4. 1546 in Gotha

Er besuchte die Lateinschule in Annaberg, deren Rektor ihm den Eintritt ins Franziskanerkloster nahelegte. Der junge Mönch wurde von Annaberg nach Leipzig und Weimar versetzt. Im Kloster begann er Theol. zu studieren, las die Bibel und trieb Askese, doch kam er aus inneren Nöten nicht heraus. 1516 zum Priester geweiht, wirkte er einige Jahre in Weimar, ehe der Geist der Ref. ihn in dieses Lager rief. In seinem Kloster verdächtigt und bekämpft, sollte er 1524 in ein entlegenes Kloster nach Annaberg gebracht werden, als er unterwegs entkam. In Zwickau und Buchholz predigte er in reform. Weise. Im selben Jahr berief ihn Gotha zu seinem Prediger. M. trat in Gotha sein Amt an, als die Verhältnisse noch ungeklärt waren. In ruhiger und umsichtiger Weise ordnete er das Kirchenwesen. Als unansehnlicher, aber kluger und umsichtiger Mann setzte er sich in achtunggebietender Weise durch, als es um die Wahrung des Kirchengutes oder um den Aufbau des Schulwesens ging. Nach dem Bauernkriege, in dem er sich tapfer erwiesen hatte, traten Luther und Melanchthon mit ihm in Beziehungen. Auch als Prediger wurde er geschätzt. Den Kurprinzen Johann Friedrich begleitete er des öfteren als Prediger auf dessen Reisen. In Düsseldorf disputierte er auf dem Markt mit einem Franziskaner aus Köln. An den thüringischen Kirchenvisitationen nahm er stärksten Anteil. Seitdem fehlte er auch bei keiner größeren Zusammenkunft, die für die Gesch. der Ref. von Bedeutung war, angefangen vom Marburger Rel.-Gespr. bis zum Konvent von Hagenau (1540). Der Kf. schickte ihn nach England und ließ ihn auch zusammen mit Cruciger an der Durchführung der Ref. im Hzt. Sachsen mitarbeiten. Freilich litt seine Gesundheit bei dieser anstrengenden, an Widerständen reichen Arbeit sehr. Ein Luftröhrenleiden hinderte ihn bald am Predigen. In dieser Zeit entstand seine »Historia reformationis« (1517–42). Er erlebte noch Luthers Ende und ging ruhig und getrost dem eigenen entgegen. Er hing in Treue Luther an und blieb auch bis zuletzt mit Melanchthon verbunden. Er war ein lauterer und fester Charakter, der sich selbst nur als Wegbereiter und Werkzeug ansah. Sieben Wochen nach Luther starb er.

ADB 23 (1886), 123ff.
RE 13 (1903), 603ff.
K.F. Ledderhose. F.M. Hamburg 1854.
F.M. Meurer. F.M. (Altväter der luth. Kirche Bd. 4). Hamburg 1860.
F. Prüser. England und die Schmalkaldener (QFRG 14). Gütersloh 1930.
H.U. Delius. F.M. Das Leben und Werk eines thüringischen Reformators. (Diss.) Münster 1956.
Ders. Briefwechsel des F.M. Tübingen 1960 (Schriften zur Kirchen- und Rechtsgeschichte 18/19).
H. Ulbrich. F.M. Lebensbild und neue Funde zum Briefwechsel des Reformators (ebd. 20). Tübingen 1962.

Oswald Myconius

*in Luzern
†14. 10. 1552 in Basel

Als Sohn wohlhabender Eltern, sein Vater war Müller, konnte er seine Studien in Bern und Basel betreiben, wo er mit Zwingli zusammentraf und des öfteren Erasmus aufsuchte. Seine Lehrgabe bahnte ihm 1516 den Weg an die Züricher Schule; sein Verdienst ist es, dort für die Berufung Zwinglis an das Münster gewirkt zu haben. Als er bald darauf in seine Heimatstadt berufen wurde, hatte er, ein kath. Kantor, es als »luth. Schulmeister« nicht leicht. Der Briefwechsel mit Zwingli stärkte ihn. 1522 wurde er aber aus Luzern doch entlassen. Nach einiger Zeit berief ihn dann Zürich, wo er Zwinglis unentbehrlicher Mitarbeiter werden sollte. Mit großem Eifer wirkte er an der Schule am Fraumünster, hielt daneben auch Vorlesungen über das NT. An allen Hauptwerken Zwinglis ist er in diesen Jahren beteiligt. Nach der Schlacht von Kappel mochte er nicht länger in Zürich bleiben, sondern ließ sich nach Basel berufen, wo er 1531 Oecolampads Nachfolger wurde. 20 Jahre lang war er dann Antistes und Prof. der Theol. in Basel. Wurde auch auf seine Empfehlung hin 1534 Karlstadt nach Basel berufen, so bereitete ihm dieser doch große Schwierigkeiten. Myconius war es, der 1534 die erste Baseler Confession redigierte. Er blieb den Anschauungen Zwinglis treu, hatte aber auch für Bucers Wirken Sinn und Verständnis. Auf seinen Einfluß geht die andere Fassung der Abendm.-Lehre in der 2. Baseler Confession (Helvetica prior) von 1536 zurück. Er erklärte, Luther und Zwingli hätten einander mißverstanden. Von ihm selbst liegen Komm. und einige kleine Schriften vor. Er bestimmte seinen Schüler Bibliander, Zwinglis und Oecolampads Briefe herauszugeben, ebenfalls eine kurze Lebensbeschreibung Zwinglis. Von allen Ständen hochangesehen, war er in Basel eine Säule der K. Er erlag der Pest.

ADB 23 (1886), 127f.
RE 13 (1903), 607f.
K. R. Hagenbach. Joh. Oecolampad u. O. M., die Reformatoren Basels. Elberfeld 1859.

Thomas Naogeorgus

(siehe: Thomas Kirchmeyer)

Hieronymus Nopp

(Noppius)

*? Herzogenaurach bei Erlangen
†9. 8. 1551 in Regensburg

N's Jugend liegt im Dunkel. Die erste Nachricht ist die von seiner Immatrikulation am 1. 6. 1519 in Wittenberg. Noch als Student wurde er als Lehrer an der Ratsschule in Zwickau angestellt, wo er bis 1536 blieb. Dort hatte er auch geheiratet. Die Ehe blieb kinderlos. In den Jahren 1537–1540 war er Rektor in Schneeberg. Doch dann änderte sich sein Schicksal. Auf Luthers Empfehlung kam N. 1543 als Prediger nach Regensburg. Im Februar 1544 hielt er seine Probepredigt und wurde gleich zum Pfarrer gewählt. Auf Wunsch des Rates ging er nach Wittenberg, um den Doktorgrad zu erwerben und sich ordinieren zu lassen. Die von Luther für seine Disputation aufgestellten Thesen liegen noch vor. Sie behandeln den rechtfertigenden Glauben.

N. wurde zum Reformator Regensburgs. Er begründete dort das Kirchenwesen, während der Rat ein Konsistorium schuf. Bis 1546 konnte die Reformation sich ungestört entwickeln und entfalten. N., der milde und tolerant war, kümmerte sich vor allem um die Glaubensangelegenheiten, die Politik lag ihm fern. Dabei nahm er eine ganz klare Linie ein. So sorgte er zuerst dafür, daß 1543 die »schöne Maria«, die Wallfahrer anzog, abgebrochen wurde. Mit dem Interim war diese Entwicklung ausgelöscht. N. wurde samt allen seinen Mitarbeitern aus Regensburg vertrieben. In den folgenden Jahren lebte er ohne festes Amt. Als er 1551 nach Regensburg zurückgerufen wurde, lebte er nicht mehr lange.

ADB 52 (1906), 647 ff.
RE 6 (1899), 361.

Brictius thom Norde

(Nordanus)

*? in Schöppingen
†4. 8. 1557 in Lübeck

B. thom Norde stammte aus Schöppingen
bei Horstmar. Nach unsicherer Überlieferung war sein Vater aus Norden eingewan-
dert und hatte als Kapitän in Dortmund ge-
lebt.
Über seine Jugend und Ausbildung ist
nichts bekannt. 1528 half er Gerd Oemek-
ken in Büderich, nachdem Joh. Klopriß
dort gefangengenommen und nach Köln
gebracht worden war. Die kirchlichen
Maßnahmen Herzog Johanns von Kleve
veranlaßten ihn, nach Münster zu gehen.
Im Frühjahr 1532 wirkt er als Gehilfe Rothmanns und nimmt an der Disputation im
Fraterhause teil. Im September 1532 wird
er Prediger an St. Martini und heiratet
Rothmanns Schwester. Seitdem ist er an
den turbulenten Ereignissen in Münster beteiligt, wirkt auch mit bei der Einführung
der Reformation in Ahlen. Er übersetzt die
Schrift M. Bucers »Handlung mit Melchior
Hofman« ins Niederdeutsche (gedr. in
Münster 1533). Bei der Disputation vom
7./8. August 1533 zeigt er Rothmann gegenüber eine feste Haltung. Zusammen mit
dem Schulrektor J. Glandorp stellt er sich
gegen die Wassenberger und ihre Sakramentsauffassung. Anfang Februar 1534
müssen beide aus der Stadt weichen. B.
geht nach Soest als Prediger und wird dort
Superintendent. Als solcher unterschreibt
er 1537 in Schmalkalden die Schmalk. Art.
Durch das Interim wird er nach 15jähriger
Tätigkeit von Soest vertrieben und findet
Aufnahme in Lübeck. Dort verbringt er
seine letzten Jahre als Diakonus an der
Ägidienkirche.

WA 38, 386 ff.
WA Br 7, 318.
C. Cornelius. Gesch. d. Münster. Aufruhrs. 2.
Leipzig 1860, 330 ff.
C. Krafft. Mitt. a. d. niederrheinischen Ref.-
Gesch. (ZBGV 6, 1869, 282).
J. Holtmans. B. von Norden (Ebd. 11, 1876,
202).
H. Schwartz. Gesch. d. Reformation in Soest.
Soest 1932.

Bernardino Ochino

*1487 in Siena
†1565 in Austerlitz

In jungen Jahren Franziskaner-Observant,
trat O. 1534 in den neubegründeten Kapu-
ziner-Orden über, dessen General er 1539
und 1541 wurde. Seine Predigten und sein
strenges Leben lösten beim Volk große
Verehrung aus. Durch die Begegnung mit
Juan de Valdes in Neapel war bei ihm ein
Umdenken erfolgt. Die Entscheidung fiel
1542. Als Flüchtling verließ er sein Vater-
land. O. war damals 56 Jahre alt. Über Basel kam er nach Augsburg, um Prediger der
welschen Gemeinde zu werden. Nach dem
Schmalkaldischen Kriege verlangte Karl V.
seine Auslieferung. Der Rat von Augsburg
ließ ihn verschwinden. In der Schweiz traf
ihn der Ruf Thomas Cranmers. Mit P. Vermigli reiste er 1547 nach England. Seine
Frau, die er in Augsburg geheiratet hatte,
folgte. Nach dem Umschwung 1553 mußte
O. wieder fliehen und ging nach Zürich, wo
er an Bullinger eine Stütze fand. In diesen
Jahren schrieb er seine großen Werke: Die
Labyrinthe, 30 Dialoge, Katechismus und
Abendmahlsschrift. Nicht an allen hatte
die Schweizer Öffentlichkeit Gefallen.
1563 wurde er in Zürich denunziert, er trete
für die Polygamie ein, und wurde aus der
Stadt verwiesen. Über Nürnberg zog er
nach Polen, mußte aber das Land wieder
verlassen und sich nach Mähren wenden.
Seine Söhne starben unterwegs an der Pest.

Er selbst starb im Hause eines aus Venedig stammenden Täufers.

RE 14 (1904), 256–258.
K. Benrath. B.O. aus Siena. Braunschweig ²1892.
R.H. Bainton. B.O. Florenz 1940 (Bibliogr.).
G.G. Williams. The Theology of B.O. (Diss.) Tübingen 1955.

Johannes Oekolampad

*1482 in Weinsberg
†24. 11. 1531 in Basel

Ö. stammte aus bürgerlichem Hause. Laut Heidelberger Matrikel hieß er mit deutschem Namen Heußgen. Nach dem Wunsch des Vaters sollte er Kaufmann werden, doch setzte die Mutter es durch, daß er studieren durfte. Von Heilbronn ging er nach Bologna, um die Rechte zu studieren. Da ihn das Rechtsstudium nicht befriedigte, widmete er sich in Heidelberg der Theologie. Die Scholastik lag ihm nicht, er hielt sich an Wimpfelings humanistische Vorlesungen, dann wurde er Erzieher der jüngeren Söhne des Kurfürsten Philipp. Über die Jahre 1503–1512 hören wir nichts. 1512 stifteten seine Eltern eine Pfründe in Weinsberg, die er eine Zeitlang in Anspruch nahm, dann studierte er weiter in Heidelberg und Tübingen. Immatrikuliert wurde er als Magister J.O. Mit Melanchthon schloß er Freundschaft. Zwischendurch versah er wieder sein Predigtamt in Weinsberg. Als er 1515 als Prediger nach Basel ging und mit Erasmus zusammentraf, zog ihn dieser zu patristischen Arbeiten heran. O. verdankte ihm viel und bewahrte für ihn hohe Achtung. Zeitweilig entfernte er sich von Basel, kehrte aber 1518 zurück, um Erasmus bei der 2. Ausgabe des griechischen NT zu helfen. In dieser Zeit wurde er zum Dr. der Theologie promoviert. Im selben Jahr wurde er als Prediger in Augsburg gewählt. In der durch Luthers Auftreten erregten Stadt mußte er zur Entscheidung kommen. Zur Überraschung seiner Freunde trat er 1520 ins Brigittenkloster Altenmünster bei Augsburg ein, unter der Bedingung, jederzeit das Kloster wieder verlassen zu dürfen. Seine Motive sind nicht klar. Messe, Mariologie und Beichte beschwerten ihn. Nach zwei Jahren verließ er das Kloster. Die Universitäten nahmen ihn nicht; es blieb ihm nichts anderes übrig, als auf die Ebernburg als Schloßkaplan zu gehen. Indessen war die Bürgerschaft in Basel zur Reformation bereit. O. hatte dort noch kein Amt, aber er führte dort eine erfolgreiche Disputation durch. Ein Mandat des Rates öffnete weitere Türen. Die zweite Disputation war durchschlagend. Nun übernahm O. das Pfarramt an St. Martin und führte entscheidende Reformen durch. In dieser Zeit mußte er den Kampf mit dem Täufertum aufnehmen, zeigte aber Karlstadt, Denck, Hubmaier und Müntzer gegenüber eine gewisse Unsicherheit. Ebenso wie in der Tauffrage hatte er auch in der Abendmahlsfrage noch keine klare Linie. Die Kluft wurde allmählich größer. O's »Genuina verborum domini expositio« erregte die Gemeinde. Brenz und Schnepf wandten sich gegen ihn und gaben das Syngramma Suevicum heraus. Die Badener Disputation vom Mai 1526 war geradezu eine Niederlage O's, wurde aber durch die Berner Disputation wieder ausgeglichen. Nun verlangte der Basler Rat von ihm ein Gutachten über die Messe, das völlig eindeutig ausfiel. 1528 erfolgte daraufhin die Einführung der Reformation mit allen Folgerungen. Aus den Kirchen verschwanden die Bilder, das war die stärkste Kundgebung der evangelischen Partei. Als in Basel ein Bürgerkrieg drohte, schalteten sich die Nachbarorte ein. Bei der endgültigen Lösung im Februar 1529 spielte der Abendmahlsstreit mit hinein. Beim Marburger Religionsgespr. disputierte O. mit Luther.

Sein Anteil am Gespräch war nicht groß. Er unterstützte Bucers Einigungsversuche und zeigte auch später diese Neigung zum Zusammenschluß der Oberdeutschen. Daher galt er in der Schweiz als Führer der Evangelischen neben Zwingli. Die Frage des Verhältnisses von Staat und Kirche quälte ihn. Er vertrat die Eigenständigkeit der Kirche und setzte sich für die Kirchenzucht ein. Zugleich setzte er sich für die Erneuerung der Universität und der Schulen ein. O. stand so hoch im Ansehen, daß er auch nach Ulm, Biberach und Memmingen gerufen wurde. Zwinglis Tod auf dem Schlachtfelde traf ihn hart und warf ihn auf das Krankenlager, von dem er nicht mehr aufstand.

ADB 24 (1887), 226 ff.
RE 14 (1904), 286–299.
H. Hagenbach. O's Leben und ausgewählte Schriften. Elberfeld 1859.
E. Staehelin. O.-Bibliographie. Basel 1918.
Ds. Das Buch der Basler Reformation. Basel 1929.
Ds. Briefe und Akten zum Leben Ö's. (QFRG 10.19) Leipzig 1927/34.
Ds. Das theol. Lebenswerk J.O's. (QFRG 21). Leipzig 1939.

Georg Oemler

(Aemilius)

*25. 6. 1517 in Mansfeld
†22. 5. 1569 in Stolberg

O., Neffe Luthers, studierte seit 1532 in Wittenberg. Auf Luthers Empfehlung wurde er bereits 1540 Rektor der Lateinschule in Siegen. Dort besuchte ihn Melanchthon auf der Durchreise nach Köln 1543. Er blieb auch mit ihm in Briefwechsel. Als O. 1553 nach Stolberg berufen wurde und dort das Amt des Generalsuperintendenten antrat, promovierte er in Wittenberg zum Dr. der Theologie. Auch im Stolberger Amt kümmerte er sich besonders um die Schule. 1557 schrieb er eine kurze Übersicht des Katechismus für den Schulgebrauch. Nebenbei beschäftigte er sich mit Botanik.

ADB 1 (1875), 127.
H. Kruse. Geschichte des höheren Schulwesens in Siegen. Siegen 1936. 27.
R. Stupperich. Melanchthon in Westfalen (Zs. Westfalen 38, 1960, 48).

Konrad Öttinger

(gen. der Schwabe)

*in Pforzheim
†?

Ö. wurde Prediger in Kassel, seit 1530 Hofprediger des Landgrafen. Er begleitete den Landesherrn auf seinen Reisen. Auf diese Weise kam er 1533 nach Höxter, als der Landgraf dort das Fürstentreffen hielt. Vor Beginn der Verhandlungen predigte Ö. jeden Morgen. Zu diesen Predigten kamen die Bürger in großer Zahl. Da sie entschlossen waren, ein evangelisches Kirchenwesen zu begründen, fragten sie Ö. um Rat. Konkret wußte ihnen der Hofprediger nichts zu sagen: sie sollten warten und beten, die gesetzliche Obrigkeit würde ihnen schon helfen. Als Schutzherr der Stadt, die zum Gebiet des Reichsabtes von Corvey gehörte, verfügte dagegen der Landgraf, daß in Höxter fortan nach den Normen der Augsburgischen Konfession gepredigt werden sollte. Der Landgraf schätzte den gelehrten Schwaben und zog ihn auch zum Konvent von Ziegenhain heran. 1534 überließ er ihn dem Herzog Ulrich von Württemberg, um die Reformation im Schwabenland vorzubereiten.

Vgl. RE 14 (1904), 521.
Württembergische KG. Calw 1893, 275.
R. Stupperich. Joh. Winnistede, »der erste Evangelist von Höxter« (JVWKG 45/46, 1952/53, 364–372).

O. Hütteroth. Althessische Pfarrer d. Reformationszeit. Marburg ²1966, 256.

Sebastian Oikonomos

(siehe: Sebastian Hofmeister)

Kaspar Olevianus

*10. 8. 1536 in Trier
†15. 3. 1587 in Herborn

O's Vater war Zunftmeister der Bäcker in Trier. Den Namen führte die Familie vom Dorf Olewig bei Trier. Der begüterte Vater schickte seinen Sohn 1550 nach Paris, Orléans und Bourges, um die Rechte zu studieren. In einer Lebensgefahr gelobte der junge O., Verkündiger des Evangeliums zu werden. Er schloß sein juristisches Studium 1557 mit der Promotion ab und begab sich dann nach Genf und Zürich. Farel riet ihm, in Trier mit dem Predigen zu beginnen. Der Magistrat überließ ihm die Kirche des Jacobsspitals, der EB aber verlangte seine Verhaftung. Trotz der Fürsprache evangelischer Fürsten mußte O. die Stadt verlassen. Die Evangelischen mußten das Land räumen.
O. begab sich nach Heidelberg, wo er 1561 eine theologische Professur erhielt und zum Dr. der Theologie promoviert wurde. Da er aber keine Begabung für Dogmatik hatte, trat er in den Kirchendienst ein. Als überzeugter Calvinist vertrat er den reformierten Standpunkt auf dem Maulbronner Gespräch. In diesen Jahren bemühte er sich, die Kirchen nach Genfer Muster zu organisieren. Seit 1570 konnte die presbyteriale Ordnung eingeführt werden. Als Kurfürst Ludwig 1576 die Regierung übernahm, mußte O. Heidelberg verlassen. Er ging nach Berleburg als Erzieher des jungen Grafen und wirkte in der Umgegend im calvinistischen Sinne. Als 1584 in Herborn die Akademie eröffnet wurde, übernahm er dort die erste Professur. Dieses Amt konnte er nur drei Jahre wahrnehmen. Seine Schriften erschienen meist postum.

ADB 24 (1887), 286 ff.
RE 14 (1904), 358 ff. und 24 (1913), 292.
K. Sudhoff. C. O. und Z. Ursinus. Leben u. ausgew. Schriften der Väter u. Begründer der Reformierten Kirche 8. Elberfeld 1857.
F. W. Cuno. Können wir O. mit Recht als Mitverfasser des Heidelb. Katechismus neben Ursinus stellen? (RKZ 25, 1902, 212–214; 220–222).
K. Ney. Die Reformation in Trier und ihre Unterdrückung (SVRG 88/89), 1905/06.
K. Knodt. Briefe von C. O. (ThStKr 79, 1906, 628–634).
K. E. Riedesel. K. O. und die Ausbildung der reformierten Konfession (Wittgenstein 69, 1981, 82–94).

Pierre Robert Olivetanus

*1506 in Noyon
1538 in Italien verschollen

O., Vetter Calvins, wie dieser zuerst in Noyon erzogen, kam zum Studium der Rechte nach Paris und Orléans. Dort kam er in den Verdacht, der lutherischen Bewegung anzugehören. Daher flüchtete er nach Straßburg, wo er von Bucer und Capito freundlich aufgenommen wurde. Nachdem er Griechisch und Hebräisch gelernt hatte, begann er die Bibel aus den Originaltexten ins Französische zu übersetzen. 1531 lebte er in Genf, mußte aber die Stadt verlassen, als er öffentlich einem predigenden Mönch widersprochen hatte. Nun zog er sich nach Neuchâtel zurück, wo 1535 die französische Bibel gedruckt wurde. Waldenser nahmen ihn in ihre Täler mit, doch zog er wieder nach Genf, wo er mit seinem Vetter Calvin zusammentraf. Seine französische Bibel war in erster Linie für die Waldenser bestimmt. Auf Calvin übte er starken Einfluß aus. Das AT hatte er ganz aus dem Hebräischen übersetzt, beim NT legte er Lefèvres Übersetzung zugrunde, die er überprüfte. O's Bibel blieb die Grundlage aller späteren französischen Ausgaben. Auf der Reise in Italien verschwand er. Die näheren Umstände seines Todes sind nicht bekannt. Calvin wurde sein Tod erst 1539 gemeldet.

RE 14 (1904), 363f.
F. Wendel. Calvin, Sources et evolution de sa pensée religieuse. Paris 1950, 6.

Gerdt Omeken

(auch Oehmeke, Oemeke, Oemiken, Omcken, Omich, Omichius, Omke)

*um 1500 in Kamen (Westf.)
†25. 3. 1562 in Güstrow (Meckl.)

Er war Sohn des Richters Gerlach Omeken, der vom Hz. von Kleve sehr geschätzt wurde. Als die Mutter sich nach dem frühen Tode des Vaters wieder verheiratete, sorgten Verwandte für die Ausbildung des Sohnes und schickten ihn zum Studium nach Köln 1520, dann nach Rostock, wo er am 15. 5. 1522 immatrikuliert wurde. Als Famulus des Juristen N. Löwe las er Luthers Schriften.

Durch Slüter kam er hier zur Erkenntnis des Ev. Er gewann das Verlangen, Luther selbst zu hören. So zog er nach Wittenberg. Als ihn seine Verwandten um des Glaubenswechsels willen verstießen, nahmen sich zwei Brüder Kremer aus Lübeck seiner an. Immer, wenn er kein Dach über dem Kopf hatte, konnte er in ihrem Hause einkehren.

Von Wittenberg ging er nach Büderich bei Wesel, wo Norden sein Kaplan war. Aber aus Büderich um seiner ev. Predigt willen verwiesen, wandte er sich, von Westermann empfohlen, nach Lippstadt. Hier hat er »na gebruke der hilligen Wittembergischen Kerken« Gottesdienst gehalten und halten lassen, bis der Rat von Soest sich entschloß, ihn zu berufen. Die Aufmerksamkeit war auf ihn gefallen, da Soest eine K. O. haben wollte und er sich in dieser Hinsicht in Lippstadt schon versucht hatte. Der Maler Aldegrever wurde abgeordnet, ihn einzuholen. Am 1. 1. 1532 traf er in Soest ein und ging sogleich an seine Arbeit. Im wesentlichen lehnte er sich an Bugenhagens K. O. an. Dabei hat er mit fester Hand die Einrichtung des ev. Kirchenwesens in Soest geleitet. Die Neuordnung war in 3 Monaten beendet. In stürmischen Verhandlungen wurde die Verlesung der »Ordinantz« vor der Gemeinde erreicht. Auf Abschwächungen ließ O. sich nicht ein. Da er nicht nachgab, fand seine Auffassung schließlich doch Anerkennung.

Er war aber nicht der Mann, der in langsamer Aufbauarbeit das Soester Kirchenwesen weiter hätte leiten wollen oder können. Immerhin war ihm Soest und das dortige Ref.-Werk ans Herz gewachsen. Von Lübeck aus richtete er an die Stadt ein Mahnschreiben, doch ja beim Ev. zu bleiben. Im nächsten Jahre wurde er an die St. Nikolaikirche in Lemgo berufen, zeigte sich hier aber ebensowenig nachgiebig, so daß er ständige Differenzen mit dem Rat hatte und schon 1535 entlassen wurde. Auf Empfehlung seines Freundes Urbanus Rhegius wurde er im selben Jahr als Sup. nach Minden berufen. Dieser hielt auch später treu zu ihm und widmete ihm 1539 die Predigt, die er in Minden gehalten hatte: »Wie man die falschen Propheten erkennen, ja greifen mag«. In der kampfreichen Situation war er in Minden am rechten Platz. Er entfaltete hier eine rege Tätigkeit, reiste 1537 im Auftrag der Stadt nach Schmalkalden, wo er Luthers Schmalkaldische Artikel unterschrieb, und führte wegen der Achterklärung über Minden Verhandlungen mit dem Landgrafen Philipp von Hessen. Wegen seiner Strenge konnte er aber auch hier nicht länger bleiben. Er entzweite sich mit dem Rat und mußte Minden verlassen. Die nächsten 10 Jahre verbrachte er im Dienste der Hz. von Braunschweig-Lüneburg in Dannenberg und Gifhorn, ehe er 1548 nach Mecklenburg berufen wurde.

Zuerst wirkte er in Schwerin, dann als Dompropst und Sup. in Güstrow. Das Alter hatte ihn nicht milder gemacht. Auch hier wurde ihm Unnachgiebigkeit und Selbstbewußtsein nachgesagt. In den Kämpfen mit dem Domkapitel mußte er hart sein. An seiner persönlichen Lauterkeit und seinem Eifer für die Kirche konnte niemand zweifeln. In Güstrow setzte er sich für die Hebung des Kirchen- und Schulwesens ein und wirkte 1552 bei den Visitationen im Lande mit. In diese Zeit fällt die Abfassung seiner Schriften über die Visitationen und über den christl. Trost, die 1551 in Rostock gedruckt wurden. In der Stadtpfarrkirche in Güstrow haben ihm seine Angehörigen ein großes Epitaphium errichtet.

ADB 24 (1887), 346f.
RE 11 (1901), 505.
M. J. Omken. Das Leben und Sterben Ern Gerhard Omken, gewesen Probstes zu Güstrow und Superintendenten der Fürsten zu Mecklenburg. 1568.
K. Krafft. G. Oemeken (ZBGV 30, 1894).
E. Knodt. Gerdt Oemeken (Christliche Lebenszeugen aus und in Westfalen 1). Gütersloh 1898.
H. Schwartz. Geschichte der Reformation in Soest. Soest 1932.
K. Schmaltz. Kirchengeschichte Mecklenburgs 2. Schwerin 1936, 66.
R. Stupperich. Aus Oemekens Wirsamkeit in Minden. JVWKG 48, 1955, 151–159.
Ders. Geistige Strömungen und kirchliche Auseinandersetzungen in Minden im Zeitalter der Reformation (Zwischen Dom und Rathaus). Minden 1977, 207.

Andreas Osiander

*19. 12. 1498 in Gunzenhausen
†17. 10. 1552 in Königsberg (Pr.)

O. stammt aus einem Handwerkerhause. Sein Vater war Schmied. Die Annahme jüdischer Abstammung ist schwach begründet. Die Schule besuchte O. in Leipzig und Altenburg, dann studierte er bei Eck in Ingolstadt. 1520 in Nürnberg zum Priester geweiht, war er Lehrer des Hebräischen im Augustinerkloster. Schon im nächsten Jahr wurde er Pfarrer an St. Lorenz und gewann Einfluß bei der Durchführung der Reformation. Während der Nürnberger Reichstage fiel er durch seine lutherischen Predigten auf. Nicht weniger scharf waren seine Traktate. 1525 heiratete er. Im Abendmahlsstreit stand er auf Luthers Seite, so beim Marburger Rel.-Gespr. In Augsburg 1530 schrieb er eine Verteidigung gegen die Confutation. Die Brand.-Nürnbergische K. O. von 1533 ist sein Werk gemeinsam mit Brenz. Vor allem trat er für bessere Zucht beim Abendmahl ein. Die Stimmung stand gegen ihn. Der Rat, durch sein selbstgewisses Auftreten verletzt, schickte ihn nicht mehr zu den auswärtigen Vergleichsverhandlungen. In dieser Zeit reformierte er Pfalz-Neuburg. Seine Schaffenskraft als Schriftsteller war bewundernswert. Er vertrat nicht nur seine theologischen Ansichten, er polemisierte mit Eck und schrieb ein Gutachten für König Heinrich VIII. Seine astronomischen Interessen ließen ihn sich des Werkes des Joh. Copernicus annehmen: De revolutionibus orbium celestium. Er schrieb dazu eine Vorrede, in der er das Ergebnis des Astronomen als Hypothese bezeichnete. Dadurch konnte sich das Werk durchsetzen. Nach dem Schmalkaldischen Krieg ging er ohne Genehmigung des Rates nach Breslau. Von dort schrieb er an Hz. Albrecht, der ihn als seinen geistlichen Vater verehrte. Dieser übertrug ihm gleich die 1. theol. Professur an der Universität und das Pfarramt an einer der altstädti-

schen Kirchen. Schon nach seiner Antritts-
disputation kam es zu schweren Kämpfen,
die noch Jahre anhielten. Selbst wenn wir
bedenken, daß er seinen Gegnern theologisch überlegen war, so wurde der Streit
immer unerträglicher. 1550 hielt O. seine
Disputationen über die Rechtfertigungslehre, in denen seine Einseitigkeit besonders hervortrat: Gott kann den Menschen
nur bei realer Gerechtigkeit, nämlich der
Einwohnung göttlicher Gerechtigkeit für
gerecht halten. Hz. Albrecht schickte O's
Konfession an auswärtige Theologen. Alle
nahmen an ihr Anstoß, außer Brenz. Auch
Melanchthon trat gegen ihn an. O. rechnete mit seinen Gegnern im »Schmecke-
bier« 1552 ab. Als er plötzlich starb, tobte
der Streit noch jahrelang weiter.

ADB 24 (1887), 473 ff.
RE ³14 (1904), 501.
G. Seebaß. Bibliographia Osiandrica. Bibliogra-
phie der gedruckten Schriften O's d. Ä.
(1496-1552). Nieuwenkoop 1971.
W. Möller. A. O. Leben und ausgew. Schriften.
Elberfeld 1870.
P. Tschackert. Urkundenbuch z. Reform.-
Gesch. d. Hzt. Preußen. 1–3. Leipzig 1890.
E. Hirsch. Die Theologie des A. O. u. ihre ge-
schichtl. Voraussetzungen. Göttingen 1918.
F. Gause. Geschichte der Stadt Königsberg.
Köln 1965.
G. Seebaß. Das reformatorische Werk des A. O.
(Einzelarbeiten a. d. Kirchengeschichte Bay-
erns). Nürnberg 1967.
W. Hubatsch. Geschichte d. ev. Kirche Ostpreu-
ßens. Göttingen 1968.
M. Stupperich. Osiander in Preußen 1549–1552
(AKG 44). Berlin 1973.
G. Müller. A. O. (Gestalten der KG 6). Stuttgart
1981, 59 ff.

Jacob Other

(Jacob Otter)

*1485 in Lauterbach (Elsaß)
†März 1547 in Eßlingen

Früh verwaist, kam der Handwerkerssohn
zu Verwandten nach Speyer, wo Wimpfe-
ling, der berühmte Humanist, auf seine
Entwicklung Einfluß nahm. Von 1505-1507
konnte er in Heidelberg studieren, dann
kam er als Gehilfe zu Geiler von Kaisersberg nach Straßburg und blieb bei ihm bis
zu dessen Tode 1510. Trotz der mystischen
Gedanken, die er in dieser Umwelt in sich
aufgenommen hatte, trieb ihn sein Bil-
dungsdrang erneut an die Univ. nach Freiburg. Nachdem er hier Mag. und 1517 Lic.
geworden war, ging er als Pfr. nach Rotten-
burg/Neckar.

Seit 1520, vermutlich unter dem Einfluß
von Luthers Schriften, begann er für die
Ref. zu wirken, zuerst in der Nähe von
Freiburg, dann im Städtchen Kenzingen,
wo ihm großer Erfolg beschieden war. Den
Gottesdienst hielt er nach Luthers Art in
deutscher Sprache und vertrat auch die
Sakramentslehre in dessen Sinne. Da es an
Angriffen nicht fehlte, veröffentlichte er
1524 in Straßburg seine Predigten und erbot sich mutig zu jeder öffentlichen Re-
chenschaft. Um die Stadt nicht zu gefähr-
den, zog er nach Straßburg, wohin ihm 150
Bürger folgten. Erzh. Ferdinand übte in
Kenzingen strenges Gericht.

Indessen wurde er vom Ritter Landschad
zum Pfr. in Neckarsteinach bei Heidelberg
berufen, wo er wiederum auf die ganze Gemeinde stark einwirkte und sie geschlossen
zum ev. Glauben führte. Aus dem Verkauf
der K.-Ornate wurde der Armenkasten
eingerichtet. Der Gottesdienst wurde nach
luth. Ordnung gehalten. Die Bauern standen zu ihrem Pfr. und beteiligten sich nicht
am Bauernaufstand. Seinem Patron, der
ihn gegen die österreichische Regierung
verteidigte, widmete er das schöne Büchlein »Christliches Leben und Sterben«, in

dem er sich auch über das Sakrament aussprach. Das Buch wurde 1528 in Straßburg gedruckt, und der greise Grünewald zeichnete dazu das Titelblatt. Es folgten seine Predigten über das 1. Buch Mose, das in Hagenau im April desselben Jahres erschien. Trotz aller Gegenwehr von seiten seiner Freunde wurde er im Februar 1529 aus der Pfalz vertrieben. Er ging wieder nach Straßburg und wurde von dort in die Schweiz empfohlen. Mehrere Jahre weilte der einflußreiche Pred. in Solothurn, Aarau und Bern, bis Blarer die Stadt Eßlingen auf ihn aufmerksam machte. In der Schweiz heiratete er. 1532 begann er sein Werk unter günstigeren Vorzeichen. Die Ref. konnte er hier mit größtem Nachdruck durchführen und vollenden. Die Gottesdienst- und K. O. stammen von ihm, die Neuordnung des Schulwesens, und vor allem nahm er sich der Seelsorge an. Während er selbst die Straßburger Theol. vertrat, bereiteten ihm nach der 1534 in Angriff genommenen Ref. Württembergs strenge Lutheraner viel Not. Bucer selbst sorgte dafür, daß er sich mit ihnen vertrug. Er schrieb auch am 26. 8. 1535 an Luther, und im Mai 1536 durfte er mit Bucer und anderen Oberdeutschen nach Wittenberg ziehen, um die Konkordie abzuschließen. Hier lernte er endlich Luther persönlich kennen. Sein Eintreten für die Konkordie befestigte auch seine Stellung in Eßlingen. Seine Tätigkeit im Pfarramt war von nachhaltiger Wirkung. Auf ihn geht die Hebung des Gemeindegesanges, das allgemeine Gebet und die Fürsorge für die Unterweisung der Kinder zurück. Insbesondere wurde sein »Bettbüchlein für allerley gemeyn anliegen der Kirchen fleissig zusammen bracht durch M. Jacob Ottern«, 1541 in Straßburg gedruckt, sehr gerühmt.

Ein überzeugter, treuer und tatkräftiger Pred. und Seelsorger, wurde er von den meisten seiner Mitarbeiter um seines lauteren Charakters und seiner gründlichen Bildung willen hoch geachtet.

RE 14 (1904), 526.
H. Susann. J. O. Karlsruhe 1893.
G. Bossert. Zur Biographie J. O. (ZKG 24, 1903, 604 ff.)
Ch. Schnauffer u. Haffner. Beitr. z. Gesch. d. Esslinger Ref. Esslingen 1933.
O. Schuster. KG d. Stadt u. d. Bezirks Esslingen. Esslingen 1946.

Peder Palladius

*1503 in Riepen
†1560

P. wirkte zuerst als Rektor der Lateinschule in Odense. Im Jahre 1531 ging er zum Studium der Theologie nach Wittenberg und blieb dort 6 Jahre. Als Bugenhagen 1537 nach Kopenhagen kam, um die Reformation der dänischen Kirche in die Wege zu leiten, ordinierte er P. zum ersten luth. Bischof von Seeland. An der von Bugenhagen reorganisierten Universität (Universitas Hafniensis) wirkte P. gleichzeitig als Professor der Theologie. Seine bischöfliche Wirksamkeit wurde sehr gerühmt. Seine Wirksamkeit war aber auch für die ganze luth. Kirche Dänemarks bedeutsam.

G. Jörgensen. P. P., Bischop van Seeland. Kopenhagen 1922.
Hal Koch – B. Konerup. De Danske Kirkeshistorie IV. Kopenhagen 1959.

Johannes Pappus

*16. 1. 1549 in Lindau
†13. 7. 1610 in Straßburg

Der Lebensweg des J. P. erinnert an den seines Landsmannes J. Marbach. Seine Schul- und Universitätsjahre verbrachte er in Straßburg und Tübingen. Nach kurzer Wirksamkeit als Helfer in Reichenweiher im Oberelsaß ging er als Lehrer des Hebräischen wieder nach Straßburg. Dort beeindruckte ihn Flacius. In Tübingen erwarb er den theol. Dr.-Grad und wurde 1578 Professor an der Akademie in Straßburg. Als Herzog Ludwig von Württemberg den Rat von Straßburg aufforderte, die FC anzunehmen, stimmte der Kirchenkonvent wohl zu, der Rat aber zögerte. Um die Schwierigkeiten zu überwinden, hielt P. Disputationen über die Frage, ob das Damnamus der christlichen Liebe widerstreite. Ihm widersprach der alte Rektor Johann Sturm in Streitschriften (Antipappus I–IV). P. selbst und Lucas Osiander antworteten heftig. Als der Herzog Genugtuung verlangte, wurde Joh. Sturm vom Rat abgesetzt und die Fortsetzung des Streites verboten. Nach dem Tode von Marbach 1581 wurde P. Präsident des Kirchenkonvents. Unter ihm ist in Straßburg die lutherische Lehre zur alleinigen Geltung gelangt. Dieser Status wurde in der Kirchenordnung von 1598 festgelegt, P. lehnte bewußt die Straßburger Theologie Bucerscher Prägung ab und bahnte der Orthodoxie den Weg.

ADB 25 (1887), 163.
RE 14 (1904), 654 ff.
J. Horning. J. P. von Lindau. Straßburg 1891.
J. Adam. Ev. KG der Stadt Straßburg. Straßburg 1922, 339 ff.
H. Strohl. Le Protestantisme en Alsace. Straßburg 1950, 87 ff.
W. H. Gensichen. Damnamus. Göttingen 1955, 134-143.

Matthew Parker

*6. 8. 1504 in Norwich
†12. 5. 1575 in Canterbury

Als Sohn eines kleinen Kaufmanns aufgewachsen, studierte P. seit 1522 in Cambridge. Erzbischof Wolsey wurde auf den begabten Studenten aufmerksam und bot ihm eine leitende Stelle am Christ Church College an. P. lehnte ab, weil er als Führer der Cambridge Reformers galt. In einem Freundeskreis las er Luthers Schriften. Später trieben ihn patristische Studien auf eine mittlere Linie. 1535 wurde er Kaplan der Königin Anna Boleyn und 1537 auch des Königs. Nun wurde er Vizekanzler der Universität Cambridge, widerstand aber dem Trachten des Königs nach ihren Gütern. Trotzdem konnte er sich halten und fand Befriedigung in wissenschaftlicher Arbeit. Auch unter Eduard VI. blieb er in der Stille. Unter der katholischen Maria wurde er als verheirateter Priester seines Amtes entsetzt, blieb aber in seinem Versteck unentdeckt. Erst 1558 trat er aus dem Dunkel hervor und wurde zum Erzbischof gewählt. Geweiht wurde er als erster nach einem nicht-römischen Ritual. Die Königin hielt nur darauf, daß die bischöfliche Succession nicht unterbrochen wurde. P. war kein starker Charakter. Zu seiner Zeit war er der gegebene Mann. Seine Milde förderte die Versöhnung. Er ging auf der Linie der anglikanischen Theologen, die den Mittelweg zwischen Puritanern und Römischen wählten. Dabei forderte er Berücksichtigung der Elisabethanischen Statuten. 1565 nahm das Parlament den Suprematseid an. Die Befehle der Königin führte er genau aus. Seinen eigenen Willen vermochte er nicht durchzusetzen. Bedeutsam war seine Ausarbeitung der 42 Artikel und seine wissenschaftliche Arbeit, vor allem die Sammlung und Sicherung historischer Quellen und Urkunden.

RE 14 (1904), 691 ff.
P. Meissner. England im Zeitalter von Humanismus, Renaissance und Reformation. Heidelberg 1952, 445.
V. J. K. Brook. A life of Archbishop Parker. Oxford 1962.
E. W. Perry. Under four Tudors. Being the story of M. P. sometime Archbishop of Canterbury. London 1964.

Georg Parsimonius

(siehe: Georg Karg)

Konrad Pellikan

(Konrad Kürsner)

*8. 1. 1478 in Rufach (Elsaß)
†6. 4. 1556 in Zürich

P. hatte große Mühe, ans Studium zu kommen. Die wirtschaftlichen Verhältnisse der Eltern waren so schlecht, daß er sich nicht einmal den Donat, ein verbreitetes Schulbuch, kaufen konnte. Erst 1491 gelang es ihm, nach Heidelberg zu kommen, aber sein Onkel konnte ihn nur kurze Zeit dort unterhalten. So blieb ihm nichts anderes übrig, als ins Kloster zu gehen. 1493 trat er bei den Franziskanern ein und kam nach 3 Jahren nach Tübingen, wo er Vorlesungen über Philosophie hörte und Hebräisch lernte. Mit dürftigen Hilfsmitteln ausgerüstet, erwarb er sich allmählich durch eisernen Fleiß gründliche Kenntnisse. Reuchlin unterstützte seine Bestrebungen, ein hebr. Wörterbuch zu schaffen, das 1504 in Straßburg erschien. Inzwischen war er Lektor im Franziskanerkloster in Basel geworden und stieg allmählich zum Guardian auf.
Um 1520 entschied er sich für die neue Lehre und wurde 1523 vom Rat in Basel zum Prof. ernannt. Als ihn aber 1525 Zürich berief, folgte er diesem Ruf. Nun legte er die Kutte ab und heiratete. Bis zu seinem Tode wirkte er in Zürich, wo er als Bibelübersetzer und -erklärer wichtige Dienste leistete. Sein Bibelwerk »Commentaria bibliorum« ist das einzige vollständige Bibelwerk der Ref.-Zeit. Ihm lag es daran, gute Beziehungen zu anderen Gelehrten zu erhalten. In humanistischen Kreisen erfreute er sich eines ungeteilten Ansehens. Da er mit Zwingli eng befreundet war, entfernte er sich erklärlicherweise von Luther und ergriff brieflich gegen seine Abendmahls-lehre Partei. Ob er in die von Bucer herrührende lat. Übersetzung von Bugenhagens Psalter die zwinglische Abendm.-Lehre eingetragen hat, ist ungewiß. Am Streiten lag es ihm nicht; im Grunde war er eine friedliebende Natur.

ADB 25 (1887), 334ff.
RE 15 (1905), 108ff.
B. Riggenbach. Das Chronicon des K.P. Basel 1877.
Th. Vulpinus. K.P's Hauschronik. Straßburg 1892.
Ed. Reuß. K.P. Straßburg 1892.
E. Nestle. Nigri, Böhme und P. Tübingen 1893.
E. Silberstein. C.P. Ein Betr. z. Gesch. d. Studien d. hebr. Sprache im 16. Jh. Berlin 1900.
W. Gußmann. Quellen und Forschungen z. Gesch. d. Augsb. Bekenntnisses. 1,1. Leipzig 1911.
Ch. Zürcher. K.P's Wirken in Zürich. 1526–1556. Zürich 1975.

Laurentius Petri

*1499 in Örebro
†26. 10. 1573 in Uppsala

Wie sein älterer Bruder Olaus studierte auch L.P. in Wittenberg. Nach seiner Rückkehr übernahm er ein Pfarramt. 1531 wurde er zum E.B. von Uppsala gewählt. Er leitete das Werk der Reformation, unterstützt von seinem Bruder Olaus. Seine Wirksamkeit ist für den inneren Aufbau der schwedischen Kirche von größter Bedeutung. Sie verdankt ihm die schwedische Bibelübersetzung von 1541 (die sog. Gustav-Wasa-Bibel), die Postille von 1555, das Schwedische Gesangbuch von 1567 und die Kirchenordnung von 1571.

H. Holmquist. Die schwedische Reformation 1523–1531 (SVRG 139). Leipzig 1925.
L.P.'s Kyrkoordning. Ed. E. Farnström. Stockholm 1932.

Olaus Petri

*6. 1. 1493 in Örebro
†19. 4. 1552 in Stockholm

Aufgewachsen als Sohn eines Schmieds, vermochte sich P. zu einem geachteten Gelehrten zu entwickeln. Nach seinem Studium an der Universität in Uppsala ging er nach Leipzig und 1516 nach Wittenberg. Nach seiner Rückkehr nach Schweden wurde er Lehrer an der Domschule in Strängnäs. Laurentius Andreä brachte ihn mit König Gustav Wasa in Verbindung, der ihn 1524 als Stadtsekretär nach Stockholm schickte. Im Jahre 1531 wurde er zum Kanzler des Reiches berufen. Als er sich aber der königlichen Absicht, das Bischofsamt in Schweden aufzuheben, zusammen mit Andreä widersetzte, wurde er des Hochverrats beschuldigt und verurteilt, dann aber begnadigt. Während seiner Kanzlerschaft wurde die 1529 beschlossene Reformation in den meisten Orten durchgesetzt. Stellenweise blieb die Messe dennoch bestehen. P. hatte sich 1543 nach Stonsa zurückgezogen und wirkte dort als Pfarrer noch bis zu seinem Tode. In dieser Zeit entstand eine Reihe seiner Schriften, die für die schwedische Ref. von großer Bedeutung wurden.

J. E. Berggren. O. P's reformatoriska grundtankkar (Upsal. Univ. Arsskrift). 1889.
H. Holmquist. Die schwedische Reformation 1523–1531. Leipzig 1925.
M. Lindström. O. P. och A. Osiander (Svensk teol. Kwartalskr. 17, 1941, 206 ff.).
S. v. Egerström. O. P. och de mideltide kristendomen (Uppsal. Univ. Arsskrift 1941, 7).
R. Murray. O. P. Stockholm 1952.
Sven Ingebrand. Olavus Petris reformatoriska askadning. (Acta Univ. Upsaliensis. Studia doctrinae christianae 1). Lund 1964.

Johann Pfeffinger

*27. 12. 1493 in Wasserburg am Inn
†1. 1. 1573 in Leipzig

P. besuchte die Schule in Annaberg, empfing die Priesterweihe in Salzburg, wurde 1521 Stiftsprediger in Passau. Von hier floh er nach Wittenberg. Nach eingehendem Studium wurde er 1527 ev. Prediger in Sonnenwalde. Dort heiratete er. Der Bischof von Meißen vertrieb ihn aus seinem Amt. Daraufhin erhielt er eine Pfarrstelle auf kursächsischem Gebiet in der Nähe von Leipzig. Nach der Reformation Leipzigs wurde er dort Superintendent und trat als Professor in die Theologische Fakultät ein. Er war der erste theol. Dr., den die neue Theol. Fakultät promovierte. Seine Disputation über die Mitwirkung des Menschen bei seiner Bekehrung löste 1550 den synergistischen Streit aus. P. mußte sich gegen Amsdorf und Flacius verteidigen. Herzog Moritz zog ihn zu Beratungen über die Kirchenverfassung und über das Interim heran, ebenso sein Bruder August. Sein Vorschlag, die Gleichförmigkeit der Zeremonien durch Rückgriff auf das Interim zu erreichen, brachte ihn in Mißkredit. Melanchthon verhinderte es, daß darüber weiter verhandelt wurde. Im übrigen wurde P. als charaktervoller Mann allgemein geschätzt.

ADB 25 (1887), 624. RE 15 (1904), 252 ff.
F. Seifert. J. P. (BSKG 4). Leipzig 1888, 33–162.
E. Sehling. Kirchengesetzgebung unter Moritz von Sachsen 1544–1549. Leipzig 1899.
G. Buchwald. Ref.-Gesch. der Stadt Leipzig. Leipzig 1900.

Paul Phrygio

(Sidensticker, Kostentzer)

* 1483 in Schlettstadt
† 1543 in Tübingen

Über Herkunft und Familie wird nichts übermittelt. Ph. muß einem bürgerlichen wohlhabenden Hause entstammen, denn er war in der Lage, sein Studium in Freiburg und Paris zu betreiben. Nach dieser Vorbereitungszeit hielt er theologische Vorlesungen in Basel und erwarb dort 1513 auch den Doktorgrad. Kurze Zeit war er Domprediger in Eichstätt, dann übernahm er 1519 die Pfarrei in seiner Vaterstadt. Unter dem Einfluß der Straßburger Reformatoren wandte er sich der Reformation zu. Von seinen Freunden wurde er gewarnt, auf der Kanzel so viel von Luther zu reden. Tatsächlich erteilte ihm der Rat »irs predigens und stechens halb« eine Rüge und stellte sich 1524 gegen ihn. Die Bürger dagegen traten für ihn ein und erklärten sich bereit, für ihn zu sammeln, falls er entlassen werden sollte. Ph. wollte in dieser geladenen Atmosphäre nicht bleiben. Er verlegte seine Wirksamkeit nach Straßburg. Von seiner Münstervikarie aus hatte er die umliegenden Landgemeinden zu versorgen. 1529 wurde er als Leutpriester an St. Peter und zweiter Theologieprofessor neben Oekolampad nach Basel berufen. Vorher hatte der Rat sich darum bemüht, Bucer zu gewinnen. In seiner Eigenschaft als Professor präsidierte er mit Oekolampad bei der ersten Basler Synode. Wie geachtet seine Position war, geht auch aus der Tatsache hervor, daß er berufen wurde, die Beaufsichtigung der Prediger als examinator wahrzunehmen. Ph. blieb jedoch nur bis 1534 in Basel, wo Karlstadt sein Nachfolger wurde. Selbst ging er in gleicher Eigenschaft nach Tübingen, wo er seine letzten Jahre verbrachte.

ADB 26 (1888), 92.
J. Gény. Die Reichsstadt Schlettstadt und ihr Anteil an den sozialpolitischen und religiösen Bewegungen der Jahre 1490–1536. Freiburg 1900.
J. Adam. EV. Kirchengeschichte der elsässischen Territorien. Straßburg 1928.
E. Stähelin. Das theologische Lebenswerk J. Oekolampads (QFRG 21). Leipzig 1939.

Johannes Pistorius

(Becker, Niddanus)

* 1503 in Nidda (Hessen)
† 25. 1. 1583 in Nidda

P. kommt aus einer nicht weiter bekannten Bürgerfamilie in Nidda. Er soll in Straßburg studiert haben. 1526 kam er in seine Heimatstadt zurück und wurde dort zum Pfarrer bestellt. Dieses Amt hat er sein ganzes langes Leben hindurch bekleidet. Schon früh muß er dem Landgrafen aufgefallen sein, denn 1540 schickt ihn dieser zu den Rel.-Gespr. nach Worms und 1541 nach Regensburg. In diesen Jahren bestand zwischen ihnen ein reger Briefwechsel. Über das Regensburger Buch erstattete er dem Landgrafen einen kritischen Bericht. Auch 1546 wurde er wieder nach Regensburg entsandt. In Nidda wurde er Superintendent, ebenso verwaltete er das entsprechende Amt in Alsfeld, als Tilman Schnabel alt wurde. 1543 half er Bucer bei der Kölner Reformation. In der Kirchenverwaltung war er besonders tüchtig. Dieses geht aus seiner Korrespondenz mit dem Landgrafen während des Schmalkaldischen Krieges und in den Jahren nach 1554 hervor. Als in Hessen das Interim eingeführt wurde, wollte P. sein Amt niederlegen, wurde aber von den landgräflichen Räten gebeten zu bleiben. Nach dem Tode Adam Kraffts führte er dessen Aufträge weiter. Als gewandter Unterhändler hat P. in den ungeklärten Verhältnissen nach der Befreiung des Landgrafen aus der Gefangenschaft vieles erreicht. Auch bei der Lösung konfessioneller Spannungen hat er mitgewirkt. Auf Geheiß des Landgrafen erstattete er ein Gutachten über den Heidelberger Katechismus (Quellen 3, 323 f.) und hielt mit der Kritik nicht zurück. Bis zu seinem achtzigsten Lebensjahr blieb er im Amt.

RE 15 (1904), 415–418.
F. W. Hasenkamp. Hessische KG. 2, Marburg 1885.
G. Franz. Quellen zur Hess. Reformationsgesch. 2–3. Marburg 1954/55.
O. Hütteroth. Die althessischen Pfarrer der Reformationszeit. Marburg 1953, 16.

Tilemann Plettener

(Platner)

*24. 11. 1490 in Stolberg
†6. 11. 1551 in Stolberg

Der Sohn des Stolberger Ratsherrn Tile Platner studierte in Leipzig (Matrikel ed. Erler 1,466) und in Erfurt 1506 (Act. d. Univ. Erfurt 2,245). 1519 berief Graf Botho den Magister als Pfarrer an die Martinskirche nach Stolberg. Im folgenden Jahr begleitete er die jungen Grafen nach Wittenberg (Album Wittenbergense ed. Förstemann 1841, 99). Als Graf Wolfgang dort ehrenhalber Rektor der Universität wurde, führte Plettner das Amt des Vizerektors. Am 20. 9. 1521 wurde er zum Licentiaten und am 14. 10. 1521 zusammen mit Justus Jonas zum Dr. theol. promoviert (Liber decan. ed. Förstemann 1839, 25). Zusammen haben sie den Doktorschmaus gehalten (G. Kawerau. Der Briefw. d. Justus Jonas 1, Berlin 1883, 74). Mit Melanchthon befreundet, bemühte er sich, die Wittenberger Unruhen beizulegen. Melanchthon widmete ihm seine Loci communes 1521.

Als Pfarrer bereitete P. in Stolberg die Reformation vor, unterstützt von seinen Freunden Joh. Spangenberg, Schneidewin u. a., obwohl Graf Botho aus Rücksicht auf seinen brandenburgischen Lehnsherrn Zurückhaltung übte. Die Reformation konnte daher in der Grafschaft erst nach 1539 erfolgen. Dabei stand Plettener an der Spitze der Visitation, reformierte das Stift Querfurt, Kloster Ilfeld u. a. Von seiner Augustin-Lektüre stark beeinflußt, sprach er sich für die Brandenburgische K. O. (1540) aus. Das Interim jedoch lehnte er ab, obwohl er für Beibehaltung der Zeremonien war. Seine 1534 geschlossene Ehe blieb kinderlos. Sein gelehrter Kommentar zum Matth.-Ev. blieb ungedruckt.

ADB 26 (1888), 262 ff.
H. Hamelmann. Op. genealog.-histor. ed Wasserbach, Lemgo 1711, 848.
O. Plathner. Die Familie Plathner. Berlin 1866, 13–37; Nachtrag: Berlin 1874, 271–288.
E. Pfitzner. T. P. u. die Reformation in Stadt und Grafschaft Stolberg. Stolberg 1883, 79.

Andreas Poach

*ca. 1514/15 in Eilenburg
†2. 4. 1585 in Utenbach bei Apolda

Über Herkunft und Jugend ist nichts bekannt. Als »Boch« wurde P. 1530 in Wittenberg immatrikuliert, 1538 war er Magister und blieb als solcher bis 1541 an der Leucorea. Dann wurde er für Jena ordiniert und wirkte 5 Jahre in Halle. Nach dem politischen Umschwung lehnte er die Berufung zum Schloßprediger in Torgau ab, übernahm zuerst das Pfarramt in Nordhausen, 1550 an der Augustinerkirche in Erfurt. Dort war er bald der einflußreichste Prediger. Unter seiner Leitung wurde der Aufbau der ev. Kirche Erfurts stark gefördert. Das Geistliche Ministerium übernahm das Visitations- und Prüfungswesen. Als P. 1560 Superintendent in Jena werden sollte, verzichtete er, da er das Konfutationsbuch ablehnte. In Erfurt erhielt er 1566 die einzige ev.-theol. Professur. Als es

1569 zu einem Streit zwischen den Konfessionen in Erfurt kam und P. sich gegen den Rat der Stadt erklärte, mußte er das Feld räumen. Hier zeigte er sich als aufrechter und mutiger Mann. Die Wittenberger Lehrer schätzten ihn daher hoch. Als P. 1573 das Pfarramt in Utenbach übernahm, konnte er sich nebenbei der Arbeit widmen, die Rörer vor ihm getan hatte. Da er Rörers Kurzschrift kannte, konnte er seine Nachschriften der Luther-Predigten bearbeiten. P's Hauptwerk ist die Herausgabe von Luthers Hauspostille. Seine Ausgaben sind zuverlässiger als die Aurifabers. Um die Arbeit an Luthers Hinterlassenschaft leisten zu können, deren Wert erst spätere Zeiten ermessen konnten, hielt er sich auf eigene Kosten einen Diakonus.

ADB 26 (1888), 325 ff.
RE 15 (1904), 489.
K. Martens. Wann ist das Erfurter ev. Ministerium als geistliche Behörde entstanden? (Jb. d. Akademie gemeinnütziger Wissenschaften zu Erfurt. H. 24. Erfurt 1898, 69–110).
R. Jauernig. Zur Jenaer Lutherausgabe (ThLZ 77, 1952, Sp. 747 ff.).
R. Jauernig. A. P. (Luther in Thüringen). Berlin 1952, 198–206.

Georg von Polentz

*um 1478
†28. 4. 1550 in Königsberg

Er entstammte einer altadligen sächsischen Familie. Sein Rechtsstudium betrieb er in Bologna, wo er 1505 eingeschrieben wurde. Wo er vorher in Deutschland geweilt hat, bleibt unbekannt. Nach Abschluß seiner Studien wurde er als Geheimschreiber an der päpstlichen Kurie verwandt, bevor er in den Dienst Kaiser Maximilians übertrat. Im kaiserlichen Heerlager vor Padua lernte er den jungen Markgrafen Albrecht von Brandenburg-Ansbach kennen und folgte ihm aus Freundschaft in den deutschen Orden. Seit 1512 gebrauchte ihn Albrecht zu politischen Missionen in Ord.-Angelegenheiten und erhob ihn zum Hauskomtur in Königsberg. Als das Bt. Samland 1518 frei wurde, ernannte ihn der Hochmeister zum B. Gegen eine Taxe von 1488 Dukaten erhielt er die päpstliche Bestätigung und wurde am 29. 7. 1519 durch seine Nachbarbischöfe geweiht. Er blieb in den folgenden Jahren römisch gesinnt. Als der Hochmeister in den Jahren 1522–25 im Reich abwesend war, verwaltete er als Regent das Land; diese schwere Aufgabe löste er meisterhaft.

Um diese Zeit trat er in nähere Beziehungen zu Brießmann und ließ sich von diesem Freund Luthers theol. anleiten. Auch Griech. und Hebr. lernte er bei ihm und stand in Kürze ganz auf ev. Boden. Als Hz. Albrecht nach der Säkularisation des Ordenslandes die Ref. einführte, war durch Polentz und die ev. Pred. in der Stille alles vorbereitet. In Deutschland gab es keinen zweiten B., der an Verdiensten um die Ref. der Kirche mit ihm verglichen werden könnte. Am Weihnachtstage 1523 bestieg der B. selbst die Domkanzel in Königsberg, um eine ev. Predigt zu halten, die auch gleich im Druck verbreitet wurde. Diese Predigt war schon eine mutige Tat und ein offenes Bekenntnis. Als sich im Ermland Widerstand gegen die reform. Bewegung erhob, erließ er am 28. 1. 1524 sein Ref.-Mandat, in dem er für seine ganze Diözese deutsche Gottesdienstsprache und Predigt des göttlichen Wortes vorschrieb. Den Geistlichen empfahl er, Luthers Schriften zu lesen. Auch für die Verkündigung des Ev. auf dem flachen Land traf er Vorkehrungen. So setzte sich die Ref. in Preußen in größter Ruhe durch, geleitet von der festen Hand des B. Luther erkannte sogleich seine Bedeutung; er nannte ihn »den ersten und einzigen B., den Gott aus dem Rachen des Satans befreit hat«, widmete ihm seine Auslegung des Deuteronomiums und wies ihn auf das Wunder hin, daß das Ev. mit vollen Segeln nach Preußen eile, während es in Ober- und Niederdeutschland Ablehnung erfahre.

In erster Ehe war er mit Katharina von Wetzhausen, in zweiter Ehe mit Anna von Heideck verheiratet. Seine äußere Lage war nicht glänzend, nachdem er auf die bischöflichen Güter zugunsten des Hz. verzichtet hatte. Das Gehalt, das ihm der Hz. ausgesetzt hatte, konnte oft nicht ausgezahlt werden. So kam es, daß er zu Lebzeiten sich in wirtschaftlicher Not befand und große Schulden hinterließ. Das persönliche Verhältnis zum Hz. ist ihm mehr wert gewesen. Albrecht wußte auch, was er an seinem »geliebten Freund, Rat und Diener« besaß. Dem Hz. gegenüber hatte sich der B. immer volle Selbständigkeit bewahrt, und nichts hatte ihr Verhältnis je getrübt. Als er starb, ging sein Tod dem alternden Hz. sehr nahe.

Er stand als ev. B. über den theol. Richtungen und mied die Extreme, ohne dabei seinen bestimmten Weg zu verlassen. Seine Bedeutung für Preußen steht unzweideutig fest. Ohne ihn gäbe es kein Hzt. Preußen und keine ev. Landeskirche dieses Gebietes. Daß er als Regent harte Maßnahmen ergriff, erhöhte nur seine geschichtliche Wirkung. Auch die besten Pred. hätten in Königsberg nichts erreicht, wenn er ihnen nicht die Wege geebnet und die Möglichkeit zur Durchführung der Ref. gegeben hätte. Die Einführung der ersten preußischen K. O. ist ebenso sein Werk wie die Befürwortung der Constitutiones synodales evangelicae von 1530. Luther gegenüber nahm er eine völlig unabhängige Stellung ein. Wir wissen nicht, warum er es vermieden hat, je an Luther zu schreiben. Ebensowenig hat er sich um Osiander gekümmert, zu dem der Herzog in einem Vertrauensverhältnis stand. Ihm lag es nur an einem »guten, starken Glauben«, nicht an theol. Meinungen. Sein bischöfliches Amt nahm er zu allen Zeiten ernst; er ordinierte, visitierte und entschied in Ehesachen. Wir hören nicht, daß er noch später gepredigt hätte, aber in mancher Hinsicht blieb dieser erste ev. B. den späteren ein Vorbild. Solange er das bischöfliche Amt führte, blieb der Geist der Ref. im ehemaligen Ordensland gewahrt.

ADB 26 (1888), 382 ff.
RE 6 (1899), 541 ff., 15 (1904) 525.
P. Tschackert. G. v. P. Berlin 1888.
P. Tschackert. Urkundenbuch d. Ref.-Gesch. im Hzt. Preußen. 1–3. Leipzig 1890.
R. Stupperich. Die Reformation im Ordensland Preußen. Ulm 1966.
W. Hubatsch. Geschichte der Ev. Kirche Ostpreußens. Göttingen 1968 pass.

Johannes Poliander

(Johannes Gramann oder Graumann)

* 1487 in Neustadt an der Aisch
† 29. 4. 1541 in Königsberg (Pr.)

1503 kam er an die Univ. Leipzig. Nachdem er das Lehramt an der Thomas-Schule übernommen und dort auch Rektor geworden war, erwarb er sich 1516 den Mag.-Grad. Dem erfahrenen Pädagogen widmete Mosellanus 1518 seine Paedologia. Während der Leipziger Disp. zwischen Eck und Luther nahm er an den Auseinandersetzungen lebhaften Anteil. Damals hielt er sich noch zur päpstlichen Richtung und diente Eck als Schreiber. Die Leipziger Disp. blieb für ihn nicht ohne Bedeutung. Er wandte sich jetzt der Theol. zu. Nachdem er in Leipzig 1519 Bacc. geworden war, ging er noch im selben Jahre nach Wittenberg, wo er Luther fleißig hörte und zahlreiche Luther-Predigten nachschrieb und sammelte. Der B. von Würzburg, der ihn als Humanisten schätzte, berief ihn als Dompred. nach Würzburg, wo vor ihm Speratus gewesen war. Da er aber offen ev. predigte, mußte er in Widerstreit mit den konservativen Kreisen geraten und in Nürnberg Zuflucht suchen. Durch Luthers

Vermittlung kam 1525 seine Berufung nach Königsberg zustande. Dort übernahm er das Pfarramt an der Altstädtischen Kirche, wo vor ihm Amandi gewirkt hatte. Als erfahrener Pred. und Schulmann sollte er für Königsberg von großer Bedeutung werden. Während er sich einerseits durch seine Predigten und Lieder einen Namen machte, wurde auch seine organistorische Begabung erkannt, und der Hz. ernannte ihn zu seinem Rat. P. begleitete ihn 1526 nach Danzig, wo er eine Auseinandersetzung mit dem B. zu bestehen hatte, und auch auf weiteren Reisen. Der Hz. stand zu ihm in einem nahen Verhältnis und legte auf sein Urteil großen Wert. An der Preußischen K. O. hat er vermutlich ebenso mitgearbeitet wie die anderen Königsberger Pred. 1531 nahm er an der großen Kirchenvisitation teil. In der Auseinandersetzung mit den Anhängern Schwenckfelds gab er den Ausschlag. Um 1530 führte er seinen Gesang »Nun lob, mein Seel, den Herren« ein, der zuerst im Kugelmanschen Gesangbuch von 1540 enthalten ist. Der Hz. zeigte ihm gegenüber großes Vertrauen und beauftragte ihn, für ihn diejenigen Bücher zu kaufen, welche er für notwendig hielte. Auch im Königsberger Schulwesen betätigte er sich und hielt den Schülern biblische Vorträge. Nach seinem Rat richtete sich der Hz., als die Univ. Königsberg gegründet wurde. Der rührige, tatkräftige und weitblickende Königsberger Theologe überlebte seine 1539 verstorbene Frau nicht lange. Für die ev. Kirche in Preußen hat P. viel geleistet. Luther zählte ihn daher zu den drei Evangelisten in Preußen.

ADB 26 (1889), 388 f.
RE 15 (1904), 525 ff.
P. Tschackert. Urkundenbuch zur Gesch. d. Ref. im Hzt. Preußen 1, 1890.
Th. Kolde. Speratus und P. als Domprediger in Würzburg (BBKG 6, 1900, 49–75).
Ph. Spitta. Zur Lebensgeschichte P's. (ZKG 29, 1908, 389–395).

C. Krollmann. Gesch. d. Stadtbibl. Königsberg. Königsberg 1929, 5–20 u. Ah. 1–66.
R. Stupperich. Die Reform. im Ordensland Preußen. Ulm 1966.

Johann Pollius
(Polhen, Polhenne)

*um 1490 in Bielefeld
†1562 in Osnabrück

Aus seiner Jugend ist nur bekannt, daß er die Domschule in Münster besuchte und unter dem humanistischen Einfluß des Murmellius stand. Dieser Einfluß muß sehr stark gewesen sein, wie aus seinen noch 1534 in Zürich veröffentlichten Epigrammen deutlich wird. Er studierte in Köln und ging dann als Konrektor zu Bartholomäus Coloniensis nach Minden, nach dessen Tode 1516 er auch einige Jahre Rektor war. Die Gründe für seinen Wechsel nach Osnabrück 1521 sind nicht bekannt. Als seine Neigung zur neuen Lehre bemerkt wurde, mußte er Osnabrück verlassen. 1527 nahm er das Amt des Schloßpredigers in Rheda beim Grafen Konrad von Tecklenburg an. Als Soest ihn im Februar 1532 für die Durchführung der Reformation und Unterstützung des Superintendenten Jan de Brune erbat, beurlaubte ihn der Graf für zwei Jahre. Dann kehrte er nach Rheda zurück. Für Soest war Pollius mit seiner vermittelnden humanistischen Auffassung anscheinend zu milde. Als Hermann Bonnus 1543 die Reformation in Osnabrück durchführte, wirkte Pollius als Superintendent an St. Katharinen. Wie ihr Verhältnis war, geht aus der Überlieferung nicht hervor. Als Osnabrück das Interim 1548 annahm, mußte er seinen Platz für zwei Jahre räumen. Dann aber kehrte er zurück und wirkte an derselben Stelle bis zu seinem Tode.

ADB 26 (1888), 395 f.

Hamelmanns geschichtl. Werke 1,3 Münster
1908, 266; 2 (1913), 293, 382.
B. Spiegel. Erinnerung an einen Verschollenen
(ZWTh 1864, 337 ff. und 1886, 316 ff.).
K. Krafft. J. P. (ZBGV 9, 1873, 162).
F. Jostes. Daniel von Soest. Paderborn 1888.
W. Schäfer. Effigies pastorum. Osnabrück 1966,
17 f.

lanchthons. Seine Arbeit teilte sich zwischen Wittenberg und Berlin. Noch nicht 50 Jahre alt, starb er am hitzigen Fieber.

ADB 26 (1888), 532.
RE 15 (1904), 612.
P. Karge. Kurbrandenburg und Polen 1548–63
(FBPG 11, 1899, 103–172).

Abdias Prätorius

*28. 3. 1524 in Salzwedel
†9. 1. 1573 in Wittenberg

Gottschalk Schultze, Sohn eines Kaufmanns, besuchte die Schule in seiner Heimatstadt und in Magdeburg. Dann begann er sein Studium an den Universitäten Frankfurt/O. und Wittenberg. An der Leucorea schloß er sich Melanchthon an und blieb sein Leben lang dessen treuer Schüler. Seine Arbeit begann er im Schuldienst: 1544 als Lehrer in Salzwedel, 1548 als Rektor der Lateinschule, 1553 in gleicher Eigenschaft in Magdeburg. Neben seiner pädagogischen Arbeit verfaßte er Schulbücher und richtete öffentliche Disputationen ein. P. muß als Schulmann ein guter Praktiker gewesen sein. Da ihm sein Vorname lästig wurde, änderte er ihn in Abdias. 1558 wurde er als Professor nach Frankfurt berufen. In dieser Zeit trat er neben Buchholzer als Wortführer der Philippisten hervor. Kurfürst Joachim II. neigte der Gegenseite zu. Als sich hier der Majoristische Streit wiederholte, wurde die philippistische Minderheit abgetan. An der Universität konnte P. nicht bleiben. Der Kurfürst konnte auf den Sprachkundigen und gewandten Diplomaten nicht verzichten. Als er aber eine scharfe Rede gegen die Philippisten hielt (19. 4. 1563), zog P. die Konsequenzen und siedelte nach Wittenberg über, wo er in der Artistischen Fakultät tätig werden konnte. Als seine erste Frau starb, heiratete er in Berlin 1565 die Tochter des Georg Sabinus, eine Enkelin Me-

Stephan Prätorius

*3. 5. 1536 in Salzwedel
†5. 5. 1603 in Salzwedel

S. P. besuchte die Schule des Abdias Prätorius in seiner Vaterstadt, danach in Magdeburg, um schon 1551 an die Universität nach Rostock zu gehen, wo er sich vor allem David Chyträus anschloß. Um sich den Unterhalt zu verdienen, lehrte er an einer Schule. Sein Studium zog sich daher hin; erst 1563 wurde er Magister. 1565 verließ er Rostock. Von J. Agricola wurde er in Berlin zum Prediger in Salzwedel ordiniert. Dort wirkte er bis zu seinem Tode. Berufungen nach Ülzen und Wismar lehnte er ab.
P. legte in Lehre und Leben größten Wert auf die Heiligung. Der gegen ihn erhobene Vorwurf des Perfektionismus (Prätorianismus) trifft ihn jedoch nicht. Neben seiner pfarramtlichen Tätigkeit fand er die Zeit, seelsorgerliche Traktate zu schreiben. Johann Arndt veranstaltete eine Sammlung (Lüneburg 1622). Gottfried Arnold zählt ihrer insgesamt 80 auf. Außer dem Gedanken der persönlichen Heiligung war P. einer der ersten, der die Verpflichtung zur Heidenmission erkannte.

ADB 26 (1888), 534 ff.
RE 15 (1904), 614 f.
H. Beck. Erbauungsliteratur der ev. Kirche
Deutschlands. Erlangen 1884.
C. Groß. Die alten Tröster. Hermannsburg 1900.

O. Ritsch. Dogmengeschichte d. Protestantismus 4, Göttingen 1927, 200.

Jacobus Propst

(Praepositus oder Praepositi)

* ? in Ypern
† 1562 in Bremen

P. war Augustinermönch, seit 1519 Prior in Antwerpen, studierte 1521 in Wittenberg. Nach seiner Rückkehr nach Antwerpen wandte er sich in seinen Predigten gegen den Ablaß, wurde gefangengesetzt, von der Inquisition verhört und zum öffentlichen Widerruf gezwungen, den er am 9. 2. 1522 in der Gudulakirche in Brüssel leistete. Von Gewissensbissen geplagt, predigte er wieder im evangelischen Sinn. Nach erneuter Gefangennahme entrann er dem Tode durch die Flucht nach Deutschland. Luther hielt viel von ihm und empfahl ihn als Pfarrer nach Bremen, wo er von 1524 bis zu seinem Tode als Pfarrer an Unserer Lieben Frauen und als Superintendent wirkte. Nur während der sozialen Revolution in Bremen zog er sich zurück. Auswärtige Berufungen lehnte er ab. Auf ihn geht die Einführung des luth. Gottesdienstes in Bremen zurück. Auch sonst vertrat er Luthers Auffassung und blieb mit ihm in Verbindung. Im Hardenbergschen Streit 1559 mußte er zurücktreten. Bremen hatte seinem Wirken viel zu verdanken.

ADB 26 (1888), 614f.
RE 16 (1905), 110ff.
H. Q. O. Jansen. Jacobus Praepositus. Amsterdam 1862.
W. v. Bippen. Geschichte der Stadt Bremen. 1, Bremen 1892.
O. Clemen. Das Antwerpener Augustingerkloster bei Beginn der Reformation (1513–1523) (Monatsschr. d. Comenius-Ges. 10, 1901, 306–313).
H. Entholt. J. P. Bremisches Jb. 32, 1929.
H. E. Engelhardt. Der Irrlehrestreit zwischen Hardenberg u. d. Bremer Rat (1547–1561) (Hospitium Ecclesiae 4, 1964).
B. Heyne. Die Reformation in Bremen 1522–1524 (Hospitium Ecclesiae 8, 1973, 7–54).

Nikolaus Prugener

* 1494
† 1553 in Tübingen

Nikolaus Prugener (oder Bruckner) stammte aus Franken, wo er gegen Ende des 15. Jahrhunderts geboren war. Von seiner Jugend und seinem Bildungswege hören wir nichts. Prugener trat erst als gereifter Mann hervor, der neben seinen humanistischen Kenntnissen vor allem durch seine mathematischen und astrologischen Interessen auffällt. Einer inneren Neigung folgend trat er in Mühlhausen im Elsaß in den Augustinerorden ein. Aber in den Anfangsjahren der Reformation erreichte auch ihn das Wort Luthers, den er seinen Lehrmeister nennt. In dieser Zeit muß er den Orden verlassen haben und hielt sich zunächst in Basel auf, wo er Huttenschriften zu verteilen sich bemühte.

Um seiner Redegabe willen begehrten die Bürger von Mühlhausen den ihnen schon als Prediger bekannten Prugener zum Pfarrer. 1523 wurde der verheiratete ehemalige Augustiner dorthin berufen. Der altgläubige Magistrat bereitete ihm noch Schwierigkeiten, aber die Zünfte erwirkten es, daß der neue Prediger bei ihnen blieb. Zwingli und Oecolampad, zu denen Prugener seit 1522 Beziehungen unterhielt, schätzten ihn hoch ein. Als die Glaubenskämpfe in Mühlhausen stärker wurden, rechtfertigte Prugener sich in 20 Schlußreden, in denen er die Summe seines Predigens zusammenfaßte, und forderte gleichzeitig seine Gegner zu öffentlicher Disputation auf »alleyn uß heyliger geschrifft«. Diese Schlußreden erschienen 1524 im

Druck zusammen mit denen seines Freundes Dr. Balthasar Hubmaier, des Schwärmerführers. Infolgedessen hatte er nicht geringe Schwierigkeiten. Bis zum Bauernkriege vermochte er sich noch in Mühlhausen zu halten, dann aber mußte ihn der Rat entlassen. Nun erhielt Prugener dank seiner Beziehungen zu Straßburg das Amt in Benfelden, wo er sich trotz mancher Angriffe behauptete und den Kampf mit den Täufern führte. In dieser Zeit gab sich Prugener aber stärker seinen mathematischen und astronomischen Neigungen hin, wirkte auch bei der Wiederherstellung der alten Straßburger astronomischen Uhr mit, so daß bei der Visitation wegen seiner häufigen Abwesenheit und unzureichender Versorgung Klage gegen ihn geführt wurde. Die Straßburger Reformatoren mahnten ihn daher zur Treue. Als aber Benfelden 1538 vom Bischof von Straßburg wieder eingelöst wurde, mußte Prugener entlassen werden. Er gehört zu den merkwürdigen Erscheinungen der Reformationszeit, die sich neben der Theologie auch anderen Neigungen verschreiben. Die Astrologie hatte es ihm so sehr angetan, daß er sich in den folgenden Jahren um kein geistliches Amt mehr bemühte, sondern in der Hauptsache als Astronom und Astrologe tätig war. Wir finden ihn bald in Mainz, bald wieder beim Erzbischof von Köln. Zu den Straßburgern stand er weiterhin in freundschaftlichen Beziehungen, ebenso zu Melanchthon. Bei Hermann von Wied wie im Erzstift sonst suchte er für das Evangelium einzutreten. Der Fall des Erzbischofs ließ ihn das Land verlassen. Nach langen Wanderjahren fand er schließlich eine Anstellung als Astronom in Tübingen 1553 und ist dort in seinem 60. Lebensjahr verstorben.

ADB 26 (1888), 674 ff.
F. W. Röhrich, Mitteilungen aus der Geschichte der evgl. Kirche des Elsasses, Straßburg 1855, Bd. 3, 180–202.

Erhard von Queiß

* ? 1488 in Storkow
† 1529 in Riesenburg

Nachrichten über die Jugend des ersten evgl. Bischofs von Pomesanien liegen nicht vor. Wie es in der Universitätsmatrikel von Frankfurt/O. heißt, wo er 1506 immatrikuliert wurde, stammte er aus Storkow. 1515 zog er zum Rechtsstudium nach Bologna. Es steht aber nicht fest, wo und wann er sich die Würde des Doktors beider Rechte erworben hat. Bereits 1523 begegnet er uns als Kanzler des Herzogs Friedrich II. von Liegnitz. Am Liegnitzer Hof hat ihn Hochmeister Albrecht kennengelernt und ihn zum Eintritt in den deutschen Orden und zur Übernahme des freigewordenen zweiten preußischen Bistums bewogen. Am 10. 9. 1523 wurde v. Q. vom Domkapitel von Marienwerder zum Bischof gewählt. Von päpstlicher Seite ist er nie bestätigt worden. Seine Residenz nahm er in Riesenburg.

Der Hochmeister Albrecht hatte zu dem im Rechts- und Verwaltungswesen erfahrenen Bischof großes Vertrauen. Er entsandte ihn als Vertreter des Ordens zu Verhandlungen nach Preßburg und Krakau, wo über die Säkularisation des Ordenslandes beraten wurde und er für Albrecht die Huldigung dem Könige von Polen leistete. Auch später hat er solche Aufträge zu erfüllen gehabt. Als er den Herzog 1526 nach Danzig begleitete, trug er schon weltliche Tracht. Q. hat auch in Kiel den Ehevertrag abgeschlossen, als Herzog Albrecht um die Hand der dänischen Königstochter Dorothea warb. Politische Dienste für das junge Herzogtum hielten ihn lange von der Erfüllung seiner kirchlichen Pflichten ab, und doch stand Q. ebenso wie der B. Georg von Polentz ganz auf seiten der Reformation. Ende 1524 veröffentlichte Q. sein Reformationsprogramm »Themata episcopi Riesenburgensis«. Hier stellt er fest, daß es nur zwei von Christus eingesetzte Sakramente gibt und daß Menschensatzungen in der Kirche abgeschafft werden müßten. Für den Gottesdienst forderte der Bischof die deutsche Sprache und verbot die Verehrung der Hostie und die Fronleichnamsprozession. Seine 19. These lautet: »Die tägliche Messe ist ein Greuel Gottes; darum soll sie forthin in keiner Kirche und nirgends gehalten werden.« Priestern und Ordensleuten gab der Bischof aufgrund seiner biblischen Überzeugung die Ehe frei.

Die 1525 für das Herzogtum Preußen erlassene Kirchenordnung trägt an ihrer Spitze den Namen ihrer beiden evangelisch gewordenen Bischöfe Polentz und Queis. Gemeinsam legten sie sie auf dem Landtage vor. Q. hatte ebenso wie Polentz seine weltliche Herrschaft an den Herzog abgetreten und nur die Ämter Marienwerder und Schönberg behalten. Auch er trat selbst in die Ehe, und zwar mit der Herzogin Apollonia von Münsterberg, die zuvor Nonne im Clarissenkloster Strehlen gewesen war. Aber bereits 1529 starb sie, und der Bischof selbst überlebte sie nicht lange. Auf der Rückreise vom Landtag in Königsberg wurde er ein halbes Jahr später schnell dahingerafft. Das Leben dieses lauteren und tätigen Mannes war schlicht. Ohne Aufsehen zu erregen, hatte er in rühriger Arbeit an seinem Teil den Grund zur Reformation des Preußenlandes gelegt.

P. Tschackart, Urkundenbuch zur Reformationsgeschichte Herzogtum Preußen, Bd. I. Leipzig 1890, 39 ff.
R. Stupperich, Die Reformation im Ordensland Preußen. Ulm 1966.
W. Hubatsch. Gesch. d. ev. Kirche in Ostpreußen. 1, Göttingen 1968 pass.

Ludwig Rabus

*1524 in Memmingen
†22. 7. 1592 in Ulm

Als armer Schüler aus der Familie Rab gen. Günzer kam Ludwig R. nach Straßburg und fand Aufnahme beim Münsterprediger Matthäus Zell und seiner Frau Katharina. 1538 ging er zum Studium nach Tübingen, wo er 1543 den Magistergrad erlangte. Im folgenden Jahre schon wurde er Zells Helfer und konnte dank seiner Predigtgabe trotz seiner Jugend 1548 Zells Nachfolger werden. Durch das Interim verlor er freilich bald darauf dieses Amt, blieb aber in Straßburg. 1552 wurde er Vorsteher des Collegium Wilhelmitanum und Lehrer am Gymnasium. 1553 erhielt er zusammen mit Jacob Andreae in Tübingen den Doktorgrad. Als der Straßburger Rat Marbach ihm vorzog, verließ R. die Stadt und ging als Pfarrer und Dekan nach Ulm, wo er 34 Jahre lang wirkte. Sein »Märtyrerbuch« widmete er dennoch dem Rat von Straßburg. Im Streit um Schwenckfeld schrieb er gegen Katharina Zell, die diesen verteidigte. Für Ulm ist seine Tätigkeit von großer Bedeutung gewesen. Er sorgte für eine einheitliche Lehrausrichtung (gegen Altgläubige, Zwinglianer und Spiritualisten), hielt mehrere Visitationen ab, führte in den Gemeinden Kirchenbücher über Amtshandlungen ein und unterstützte Jacob Andreae in seinen Bemühungen um die Konkordie. Sein Glaubenseifer überschritt freilich bisweilen die üblichen Grenzen und wurde in Straßburg als Fanatismus angesehen. R. war darin ein Kind seiner Zeit.

ADB 27 (1888), 97 ff.
T. W. Röhrich, Mitteilungen. Straßburg 1855. Bd. 3, 152, 172.
R. Stupperich. Die Frau in der Publizistik der Ref.-Zeit (AKuG 37, 1955, 226).

Balthasar Raid

(Reith)

*um 1495 in Fulda
†1. 10. 1565 in Hersfeld

Seine Vorgeschichte ist nicht bekannt. 1510 ließ er sich in Erfurt immatrikulieren und wurde nach seinem Studium Lehrer in Nordhausen. Noch von Erfurt aus machte er die Reise nach Rom. Die Veranlassung ist nicht bekannt. Nach seiner Rückkehr wurde er 1523 ff. Koadjutor bei Adam Krafft. In diese Zeit fällt seine Wende zum Evangelium. 1525 ging er nach Hersfeld, wo er bis 1538 Prediger blieb. Bald trat er unter den hessischen Predigern stark hervor. Der Landgraf ließ ihn zum Marburger Religionsgespräch kommen. In den folgenden Jahren setzte er sich mit Georg Witzel und vor allem mit den hessischen Wiedertäufern auseinander. Als im albertinischen Sachsen 1539 die Reformation eingeführt wurde, schickte ihn der Landgraf zur Mithilfe dorthin. Er zog ihn auch als Trauzeugen und Notar heran, als er sich am 4. 3. 1540 mit Margarethe von der Sale in Rothenburg trauen ließ. Auch am Tage von Schmalkalden 1540 nahm R. teil. Zu den Auseinandersetzungen mit den Täufern wurde er ebenso später hinzugezogen. Als in Hessen das Interim eingeführt wurde, wollte R. sein Amt niederlegen, doch auf Bitten der Bürger blieb er in Hersfeld und versah seinen Dienst bis 1563.

O. Hütteroth. Die althessischen Pfarrer. Marburg 1953. 269.
F. Herrmann. Das Interim in Hessen. Friedberg 1904. 76.

Leonhard Raiff

(siehe: Leonhard Beier)

Stanislaus Rapagelanus

*?
†13. 5. 1545 in Königsberg (Pr.)

Mit dem litauischen Bibelübersetzer Dr. Abraham Culvensis verwandt, entstammt Stanislaus Lituanus, wie er in den Quellen meist genannt wird, einer litauischen Adelsfamilie. Was der Name Rapagelanus bedeutet, bleibt ungeklärt. Die Herkunft, Jugend und Bildung des jungen Litauers liegen im Dunkel. Wir hören nur, daß er in Krakau studiert und dort den Grad des Baccalaureus erlangt hat. Als in Polen die Verfolgung der Evangelischen einsetzte, wird er ebenso wie Abraham Culvensis in Preußen Zuflucht gesucht haben. Herzog Albrecht nahm ihn unter seine Stipendiaten auf und schickte ihn zum Studium nach Wittenberg. Vermutlich 1541 ist R. dort angekommen. Bei seiner Begabung machte er rasche Fortschritte und ist zusammen mit Theodor Fabricius unter Luthers Vorsitz am 29. 5. 1544 zum Doktor promoviert worden. Der Herzog mahnte ihn schon vorher an die Rückkehr, erlaubte ihm aber auf Bugenhagens Fürsprache hin, den Sommer über noch dort zu bleiben. Am 11. 6. 1544 wurde er endgültig zurückberufen, um eine theologische Lektur in Königsberg zu übernehmen. R. hatte Bugenhagen und Melanchthon nahegestanden, aber auch Luther kannte ihn und hatte als Dekan zu seiner Promotion mit besonderem Anschlag eingeladen. Mit Empfehlungsschreiben Melanchthons versehen, begab er sich nach Königsberg und las dort zuerst über die Psalmen.

Als sprachbegabter, theologisch gegründeter Mann, der die Wittenberger Lehre treu einhielt, und als lauterer Charakter hat sich R. in Königsberg sehr bald Achtung und Ansehen erworben. Von ihm liegt eine Abhandlung De ecclesia vor, in der er das Wesen der Kirche im Sinne der C. A. und der Schmalkaldischen Artikel erläutert. Bei der Eröffnung der Universität Königsberg war er der erste Theologe. Seine Vorlesungen fanden große Beachtung und wurden selbst vom Herzog besucht. Ein Brief an Speratus zeigte ihn als gebildeten, urteilsfähigen Theologen von milder Richtung, der über allen Streitigkeiten stand. In allen Fragen, die das polnisch-litauische Nachbargebiet betrafen, konnte er dem Bischof ein sachkundiger Ratgeber sein. Mit seinem Namen beginnt die litauische Literaturgeschichte: R. ist der erste litauische Dichter, der ein Passionslied in litauischer Sprache dichtete.

Im November 1544 hatte R. die Tochter des herzoglichen Leibarztes Dr. Axt geheiratet. Wenige Tage nach seiner ersten Disputation, am 13. 5. 45, starb R. ganz unerwartet, betrauert von den Studenten, die dem mutigen und entschlossenen Theologen aufrichtig anhingen. Brießmann hielt ihm im Dom die Trauerrede.

P. Tschackert, Urkundenbuch f. d. Ref.-Gesch. im Herzogt. Preußen, 1, 259 ff., 288 ff., 3, 282 f.
E. Kneifel. Die Pastoren der Ev.-Augsb. Kirche in Polen. O. J., 238.
W. Hubatsch. Gesch. d. ev. K. Ostpreuß. Göttingen 1968, pass.

Urbanus Rhegius

(Rieger)

*20./23. 5. 1489 in Langenargen bei Lindau
†1541 in Celle

R. war Priestersohn. Über seine Jugend ist nichts bekannt. Seinen Vater soll er kaum gekannt haben. In Freiburg schloß er sich den Humanisten an, ging dann nach Ingolstadt und schließlich nach Basel, wo er 1520 zum Dr. promovierte. Nach kurzer kirchlicher Wirksamkeit in Augsburg ging er nach Hall in Tirol, wo vor ihm Jacob Strauß gewesen war. Als er evangelisch zu predigen begann und mit dem Bischof von Brixen in Konflikt geriet, war er »seins lebens weder tag noch nacht sicher«. Nun ging er als Domprediger nach Augsburg zurück und entfaltete eine beträchtliche literarische Tätigkeit. Im Abendmahlsstreit nahm er eine vermittelnde Stellung ein. Um die Einheit der Evangelischen zu erreichen, wandte er sich gegen Spiritualisten und Täufer. Seine Traktate gehörten zu den besten. Diese Kämpfe führten ihn auch zu einer Ablehnung Zwinglis. Der Reichstag von Augsburg 1530 brachte eine Wende in seinem Leben. Als die Reichsstadt ihn auf Druck des Kaisers entließ, nahm ihn Herzog Ernst von Braunschweig-Lüneburg in seine Dienste und übertrug ihm die kirchliche Leitung in seinem Lande. R. besuchte, unterwegs in die neue Heimat, Luther auf der Coburg; diese erste Begegnung beeindruckte ihn stark. Im Fürstentum Lüneburg führte er die Reformation durch und wurde nach Luthers Ausdruck »ein Bischof für benachbarte Länder«. Er schrieb die K. O. für die Stadt Hannover, wirkte in Minden, schrieb für Osnabrück eine Widerlegung der Münsterschen Täufer. R. war der Meinung, daß der Täuferkrieg gar nicht nötig gewesen wäre, »hätte man zu Münster Bernharden nit so lange zugesehen«. An der Wittenberger Konkordie 1536 hatte er einen nicht geringen Anteil. Nach Detmold zu kommen und dort die Reformation durchzuführen lehnte R. ab, da er Herzog Ernst zum Reichstag nach Regensburg begleiten sollte. Dazu war es aber nicht mehr gekommen. Kurz vor der Abreise starb er.

ADB 28 (1889), 374–378.
RE 16 (1905), 734–741.
G. Uhlhorn. U. R. Leben u. ausgew. Schriften. Elberfeld 1861.
A. Wrede. Einführung d. Ref. im Lüneburgischen. Göttingen 1887.
W. Vogt. Zur Biogr. d. U. R. (BBKG 1. 1887/88, 165 ff.).
O. Seitz. Die theologische Entwicklung d. U. R. (Diss.). Gotha 1898.
Ders. Die Theologie d. U. R. Gotha 1898.
Ders. Die Stellung d. U. R. im Abendmahlsstreit (ZKG 19, 1899, 293–328).

Th. Kolde. Zum Briefwechsel Luthers mit U. R. (BBKG 8, 1902. 114–130).

F. Roth. Augsburgs Ref.-Gesch. 2 (Leipzig 1904).

W. Köhler. Zwingli und Luther. 1, 1924, 247 ff.

R. Stupperich. U. R. u. die vier Brennpunkte der Reformation, in: Westfalen (Westfalen 45, 1967, 22–34).

R. Gerecke. Studien zu d. U. R. kirchenregimentlicher Testifikation. Göttingen 1977.

Ders. U. R. als Superintendent in Lüneburg (Gedenkschrift. Ref. vor 450 Jahren). Lüneburg 1980, 71–88.

M. Liebmann. U. R. u. d. Anfänge d. Reform. (RGST 117). Münster 1980.

Stephan Riccius

*25. 12. 1512 in Kahla
†1588 in Lissen bei Osterfeld

Stephan Reich besuchte die Lateinschule in Jena und ging 1529 zum Studium nach Wittenberg. Außer in der artistischen Fakultät hörte er auch Vorlesungen bei Luther, Melanchthon, Jonas und Cruciger. Als ihm das Geld für das Weiterstudium ausging, empfahl ihn Melanchthon dem Johann Stratius in Posen als Lehrer der griechischen Sprache. Nach anderthalb Jahren kehrte er nach Wittenberg zurück und erwarb 1536 den Magistergrad. Nun wurde er Schulmeister in Jena und heiratete. Dasselbe Amt nahm er bald darauf in Saalfeld wahr, ehe er 1542 dort zum Diaconus berufen wurde. Kurze Zeit war er Pfarrer in Langenschede. Dann wurde er in seine Vaterstadt Kahla berufen. Doch war dies eine unglückliche Entscheidung. Mit der Gemeinde ergab sich kein gutes Verhältnis. 1558 wurde das haltlose Gerücht aufgebracht, seine Frau habe Ehebruch getrieben. Es kam zu einem hochnotpeinlichen Prozeß. Die Frau wurde öffentlich ausgepeitscht und des Landes verwiesen. R. glaubte an die Unschuld seiner Frau. Er gab sein Amt in Kahla auf und zog in die Nähe von Weißenfels, wo er das Pfarramt in Lissen übernahm. Hier hatte er die Möglichkeit, neben seinem pfarramtlichen Dienst eine rege schriftstellerische Tätigkeit zu entfalten. Außer zahlreichen Schulbüchern, Ausgaben und Übersetzungen antiker Autoren gab er eine Reihe von Luthers und Crucigers biblischer Auslegungen heraus. Wie manche andere Theologen dieser Zeit wußte er das humanistische Erbe mit der reformatorischen Theologie zu verbinden.

E. Koch. Magister S. R., sein Leben und seine Schriften. Meiningen 1886.

R. Herrmann. Mag. S. R., in: Luther in Thüringen, hg. v. R. Jauernig. Berlin 1952, 207–212.

R. Stupperich. Melanchthon und die polnischen Humanisten, in: Fragen der polnischen Kultur im 16. Jahrhundert, hg. v. R. Olesch und H. Rothe. Gießen 1980, 370.

Johann Riebling

*1494 in Hamburg
†1554 ?

Herkunft und Kindheit liegen im Dunkel. Auch über seine Ausbildung liegen keine Nachrichten vor. 1529 trat er als Prediger an der Katharinen-Kirche in Braunschweig hervor. Herzog Heinrich von Mecklenburg lernte ihn dort kennen und berief ihn als Superintendenten seines Landesteils nach Parchim. Dort stellte er eine Kirchenordnung auf, für die er die niederdeutsche Übersetzung der Brand.-Nürnbergischen K. O. von 1533 verwendete. Gleichzeitig gab er auch eine Agende (Ordeninge der Misse) (Sehling 5, 150 ff.) heraus. Als praktischer Kirchenmann setzte er sich auch für Visitationen (1535 und 1540/41) ein, bei denen die wirtschaftlichen Grundlagen des Kirchenwesens gesichert wurden. Darüber liegt ein Protokoll vor. Ebenso war er bestrebt, den Gottesdienst einheitlich zu gestalten. Dazu hielt er Predigersynoden ab. Da ein Drittel der Bevölkerung noch der alten Kirche anhing, ging der Kampf um die Reformation noch weiter. Unter dem neuen Herzog Johann Albrecht, der entschiedener auftrat, verfaßte R. eine neue K. O., die der Rostocker Professor Aurifaber Melanchthon vorlegte und die dieser ergänzte. Sie enthielt in der Druckausgabe als ersten Teil sein Examen ordinandorum; der zweite Teil enthielt die Beschreibung der kirchlichen Ämter und Ordnungen. Nach dieser K. O. visitierte R. gemeinsam mit dem Güstrower Propst Oemeken und Joh. Aurifaber. Es war R's letztes Werk. Sein Wirken war für die Ev. Kirche Mecklenburgs maßgebend.

ADB 28 (1889), 507 f.
A. Vorberg. Einführung der Reformation in Rostock (SVRG 58). 1897.
E. Sehling. Einleitung zur K. O. von Mecklenburg. Bd. 5, 128 ff.
K. Schmaltz. KG von Mecklenburg, 2, Schwerin 1936, pass.

Bartholomäus Rieseberg

*24. 8. 1492 in Wiest bei Gardelegen
†10. 8. 1566 in Gardelegen

R., der erste evangelische Pfarrer und Reformator von Gardelegen in der Altmark, stammt aus dem benachbarten Dorf Wiest. Da er seinen Vater früh verloren hatte, wuchs er bei dem Großvater in bäuerlichen Verhältnissen ohne jede Schulbildung auf. Erst dem 17jährigen erschlossen sich die Anfangsgründe der Wissenschaft, die ihm der Küster vermittelte. Nachdem er die Schule in Gardelegen besucht hatte, wurde er Schulgeselle in Öbisfelde und an anderen Orten. Bereits 1518 ist R. in Wittenberg und blieb hier 1 Jahr. Um sich die Mittel zum weiteren Studium zu verdienen, ging er immer wieder in die Schularbeit nach Güstrow, Berlin und anderwärts, um dann nach Wittenberg zurückzukehren.

1521 vertrat er die neue Lehre beim Gastmahl in Gardelegen und hat trotz des Gegensatzes auch in der Umgegend gepredigt. R. führte auch weiterhin ein Wanderleben, aber nun nicht mehr als Schulgesell, sondern als Prädikant, erst in Magdeburg, dann in Immenhausen in Hessen, wo er als Unruhestifter verhaftet und ins Verließ gebracht war. Er konnte aber entkommen und nach Wittenberg gehen. Luther brachte ihn als Pfarrer nach Schweinitz, wo er dem vertriebenen dänischen König Christian II. nahetreten durfte. R. stand im Ruf, ein guter Prediger zu sein. Seit 1528 ist er Pfarrer in Brehna, seit 1534 in Seyda. Als R. im Sommer 1539 nach Gardelegen schrieb, sie müßten nicht als letzte der Reformation sich anschließen, raffte sich die Stadt auf. Am 11. Nov. 1539 konnte R. durch seine Predigt über Röm. 1,16 der Reformation zum Durchbruch verhelfen. Im folgenden Jahre siedelte er nach Gardelegen über. R. war der Mann, der alles mit Luther besprach, ehe er handelte. Im Sept. 1541 war hier die Kirchenvisitation. R's Auftreten war so energisch, daß kein Gegensatz zu bemerken war. Auch später hielt er die luth. Linie unentwegt fest und wandte sich gegen die Philippisten. 26 Jahre wirkte R. in Gardelegen.

A. Parisius. Barth. Rieseberg, ein altmärk. Stadtpfarrer der Reformationszeit (JBrKG I, 1904, 236–63).
O. Hütteroth. Althessische Geistliche der Reformationszeit. Marburg 1953, 282.

Erasmus Ritter

*?
†1. 8. 1546 in Bern

R's Geburtsort und -jahr sind unbekannt. Berichtet wird, daß er aus Bayern stammt und in Rottweil als Prediger wirkte. Der Rat von Schaffhausen berief 1523 den altgläubigen R., damit er dem für die Reformation eintretenden Dr. Sebastian Hofmeister OFM entgegenwirkte. Die Bürgerschaft stand zum großen Teil schon auf seiten Hofmeisters. R. blieb ohne Erfolg, auch als er die Messe deutsch zu lesen begann. Um Hofmeister mit den eigenen Waffen zu schlagen, las er eifrig in der Bibel und wurde dabei selbst zu ihrem Verfechter. Nun wirkten die anfänglichen Gegner zusammen. Auch der Abt wandelte die Abtei in eine Propstei mit 12 Kapitularen um und übergab die Gerechtigkeiten des Klosters dem Rat. Das Jahr 1525 brachte Rückschläge. Während Hofmeister durch seine Heftigkeit der Sache schadete, verhielt sich R. vorsichtig, gestärkt durch Zwinglis Zuspruch. Die Lage in Schaffhausen war gesichert, als Bern und Basel die Reformation durchführten. Messe und Zölibat wurden abgeschafft. R. heiratete die Schwester des letzten Abtes, die vorher Nonne gewesen war. Schwierigkeiten entstanden durch Wiedertäufer und durch die harte Stellung Burgauers, der von der zwinglischen Abendmahlslehre abgestoßen war. Die Bürger ergriffen im Streit ihrer Pfarrer, der bei der Einführung der neuen Kirchenordnung zum Ausbruch kam, Partei. Die beiden Pfarrer wurden entlassen. R., der noch im Januar 1536 Schaffhausen auf dem Konvent in Basel vertreten hatte, ging nun nach Bern. Dort erreichte er einen theologischen Wechsel. R. traf jetzt mit Calvin zusammen und nahm dessen Richtung an, die sich allmählich in der deutschen Schweiz immer mehr durchsetzte.

ADB 29 (1889), 767f.
RE 17 (1905), 39ff.

Paul vom Rode

*4. 1. 1489 in Quedlinburg
†12. 1. 1563 in Stettin

R. studierte 1513 in Wittenberg und wirkte dann als Prediger im brandenburgischen Jüterbog. Auf Luthers Veranlassung ging er nach Stettin (März 1523). Anfangs predigte er unter freiem Himmel. Herzog Bogislav hörte seine Predigt am 4. 6. 1523 und beanstandete sie nicht. R. erhielt die Nachmittagskanzel in St. Jacobi, bald unterstützt von Knipstro und vom Hofe. Als Joh. Amandi ihn wegen seiner maßvollen Art angriff, wurde er als Anstifter zu Unruhen in Garz in den Turm gelegt (bis 1528), R. aber als Pfarrer an St. Jacobi anerkannt. Mit der Durchführung der Reformation in ganz Pommern (1534/35) ist R. eng verbunden. Er war auch an der Abfassung der K. O. beteiligt. Nur die wirtschaftliche Sicherstellung war in Pommern für die Pastoren nicht erreicht worden. Als Luther Paul v. R. 1537 in Schmalkalden traf und dieser ihm seine Notlage schilderte, empfahl Luther ihn nach Lüneburg, das einen Superintendenten suchte. R. sagte zu, während Herzog Barnim ihn zur Rückkehr bewegen wollte und die Stadt Lüneburg veranlaßte, ihren Superintendenten für drei Monate zu beurlauben, um die Visitation in Pommern zu Ende zu führen. Lüneburg gewährte den Urlaub, mußte es aber erleben, daß R. nicht wiederkam. Seit 1541 hielt R. mit den beiden anderen pommerschen Superintendenten für die Pastoren Generalsynoden ab, die jährlich stattfanden. Schon bei der ersten wurde die Agende verabschiedet. In seinen letzten Jahren wehrte R. tapfer den Osiandrismus in Pommern ab.

ADB 29 (1889), 7–10.
Briefe z. Gesch. d. P. v. R. (Balt. Studien 21, 1866, 128–147).
H. Franck. P. v. R. (Balt. Studien 22, 1868, 59–120).
Ds. Das ev. Kirchenlied in Pommern (Balt. Stu-

dien 28, 1878, 87 ff.).

F. Bahlow. Reformationsgeschichte der Stadt Stettin. Stettin 1920.

H. Heyden. Kirchengeschichte Pommerns. 2 Bde. Köln 1952.

Ders. Ein Br. d. Reformators P. v. R. an die Stadt Gollnow (Neue Aufs. z. KG Pommerns). Köln 1965, 35–40.

R. Stupperich. Zur Gesch. d. Superintendentenamtes der Stadt Lüneburg (1531–1540). Briefwechsel der Stadt mit Urbanus Rhegius, H. Bonnus, P. v. R. und Herzog Barnim von Pommern (JGNKG 65, 1967, 117–141).

Patroklus Römeling

*1481 in Borgeln bei Soest
†April 1571 in Diepholz

R. war frühzeitig in den Franziskanerorden eingetreten. In den Jahren der Entscheidung hielt er sich nicht mehr an die Klosterordnung. Der Guardian beklagte sich über ihn und schickte ihn nach Bonn und Osnabrück. Nach anderer Überlieferung stieg er bis zum Lesemeister in Osnabrück auf. Dort lernte ihn Graf Friedrich d. Ä. von Diepholz kennen und berief ihn 1528 als Prediger in seine Grafschaft. R. wirkte in erwecklichem Geiste. Den Lehrstreitigkeiten stand er fern. Über seine Gelehrsamkeit bzw. innere Haltung läßt sich schwer etwas aussagen. Aus den theologischen Differenzen der Zeit konnte er sich nicht ganz heraushalten, da er zeitlebens Anhänger Luthers blieb. Im Dezember 1560 wurde er vom Grafen Johann zum Landessuperintendenten ernannt und wurde zum Reformator der ganzen Grafschaft. Trotz der Annahme des Interims gab es in der Glaubenshaltung im Lande keine Schwankungen. R. hatte es vermocht, eine feste reformatorische Grundlage zu schaffen. Es war ihm freigestellt, eine eigene Kirchenordnung aufzustellen, doch hat er von dieser Erlaubnis keinen Gebrauch gemacht. Welche Maßnahmen er im einzelnen er-

griff, ist nicht bekannt.

W. Kinghorst. Die kirchlichen Verhältnisse der Grafschaft Diepholz im Jahrhundert der Reformation. Diepholz 1917.

H. Schwartz. Geschichte der Reformation in Soest. Soest 1932.

E. Sehling. Die ev. Kirchenordnungen im 16. Jh. 6, 2. Tübingen 1957, 1125 f.

Georg Rörer

*1. 10. 1492 in Deggendorf/Donau
†24. 4. 1557 in Jena

R. kam in jungen Jahren zum Studium nach Leipzig (1511) und blieb dort bis 1520, wo er den Magistergrad erhielt. Dann ging er nach Wittenberg. Luther schätzte ihn und machte ihn zu seinem Famulus. Auch mit Bugenhagen war er verbunden, dessen Schwester er 1526 heiratete. Als die junge Frau im nächsten Jahr an der Pest starb, nahm Luther R. mit seinem kleinen Sohn in sein Haus. Aus seiner zweiten, 1528 geschlossenen Ehe hatte R. noch vier Kinder. Seit 1525 war R. Diakonus an der Stadtkirche; zu diesem Amt hatte ihn Luther ordiniert.

Bekannt geworden ist R. durch seine Arbeit an Luthers Schriften: Er schrieb seine Predigten, Vorlesungen und Tischreden nach. Sein nahes Verhältnis zu Luther brachte es mit sich, daß er diesen häufig auf seinen Reisen begleitete. Er arbeitete immer theologisch weiter und promovierte 1535 zum Dr. theol. Beide Ämter konnte er aber auf die Dauer nicht erfüllen und legte 1537 sein Pfarramt nieder, um sich ausschließlich der Edition der Luther-Schriften zu widmen. Bei der Bibelrevision führte er das Protokoll. Die Gesamtausgabe der Lutherschriften ist sein Werk. Nach dem Schmalkaldischen Kriege stockte diese Arbeit, und R. geriet in Not. Er folgte daher der Einladung des dänischen Königs, seine Arbeit in Kopenhagen fortzusetzen. Dort bekam ihm aber die Luft nicht. 1553 kehrte er ins ernestinische Sachsen zurück. In Jena begann er mit der Jenaer Luther-Ausgabe (1555), von der er bis zu seinem Tode 4 Bände herausgab. Seine Sammlungen aus drei Jahrzehnten kommen der Lutherforschung noch immer zugute.

RE 24 (1913), 426 ff.
B. Klaus. G. R., ein bayrischer Mitarbeiter M. Luthers (ZKG 26, 1957, 93–143).

Bartholomäus Rosinus

*ca. 1520 in Pößneck
†17. 12. 1586 in Regensburg

Sein Vater Peter Rosfeld kam aus der Nähe von Coburg und ließ sich in Pößneck nieder. Dort besuchte R. die Lateinschule und studierte von 1536 an bis zum Magisterexamen in Wittenberg. Melanchthon empfahl ihn als Schulmeister nach Eisenach, danach war er dort acht Jahre lang Diaconus. R. fühlte sich so sehr als Schüler Luthers, daß er sich den Flacianern anschloß. 1559 wurde er als Superintendent nach Weimar berufen. Als der Herzog Johann Friedrich d. M. sich nicht ohne Zutun seines Kanzlers Christian Brück den Flacianern entfremdete, ließ er durch den Jenaer Professor Victorin Strigel die Declaratio Victorini aufsetzen, die alle Pfarrer unterschreiben sollten. R. verweigerte die Unterschrift und blieb fest, auch als der Herzog selbst ihn umzustimmen suchte. R. verließ Weimar. Nach 5 Jahren berief ihn der neue Herzog Johann Wilhelm zurück. Als er aber starb (1573) und Kurfürst August die Regentschaft übernahm, mußte R. wieder weichen. Niemand wagte, den vertriebenen Flacianer aufzunehmen, bis er endlich eine Berufung nach Regensburg erhielt. Dort hat er noch 12 Jahre wirken können.

Dabei entfaltete er ein großes diplomatisches Geschick. In den theologischen und politischen Auseinandersetzungen bewährte er sich als standhafter Charakter und überzeugungstreuer Theologe. Mit Simon Musaeus arbeitete er an der schönburgischen Konferenz; drei Lutherpredigten aus Rörers Nachlaß gab er heraus, vor allem aber die »Fragstücke« zu Luthers Kleinem Katechismus, die noch bis ins 19. Jahrh. Verwendung fanden. Die Zeitgenossen priesen ihn als vorzüglichen Prediger und begabten Organisator.

ADB 29 (1889), 237 ff.
R. Herrmann. B. R., seine Sippe und seine Eisenacher Zeit (Mitt. d. Eisenacher Gesch.-Vereins 6, 1937, 22–36).
R. Herrmann. B. R. (Luther in Thüringen, hg. v. R. Jauernig. Berlin 1952, 212–220).

Jakob Runge

*15. 6. 1527 in Stargard
†11. 1. 1595 in Greifswald

Als Sohn eines Leinewebers war R. in Stargard aufgewachsen, besuchte dort die Schule und kam 1542 auf das Pädagogium nach Stettin. Von hier ging er zum Theologiestudium nach Wittenberg, wo er noch Luther hören konnte. Zu Melanchthon gewann er ein näheres Verhältnis, nicht aber zu seinem Landsmann Bugenhagen. Zeitlebens war er überzeugt, daß Luther und Melanchthon in der Lehre übereinstimmten. Die Kriegswirren ließen ihn nach Greifswald zurückkehren. Bereits 1547 erhielt er ein Lehramt in der Artistischen Fakultät, 1552 wurde er Stadtpfarrer an St. Marien und Prof. der Theol. und nahm an allen kirchlichen Ereignissen teil. Den Ruf als Pfarrer an St. Lorenz in Nürnberg lehnte er ab. Dem Gen.-Sup. Knipstro versprach er, in Pommern zu bleiben. 1556 wurde er sein Nachfolger. Mit Melanchthon ging er 1557 zum Rel.-Gespr. nach Worms und kehrte erst im Januar 1558 in die Heimat zurück. Hier warteten auf ihn große Aufgaben: Abwehr des Osiandrismus, Fürsorge für die Pfarrer, Aufstellung einer neuen K. O. (1563). Die Treue zu seinem Lehrer Melanchthon bewies er dadurch, daß er das Corpus doctrinae Philippicum auf der Synode als Lehrnorm annehmen ließ. Als Professor der Theologie wie als Generalsuperintendent hatte er keinen leichten Stand, doch war er geschickt, dogmatische wie rechtliche Schwierigkeiten aus dem Wege zu räumen. Sein letzter Kampf ging um die Anerkennung des Konkordienbuches. Der Tod des jungen Herzogs und Verluste in der eigenen Familie haben ihn müde gemacht, nachdem er sich sein Leben lang für die ev. Kirche Pommerns eingesetzt und ihren Aufbau gesichert hatte.

ADB 29 (1889), 659 ff.
R. Dieckmann. J. R. (Monatsbl. f. pomm. Gesch. 17, 1903, 97 ff.).
O. Plantiko. Pommersche Reformationsgeschichte. Greifswald 1922.
H. Heyden. Kirchengeschichte Pommerns 2, Köln 1957.
K. Harms. J. R. Ein Beitrag zur pommerschen Reform.-Gesch. Ulm 1961.

Johann Rurer

*? in Bamberg
† 1542 in Ansbach

J. R. trat als einer der tätigsten Vertreter der Reformationsbewegung im fränkischen Gebiet »unterhalb des Gebirges« hervor. Geboren war er in Bamberg, wohin seine Eltern aus dem oberfränkischen Hollfeld hingezogen waren. Über seine Jugend ist nichts bekannt. Studiert hat er möglicherweise in Ingolstadt. 1512 erhielt er eine Vikarie im St. Gumbertstift in Ansbach. Den angesehenen und bewährten Mann er-

nannte Markgraf Kasimir zu seinem Hofprediger. Bereits 1523 predigte er in Ansbach im reformatorischen Sinn. In ihm wird der Verfasser des Ev. Ratschlags zu erblicken sein. Am Palmsonntag 1525 hielt R. den ersten deutschen ev. Gottesdienst. Als Markgraf Kasimir in seinem Territorium eine neue Kirchenordnung einführen wollte, suchte Rurer ihn mit seiner »Christlichen Unterrichtung eines Pfarrherrn an seinen Herrn« umzustimmen. Diese 1526 erschienene Schrift, die aus 40 Punkten bestand, erregte Aufsehen und zog dem Verfasser den Unwillen des Landesherrn zu. R. verließ daher Ansbach, bevor er wie sein Freund, der Kanzler Georg Vogler, verhaftet wurde. R. wurde vom Herzog Friedrich von Liegnitz aufgenommen, wurde aber nach dem Tode des Markgrafen Kasimir in seine Heimat zurückgerufen und wieder als Stiftspropst eingesetzt, während Andreas Althamer Stadtpfarrer wurde. R. hat sich am Schwabacher Konvent beteiligt, an der Brandenburgisch-Nürnberger K. O. von 1533 mitgearbeitet und bei der zweiten Visitation der fränkischen Gebiete Initiative gezeigt. Er befand sich im Gefolge des Markgrafen Georg auf dem Reichstag in Augsburg 1530, wo er auch mehrfach predigte. Zuletzt entsandte ihn der Markgraf zu den Religionsgesprächen nach Hagenau und Worms.

RE 17 (1900), 245 f.
K. Schornbaum. Zur Lebensgeschichte des ersten ev. Pfarrers von Ansbach, Johann Rurer (BBKG 7, 1924, 148 ff. und 211 ff.).
Ders. Zur Stellung des Markgrafen Kasimir (BBKG 9, 1926, 245) (Beil. 1: Analecta Rureriana).
Ders. Die erste Brandenburgische Kirchenvisitation (BBKG 11, 1928, 7).

Heinrich Salmuth

*2. 3. 1522 in Schweinfurt
†20. 3. 1576 in Leipzig

H. S. ist geboren als Sohn des Georg Berniger, nannte sich aber nach seinem Stiefvater Sebastian Salmuth. Er besuchte die Schule in Schweinfurt, kam mit 14 Jahren nach Leipzig und begann dort zu studieren. Sein Großvater Pfeffinger wurde nach Einführung der Reformation Stadtsuperintendent in Leipzig, und Salmuth erhielt nach Abschluß seiner Studien 1552 dessen Pfarrstelle. Er hatte in zwei Fakultäten promoviert und wurde 1556 zum Professor der Theologie ernannt. Nach dem Tode Pfeffingers wurde er 1573 dessen Nachfolger als Stadtsuperintendent. In beiden Ämtern hat er ein Menschenalter hindurch gewirkt. Infolge schwacher Gesundheit konnte er nicht stärker in der Öffentlichkeit hervortreten. Literarisch ist er stärker wirksam geworden, vor allem durch seine Katechismuspredigten, die sein Sohn Johann posthum 1581 in Druck gab. Waren Katechismuspredigten schon früher üblich, so sind sie durch ihn erst recht beliebt geworden. Es liegen auch weitere Predigtsammlungen und zahlreiche Disputationen von ihm vor. Im allgemeinen vertrat er einen milden Philippismus. 1557 war er Generalvisitator für Thüringen. 1565 nahm er die Neuordnung der Universität Jena vor.

ADB 30 (1890), 272 f.
O. Beck. Johann Friedrich der Mittlere. Weimar 1858.
F. Zarncke. Urkunden und Quellen z. Gesch. d. Univ. Leipzig. Leipzig 1859.

Konrad Sam

*1483 in Rottenacker (Donau)
†20. 6. 1533 in Ulm

Sams Eltern sind unbekannt. Er besuchte die Schule in Ulm, ging zum Studium 1505 nach Freiburg und 1509 nach Tübingen. Über die folgenden Jahre hören wir nichts, bis er 1520 in Brackenheim bei Heilbronn als Prediger erscheint. Luther schreibt ihm am 1. 10. 1520 einen ermunternden Brief und schickt ihm einige seiner Schriften. Da Sam Eberlin bei sich beherbergt hatte, wurde er entlassen. Er wandte sich nach Ulm und wurde dort vom Rat als Prediger angenommen. Die Anstellung erfolgte für ein Jahr, doch gewann Sam die Bürger für sich, und bald leitete er die Kirche in Ulm. Da er aber kein Organisator war, konnte sich die neue Ordnung nicht recht durchsetzen. Charakterlich war Sam ein grader Mann und machte aus seiner zwinglischen Gesinnung kein Hehl. Mit Zwingli und Oekolampad stand er in Beziehungen. Daraus entstanden für ihn und die Gemeinde Schwierigkeiten. In seinem Katechismus richtete er sich teilweise nach Capito und nach Althamer. In der Abendmahlsfrage schwankte Ulm lange, 1531 setzte der Rat einen Neunerausschuß ein, der die Entscheidung vorbereiten sollte. Um zu einer Kirchenverfassung zu kommen, wurde Bucer geholt, der hier eifrig tätig wurde. Nun konnte erst das evangelische Abendmahl öffentlich gehalten werden. Sam befand sich in einer schwierigen Stellung. Zwinglis Tod wirkte auf ihn wie auf andere seiner Anhänger erschütternd. Auch als Ulm nach den Verhandlungen von Schweinfurt 1532 die CA annahm, blieb Sam Luther gegenüber voreingenommen. Die Reformation Württembergs erlebte er nicht mehr.

ADB 30 (1890), 304 f.
RE 17 (1906), 415 ff.
Th. Keim. Reformation der Reichsstadt Ulm.

Tübingen 1851.

G. Bossert. Zur Biographie von K. S. (Württ. Vierteljahrsh. 1889, 28).

W. Gußmann. Quellen und Forschungen z. Geschichte des Augsb. Bekenntnisses. 1, 1 Leipzig 1911, 383.

Erasmus Sarcerius

*19. 4. 1501 in Annaberg
†18. 11. 1559 in Magdeburg

Erasmus Sarcerius stammte aus Annaberg im Erzgebirge. Über seine Jugend erfahren wir kaum etwas. Er soll die Schule in Freiberg und die Universität in Leipzig besucht haben. Nach dem Tode seines humanistischen Lehrers Peter Mosellanus († 1524) ist er nach Wittenberg gezogen und hat sich Luther u. Melanchthon angeschlossen. In den folgenden Jahren soll er zuerst in Österreich, später in Rostock und in Lübeck an Schulen tätig gewesen sein. Schon in diesen Jahren machte er sich durch seine Schriften einen Namen. 1536 ist er daraufhin als Rektor der Lateinschule nach Siegen berufen und im folgenden Jahre vom Grafen Wilhelm von Nassau zum Superintendenten des Landes bestellt worden. Mit Eifer führte er hier die Visitation durch und hielt Synoden ab. In seinen theologischen Arbeiten prägt sich seine pädagogische Erfahrung aus. Sarcerius schrieb Katechismen, praktische Schrifterklärungen und veröffentlichte Predigten. Den gleichen Motiven entstammt sein dogmatisches Kompendium »Methodus divinae scripturae locos praecipuos explicans« 1539/40. Seine Arbeitskraft muß groß gewesen sein. So hat er während des Reformationsversuchs des Erzbischofs Hermann von Wied als Prediger in Andernach und 1545 im Ländchen Babenhausen gedient. Während er noch in Nassau wirkte, erhielt er einen Ruf als Professor nach Leipzig, aber Graf Wilhelm ließ ihn nicht fort. Nach dem Interim konnte ihn freilich auch der Graf nicht halten. Sarcerius hoffte, zuerst nach Lübeck oder Rostock zu kommen, entschloß sich aber schließlich, das Pfarramt an St. Thomas in Leipzig zu übernehmen. Durch seine Tätigkeit im Westen wie in seiner sächsischen Heimat gewann er in kirchlichen Kreisen großen Einfluß. Die Zeitgenossen hielten ihn für eine bedeutende Gestalt und behandelten ihn mit großem Respekt. Von Leipzig wurde Sarcerius als Superintendent nach Mansfeld berufen, wo er als Visitator und Organisator ein großes Wirkungsfeld vor sich sah. Die Grundlegung dafür gab er in seiner Schrift »Form und Weise einer Visitation für die Graf- und Herrschaft Mansfeld« 1554. Als streng lutherisch gerichteter Theologe hatte er hier gegenüber den Majoristen keinen leichten Stand. Seine Haltung entfremdete ihn schließlich seinem früheren Lehrer Melanchthon völlig, dem er beim Wormser Religionsgespräch 1557 gegenüberstand. Aus seiner kirchlichen Wirksamkeit sind zahlreiche Schriften erwähnenswert, so sein »Vorschlag einer Kirchengemeinde«, sein »Prozeßbüchlein« 1556 oder sein »Pastorale oder Hirtenbuch vom Amt, Wesen und Disziplin der Pastoren«, 1559. Sarcerius wird als tief frommer, theologisch selten belesener Mann gerühmt. Daß er in den innerprotestantischen Auseinandersetzungen Stellung nehmen mußte, darf uns nicht wunder nehmen. Ein selbständiger theologischer Denker ist er nicht gewesen, meinte er doch der Linie Luthers folgen zu können. Im Grunde ist er um das religiöse Leben besorgt und hat immer die praktischen kirchlichen Fragen im Auge behalten. Seelsorge und Kirchenzucht sind seine Hauptanliegen. Auch im konfessionellen Kampf ist er nicht ohne Erfolg aufgetreten. Durch die Verhältnisse in Mansfeld dazu bestimmt, nahm er 1559 den Ruf als Senior nach Magdeburg an. Nach seiner 4. Predigt ist er dort gestorben.

RE 17 (1906), 482ff.

M. v. Engelhardt. E. S. in seinem Verhältnis zur Gesch. d. Kirchenzucht und des Kirchenregiments (ZHTh 20, 1850, 70ff.).

A. W. Röselmüller. Das Leben und Wirken des E. S. Annaberg 1888.

G. Eskuche. E. S. als Erzieher und Schulmann. Schul-Progr. Siegen 1901 (m. Schriftenverzeichnis).

H. E. Weber. Refor., Orthodoxie und Rationalismus, 1, Gütersloh 1937, 200–203.

R. Stupperich. E. S. (Zs. Siegerland 44, 1967, 33–47).

Martin Schalling

(d. Ä. u. d. J.)

*? Ortenberg/Oberhessen
†27. 2. 1537 in Straßburg

Als Freund Martin Bucers kam *Martin Schalling d. Ä.* nach Straßburg, seit 1537 Diaconus an Jung-St. Peter, 1542 Pfarrer in Wolfach im Kinzigtal. Der Graf von Fürstenberg berief ihn nach Donaueschingen. Jährlich visitierte er die Gemeinden der Grafschaft zusammen mit Hedio. Da er auf Lebenszeit angestellt war, konnte er auch nach dem Interim dort bleiben, zog es aber vor, nach Straßburg (1549) zurückzugehen. Von dort aus führte er die Reformation in Weitersweiler (Vogesen) durch. Für seinen Sohn schrieb er auf Bucers Veranlassung 1550 die Schrift De corpore et sanguine Christi in Eucharistia institutio, die dieser nach 25 Jahren in Wittenberg 1576 veröffentlichte.

Martin Schalling d. J., geb. in Straßburg 21. 4. 1532, studierte in Wittenberg, wurde 1554 Magister, kam als Diakonus nach Regensburg, geriet aber in Gegensatz zu Nikolaus Gallus und wechselte daher nach Amberg über. Als Kurfürst Friedrich III. von der Pfalz durch Olevian die reformierte Auffassung einzuführen suchte, widersetzte sich Sch. und suchte Rat in Wittenberg. Er mußte Amberg verlassen und ging nach Vilseck. Erst unter der Regierung Ludwigs VI. konnte er als Hofprediger und Superintendent nach Amberg zurückkehren. Bei den Konkordienbemühungen arbeitete er zuerst mit, setzte sich auch für seinen Lehrer Melanchthon ein, zog sich aber zuletzt doch zurück. Im Jahre 1585 wurde er Pfarrer in Nürnberg und konnte dort noch 20 Jahre wirken. Als Liederdichter machte er sich einen Namen. Er starb in Nürnberg 29. 12. 1608.

ADB 30 (1890), 566ff.

F. Medicus. Geschichte der ev. Kirche im Königreich Bayern. Erlangen 1863.

Ph. Wackernagel. Bibliographie. Leipzig 1855, 368.

K. Schottenloher. Die Widmungsvorrede des 16. Jhs. (RGST 76/77). Münster 1953, 143.

Christoph Schappeler

*um 1472 in St. Gallen
†25. 8. 1551 in St. Gallen

Über Jugend und Ausbildung ist nichts überliefert. Bis 1513 war er Schulmeister in St. Gallen und wurde dann als Pred. nach Memmingen berufen. Seine volkstümliche Redeweise erleichterte ihm hier die Arbeit. Da er unanfechtbar in seinem Leben und Wirken war, konnten ihm die Gegner auch in der Zeit religiöser Gärung, als er die ev. Partei ergriff, nichts anhaben. Seine Predigt rückte in dieser Zeit die sozialen Gedanken der Bibel stark in den Vordergrund. Seine Gedanken waren weniger von Luther als von Zwingli bestimmt, mit dem er ebenso befreundet war wie mit Vadian. Zwingli hätte ihn gerne wieder in der Schweiz gehabt, aber der Rat ließ ihn von Memmingen nicht fort.

Bei der Einführung der Ref. ging er vorsichtig vor. Er stellte die Bibel in den Mittelpunkt des kirchl. Lebens, um von dort aus an den bestehenden Zuständen mit aller Schärfe Kritik zu üben. Schnell gewann er die Bürgerschaft für die neue Lehre. Wie angesehen er war, zeigt die Tatsache, daß er des öfteren in seine Schweizer Heimat gerufen wurde und 1523 bei der 2. Züricher Disp. den Vorsitz führte. In Memmingen führten die Laien wie Lotzer inzwischen eine noch kühnere Sprache, und 1523 konnte er selbst den Aufruhr, den seine Predigten ausgelöst hatten, kaum noch dämpfen. Trotz des Verlangens des B. von Augsburg wollte der Rat ihn nicht gehen lassen, so daß der B. ihn 1524 mit dem Bann belegte und beim Schwäbischen Bund gegen die Stadt klagte. Am 7. 12. 1524 führte Schappeler dann das Abendm. unter beiderlei Gestalt ein. Für die Disp. vom 2.–7. 1. 1525 stellte er 7 Artikel als Bekenntnis seiner Lehre auf. Das Ergebnis war die Überwindung der Gegner, die alles Gott und dem Rat anheimstellten. Nun führte der Rat von sich aus die Ref. durch, für die er die Grundlage gelegt hatte.

In dieser Zeit brach der Bauernaufstand aus, in den er auch hineingezogen wurde. Zeitweise nannte man ihn sogar den Hauptführer. Er hatte zwar keinen direkten Verkehr mit den Anführern der Bauern, jedoch übermittelte ihnen Lotzer, ihr Schreiber, seine Gedanken. In welchem Maße er an der Abfassung der 12 Art. beteiligt war, ist ungewiß. Beim Schwäbischen Bunde wurde Memmingen als der Ursprungsort des Aufruhrs angesehen. Als die Stadt besetzt wurde, verließ Sch. sie und ging nach St. Gallen, wo er jahrelang ohne Amt lebte und vergeblich auf die Rückberufung in seinen alten Wirkungskreis wartete. Zu einer größeren Tätigkeit kam er nicht mehr.

ADB 30 (1890), 576.
RE 17 (1906), 523 ff.
F. Dobel. Memmingen im Zeitalter der Reformation. Augsburg 1877 f.
G. Franz. Entstehung der 12 Artikel (ARG 36, 1940, 193–213).

Georg Scharnekau

od. Scharneköper (Scarabaeus)

*1506 in Hannover
†15. 4. 1558 in Hannover

Über seine Anfänge ist nichts bekannt. Zuerst Minorit, wirkte Sch. als Prediger in Quedlinburg und wurde am 30. 8. 1532 an St. Georg in Hannover berufen. Der altgläubige Rat gab dem Verlangen der Bürger nach, einen ev. Prediger zu haben. Nach einem Jahr beschwerte sich Sch. vor dem Volk, daß der Rat das Evangelium hinderte. Obwohl Sch. Einfluß auf das Volk hatte, konnte er die Erregung nicht beilegen. Der alte Rat mußte abtreten. Urbanus Rhegius half, daß nicht Verhältnisse wie in Münster einrissen. Auch Sch. bewährte sich als besonnener Mann in trefflicher Weise. Zu seiner Unterstützung wurde Rudolph Moller aus Herford berufen. Vermutlich hat Sch. den Entwurf zu einer K. O. geschaffen, den Görlitz in Braunschweig und Rhegius begutachtet haben. Mit diesem Text wurde Sch. nach Wittenberg geschickt. Luther und Melanchthon waren mit ihm einverstanden, rieten aber, den niederdeutschen Wortlaut statt in Wittenberg in Magdeburg zu drucken (CR 3, 215). Amsdorf jedoch widerriet, und der Druck unterblieb (vgl. WA Br 7, 164). Den zweiten Entwurf schrieb Rhegius. Sch. wirkte 25 Jahre lang in seiner Vaterstadt, ab 1540 als Sup. Der Dienst war schwer. Mit großer Treue baute er die Gemeinde auf. Doch fehlte es nicht an Rückschlägen, die ihm schwere Anfechtungen einbrachten. Luther, der ihn genau gekannt haben muß, mahnte ihn, nicht allein zu bleiben, um der Anfechtungen Herr zu werden. In seinem Alter heiratete er daher eine ehemalige Begine (vgl. WA Br 9, 44).

H. Hamelmann. Opera genealogico-historica. Lemgo 1711, 927 ff.
G. Uhlhorn. Urbanus Rhegius. Elberfeld 1860, 272 ff.

G. Uhlhorn. Zwei Bilder aus dem Leben der Stadt Hannover. Hannover 1867.
W. Bahrdt. Geschichte der Reformation der Stadt Hannover. Hannover 1891.
J. Meyer. KG Niedersachsens. Göttingen 1939.

Jakob Schenck

*um 1508 in Waldsee
†1554 in Leipzig

J. Sch. war Schwabe. Nachdem er die Schule in Memmingen besucht hatte, ging er zum Studium nach Wittenberg, wo er 1526 inskribiert wurde. Er hörte Luther, Melanchthon und Jonas und erreichte auch den Magistergrad. Als Herzog Heinrich von Sachsen-Freiberg einen ev. Prediger suchte, fiel die Wahl auf ihn. Nicht nur am Hof, sondern auch von den Bürgern in Freiberg wurde er 1536 freudig aufgenommen. In Wittenberg erlangte er am 10. 10. 1536 den Theologischen Doktorgrad nach einer Disputation De potestate Concilii, für die Luther 30 Thesen aufgestellt hatte. Die Promotionskosten trug Herzogin Katharina. Sch. war ein eifriger und tapferer Prediger, der sich treu zu Luthers Lehre hielt. Die K. O. für Sachsen-Freiberg wurde von ihm geschrieben (Sehling I, 1, 465) und die Durchführung der Reformation ihm als Visitator und Obersuperattendent übertragen. Indessen ergaben sich bald zwischen ihm und Melanchthon theologische Differenzen. In Wittenberg als Antinomer verdächtigt, wurde bald seine Abberufung aus Freiberg gefordert. Auch sein Verhältnis zu Luther verschlechterte sich. Luther hielt ihn für vermessen. Nachdem Schenck aus Freiberg fortgegangen war, wirkte er eine Zeitlang in Weimar, erbat aber 1541 die Entlassung, um als Professor nach Leipzig zu gehen. Hier fand er viele Widersacher, die den Druck seiner Schriften verhinderten. Er verlor die Lehrbefugnis und wurde schließlich des Landes verwiesen. Er ging nach Berlin und war kurze Zeit Hofprediger des Kurfürsten Joachim II. Ob er wie sein Vorgänger Erasmus Alber entlassen worden ist und sich, wie seine Gegner behaupteten, zu Tode gehungert hat, ist fraglich. Jedenfalls war das Ende des Reformators, von dem große Wirkungen ausgegangen waren, ein trauriges.

ADB 31 (1890), 149ff.
RE 17 (1900), 555.
F. K. Seidemann. Dr. Jakob Schenck, der vermeintliche Antinom, Freibergs Reformator. Leipzig 1875.
P. Vetter. J. Sch. und die Leipziger Prediger 1541–1543 (NASG 12 [1891], 247ff.).
Ders. Luthers Stellung im Streit J. Sch's mit Melanchthon und Jonas (ebd. [1909], 76ff.).
Ders. Luther und Sch's Abberufung aus Freiberg (ebd. 32 [1911], 23ff.).
N. Müller. J. Sch., kurfürstlicher Hofprediger in Berlin (JBKG 2/3, 1907, 19ff.).

Johann Schlaginhaufen

(Schlainhauffen, Turbicida)

*Ende des 15. Jhs. in Mähren oder Niederbayern
†1560 oder 1561 in Köthen

Seine Herkunft ist unbekannt: Mähren oder Weil bei Regensburg. Luther sagt von ihm, er sei »in frischer Luft erzogen« (WA Br 7, 294), was für Höhenluft spricht; Näheres ist aber nicht auszumachen. Wenn Luther um diese Zeit von ihm sagt, daß er »nu zu den Jahren gehet«, muß er schon als reifer Mann 1531 in sein Haus gekommen sein. Nikolaus Hausmann in Dessau und Helt (Forchemius) schätzten ihn beide. Sch. wirkte zuerst im Dorf Zahna, bis er bald darauf als Pfarrer an die St. Jacobskirche in Köthen kam. Bei der Durchführung der Reformation drang er auf energische Maßnahmen. Den visitierten Pfarrern gab er die Gottesdienstordnung, die in Köthen gehalten wurde (Sehling 2, 258 ff.). Fürst Wolfgang, der zu ihm volles Vertrauen hatte, schickte ihn nach Schmalkalden, um die Schmalk. Artikel zu unterschreiben; auch sonst förderte er ihn nach Möglichkeit, hielt ihn aber in Köthen fest, wo er seit den 40er Jahren Superintendent wird. Mit anderen anhaltinischen Theologen verteidigte er zu Bernburg die C. A. Von seinem schriftlichen Nachlaß sind abgesehen von den wichtigen Aufzeichnungen der Tischreden Luthers (1531/32) nur einige Briefe an Helt und eine aufschlußreiche Predigt über Lc 10,23 erhalten.

ADB 31 (1891), 329 ff.
G. Bossert. J. Schlaginhaufen (ZKWL 1887, 7).

Johann Schnabel

* ?
† 27. 12. 1546 in Selb

Nachrichten über Schnabels Frühzeit fehlen. Es wird berichtet, daß er aus der Gegend von Ansbach stammt. Namentlich wird er zuerst genannt, als ihn Markgraf Georg 1528 zum Prediger am Spital in Kulmbach berief. Im folgenden Jahr wird er bereits als Superintendent bezeichnet und führt in dieser Eigenschaft die Visitation »auf dem Gebirg« durch. Für die Ordnung der Gemeinden setzte er sich mit großem Eifer und mit Tatkraft ein. Auf diese Weise schafft er in den ländlichen Gemeinden geordnete Verhältnisse. Durch seine Beharrlichkeiten setzte er sich trotz bestehender Schwierigkeiten überall durch. Bei der Visitation wurde gleich die Brandenburg-Nürnbergische Kirchenordnung eingeführt. Unterstützt haben ihn bei dieser Arbeit Ludwig Bauer, Simon Schneeweiß und Valentin Wanner. Trotz beengter Verhältnisse und kärglichem Einkommen blieb Sch. unentwegt bei der Arbeit und setzte in

seinem Bereich die Reformation überall durch. Infolge höfischer Intrigen wurde er aus Kulmbach verdrängt. Nun zog er sich nach Selb zurück, wo er auch sein Leben beschloß.

A. W. Heckel. Beispiele des Guten aus der Geschichte der Stadt Kulmbach. Kulmbach 1885.
W. Gußmann. Quellen und Forschungen zur Geschichte des Augsburgischen Glaubensbekenntnisses. 1, 2, Leipzig 1911, 333 f.
Th. Kolde. Zur Geschichte der Ordination und der Kirchenzucht (ThStKr 1894, 217–234).
H. Jordan. Ref. und gelehrte Bildung in Ansbach und Bayreuth 1–2. Erlangen 1917/22.

Tielemann Schnabel

* ca. 1475 in Alsfeld
† 27. 9. 1557 in Alsfeld

Schnabel war älter als Luther; vermutlich war er 1475 in Alsfeld in Hessen geboren. Über seine Jugend ist nichts Näheres bekannt. Wahrscheinlich ist er schon in jungen Jahren in den Augustinerorden eingetreten. Die Motive, die ihn ins Kloster führten, kennen wir nicht. Der Orden hat dann für seine Ausbildung gesorgt und ihn in seinem Studium generale in Erfurt studieren lassen. Schon im Erfurter Kloster ist Schnabel mit Luther zusammen gewesen, und dieser zog ihn auch nach Wittenberg. Da erwarb er sich alle akademischen Grade und erlangte schließlich am 6. 10. 1514 die Würde des Theologischen Doktors. Luther schrieb später an seinen Kurfürsten, Schnabel sei »die erste Creatur, die ich geschaffen habe, da ein junger Doktor den anderen macht«.
Seine Laufbahn im Orden begann Schnabel als Prior in Königsberg/NM. Später ist er nach Gerhard Hecker Provinzial der Thüringischen Ordensprovinz gewesen. Als aber die Augustiner 1521 in Scharen die Klöster zu verlassen begannen, ging auch Schnabel fort. Luther schenkte ihm damals

beim Abschied einen hebräischen Hand-psalter, den er selbst von Johann Lang erhalten hatte. Zunächst begab sich Schnabel in seine Vaterstadt Alsfeld, wo er als Prediger wirkte. 1523 mußte er aber die Stadt verlassen, da der Landgraf Philipp den evangelischen Glauben noch nicht zulassen wollte. Schnabel zog weiter nach Leisnig, wo er so bescheiden gestellt war, daß Luther an Spalatin schrieb, der Rat wollte wohl seinen Prediger durch Hunger vertreiben. Nach 3 Jahren bat ihn seine Vaterstadt zurückzukehren. Dort wirkte Schnabel bis zu seinem Tode. 1530 wurde er Superintendent. Lange Zeit war er der einzige hessische Geistliche, der den theologischen Doktorgrad besaß. Luther bedauerte es, daß Schnabel nicht nach Marburg berufen wurde. Wenn er das gewußt hätte, schrieb er später, hätte er ihn längst aus Alsfeld herausgeholt.

Wahrscheinlich aus Ärger über die Doppelehe des Landgrafen verzichtete Schnabel 1541 auf seine Superintendentur und wäre gern anderswo hingegangen. Verbittert schrieb er an Luther, daß es dem Evangelium in Hessen ginge »wie Christo in Herodes Hause«. Luther empfahl ihn seinem Kurfürsten als Prediger für Gera, aber daraus wurde nichts. Schnabel blieb Pfarrer in Alsfeld. In der Zeit des Interims trat er noch einmal kraftvoll hervor, sonst wurde es still um ihn.

ADB 32 (1891), 81 f.
O. Hütteroth. Althessische Pfarrer der Reformationszeit, Marburg 1953, 313.
Soldan, Zur Geschichte der Stadt Alsfeld, Gießen 1862, 24 ff.
H. Heppe, Kirchengeschichte beider Hessen, 1, Marburg 1876.
F. Herrmann, Dr. T. Sch., Alsfeld 1905.
E. Braune, Die Stellung der hessischen Geistlichen zu den kirchenpolitischen Fragen der Reformationszeit, Marburg 1932, 9.

Simon Schneeweiß

*? Znaim in Mähren
†25. 10. 1545 in Crailsheim

Wie und wann Sch. nach Franken gekommen ist, wissen wir nicht. Auch über seinen Bildungsweg ist nichts bekannt. Er tritt 1529 hervor, als er Hofprediger des Markgrafen Georg von Brandenburg-Ansbach wird. Dies wird nicht sein erstes Amt gewesen sein. Fünf Jahre darauf begegnen wir ihm als Pfarrer und Dekan von Crailsheim. In dieser Zeit arbeitet er gemeinsam mit Althamer und Rurer bei der Ausarbeitung von Gutachten. Die Stadt Crailsheim schickte ihn 1537 als Abgesandten nach Schmalkalden, wo er im Namen seiner Kirche Luthers Artikel unterschrieb. Auch zum Rel.-Gespr. nach Hagenau wurde er geschickt, kehrte jedoch nach vier Wochen zurück, da in Hagenau nichts geschah. Auf dem Rel.-Gespr. in Regensburg 1541 erschien er wieder, vermutlich im selben Auftrag, trat aber in keiner Weise hervor (vgl. WA 50, 253).

G. Schornbaum. Markgraf Georg von Brandenburg. Erlangen 1904, 164.
Th. Kolde. Die älteste Redaktion der CA. Erlangen 1906.
W. Gußmann. Quellen u. Darstellungen... 1, 1. Leipzig 1911, 275 f.
H. Jordan. Reformation und Bildung in Ansbach und Bayreuth. 1. Erlangen 1917, 215.

Johann Schneider

(siehe: Johann Agricola)

Erhard Schnepf

*1. 1. 1495 in Heilbronn
†1. 11. 1559 in Jena

So umfassend die reformatorische Tätigkeit Schnepfs gewesen ist, so gering ist die Überlieferung über seine Wirksamkeit und seine eigene Korrespondenz. Dabei gehört er als Reformator nicht nur seiner schwäbischen Heimat an, sondern wirkt als kirchlicher Organisator und Universitätslehrer zugleich in Nassau, Hessen und zuletzt in Thüringen.

Seine Eltern hatten ihn für den geistlichen Stand bestimmt. Nach der Vorbereitung an den Schulen seiner Heimatstadt studierte er 1509 in Erfurt, seit 1511 in Heidelberg. Ob er der Heidelberger Disputation Luthers beigewohnt hat, ist nicht zu erweisen. Aber er muß sehr früh für Luthers Lehre gewonnen sein. Als evangelischer Prediger ist er in Weinsberg schon 1520 aufgetreten. Von hier vertrieben, wirkte er als Prediger in Wimpfen und hat während des Bauernkrieges so stark auf die Aufständischen gewirkt, daß sie ihn zum Feldprediger haben wollten. Wie er schon damals sich an Luthers Richtung gehalten hat, so hat er sich auch später standhaft bewährt. Schon das Syngramma Svevicum trägt seine Unterschrift. Gemeinsam mit Brenz vertrat Schnepf während der Auseinandersetzungen über das Abendmahl die Wittenbergische Auffassung.

Graf Philipp von Nassau berief ihn als Prediger nach Weilburg, wo er an der Ref. mitwirkte und an der Homberger Synode teilnahm. Hier lernte ihn Landgraf Philipp von Hessen kennen und erwählte ihn zum Professor an der neugegründeten Universität Marburg. In den folgenden Jahren wirkte hier Schnepf als Lehrer, Pred. und Visitator. Wie Krafft, so wird auch er für die äußere Regelung des neuen Kirchenwesens in Anspruch genommen. Als Pred. begleitet er den Landgrafen zum Speyrer Reichstag 1529, wo er mit seiner Verkündigung Aufsehen erregte. Ebenso befand er sich in der Begleitung des Landgrafen auf dem Reichstag zu Augsburg 1530. Der Landgraf übergab ihm bedeutsame Aufträge. So ließ er ihn den evangelischen Standpunkt in einer Grundschrift für Heinrich VIII. von England darstellen.

Nach der Wiedergewinnung Württembergs berief ihn Herzog Ulrich, die Ref. im Lande durchzuführen. Schnepf entschloß sich trotz der Schwierigkeiten, die die gemeinsame Arbeit mit Ambrosius Blarer ergeben mußte, den Ruf der Heimat nicht auszuschlagen. Mit Blarer einigte er sich in der Abendmahlsfrage auf die Formel »daß Leib und Blut Christi wahrhaftig, das ist substanzlich und wesentlich, nicht aber quantitativ und qualitativ oder lokaliter gegenwärtig sei und gereicht werden«. Diese Formel der Stuttgarter Konkordie ließ zwar viele unbefriedigt, aber sie ist praktisch von großem Nutzen gewesen. Schnepf wirkte von Stuttgart aus im nördlichen Teil des Landes, während Blarer von Tübingen ausging. Trotz der klaren Abgrenzungen hat es an Mißstimmungen nicht gefehlt, so daß der Landgraf, Melanchthon und andere zwischen ihnen vermitteln mußten. Bei der Abfassung aller maßgeblichen kirchlichen Ordnungen ist Schnepf beteiligt gewesen und wohnte auch den Religionsgesprächen in Worms und Regensburg bei. Seine Stellung beim Herzog blieb aber nicht die alte, so daß er es vorzog, 1544 als Professor nach Tübingen zu gehen, wo er über das AT und Dogmatik las. Auch die Leitung des Stiftes fiel ihm hier zu.

Nach 14 Jahren vertrieb das Interim, gegen das er scharf auftrat, den Reformator aus seiner Heimat. Nun waren es die Söhne Johann Friedrichs von Sachsen, die ihn aufnahmen und ihm in Jena eine neue Wirkungsstätte bereiteten. Er bekam eine Lektur an der neuen Hochschule und die Superintendentur Jena. Den Ruf nach Rostock lehnte er ab. Neben seinem Schwiegersohn Viktorin Strigel ist Schnepf um diese Zeit der bedeutsamste Theologe Jenas und ein einflußreicher Vertreter der thüringischen Kirche. Freilich geriet er hier bald unter den Einfluß Amsdorfs und der Flacianer, so daß er selbst mit Melanchthon und seinen württembergischen Freunden zerfiel. Als Flacius 1557 sein Kollege wurde, ließ sich Schnepf erst recht auf seine Seite ziehen. Beim Wormser Religionsgespräch 1557 mied er sogar den Umgang mit Brenz und seinem einstigen Schüler Jakob Andreae. Mit den Flacianern verließ er das Rel.-Gespr. und arbeitete, wenn auch ungern, am Konfutationsbuch mit. Die Zuspitzung der theologischen Lage in Jena hat er nicht mehr erlebt. An seinem 64. Geburtstag ist er gestorben. Schnepf gehört zu den Theologen der Reformationszeit, die zwar wenig geschrieben haben, aber nichtsdestoweniger in hohem Ansehen standen und als Prediger und Theologen Vertrauen genossen und Einfluß ausübten.

ADB 31 (1891), 168ff.
RE 17 (1906), 670ff.
J. Hartmann, Erhard Schnepf, der Reformator von Schwaben, Nassau, Hessen und Thüringen. Tübingen 1870.
T. Schieß, Briefwechsel der Brüder Ambrosius und Thomas Blaurer, Band 1–2. Freiburg 1910.
P. Gundlach, Catalogus professorum academiae Marpurgensis Nr. 2. Marburg 1927.

Johann Schnitter

(siehe: Johann Agricola)

Johannes Schradin

*? in Reutlingen
†Ende 1560 oder Anfang 1561 in Reutlingen

Wie von vielen anderen Zeitgenossen läßt sich von J. Sch's Kindheit und Jugend nichts ermitteln. Er wird in Tübingen Artes oder auch Theologie studiert haben und war in seiner Vaterstadt neun Jahre lang Lehrer an der Lateinschule. In Einklang mit dem Pfarrer Matthäus Alber schloß er sich der Ref. an. Mit Brenz und Melanchthon stand er im Briefwechsel. Im Abendmahlstreit wandte er sich gegen Konrad Sam (1527). Beim Marburger Religionsgespräch war er zugegen, wurde aber zur Hauptdisputation nicht zugelassen. Da Reutlingen auf dem Augsburger Reichstag die C. A. unterschrieb, stand die Bürgerschaft ganz auf Luthers Seite. Mit Alber reiste Sch. 1536 nach Wittenberg zum Abschluß der Konkordie. Im Schmalkaldischen Kriege dichtete er zwei Lieder, die zum Widerstand aufriefen. Daher mußte Sch. nach dem Interim seine Vaterstadt verlassen und hielt sich in Neuffen und Frickenhausen auf. 1553 berief ihn Graf Georg von Württemberg, dem Mömpelgard gehörte, zu seinem Hofprediger, bis Sch. 1557 wieder nach Reutlingen zurückkehren konnte.

ADB 32 (1891), 438f.
K. Friedrich. Die Schulverhältnisse in Reutlingen. Reutlingen 1887/89.
Histor. Volkslieder der Deutschen. Bd. 4, hg. v. D. v. Liliencron. Kiel 1892, 302–319.
F. Vötterer. J. Sch. (Progr. d. Gymn. Reutlingen). Reutlingen 1893, 21–71.

Gervasius Schuler

*1495 in Straßburg
†1563 in Lenzburg

Sch. war Straßburger Kind. In jungen Jahren begab er sich nach Zürich und wurde Zwinglis Gehilfe. Nach 1524 ist er wieder in Straßburg. Der Rat weist ihn 1525 als Pfarrer in Bischweiler ein. Die Gemeinde hatte darum gebeten. In dieser Zeit veröffentlichte Sch. eine Auslegung des Vaterunsers. Im Bauernkrieg hatte er einen schweren Stand. Er zog sich nach Straßburg zurück. An Alt-St. Peter machten ihm nicht nur die Altgläubigen, sondern auch die Wiedertäufer zu schaffen. Gegen sie veröffentlichte er »Ein christlich lied«. Die Kapitelherrn von Alt-St. Peter erreichten jedoch seinen Abzug. Sch. ging nach Memmingen, wo er sich energisch für die Durchführung der Ref. einsetzte. Der Rat entsandte ihn häufig zu Verhandlungen. Als solcher nahm er am Reichstag in Augsburg teil. Dort unterschrieb Memmingen die Augsburgische Konfession. Sechs Jahre später hatte er in gleicher Eigenschaft die Reise nach Wittenberg zu unternehmen; dort unterschrieb er für seine Stadt die Wittenberger Konkordie. Durch das Interim wurde er aus Memmingen verdrängt und hielt sich 1548 bis 1550 in Zürich auf. Seinen Lebensabend verbrachte er in Lenzburg.

F. W. Culmann. Skizzen aus G. Sch's Leben. Stuttgart 1855.
A. Wrede. Reformation in Memmingen (Memminger Geschichtsblätter 7, 1921, 9–14).
J. Adam. Ev. KG der elsässischen Territorien. Straßburg 1928, 201.

Theobald Schwarz

(Nigri, Niger)

*1485 in Hagenau oder Straßburg
†1561 in Straßburg

Diebold Schwarz war in jungen Jahren in den Dominikanerorden eingetreten. Er studierte in Wien und kam dann ins Kloster Stefansfeld. In dieser Zeit muß in ihm eine Wandlung vorgegangen sein. Seit 1523 in Straßburg, wurde er Zells Helfer und hat als erster im Straßburger Münster eine deutsche Messe und ein Abendmahl unter beiderlei Gestalt gehalten. Von ihm liegt auch die älteste Niederschrift einer solchen Ordnung vor. Der Rat bestätigte seine Wahl zum Pfarrer von Alt-St. Peter. Dieses Amt hat er über 20 Jahre verwaltet. 1534 lieh ihn Straßburg für neun Monate nach Augsburg aus. 1538 reiste er mit Zell nach Wittenberg, wo er von Luther freundlich aufgenommen wurde. In der Interimszeit lebte er ohne Amt in Straßburg. Nach Hedios Tod trat er an dessen Stelle, die er dann mit der an St. Aurelien vertauschte. Er erlebte auch noch die Rückgabe von Alt-St. Peter an die Evangelischen. Als er altershalber die Kanzel nicht mehr hinaufsteigen konnte, trugen ihn Gemeindeglieder im Sessel hinauf.

ADB 23 (1886), 698.
Ficker – Winkelmann. Handschriftenproben. Straßburg 1905.
J. Adam. Kirchengeschichte Straßburgs. Straßburg 1922 pass.

Joh. Schwebel

(Schweblin, Schwebelius)

*1490 in Pforzheim
†19. 5. 1540 in Zweibrücken

Joh. Schwebel ging von der berühmten Lateinschule seiner Vaterstadt 1508 nach Tübingen. Bevor er später nach Heidelberg übersiedelte, trat er in den Hospitalorden des Hl. Geistes ein. 1514 ließ er sich zum Priester weihen. Mit zahlreichen Freunden aus Pforzheim, Grebel, Pellikan und vor allem Melanchthon blieb er in regem Briefwechsel.

Bereits 1519 trat Schwebel in Pforzheim als evangelischer Prediger auf. Trotz seiner milden Art blieb ihm der Kampf nicht erspart, so daß er Pforzheim 1521 verließ und sich zu Sickingen auf die Ebernburg zurückzog, wo er im Verkehr mit diesem und den bei ihm weilenden Theologen, Bucer, Oecolampad u. a. in seiner Stellung bestärkt wurde. Infolge der günstigen Haltung seines Landesherren konnte Schwebel im kommenden Jahre nach Pforzheim zurückkehren und im Spital sein Amt wieder ausüben. Obwohl er einige polemische Traktate erscheinen ließ, blieb er unbehelligt. Sein Aufenthalt in der Heimat war dennoch nicht von langer Dauer. 1523 als Prediger nach Zweibrücken berufen, sollte er dort eine Lebensarbeit finden und seine reformatorische Tätigkeit entfalten. In seinen Predigten behandelte er fortlaufend ganze biblische Bücher. Einige seiner Predigten sind auch gedruckt worden.

Bald reichte sein Einfluß über Zweibrükken hinaus. Angriffe gegen seine Predigten wies er in Disputationen oder einer Veröffentlichung seiner Auslegungen ab, insbesondere wandte er sich gegen die römische Lehre vom Fegefeuer. Als die Bischöfe nach dem Bauernkriege schärfer gegen die evangelischen Prediger vorzugehen begannen, wurde auch Pfalzgraf Ludwig schwankend, forderte Gutachten über die neue Predigtweise ein und behielt eine unentschiedene Haltung bei. Immerhin bat er seinen Schwager Philipp von Hessen, Schwebel als Zuhörer zum Marburger Gespräch zuzulassen. Als nach dem frühen Tode des Pfalzgrafen Ludwig sein Bruder Ruprecht die Regentschaft des Landes übernahm, gestaltete sich die Lage für die Reformation noch günstiger. Auf seine Aufforderung hin entwarf Schwebel eine K. O., sandte sie im Jahre 1533 an Bucer und ließ sie in Straßburg drucken. Als sie eingeführt wurde, erregte sie Widerspruch, besonders vom Bischof in Metz und vom Kardinal Albrecht, die am Abendmahl unter beider Gestalt und an der Priesterehe Anstoß nahmen. Schwebel antwortete auf die Vorwürfe, daß es Pflicht der Obrigkeit sei, für christliches Leben der Geistlichkeit zu sorgen. Straßburgs Gutachten bestärkte Ruprecht, seine kirchenpolitischen Absichten durchzusetzen. Schwebel stand bei ihm in hohem Ansehen. Unterstützt wurde er von Kaspar Glarer, der als Prinzenerzieher am Hofe wirkte. Als milder und vermittelnder Mann hatte Schwebel an den Verhandlungen, die zur Wittenberger Konkordie führten, inneren Anteil genommen. Visitationen und Synoden befürwortete er, um zur größeren Einheit in Lehre und Bräuchen zu kommen. Seit 1540 wurde in Zweibrücken die Kirchenzucht strenger gehandhabt. Schwebel ist dadurch maßgebend für das ganze Herzogtum geworden.

ADB 33 (1891), 318 ff.
RE 18 (1906), 10 ff.; 24 (1913), 466.
F. Jung. J. Sch., der Reformator von Zweibrücken. Kaiserslautern 1910.

Jan Seklycian

*? in Bromberg
†?

S. ist aus Bromberg gebürtig, war Prediger in Posen, entzog sich dem Strafgericht des Bischofs und kam 1542 nach Königsberg, um von dort aus in polnischer Sprache für die Reformation zu wirken. Er betreute die polnische Gemeinde an der Steindammer Kirche, die ein Sammelplatz der polnischen Emigranten wurde.

In erster Linie war er als Übersetzer tätig. Er gab nicht nur die poln. Übersetzung des

Kleinen Katechismus 1545 und '47 heraus, er war zugleich Verleger und Herausgeber. 1547 gab er ein polnisches Gesangbuch heraus, das 35 Lieder enthielt, darunter 8 von Luther. 1550 folgte eine polnische Hauspostille. 1552 hat er die erste polnische Übersetzung des Neuen Testaments erscheinen lassen, die freilich nicht sein Werk war und durch die Brester Bibel 1563 in den Schatten gestellt wurde.

Altpreußische Biographie, s. v.
K. v. Miaskowski. J. S. (Hist. Monatsbl. f. Posen, 12, 148–154).
K. Völker. Glaubensfreiheit in den Städten Polens. Leipzig 1912.
W. Hubatsch. Gesch. der ev. Kirche in Ostpreußen. Göttingen 1968.
E. Kneifel. Geschichte der ev. Kirche A. B. in Polen. O. O. u. J.

Nikolaus Selnecker

*5. 12. 1530 in Hersbruck bei Nürnberg
†24. 5. 1592 in Leipzig

Nikolaus Schellenecker (lat. Selnecker), Sohn eines Stadtschreibers, wuchs in Nürnberg auf. Seit früher Jugend widmete er sich der Musik. Dann begann er Jurisprudenz zu studieren, ging aber auf Anraten von W. Linck und V. Dietrich zur Theologie über. Die Freundschaft seines Vaters mit Melanchthon öffnete ihm das Haus des Präzeptors. 1554 Magister, trieb er mit Eifer theologische Studien. An der Übereinstimmung Melanchthons mit Luther hat er nie gezweifelt. Melanchthon empfahl ihn 1557 als dritten Hofprediger nach Dresden. Dort leitete er den Chor der Hofkirche und übernahm auch die Erziehung des Kurprinzen August. Er heiratete (1559) die Tochter des Superintendenten Daniel Greiser, unter dessen Einfluß er geriet. S. ging 1565 nach Jena, mußte aber schon nach 2 Jahren den Gnesiolutheranern Platz machen. Nun ernannte ihn Kurfürst Au-

gust zum Professor in Leipzig. In Wittenberg wurde er doktoriert, in Braunschweig hatte er einen schweren Stand gegenüber Chemnitz und Jacob Andreae. Als Melanchthonianer konnte S. sich zu den Verhandlungen über die Konkordie nicht verstehen und geriet in schwere Anfechtungen. In dieser Zeit dichtete er das Lied »Laß mich dein sein und bleiben«. In dieser für ihn unglücklichen Zeit hielt er sich bald in Gandersheim, bald in Oldenburg auf. 1573 wurde er endlich als Stadtsuperintendent nach Leipzig berufen. Als Ireniker wußte er die Konkordie zu fördern. Als aber Andreae eigenmächtig handelte, fühlte sich S. zurückgesetzt. Die Freundschaft mit Andreae zerbrach. Seine letzten Lebensjahre waren verdüstert. Nach dem Tode des Kurfürsten August wurde er abgesetzt und floh aus Sachsen. Kurze Zeit war er Superintendent in Hildesheim, konnte aber nach dem Regierungswechsel 1591 nach Leipzig zurückkehren. Bald darauf starb er. S. hinterließ 170 Schriften, darunter die Historia Lutheri (1575) und die Historie der Augsburgischen Konfession (1584). Er hatte auch 120 Lieder gedichtet, von denen einige noch im EKG stehen.

ADB 33 (1891), 687.
RE³ 18 (1906), 184ff.
R. Calinich. Kampf und Untergang des Melanchthonianismus in Kursachsen. Leipzig 1866.
F. Dibelius. Zur Geschichte und Charakteristik N. S's (BSKG 4). Leipzig 1888.

Dominicus Sleupner

(Dominicus Schleupner)

*in Neiße (Schlesien)
†3. 2. 1547 in Nürnberg

Er war Sohn eines Goldschmieds und hatte sich dem geistlichen Beruf zugewandt. In Breslau wirkte er zuerst als Notar und seit

1513 als Kanonikus. Um 1519 muß ihn Luthers Verkündigung erreicht haben, denn damals ließ er sich in Wittenberg immatrikulieren, ging aber nach einem Semester nach Breslau zurück. Luther und Melanchthon schätzten ihn und ließen ihn durch Heß grüßen. Im nächsten Jahre kam er nach Leipzig und vertrat dort die neue Lehre. Da er sich aber dort nicht halten konnte, empfahl ihn Luther als Pred. an die Sebalduskirche in Nürnberg. Mit Osiander und Venatorius gehörte er hier zu den Säulen der Ref. Er schrieb Ratschläge (1524–29) und arbeitete an der ältesten Nürnberger Gottesdienstordnung mit. Beim Rel.-Gespr. von 1525 hielt er die Eröffnungsrede. Als einer der einflußreichsten ev. Pred. in Nürnberg wurde er an der Abfassung der Schwabacher Art. beteiligt. Einen Ruf als Sup. nach Leipzig lehnte er 1539 ab und blieb, nachdem er 1533 an die Katharinenkirche in Nürnberg übergegangen war, der Reichsstadt treu. Literarisch ist er wenig hervorgetreten. Außer seinen Gutachten sind seine »Vier Predigten vom Steigen und Fallen des Papsttums zu Rom« später bekannt geworden. Anläßlich seiner zweiten Ehe erhob sich in Nürnberg ein Thesenstreit, ob diese für Pfr. zulässig sei.

ADB 31 (1890), 472f.
Th. Pressel. Lazarus Spengler. Elberfeld 1862, 42ff.
H. v. Schubert. Die älteste ev. Gottesdienstordnung in Nürnberg (Monatsschr. f. Gottesdienst u. Kirchl. Kunst 1. 1890, 279f.
W. Gußmann. Quellen u. Darstellungen z. Augsb. Bek. 1, 2, Leipzig 1911, 366ff.
W. Kawerau. Streit um die zweite Ehe (BBKG 10, 1904. 119–129).

Joachim Slüter

(Jochim Slyter)
(Joachim Dutzo)

*1491 in Dönitz (Ostsee)
†19. 5. 1532 in Rostock

Sein Vater war Fährmann. Seinen Familiennamen nahm er von seinem Stiefvater an. Da er für den geistlichen Stand bestimmt war, studierte er in Rostock. Danach ging er nach Wittenberg, wo er 1519 inskribiert wurde. Nach seiner Rückkehr in die Heimat wirkte er zuerst im Schuldienst, danach als Pred. in Luthers Sinn. Während die führenden Kreise Rostocks ihm entgegenstanden, predigte er oft unter freiem Himmel für die einfache Bevölkerung. Bald traten weitere Kapläne, wie Schröder und Korte, auf seine Seite. Sein Einfluß auf die Bürgerschaft wuchs, und nach 1528 fielen sogar der Bürgermeister und andere Patrizier der neuen Lehre zu. So kam es, daß 1530 die Ref. in Rostock sich durchsetzte und er dem Rat im nächsten Jahre die ev. K. O. überreichen konnte. Bugenhagen hieß die kirchliche Entwicklung in Rostock gut und berichtete auch an Luther über sie. Obwohl Slüter seine eigenen Ansichten hatte und nicht mit allen seinen Mitarbeitern übereinstimmte, gab Bugenhagen sich mit seinen Auffassungen zufrieden. Für die niederdeutschen Gebiete war er von umfassender Bedeutung, da er 1525 schon das Rostocker Gesangbuch mit seiner Vorrede herausgab, dem 1531 eine weitere Ausgabe folgte. Auch ein niederdeutscher Katechismus und ein Gebetbuch stammen von ihm.

ADB 34 (1892), 470ff.
M. Wichmann – Kador. J. S's ältestes Gesangbuch. Schwerin 1858.
G. Bosinski. J. S. und Martin Luther (Herbergen der Christenheit 1970), 67–107).
Ders. Das Schrifttum des Rostocker Reformators J. S. Berlin 1971.

Joachim Slyter

(siehe: Joachim Slüter)

Dietrich Smit

(siehe: Theodor Fabricius)

Georg Spalatin

(Georg Burckhardt)

*17. 1. 1484 in Spalt bei Nürnberg
†16. 1. 1545 in Altenburg

S. entstammte einer Handwerkerfamilie. Seine Eltern waren in der Lage, ihn auf die Sebaldusschule nach Nürnberg zu schicken, wo er so weit vorbereitet wurde, daß er mit 14 Jahren die Univ. Erfurt beziehen konnte. Dort führte ihn Marschalk in die klassische Welt ein. Seinem Lehrer folgte er nach Wittenberg, wo er am 2. 2. 1503 einer der ersten Mag. der neuen Hochschule wurde. 1505 ging er wieder nach Erfurt, um dort die Rechte zu studieren. Durch Vermittlung Mutians fand er dann im Kloster Georgenthal seine erste Anstellung. Derselbe Mutian brachte ihn auch mit dem Kursächsischen Hof in Verbindung. Dort wurde er Prinzenerzieher und erhielt den Auftrag, den jungen Hz. Johann Friedrich mit fünf Altersgenossen zu unterrichten. Dieser Aufgabe gab er sich mit großem Ernst, aber anscheinend ohne viel Geschick hin. Bewährte er sich zwar als Pädagoge nicht bes., so erwarb er doch das Vertrauen des Kf. Friedrich des Weisen in hohem Maße. Bald war er für ihn unentbehrlich. In der mündlichen Rede wie im schriftlichen Ausdruck zeigte sich der junge Hofkaplan sehr geschickt, so daß er Geheimsekretär, Bibliothekar und Gewissensrat in einer Person war.
In allen Univ.-Angelegenheiten war er bald der Vermittler zwischen dem Kf. und der Hochschule. Da er von Erfurt her mit Lange befreundet war, der damals Aug.-Prior in Wittenberg war, konnte es nicht ausbleiben, daß über diesen die Fäden auch zu Luther liefen. Es entstand bald ein Briefwechsel zwischen ihnen, der zu den wichtigsten der ganzen Ref.-Gesch. gehört und bis zu ihrem Tode nicht abreißen sollte. Er unterhielt auch sonst eine weit ausgedehnte Korrespondenz. Die meisten seiner Briefe sind verloren, aber aus den Antworten teilweise zu rekonstruieren. Luther hatte den humanistischen Theologen und Hofmann für tiefere Fragen gewonnen und ihn veranlaßt, sich mit der Hl. Schrift zu befassen und auch einige seiner Schriften für den Kf. ins Deutsche zu übersetzen. Spalatins Einfluß ist es im wesentlichen zu verdanken, daß der Kf. Luther in seinen Schutz nahm. In seiner Weise hat er Luther manche Anregung und und manchen Rat gegeben, in gefahrvoller Lage ihn auch zurückzuhalten gewußt. Solange Friedrich der Weise lebte, hielt sich Spalatin in dessen Umgebung auf und war an allen entscheidenden Ereignissen jener Tage beteiligt. Nach dem Tode des alten Kf. im Jahre 1525 übernahm er die Pfarrstelle in Altenburg, trat dort in die Ehe und widmete sich in der Hauptsache den kirchl. Angelegenheiten. Als Visitator war er eine der wichtigsten Persönlichkeiten in Kursachsen und leistete in dieser Tätigkeit Bleibendes. Auch Kf. Johann zog ihn noch zu manchen auswärtigen Diensten heran. Bei den Verhandlungen der 30er Jahre durfte er, dessen Erfahrung und Urteil hochgeschätzt wurde, fast nirgends fehlen. Die Univ. Wittenberg und vor allem ihre Bibliothek blieben auch weiterhin seiner Aufsicht unterstellt. In den 30er Jahren wurde der schwerblütige Mann durch manche Auseinandersetzungen verbittert und wollte schon frühzeitig auf sein Amt verzichten. Auch wenn seine Kraft frühzeitig gebrochen war, bleibt seine Bedeutung für

die Ref.-Gesch. einzigartig. Ohne ihn hätte die Wittenberger Ref. den Verlauf nicht nehmen können, den sie genommen hat. Das haben schon seine Zeitgenossen allgemein anerkannt und zum Ausdruck gebracht.

ADB 35 (1893), 1 ff.
RE 18 (1906), 547 ff.
G. Berbig. G. S. und sein Verhältnis zu M. Luther auf Grund ihres Briefwechsels bis zum Jahre 1525. Halle 1906.
W. Flach. G. S. als Geschichtsforscher, hg. v. O. Korn. 1939.
I. Höß. G. S. Weimar 1956.
H. Volz. Bibliographie d. im 16. Jh. erschienenen Schriften G. Sp's (ZBB 5, 1958, 83–119).
W. Ulsamer. S's Beziehungen zu seiner fränkischen Heimat (JFLF 19, 1959, 425–479).
O. E. Reichert. Der Abendmahlstraktat Spalatins von 1525 (NZSTh 1, 1959, 110–138).

Cyriakus Spangenberg

*7. 6. 1528 in Nordhausen
†1604 in Straßburg

Von seinem Vater, Johann Spangenberg, vorbereitet, konnte C. mit 14 Jahren die Universität Wittenberg beziehen. Während des Schmalkaldischen Krieges war er Lehrer in Eisleben, dann ging er nach Wittenberg zurück, um 1550 sein Studium abzuschließen. Im selben Jahre übernahm er die Pfarrstelle seines verstorbenen Vaters an der Andreaskirche in Eisleben. Durch das Interim verdrängt, wurde er Schloßprediger in Mansfeld und 1559 nach dem Tode des Michael Coelius Generalsuperintendent der Grafschaft. Als eifriger Anhänger des Flacius kämpfte er gegen Melanchthon. Berufungen bekam er nach Nordhausen, Magdeburg und Lübeck, nahm sie aber nicht an, sondern ging nach Antwerpen, wo er Flacius kennenlernte und für die Gemeinde die Confession abfaßte. Die Erbsündenlehre des Flacius wurde für ihn verhäng-

nisvoll. Mörlin, Chemnitz und Heßhusen wandten sich nach seiner Rückkehr gegen ihn. Sp. wurde des Manichäismus beschuldigt und verteidigte sich mit seiner Apologia. Der Streit tobte unter Theologen und Bürgern weiter, bis der Administrator von Magdeburg, Markgraf Joachim Friedrich, bewaffnete Bürger aus Halle nach Mansfeld schickte. Sp. floh und kam bis Sangerhausen; er erhielt 1581 ein Pfarramt in Schlitz (Oberhessen). 1595 siedelte er nach Straßburg über, um dort den Rest seines Lebens zu verleben. Seine theologische und historische Schriftstellerei ist kaum zu übersehen: Es sind Kommentare, bearbeitete Katechismen, Predigten, Cithara Lutheri (Predigten über Luthers Lieder), 21 Predigten über Luthers Leben. Historische Arbeiten: Mansfelder, Henneberger Chronica.

ADB 35 (1893), 37.
RE 18 (1906), 567 ff.
H. Rembe. Der Briefwechsel des C. Sp. (Mansfeld. Bll. 1887, 53–132; 2, 1888, 1–68).
Ders. C. Sp. Formularbüchlein der alten Adamssprache. Dresden 1887.
W. Hotz. C. Sp. Leben und Schicksale (Beitr. z. Hess. KG 3, 1908, 205–234; 265–296).
W. Hermann. Die Lutherpredigten d. C. Sp. (Mansfelder Bll. 39, 1934/35, 5–96).
A. G. Meyer. Der Flacianismus in der Grafschaft Mansfeld. Halle 1873.
J. W. Pont. De Lutherske Kerk in de Nederlanden. 1. Amsterdam 1929, 79 ff.

Johann Spangenberg

*29. 3. 1484 in Hardegsen
†13. 6. 1550 in Eisleben

J. Sp. besuchte in Göttingen und Einbeck die Schule. Selbst unterrichtete er in der Schule zu Gandersheim, ehe er 1508/09 die Universität Erfurt bezog. Dort hielt er sich zum Humanistenkreis. 1511 wurde er Magister. Er erhielt den Ruf als Schulrektor und Prediger nach Stolberg. Da er evange-

lisch predigte, berief ihn der Rat von Nordhausen 1524 in einen großen Wirkungskreis. Diese Tätigkeit übte er 22 Jahre lang
aus, unterstützt vom Bürgermeister Meien-
burg. Insbesondere kümmerte er sich auch
hier um die Schule, schrieb Lehrbücher,
betätigte sich aber auch theologisch, indem
er Melanchthons Loci in Frage und Antwort darstellte. Außerdem gibt es von ihm
Erbauungsschriften und gedruckte Lei-
chenpredigten. Als die Grafen von Mansfeld einen Generalinspektor für ihr Land
suchten, empfahl ihnen Luther auf seiner
letzten Reise Sp. für dieses Amt. Sp. siedelte nach Eisleben über, hat aber in der
kurzen Zeit, die ihm noch vergönnt war,
nicht viel leisten können.

ADB 35 (1893), 43 ff.
RE 18 (1906), 564 ff.
Perchmann. Die Reformation in Nordhausen.
Halle 1881.

Paul Speratus

(Paul Spret)

*13. 12. 1484 in Roetlen bei Ellwangen
†12. 8. 1551 in Marienwerder

Seine Studien betrieb er zuerst an einer
rheinischen Univ., dann in Paris und Italien, wo er wahrscheinlich zum Dr. der
Theol. promoviert wurde. Später ging er
nach Wien. Seit 1506 war er Priester und
wirkte zuerst in Salzburg und Dinkelsbühl,
dann seit 1520 als Domprediger in Würzburg. Um diese Zeit muß er Luthers Schriften gelesen haben und zur ev. Erkenntnis
gekommen sein. Nachdem er 1520 geheiratet hatte, mußte er Würzburg fluchtartig
verlassen. Er wandte sich zuerst nach Salzburg, dann nach Wien, aber überall blühte
ihm dasselbe Geschick. In Wien hielt er im
Stephansdom eine ev. Predigt und wurde
daraufhin exkommuniziert. In der mähri-

schen Stadt Iglau kam er zunächst als Pfr.
unter, aber auch hier machte ihn die ev.
Predigt beim B. verhaßt, der ihn beim König verklagte. Dem Rat der Stadt wurde
daraufhin auferlegt, ihn zu entlassen. Jede
Intervention war nutzlos. Auf seiner Wan-
derung nach Norden wurde er in Olmütz
gefangengesetzt und als Ketzer zum Feuertod verurteilt. Einflußreiche Adlige erreichten jedoch, daß er nach zwölfwöchiger
Gefängnishaft Mähren verlassen durfte.
Schon von Iglau aus war S. mit Luther in
Briefwechsel getreten. Nun zog er nach
Wittenberg, wo er vor Martini 1523 mit seiner Frau ankam und von Luther aufgenommen wurde. Er ließ hier seine Wiener Predigt von 1522 gegen die Klostergelübde
drucken und schickte sie der Wiener theol.
Fak. zu, die mit einer schwächlichen Reta-
liatio antwortete. Sonst ging er Luther an
die Hand und übersetzte dessen »Formula
missae« und »Ad librum Ambrosii Catha-
rini« ins Deutsche. Im Achtliederbuch von
1524 stehen neben 4 Lutherliedern auch
drei von ihm. Es mag sein, daß Luther ihn
zum Dichten angeregt hatte, denn Luther
wollte von allen Seiten Dichter zusammen-
ziehen, um ein Gesangbuch fürs Volk zu
gestalten. Sein bekanntestes Lied, das er in
Olmütz oder Wittenberg gedichtet hatte,
ist »Es ist das Heil uns kommen her«. Dazu
kommt sein Glaubensbekenntnis und ein
Gebet um Heiligung.
Er vermittelte die Verbindung der Böhmen
mit Luther. Nachdem er bereits für Preußen ausersehen war, wollte er sich noch
einmal nach Iglau begeben, da er sich dieser Gemeinde verpflichtet wußte. Da die
Iglauer aber keine Möglichkeit hatten, ihn
zurückzuberufen, gaben sie ihn frei. Trotzdem gingen seine Gedanken noch oft dorthin zurück. Selbst als er bereits B. von Pomesanien geworden war, erbot er sich noch
immer, als Pred. dorthin zurückzugehen.
Dieser Gemeinde hatte er auch seine
Schrift gewidmet »Wie man trotzen soll
aufs Kreuz, wider alle Welt zu stehen bei

dem Ev.«. In Luthers Hause hatte der Hochmeister Albrecht ihn kennengelernt und sich entschlossen, ihn nach Königsberg zu schicken, um dort »das Predigtamt zu versehen«. So sollte er wider seinen Willen zum Reformator des ersten ev. deutschen Landes werden. Für die Ref. dieses Gebietes hat er nicht wenig geleistet und die theol. Ausrichtung und innere Haltung der preußischen Pfarrerschaft bestimmt. Der Hz. sollte es bald erfahren, welch einen ausgezeichneten Theologen und Pred. er in ihm gewonnen hatte. Als Schloßpred., Visitator und herzoglicher Rat entfaltete er in diesen Jahren eine ungewöhnliche Wirksamkeit. Ihm verdankte die Kirche Preußens ihre kirchl. Ordnung, die sowohl hinsichtlich der inneren Ausrüstung als auch hinsichtlich der äußeren Sicherstellung der Kirche und ihrer Pfr. bemerkenswert ist. Als Visitator im Lande verzeichnete der umsichtige, genaue Mann alles mit großer Sorgfalt und sorgte für die Durchführung der Ordnung. Nachdem B. von Queis gestorben war, ernannte ihn daher Hz. Albrecht zum B. von Pomesanien.

20 Jahre nahm er das B.-Amt wahr. Aus dieser Zeit ist aber nur eine Predigt von ihm erhalten. Es ist auch nicht bekannt, wann und wo er gepredigt hätte. Auf den verschiedensten Gebieten war der neue B. unermüdlich tätig. Zu erwähnen ist bes. seine »Ev. Synodalkonstitution« von 1530, ein theol. Lehrbuch für die preußischen Geistlichen. Wie nötig dieses war, zeigte die bald einsetzende Auseinandersetzung mit den nach Preußen eindringenden spiritualistischen Einflüssen. Den Anhängern Schwenckfeldts suchte er kräftig Widerstand zu leisten; diese Kämpfe zogen sich trotzdem jahrelang hin und kosteten ihn viel Zeit und Kraft. Als entschiedener Anhänger der Wittenberger Ref. kannte er keinen Ausgleich. Auf der Synode von Rastenburg von 1531 war er der führende Kopf, der den Schülern Schwenckfeldts mündlich wie schriftlich überlegen entge-

genzutreten wußte. Obwohl der Hz. diesen Kreisen gewogen war, war Speratus Manns genug, den Kampf zu Ende zu führen. Manche Streitschriften gegen die Schwärmer sind in diesen Jahren von ihm ausgegangen. Pfr., die zu dieser Richtung neigten, suspendierte er vom Amt. Erst bei dem Zusammenbruch des Münsterschen Täuferreiches gab ihm Hz. Albrecht recht. So war er es, der in den kritischen Jahren die luth. Ref. in Preußen gesichert hat. War ihm der Hz. auch nicht immer gewogen, so wußte er doch seine Tatkraft und Umsicht zu schätzen. Für jede Gelegenheit vermochte er seinem Landesherrn seine Feder zur Verfügung zu stellen. Ob es sich um ein Gutachten für eine Reichsversammlung, eine Flugschrift oder eine K. O. handelte, er wußte jede Aufgabe geschickt zu meistern.

Als B. hatte er vor allem die praktischen Aufgaben im Auge. Er sorgte dafür, daß ein polnischer ev. Pfr. in Lyck, Malecki, angestellt wurde und Katechismus und K. O. in polnischer (1544) wie in litauischer Sprache (1548) erscheinen konnten. Als die aus Holland vertriebenen Evangelischen zwinglische Anschauungen nach Preußen brachten, war es für ihn selbstverständlich, daß er in seiner verlorengegangenen Flugschrift »Epistola ad Batavos vagantes« (1534) für die luth. Auffassung eintrat. Dagegen war er den böhmischen Brüdern, die dort ebenso Aufnahme fanden, günstig gesonnen. In den Städten seiner Diözese durften sie überall Gottesdienste in tschechischer Sprache halten. Als 1537 die Konzilsfrage akut wurde, trat er mit einem Gutachten hervor, und in dem schweren, durch Osiander heraufbeschworenen Streit erstattete er dem Hz. in einer ausführlichen Denkschrift Bericht. Auf den weiteren Gang dieser tragischen Auseinandersetzungen hat er keinen Einfluß mehr genommen.

Er überlebte nur wenig Brießmann und B. von Polentz, mit denen er ein Menschenalter zusammengearbeitet und die Ref. in Preußen begründet hatte. Als Theologe, Pred. und B. war er ihnen allen überlegen. Seine Leistung ist in jeder Hinsicht einzigartig und ungewöhnlich. Ohne ihn wäre die Begründung des ev. Kirchenwesens in Preußen nicht denkbar. Er war es, der an alles dachte und alles mit peinlicher Sorgfalt und Genauigkeit durchführte. In seinem B.-Amt erscheint er nicht nur als musterhafter Visitator, der die Aufbauarbeit und die Verwaltung der K. zu leiten wußte, sondern war zugleich auch der Seelsorger, der die Größe dieser Arbeit kannte und sich ihr mit Hingabe widmete.

Er wurde im Dom in Marienwerder bestattet. Als Reformator und als Choraldichter blieb er unvergessen.

ADB 35 (1893), 123 ff.
RE 18 (1906), 625 ff.; 24 (1913), 525.
C J. Cosack. P. S., Leben und Lieder. Braunschweig 1861.
P. Tschackert. Urk.-Buch zur Gesch. d. Reform. im Htz. Preußen. 1, Leipzig 1890.
P. Tschackert. P. S. von Roetlen (SVRG 33). Halle 1891.
Th. Kolde. S. u. Poliander als Domprediger in Würzburg (BBKG). 1899.
P. Tschackert. P. S. (ThStKr, 1911, 474 ff.).
J. Zeller. P. S. 1907.
Ders. Neues über P. S. (WVLG N. F. 23, 1907, 97–119).
H. J. König. Aus dem Leben des Schwaben P. S. (BWKG 62, 1962, 763 ff.; 63, 1963, 104–138).
R. Stupperich. Die Reformation im Ordensland Preußen. Ulm 1966.
W. Hubatsch. Gesch. d. ev. Kirche Ostpreußens. 1, Göttingen 1968.
R. Stupperich. Dr. P. S., der »streitbare« Bischof von Marienwerder (Beitr. z. Gesch. Ost- u. Westpreußens 8). Münster 1983.

Johann Stammel gen. Meinertzhagen

*? in Meinertzhagen
†ca. 1549 in Bonn (?)

M. war Minorit in Köln. Er studierte dort und promovierte 1535 zum Licentiaten. In der Zeit der sog. Kölner Ref. erregten seine Predigten großes Aufsehen. Hedio, der 1542 in Köln war, bezeichnet ihn als non vulgaris concionator. Im Dezember 1543 mußte er Köln verlassen, begab sich zum B. Hermann von Wied und wurde evangelischer Prediger in Bonn. Um diese Zeit predigte er auch in Linz am Rhein. Von seinen Predigten, die stark gewirkt haben müssen, ist nichts erhalten. Dafür ist aber sein Name mit einem Buch verbunden, das jahrzehntelang im Rheinland und bis nach Holland starken Einfluß geübt hat: »Des evangelischen Bürgers Handbüchlein«. Dieses war bereits 1529/30 von A. von Aich gedruckt worden. Der Inhalt bestand aus kurzen Lehrsätzen und biblischen Sprüchen. Bei den Zehn Geboten und beim Vaterunser richtete sich der Herausgeber nach Luthers Kleinem Katechismus. Als M. es 1544 in Bonn neu herausgab, erweiterte er es durch mehrere Zusätze. Auf dem Titelblatt heißt es »gemehrt und gebessert durch Herrn J. M., Licentiaten, Diener der Kirchen zu Bonn«. Möglicherweise ist auch das Bonner Gesangbuch von ihm veranlaßt oder gar von ihm allein bearbeitet.

C. Krafft, in: Theol. Arb. d. Rhein. Pred. Ver. Über die Quelle z. Gesch. der ev. Bewegung am Niederrhein. Elberfeld. 1 (1874), 12 und 2 (1876), 86.
H. Rothert. Beitr. z. westf. Katechismusgeschichte (JVWKG 7, 1905, 161–165).
H. Rothert. KG d. Grafschaft Mark. Gütersloh 1913, 286.
W.-J. Kooimann. Luthers Kerklied in de Nederlanden. Amsterdam 1943.
E. Mülhaupt. Rheinische KG. Düsseldorf 1970. 127 ff.

Michael Stiefel

* 1486/87 in Esslingen
† 19. 4. 1567 in Jena

M. St. kam aus begüterten Verhältnissen. Über seine Ausbildung ist nichts bekannt. Als Augustinermönch erhielt er 1511 die Priesterweihe. Im Kloster kam es zu Spannungen, als er mit seiner Schrift »Von der christfermigen rechtgegründeten leer Doctoris Martini Lutheri« (1522) hervortrat. Er lebte ganz in den Gedanken der Apokalypse. Nach seiner Kontroverse mit Murner war er nicht mehr sicher und flüchtete zu Hartmut von Cronberg. Als dieser als Anhänger Sickingens sich ergeben mußte, ging St. nach Wittenberg. Luther brachte ihn in Mansfeld als Prediger unter. Dort begann er mit seinen mathematischen Studien, die ihn auf wunderliche Deutungen der Bibel führten. 1525 schickte Luther ihn nach Oberösterreich; die Gründe sind nicht ersichtlich. Als er nach zwei Jahren wieder nach Wittenberg kam, verschaffte ihm Luther das Pfarramt in Lochau, führte ihn dort ein und traute ihn mit der Witwe seines Vorgängers, Frau Günther. Das geruhsame Leben führte ihn wieder zu den Rechenkünsten, zur Berechnung des Weltuntergangs und zur Tragikomödie auf der Lochauer Heide. Luther trat dennoch für den harmlosen Rechner ein, der nur noch nüchterne Rechenbücher herausgab. Im Schmalkaldischen Kriege verjagt, ging er nach Preußen, kehrte aber 1554 zurück. Jetzt hielt er sich zu Flacius, ging 1559 nach Jena und hielt dort mathematische Vorlesungen. Als die Flacianer in Jena gestürzt wurden, hat ihn Selnecker in seinem Alter gehalten.

ADB 36 (1893), 208 ff.
RE 19 (1907), 24 ff.; 24 (1913), 529.
G. Bossert. Luther und Württemberg. Ludwigsburg 1883.
J. Giesing. Stiefels Arithmetica integra. Döbeln 1879.
G. Kawerau. Th. Murner und die deutsche Reformation. Halle 1891.
O. Clemen. Beiträge zur Lutherforschung (ZKG 26, 1905, 395 ff.).
A. Guddas. M. S. Luthers Freund, genialer Mathematiker u. Pfr. im Herzogtum Preußen (Schr. d. Synodalkomm. f. ostpreuß. KG). Königsberg 1922.

Johann Stössel

* 23. 6. 1524 in Kitzingen
† 18. 3. 1576 in Senftenberg

Mit 15 Jahren war S. nach Wittenberg gekommen, nach 10 Jahren wurde er dort Magister. Da er sich von den Philippisten fern hielt, berief ihn Herzog Johann Friedrich d. M. als Hofprediger nach Weimar. Hier entwickelte er sich zu einem eifrigen Gnesiolutheraner. Als solcher nahm er an der Einführung der Reformation in Baden-Durlach teil. Schroff wie er war, wollte er dort auch die K. O. gestalten mit Anathematismen gegen alle Andersdenkenden. Beim Religionsgespräch in Worms 1557 und bei der Abfassung des Konfutationsbuches zeigte er sich nicht anders. Seine Haltung verteidigte er in einer besonderen Apologie. Als er seinen Herzog nach Heidelberg begleitete, bemühte er sich, Kurfürst Friedrich den Frommen in seinem Sinne zu beeinflussen. Dort disputierte er mit Pierre Boquin über das Abendmahl. In der Folgezeit setzte bei ihm ein Gesinnungswandel ein. Als er zur Versöhnung mit anderen Richtungen zu mahnen begann, mußte der Bruch mit den Flacianern kommen. Flacius und Wigand verklagten ihn bei Hofe, wurden aber selbst amtsenthoben. S. wurde zum Professor in Jena ernannt. Aufgrund der Declaratio kamen Selnecker und andere nach Jena zurück, verließen jedoch bald wieder die Universität. S. blieb als einziger Theologe zurück. In dieser Zeit doktorierte ihn Paul Eber aus Wittenberg als ersten jenaischen Doktor.

1567 mußte S. beim Regierungswechsel den Flacianern weichen. Kurze Zeit war er Sup. in Mühlhausen und dann in Pirna, stieg sogar in der Gunst Kurfürst Augusts so sehr, daß er Beichtvater des Landesherrn wurde. Dann kam aber sein rascher Sturz. S. trat aus unbekannten Gründen für die Dresdner Kryptocalvinisten ein, wurde beim Kurfürsten denunziert und auf die Festung gebracht, wo er nach kurzer Krankheit starb.

ADB 36 (1893), 471 ff.
RE 19 (1907), 59 ff.
A. Beck. Johann Friedrich d. M. Weimar 1858.
W. Preger. M. Flacius und seine Zeit. München 1876.
G. Wolf. Zur Geschichte d. deutschen Prot. 1555–59. Berlin 1888.

Johann Stoltz

*ca. 1514 in Wittenberg
†15. 7. 1556 in Weimar

J. S. war Wittenberger Kind, Sohn eines Sattlers. Schule und Universität besuchte er in seiner Vaterstadt. Den Magistergrad erwarb er 1539 und wurde für Jessen ordiniert. Doch kam es nicht zu dieser Berufung. Vielmehr mußte er als Prinzenerzieher nach Dresden gehen. Im März 1541 schrieb Luther über ihn: »Würdig eines hohen Amtes; vor zwei Jahren Lehrer des Herzogs August in Dresden. Arm und schüchtern.« 1544 erhielt er in Wittenberg eine Professur in der artistischen Fakultät, die er bis zum Unglücksjahr 1547 wahrnahm. Dann nahmen ihn die Söhne des gefangenen Kurfürsten als Hofprediger in Weimar auf. Der Plan, ihn in Jena in eine Professur zu bringen, zerschlug sich. Stoltz hatte ein starkes soziales Empfinden: er verwandte sich für die Bauern, richtete sich auch gegen das üppige Leben am Hofe. Mit dem alten Kurfürsten stand er im Briefwechsel. Er trat dafür ein, daß die Ordinationen in Jena stattfanden. Als Hofprediger konnte er auf die Kirchenleitung Einfluß nehmen. Unter seinem Einfluß lehnte die Geistlichkeit Thüringens das Interim ab. Stoltz begründete diese Haltung von der Rechtfertigungslehre her. Aus demselben Grunde lehnte er auch die Lehre Osianders ab. Mit Justus Menius und zwei Räten reiste er nach Königsberg in Preußen. Da er mit offenen Augen durchs Leben ging, sah er die Mängel im Kirchenwesen. Da sich Amsdorf und Menius zurückhielten, hatte er den maßgeblichen Einfluß bei Visitationen. Seine Gutachten ließ er auf den Pfarrkonventen besprechen. Durch seinen frühen Tod erlitt die thüringische Kirche einen schweren Verlust.

R. Herrmann. Die General-Visitationen in den Ernestinischen Landen (ZVThG N. F. 22, 1925).
R. Jauernig. J. S., in: Luther in Thüringen, hg. v. R. Jauernig. Berlin 1952, 229–237.

Jakob Stratner

*Grätz (= Gräz?)
†1550 in Wildbad

Kurfürstin Elisabeth von Brandenburg erreichte es beim Markgrafen Georg von Brandenburg-Ansbach, daß er seine beiden Hofprediger Stratner und Althamer nach Küstrin beurlaubte. Markgraf Hans von Küstrin hatte die Reformation angenommen, Messe und Klöster aufgehoben, Luthers Katechismus und die Nürnberger Kirchenordnung von 1533 eingeführt. Sodann ließ er durch die beiden fränkischen Theologen eine Visitation halten. Indessen hatte Kurfürst Joachim II. St. ausersehen, an der neuen K. O. für die Mark mitzuwirken (neben Georg III. und Witzel). Er übernahm St. als Hofprediger (1539) und ernannte ihn nach der Fertigstellung der K. O. zum Generalsuperintendenten der

Kurmark unter äußerst günstigen äußeren Bedingungen. Stratner nahm aber diese nicht an, weil ihm die Mitarbeiter und die Verhältnisse nicht zusagten. Sein Landesherr, der ihn nur für eine begrenzte Zeit beurlaubt hatte, bestellte ihn nunmehr zum Hofprediger auf Lebenszeit. Dadurch hatte der Ansbacher eine feste Rückendeckung. Als die Spannungen in Berlin nicht nachließen, schrieb St. an Luther und klagte ihm seine Not. Luther mahnte ihn dazubleiben, sofern sich noch einige Menschen dort fänden, die ihn brauchten. Offenherzig sagte er aber im Blick auf die Berliner Kirchenpolitiker: »Große Narren müssen große Schellen haben.« St. suchte nur nach einer Gelegenheit, um Berlin zu verlassen. 1543 war er wieder in Ansbach in seinem Amt. Sein weiteres Leben liegt im Nebel.

M. Simon. Ansbachisches Pfarrerbuch. Nürnberg 1955/56, 494.
P. Steinmüller. Einführung der Reformation in der Kurmark Brandenburg unter Joachim II. (SVRG 76). Halle 1903.
H. Jordan. Reformation und gelehrte Bildung in der Markgrafschaft Ansbach-Bayreuth. 1, München 1917, 330.
L. Lehmann. Bilder aus der Reformationsgeschichte der Mark Brandenburg. Berlin 1921.

Jakob Strauß

*ca. 1480/83 in Basel
†vor 1530?

Um 1495 wirkt Strauß als Lehrer an verschiedenen Orten, 1515 studiert er in Freiburg und erwirbt dort den Dr.-Grad der Theologie. Um 1521 tritt er als ev. Prediger in Berchtesgaden auf, dann geht er nach Tirol (Schwaz und Hall), wo er durch seine Predigt Tausende anzieht. Dabei bekämpft er die Mißbräuche in der kirchlichen Praxis. Bischöflichen Zitationen folgt er nicht, und die Regierung in Innsbruck wagt es nicht, gegen ihn vorzugehen. Am 4. 5. 1522 hielt er seine letzte Predigt, dann zog er zu Bartholomäus Bernhardi nach Sachsen. Luther empfahl ihn dem Grafen Georg von Wertheim, der ihn aber bald wegen seines stürmischen Wesens entließ. Nun ging er nach Eisenach, wo er als Schriftsteller, Prediger und Reformator tätig wird. Er schafft die Messe ab, bekämpft die Lehre vom Fegefeuer und befürwortet die Priesterehe. Gleichzeitig nimmt er auch die sozialen Forderungen der Zeit auf, predigt gegen Zins und Wucher, geht aber noch weiter und erklärt die Gebote des AT für verbindliche bürgerliche Gesetze. Kanzler Brück fordert Luther zu einem Gutachten über Straußens Thesen auf. Luther und Melanchthon suchen auch persönlich auf ihn einzuwirken und ihn von seinen Meinungen abzubringen. Indessen erwarten die Bauern, daß er sich ihnen anschließt, und sind enttäuscht, als er sie beschwichtigen wollte. Nach der Niederlage der Bauern wurde er in Haft genommen und verhört. Strauß sah nicht, daß er die Bauern auf den Weg der Selbsthilfe gewiesen hatte. Als kranker Mann ging er nach Oberdeutschland. Zuerst blieb er in Tirol, dann verlieh ihm Markgraf Philipp von Baden ein Kanonikat in Baden-Baden. Dort mischte er sich in den Abendmahlsstreit und schrieb gegen Ökolampad und Zwingli. Die Ablehnung, die er erfuhr, ließ ihn anscheinend sich auf die Linie der alten Kirche zurückziehen. Seine letzten Jahre sind in Dunkel gehüllt.

ADB 36 (1893), 535ff.
RE 19 (1907), 92ff.
G. L. Schmidt. J. St., der erste ev. Prediger in Eisenach. Eisenach 1863.
S. Ruf. Dr. J. St. und Dr. Urb. Rhegius (Arch. f. Gesch. u. A. Tirols 2, 1865, 67–81).
G. Schmidt. Eine Kirchenvisitation i. J. 1525 (ZHTh 35, 1865, 291ff.).
Ders. Prediger der Ref.-Zeit: J. St. (ZPTh 1, 1879, 311–334; 2, 17–25).
F. Waldner. Dr. J. St. in Hall und seine Predigt vom Grünen Donnerstag 1522 (Zs. d. Ferdinan-

deums f. Tirol 3, 1882, 3–39).
R. Jauernig. Dr. J. St. (Mitt. d. Eisenacher Gesch. V. 4, 1928, 30–48).
H. Barge. Die gedruckten Schriften d. J. St. (ARG 32, 1935, 100–121; 248–252).
Ders. J. St. (SVRG 162). Leipzig 1937.

Viktorin Strigel

*26. 12. 1524 in Kaufbeuren
†26. 6. 1569 in Heidelberg

Nach dem frühen Tode seines Vaters, des Arztes Ivo Strigel, besuchte er in Augsburg die Schule. Nachdem er mit 14 Jahren an die Univ. Freiburg gekommen war und dort die artes studiert hatte, ging er 1542 nach Wittenberg. Melanchthon nahm sich des begabten Studenten an, der nach 2 Jahren hier zum Mag. promovierte. Melanchthon hielt ihn für geeignet zum akademischen Beruf und förderte ihn in jeder Weise. Nachdem er zuerst in Wittenberg Privatunterricht erteilt hatte, wandte er sich nach Erfurt und wurde schließlich von seinem Lehrer für die neu zu gründende Akademie in Jena empfohlen. Die neue Lehranstalt wurde 1548 von ihm zusammen mit J. Stigel eröffnet, mit dem er sich ebensogut verstand wie mit Schnepf. Als Schüler Melanchthons war er dort gewissem Mißtrauen ausgesetzt, wußte sich aber zu rechtfertigen. Immer mehr wurde er ins Lager der Gnesiolutheraner getrieben und seinem Lehrer entfremdet. Nachdem Flacius nach Jena gekommen war, mußte die heimliche Spannung doch aufbrechen. Als dieser den Hz. Johann Friedrich bestimmte, das Weimarer Konfutationsbuch aufsetzen zu lassen, mußte er sich an der Abfassung dieser Schrift beteiligen. Von Flacius wurde die Schrift noch verschärft, woraufhin er mit ihm in Streit geriet. Die Ausgleichsversuche des Hz. blieben vergeblich. Er lehnte die flacianische Lehre ab, daß der menschliche Wille sich bei der Bekehrung passiv verhalte. Da er jetzt auch das Konfutationsbuch verwarf, wurde er von dem Hz. gefangengesetzt. Erst auf Fürsprache verschiedener Fürsten befreit, durfte er sein Haus nicht verlassen. 1560 kam es zur Disp. der beiden Gegner in Weimar, wobei er die Auffassung Melanchthons vertrat, während Flacius seine Auffassung auf die Spitze trieb und die Erbsünde für die Substanz der menschlichen Natur erklärte. Nach langwierigen Verhandlungen und nach Absetzung des Flacius rehabilitiert, zog er es doch vor, nach Leipzig zu gehen und dort seine Lehrtätigkeit fortzusetzen. Aber nur 5 Jahre durfte er hier wirken, der Verdacht des Calvinismus war begründet. Jetzt ging er nach der Pfalz, wo er sich offen zur reformierten Lehre bekannte und als Prof. in Heidelberg lehrte. Er galt als der bedeutendste Dogmatiker aus der Schule Melanchthons, ein äußerst begabter Lehrer und Schriftsteller.

ADB 36 (1893), 590.
RE 19 (1907), 97 ff., 24 (1913), 536.
O. Ritschl. Dogmengesch. d. Protestantismus. 1–2. Bonn 1912, pass.

Bartholomaeus Suawe

*8. 1494 in Stolp
†1566

S. entstammte einer begüterten Familie und erhielt daher auch eine gute und umfassende Bildung. Nach dem Schulbesuch in Stolp und Stettin soll er weiter die Schulen in Löwen und Münster besucht haben. 1509 wurde er in Leipzig immatrikuliert. Als er in Kammin eine Vikarie erhielt, bekam er die Mittel, um nach Italien zu gehen. Dort soll er sieben Jahre zugebracht haben. Nach seiner Rückkehr wurde er canonicus in Stettin, trat aber 1529 in den Dienst der Herzöge Georg und Barnim.

1534 heiratete er Gertrud von Zitzewitz. Bei der Einführung der Reformation fungiert er als Kanzler der Herzöge. Auch auf dem Treptower Landtag 1535 und bei der nachfolgenden Visitation spielte er eine wichtige Rolle. Um dieselbe Zeit führte er die Verhandlungen zwecks Aufnahme Pommerns in den Schmalkaldischen Bund und mit dem Bischof von Kammin, Erich von Manteuffel. Nach dem Tode des letzteren wählte ihn das Domkapitel zum Bischof (12. 4. 1545). Als solcher kam er den Herzögen weit entgegen, verzichtete auf die Reichsunmittelbarkeit seines Bistums und nahm die Treptower Ordnung an. Das vom Kaiser dem Lande aufgezwungene Interim machte seine Arbeit zunichte. Am 1. 8. 1549 legte er sein Amt nieder, blieb aber als »alter Bischof« im Rat des Herzogs.

ADB 54 (1908), 641 ff.
H. Waterstraat. Der Camminer Bistumsstreit im Ref.-Zeitalter (ZKG 22 [1900], 599 und 23 [1902], 224–235).
M. Wehrmann. Die Begründung des evangelischen Schulwesens in Pommern. Berlin 1905.
H. Heyden. Kirchengeschichte Pommerns. 2. Bd. Köln 1957, pass.

Simon Sulzer

*23. 9. 1508 in Meiringen bei Bern
†22. 6. 1585 in Basel

S. war Priesterkind. Seine Ausbildung erhielt er in Bern und Luzern. Der plötzliche Tod seines Vaters, des Propstes von Interlaken, veranlaßte ihn, durch Handarbeit sich den Unterhalt zu verdienen. Er arbeitete als Barbier in Straßburg und benutzte diese Zeit, Vorlesungen von Bucer, Capito und Bedrotus zu hören. 1531 ging er nach Basel, wo sich Grynaeus seiner annahm. Hier arbeitete er als Korrektor in der Druckerei von Heerwagen und war daneben als Lehrer tätig. Seit 1533 wirkte er in Bern im Lehramt und erwarb sich Verdienste um die Schulen.

Auf Veranlassung des Rates von Bern studierte er 1537 weiter und erlangte den Mag.-Grad. Als Freund der Konkordie war er 1536 in Wittenberg und wurde, wie er selbst seinem Freunde Vadian mitteilt, von Luther stark beeindruckt. Die Uneinigkeit mit ihm sei durch die Schweizer verschuldet. Inzwischen waren in Bern die älteren Reformatoren Haller und Kolb verstorben, und eine neue Richtung wurde durch die von Straßburg bestimmten Theologen eingeführt, zu denen er sich auch hielt. Als gelehrter und gewandter Mann wurde er bald das Haupt der Berner Geistlichkeit. Seine Wirksamkeit war einseitig und nicht immer eindeutig. Er verzehrte sich im Kampf mit den Zwinglianern, denen er schließlich 1548 doch weichen mußte.

1549 wurde er in Basel aufgenommen, zuerst als Pfr. an der Peterkirche, dann als Prof. und 1553 als Antistes der Basler Kirche. Hier verfuhr er vorsichtiger als in Bern. Seine kirchl. Arbeit ging auf eine Einigung zwischen Deutschen und Schweizern hinaus, obwohl er gegenüber der zwinglischen und calvinischen Richtung den Abstand wahrte. Seine luth. Neigungen ließen ihn für die F.C. gegen die Helvetica posterior Stellung nehmen, auch für Privatbeichte, Orgelspiel und volles Glockengeläut eintreten. Dadurch kam er in eine schiefe Stellung zu den Schweizer Kirchen und rief eine Opposition hervor. Für Basel war sein Wirken eine vorübergehende Episode.

Als die Reformation in Baden-Durlach eingeführt wurde, hatte er den größten Anteil daran. Er ordinierte ev. Pred. für dieses Gebiet und führte 1556 die Kirchenvisitation durch. Ohne sein Baseler Amt aufzugeben, wirkte er als Sup. im Badischen, ein bis ins Alter von Arbeitseifer und Verantwortung erfüllter Mann, den viele unter den Geistlichen verehrten.

ADB 37 (1894), 154f.

RE 19 (1907), 159–162.
J. R. Lindner. Lebensabriß des S. S. (ZLT 30, 1869, 666–689).

Johann Sutel

*1504 in Altenmorschen bei Melsungen
†26. 8. 1575 in Northeim (Han.)

1518 begann er in Erfurt zu studieren und wurde nach Abschluß dieser Studien Rektor der Lateinschule in Melsungen. Aus dieser Stellung – ein kirchl. Amt hatte er vordem nicht – wurde er nach Göttingen berufen, wo Winkel aus Braunschweig und Winther aus Allendorf die reform. Bewegung in Gang gebracht hatten. Sutel war der erste ständige ev. Pfr. und wurde auch zum Sup. berufen.
Fünf Schriften liegen von ihm vor: darunter die »Art. wider das päpstliche Volk in Göttingen«, »Das Ev. von der grausamen, erschrecklichen Zerstörung Jerusalems«, zu dem Luther eine Vorrede schrieb, und weitere kirchenrechtliche Schriften. Auf Betreiben des Landgrafen Philipp ging er 1542 nach Schweinfurt, um dort die Ref. zu sichern. Seine Wirksamkeit hatte dort besonders großen Erfolg. Er verfaßte 1543 die »K. O. eines ehrbaren Raths der hl. Reichsstadt Schweinfurt in Franken« und veröffentlichte auch Predigten über Joh. 11. Nach der Katastrophe des Schmalkaldischen Krieges mußte er aus Schweinfurt fliehen, während seine Frau mit der großen Kinderschar zurückblieb und nach einer weiteren Niederkunft starb. Nach kurzem Aufenthalt in Allendorf konnte er wieder nach Göttingen gehen, wo er bis 1555 seines Amtes an St. Albani waltete. Während der Sup. J. Mörlin um des Interims willen entlassen wurde und Corvinus im Kerker schmachtete, bemühte er sich, die Gemeinde durch die schweren Zeiten zu führen. Aber um der Widerwärtigkeiten willen, die er zu bestehen hatte, nahm er 1555 einen Ruf nach Northeim an, wo er bis zu seinem Tode wirkte.

ADB 37 (1894), 196f.
RE 19 (1907), 176f.
P. Tschackert. J. S. (ZGNKG 2, 1897, 1–140).
W. Beyschlag. Zur Lebensgeschichte des Schweinfurter Reformators J. S. (ZGNKG 2, 1897, 91–99).
L. Armbrust. Der Reformator J. S. (Hessenland 16, 1902, 154ff., 173ff., 201ff.).
P. Tschackert. Zur Korrespondenz des J. S. (ZGNKG 15, 1910, 233ff.)

Hans Tausen

*1494 auf Fünen (Seeland)?
†11. 11. 1561 in Ripen

Er war Sohn eines Schneiders. Nach dem Besuch der Schulen in Odense und Slagelse (Seeland) kam er 1516 zum Studium nach Rostock, wo er 1519 Mag. wurde. Möglicherweise hat er auch noch anderwärts studiert, bevor er 1521 Lesemeister in Kopenhagen wurde. Da inzwischen die reform. Bewegung auch in Dänemark bekannt geworden war, wandte er sich 1523 nach Wittenberg, wurde aber bald nach Kopenhagen zurückgerufen und nach Bekanntwerden seiner reform. Gesinnung nach Nyborg (Jütland) in Klostergewahrsam gebracht. Da er seine Überzeugung nicht aufgab und seines Lebens nicht mehr sicher war, bat er die Bürger um Schutz. Diese nahmen ihn auf und ließen ihn in der Stadtkirche und auf dem Friedhof predigen. Auch Vespergottesdienste führte er mit Gesang in der Muttersprache ein. Allmählich schlossen sich einige Glieder des Domkapitels und des Klerus ihm an. Der B. vermochte nichts gegen ihn auszurichten. In Nyborg wurde eine Druckerpresse errichtet, womit seine reform. Schriften hergestellt und von wo aus sie im Lande verbreitet wurden; darunter auch Übersetzungen von Luthers Schriften. So drang von Nyborg die Ref. in die übrigen Städte Jütlands. Indessen ging T. nach Kopenhagen, wo er auf Wunsch des Königs predigte und großen Zulauf hatte. Auf dem Herrntag 1530 erschienen bereits 21 luth. Prädikanten, die die 43 Kopenhagener Art. (eine Wiedergabe der C.A.) vorlegten. Die dänischen B. erhofften eine Klärung für sich von dem Rel.-Gespr., in dem der Franziskaner Nikolaus von Herborn mit T. disputieren sollte. Aber die Prädikanten bestanden auf einer Erörterung der Glaubensfragen in der Muttersprache. Der Rezeß von 14. 7. 1530 genehmigte die Predigt nach der Hl. Schrift. Vielen war er zu konservativ, sie wollten radikale Maßnahmen gegen die alte Kirche und ihre Gebräuche ergreifen. T. übersetzte jetzt den Pentateuch ins Dänische, schuf eine Postille und eine Agende. An der Ausarbeitung der K. O. und der Ref. der Univ. Kopenhagen im Jahre 1537 war er beteiligt, dann wirkte er in Roskilde. 1542 weihte ihn Bugenhagen zum Bischof von Ribe. Hier wirkte er 20 J. als Pred. und Schriftsteller.

RE 19 (1907), 459ff.
D. Schäfer. Gesch. Dänemarks. 4, Gotha 1893.
L. Schmitt. J. T., der dänische Luther. Köln 1894.
H. Christensen. H. T. Kopenhagen 1942.

Sylvester Tegetmeier

*in Hamburg
†1552 in Riga

Über Herkunft und Jugend ist nichts bekannt. Er studierte in Rostock, promovierte 1519 zum Mag. und wurde dort zuerst Kaplan am Dom, dann Prediger an St. Jacob. Hier muß er bereits durch Slüter mit dem Ev. vertraut geworden sein. Als er 1522 nach Riga kam, um die Erbschaft seines dort verstorbenen Bruders zu holen, sagte ihm der Geist in der von der reform. Bewegung ergriffenen Bürgerschaft so sehr zu, daß er sich dem Ruf nicht entziehen konnte, an die Seite von Knopken und Miller zu treten. Dem Archidiakon Knopken wurde er als Gehilfe beigegeben.

Von seinen Zeitgenossen wird er als Feuergeist geschildert, der sich leicht hinreißen ließ und über die einzuhaltenden Grenzen hinweggehen konnte. Ein begabter und redegewandter Mann, konnte er der Ref. in Riga großen Nutzen, aber auch manche Gefahr bringen. Es steht nicht fest, ob er Beziehungen zu Karlstadt unterhalten hat. Er predigte von der ev. Freiheit und eiferte gegen den Bilderdienst. Dadurch löste er den Bildersturm in Riga aus. Das Volk schaffte die Kirchengeräte aus der Kirche, warf die Bilder hinaus und zerstörte die Leichensteine. Nur mit Mühe gelang es ihm, das aufgeregte Volk wieder zu dämpfen.

Dennoch berief ihn 1522 der Rat als Pred. an die Jacobikirche. Diesem Amt gab er sich voll hin. Aber auch für die Ref. im Lande suchte er zu wirken. Auf dem Landtag in Wolmar 1525 begleitete er die ev. Abgeordneten und predigte dort täglich. Auch hier hatte er Auseinandersetzungen mit Altgläubigen. Als in Wolmar und später in Dorpat Hoffman eine anarchistische Bewegung auslöste, suchte er die Gemeinde zu beschwichtigen. In Dorpat arbeitete er auch die K. O. aus.

ADB 37 (1894), 529.
F. Dsirne. Knopken, T. u. Lohmüller, drei Männer der Ref. in Livland und ihre Zeit (Dorpater Zs. f. Gesch. Liv-, Est- und Kurlands. 8, 1861, 44–57).
S. T's Tagebuch, hg. A. Bienemann (Mitt. a. d. Gebiet d. Gesch. Livlands 12, 1875, 502–505).
F. Hörschelmann. A. Knopken. Riga 1896. S. 56ff.
L. Arbusow. Einf. d. Ref. in Liv-, Est- u. Kurland (QFRG 3). Leipzig 1921.

Vitus Theodorus

(siehe: Veit Dietrich)

Johann Timann

(Johann Amsterodamus; Johann Amsterdamus)

*um 1500 in Amsterdam
†17. 2. 1557 in Nienburg (Weser)

T. stand mit den holländischen Augustinern in Verbindung, so daß er 1522 mit ihnen die Heimat verlassen mußte. Er kam nach Wittenberg, wo er mit Luther und Melanchthon bekannt wurde. Zusammen mit Hans Probst ging er dann nach Bremen. Während dieser Pastor an »Unserer lieben Frauen« wurde, wurde er an der Martinikirche zum Prediger gewählt. Nachdem Zütphen aus Bremen weitergezogen war, standen nun diese beiden Männer an der Spitze der reform. Bewegung in Bremen und führten den deutschen Gottesdienst mit dem Abendm. unter beiderlei Gestalt ein. 1529 wurde T. von Graf Enno nach Emden zur Bekämpfung der Wiedertäufer berufen, ohne daß die Mission Erfolg hatte. Während der sozialen Kämpfe in Bremen in den Jahren 1530/32 standen die Pred. auf der Seite des Rates und mußten daher mit den Bürgermeistern die Stadt verlassen. Sie konnten aber bald zurückkehren. Jetzt arbeitete T. die Bremer K. O. aus, die er in Wittenberg Luther und Bugenhagen vorlegte. Nachdem die K. O. bewilligt und in Bremen eingeführt war, mußte der Rat gegen die Wiedertäufer einschreiten. Zu Timann hatte er Vertrauen. Dieser vertrat die Stadt auf dem Hamburger Konvent v. 15. 4. 1535, wo man gegen die Täufer scharfe Maßnahmen beschloß, die am 23. 5. 1535 verkündigt wurden. Ebenso vertrat er die Kirche von Bremen auch in Schmalkalden 1537 und bei den Rel.-Gespr. in Worms im Jahre 1540 und Regensburg 1541. Der Ruf, den er auch außerhalb Bremens genoß, trug ihm manche ehrenvolle Berufung ein. So wurde er vom Grafen Jobst von Hoya beauftragt, die Ref. in dessen Lande durchzuführen. Gemeinsam mit Adrian Buxschotten arbeitete er eine K. O. aus und hielt dort und in Lippe Visitationen. Sein theol. Standpunkt war fest und er verfolgte unbeirrt die ev. Richtung auch im Kampf gegen das Interim. Im Bremischen Kirchenstreit vertrat er die luth. Auffassung gegen Hardenberg und Laski. Den Ausgang des Streites erlebte er nicht mehr. Er starb während einer Visitation.

ADB 38 (1894), 352 ff.
RE 19 (1907), 778.
I. H. Iken. Die Bremische K. O. Bremen 1891.
B. Spiegel. A. R. Hardenberg. Göttingen 1892.
W. Schmidt. Die Bremer ev. Messe 1525 (Hospitium Ecclesiae 1, 1954, 52–85).
J. Moltmann. Ch. Petzel u. d. Calvinismus in Bremen. Ebd. 2, 1958.

Pierre Toussaint

*1499 in St. Laurent/Lothringen
†1573

Touissant ist als Reformator der Grafschaft Mömpelgard anzusehen. Als Canonicus in Metz wurde er von der reform. Verkündigung erfaßt. Erasmus von Rotterdam empfahl ihn von Basel aus an Guillaume Budé in Paris. Wegen seiner evangelischen Gesinnung mußte er aber bald darauf Frankreich verlassen und ging in die Schweiz. Um sich besser orientieren zu können, besuchte er Zürich und auch Wittenberg. Herzog Ulrich von Württemberg berief ihn 1535 nach Mömpelgard, um das neue Kirchenwesen dort aufzubauen. T. vertrat dabei die reformierte Auffassung. Als Herzog Christoph die Statthalterschaft übernahm, kam es zu Spannungen zwischen der württembergischen Obrigkeit und dem Pfarrer. Das Interim überstand T. in Basel, dann kehrte er nach Mömpelgard zurück. 1559 sollte dort die württembergische K. O. eingeführt werden. Dieser Versuch löste einen jahrelangen Kirchenstreit aus. Um ihm ein Ende zu bereiten, kam Jakob Andreä 1571 nach Mömpelgard. T. wurde abgesetzt. Trotzdem gelang es dem Kirchenregiment nicht, sich durchzusetzen.

RE 20 (1908), 5ff.
J. Viénot. Histoire de la Réforme dans le pays de Montbéliard. 1. 2. Montbéliard 1900.

Primus Trubar

(Truber)

*1508 in Laibach (Krain)
*29. 6. 1586 in Derendingen (Württ.)

Er besuchte die Schulen in Fiume, Salzburg und Wien. Der B. von Triest, Bonomo, ließ den unbemittelten Handwerkersohn zum Priester ausbilden und als Kaplan in Alli und anderen Orten verwenden. Seit 1531 finden wir ihn als Pred., der in reform. Sinne zu wirken begann. Da der B. von Trient zu ihm hielt, vermochte er sich nicht nur zu halten, sondern wurde 1542 sogar Domherr in Laibach. Nach Beendigung des Schmalkaldischen Krieges führte der B. von Laibach jedoch einen vernichtenden Schlag gegen die Krainer ev. Kreise. Trubar mußte fliehen, während seine Freunde gefangengesetzt wurden. 1548 kam er als Flüchtling nach Nürnberg, erhielt eine Früh-Pred.-Stelle in Rothenburg ob der Tauber und wurde 1552 Pfr. in Kempten (Allgäu). Hier befaßte er sich mit der Übersetzung des NT und eines Katechismus in die slowenische Sprache, die 1550 und 1552 im Druck erscheinen konnten, in Tübingen in lat. Lettern gedruckt. Dies waren die ersten literarischen Erzeugnisse in dieser Sprache. Die lat. Lettern sind für sie festgehalten worden. Bei diesen Arbeiten

erfreute er sich der Unterstützung Vergerios und vor allem des Freiherrn von Ungnad. Dreißig Jahre seines Lebens widmete er dieser Arbeit für seine Heimat. In Tübingen erschienen außerdem unter seiner Mitwirkung eine Reihe kroatischer Übersetzungen in glagolitischer und kyrillischer Schrift.

1562 war T. auf Veranlassung der ev. Landstände von Krain nach Laibach zurückgekehrt, wo er die ev. Gemeinden organisierte und eine ev. K. O. verfaßte. Erz-Hz. Karl ließ ihn daraufhin 1565 aus dem Lande verweisen. Nun ging T. nach Württemberg und verbrachte die letzten 20 Jahre seines Lebens in Laufen und in Derendingen.

ADB 38 (1894), 669ff.
RE 20 (1908), 136ff.
Th. Elze. P. T.s Briefe. Tübingen 1897.
M. Rupel. P. T., Leben und Werk des slowenischen Reformators (Deutsche Übers. von B. Saria). Südosteuropa-Schriften 5. München 1965 (293ff.: Bibliographie).
Abhandlungen über die slowenische Reformation (Geschichte, Kultur und Geisteswelt der Slowenen 1). München 1968.

Hermann Tulich

(Tulken, Tulike)

*1486 in Steinheim bei Paderborn
†28. 7. 1540 in Lüneburg

T. besuchte die Domschule in Münster und wurde besonders von Murmellius beeinflußt. Meibom berichtet, daß er in Löwen bei Konrad Goclenius studiert habe, doch ist diese Nachricht unsicher. Nachweislich war er 1508 in Wittenberg und 1512 in Leipzig inscribiert. Seinen Unterhalt verdiente er als Korrektor bei Melchior Lotther. In dieser Zeit gab er Ciceros Reden heraus. Im Februar 1520 beschloß er, nach Wittenberg zu gehen, wo er auch Freunde hatte. Am 9. 2. 1520 wurde er dort Magister und gewann schnell eine geachtete Position.

Luther widmete ihm seine Schrift »De captivitate babylonica ecclesiae«, Melanchthon seine Plutarchausgabe. 1522 bekam T. einen Lehrstuhl in der Artistischen Fakultät, las über antike Dichter, aber auch über Rud. Agricolas De inventione dialectica. Im folgenden Jahr zum Stiftsherrn des Allerheiligenstiftes gewählt, weigerte er sich, die bischöfliche Ordination anzunehmen, und verlor daher diese Stelle. Dieser Entschluß erregte Aufsehen, zumal T. dadurch in eine wirtschaftliche Notlage geriet. Er ging als Schulleiter nach Eisleben und gab dort die erste deutsche evangelische Schulordnung heraus. Im selben Jahr, 1525, rief ihn die Universität Wittenberg zurück und übertrug ihm das Amt des Rektors. Dort trat aber T. nicht mehr hervor. 1532 wurde er auf Vorschlag von Urbanus Rhegius in Lüneburg zum Rektor des Johanneums gewählt. Seine Schulregeln, die Leges Tulichianae, machten ihn berühmt. Auch muß er ein großes pädagogisches Geschick besessen haben. Dem Unterricht sprach er entsprechend seiner Erfahrung große Bedeutung fürs Leben zu: Grammatica in scholis facit miracula, catechismus in ecclesia.

ADB 38 (1894), 777ff.
F. L. Hoffmann. Lehrplan für eine deutsche Schule. Hamburg 1865.
G. Kawerau. Johann Agricola. Berlin 1880.
F. Paulsen. Geschichte des gelehrten Unterrichts. Berlin,²1896.

Johann Konrad Ulmer

(de Ulma)

*31. 3. 1519 in Schaffhausen
†7. 8. 1600 in Schaffhausen

Da Ulmer seinem Vater im Hause helfen mußte, ist er spät auf die Lateinschule seiner Vaterstadt gekommen. Zum Studium ging er nach Basel, wo ihn Simon Grynäus in sein Haus aufnahm. Er hörte Erasmus, Amerbach, Oekolampad u. a. 1538 zog er weiter nach Straßburg, um Bucer, Calvin und Capito zu hören. 1541 reiste er über Frankfurt nach Erfurt und Wittenberg. Dort wurde er am 7. 10. 41 immatrikuliert. Bereits 1542 wurde er Magister zusammen mit Johann Stigel, Johann Crato aus Breslau, Heinrich Meier aus Bern u. a. Luther und Melanchthon empfahlen ihn dem Grafen Philipp von Steineck zur Einführung der Reformation in seinem Gebiet. Dazu wurde er am 28. Nov. 1543 von Bugenhagen in Wittenberg ordiniert. Als Hofprediger des Grafen in Lohr hatte er eine weitreichende Wirksamkeit. Als die Grafschaft nach dem Tode des Grafen Philipp 1559 an das Erzstift Mainz fiel, durfte er bei seiner Gemeinde bleiben, folgte aber 1569 einem Ruf seiner Vaterstadt, um dort noch 30 Jahre im Segen zu wirken. Er galt auch als Reformator der Grafschaft Rhineck.

ADB 39 (1895), 209f.
J. Wipf. Reformationsgeschichte der Stadt und Landschaft Schaffhausen. Schaffhausen 1929, 348ff.
E. Scherrer. J. K. U. (Schaffhausener Beitr. z. vaterl. Geschichte 16, 1939, 179–198).

Zacharias Ursinus

*18. 7. 1534 in Breslau
†6. 3. 1588 in Neustadt a. d. H.

Als Sohn eines aus Österreich nach Breslau eingewanderten Schulmeisters, Kaspar Beer, der in Wien studiert und seinen Namen bereits latinisiert hatte, wurde Zacharias Ursinus am 18. 7. 1534 in Breslau geboren. Seine Mutter Anna Rothe entstammte einer Breslauer Bürgerfamilie. In dürftigen Verhältnissen aufgewachsen, besuchte Ursinus die Elisabethschule und bezog 1550 die Universität Wittenberg; das Studium ermöglichte ihm Crato von Crafftheim, der sein vertrauter Freund wurde. Als Hofmeister eines aus Breslau stammenden Studenten hat er bis 1555 sich in Wittenberg aufgehalten und ist in ein nahes Verhältnis zu Melanchthon getreten. Um seinen Gesichtskreis zu erweitern, trat er 1557 eine große Reise an, wohnte dem Wormser Religionsgespräch bei und zog weiter über Straßburg und Basel nach Genf. Von dort ging er über Lyon und Orléans nach Paris. Auf der Rückreise berührte er Zürich, Tübingen und Nürnberg.

Der Breslauer Rat berief den jungen Gelehrten als Lehrer an die Elisabethschule. Zu seinen Aufgaben gehörte die Erklärung von Melanchthons Examen ordinandorum. Dabei bekannte er sein calvinisches Abendmahlsverständnis. Vom Breslauer Rat auf seinen Antrag entlassen, zog Ursinus am 26. 4. 1560 nach Zürich, wo sich Petrus Matyr Vermigli seiner annahm. Sodann folgte er dem Ruf nach Heidelberg, wo er zum Dr. theol. promovierte und über dogmatische Fragen zu lesen begann. Nachmittags hielt er allsonntäglich eine Katechismuspredigt. Die Ausarbeitung des neuen Heidelberger Katechismus fiel ihm ebenfalls in beträchtlichem Maße zu. In den Streitigkeiten um dieses Büchlein führte er die Verteidigung. Auch am Maulbronner Gespräch 1564, wo er neben Olevian das Wort gegen Jacob Andreae zu führen hoffte, verstand er die calvinische Abendmahlsauffassung zu rechtfertigen. Als die Pfälzer 1566 wegen ihres Abfalls von der C.A. vom Religionsfrieden ausgeschlossen werden sollten, trat Ursinus als Verteidiger auf. Weiterhin wollte Ursinus allen Streitigkeiten fern bleiben. Als 1568 Zanchi nach Heidelberg berufen wurde, ist Ursinus stärker entlastet worden. Die Arbeit in Heidelberg ging über seine Kräfte, aber der Kurfürst entließ ihn nicht. Ursinus nahm Anstoß an den sittlichen Zuständen und forderte Einführung der Kirchenzucht. Von seinem Vater hatte er die Melancholie geerbt. Dieses Leiden nahm mit den Jahren

stark zu. Nach dem Tode des Kurfürsten Friedrich III. folgte die Amtsenthebung der reformierten Theologen in Heidelberg. Bei Pfalzgraf Johann Kasimir fand er in Neustadt Aufnahme und setzte dort seine literarische Arbeit fort. Seine Kraft war jedoch gebrochen.

ADB 39 (1885), 369 ff.
RE 20 (1908), 348 ff.
K. Sudhoff. C. Olevianus und Z. U. Leben und ausgew. Schriften (Väter und Begründer der reformierten Kirche 8). Elberfeld 1857.
A. Gillet. Crato von Crafftheim. Breslau 1860.
W. Hollweg. Der Augsburger Reichstag von 1566 und seine Bedeutung für die Entstehung der Reformierten Kirche. Neukirchen 1964.
W. Metz. Necessitas satisfactionis? Eine systematische Studie zu den Fragen 12–18 des Heidelberger Katechismus und zur Theologie des Z. U. (Studien zur Dogmengesch. und systematischen Theol. 26). Zürich 1970.
E. K. Sturm. Der junge Z. U. Sein Weg vom Philippismus zum Calvinismus (1534–1562) (Beitr. z. Gesch. u. Lehre der Reformierten Kirche 33). Neukirchen 1972.

Joachim Vadianus

(siehe: Joachim von Watt)

Juan de Valdès

*ca. 1500 in Cuenca (Kastilien)
†1541 in Neapel

Die Zwillingsbrüder Alfonso und Juan de V. entstammten einem vornehmen Geschlecht. Während Alfonso in den Staatsdienst ging und Sekretär Karls V. wurde, den er nach Italien und Deutschland begleitete, trieb Juan humanistische Studien in der Universität Alcalà. Vor der Inquisition floh er nach Italien. Seit 1531 hielt er sich in Rom auf und bekleidete ein Ehrenamt am

211

Vatican. Luther verstanden beide Brüder nicht. Nach dem Tode Papst Clemens VII. ging Juan zum Kardinal Ercole Gonzaga nach Neapel und blieb dort bis zu seinem Tode. Dort verfaßte er seine Dialogi. Dort vertraute sich Julia Gonzaga seiner geistlichen Führung an. Für sie schrieb er das Alfabeto cristiano, übersetzte den Psalter aus dem Hebräischen, widmete ihr seinen Römerbrief-Kommentar. Weite Verbreitung fanden seine 110 Considerationi. Seine biblizistische Auffassung vertrat er auch in einem großen Briefwechsel. Die kirchliche Praxis seiner Zeit, vor allem die Sakramentslehre der römischen Kirche verurteilte er. Sein tiefinnerlich angelegtes Schaffen wirkte reformierend in Italien und Spanien. In seinem Kreise entstand das Buch »Il beneficio di Christo«. J. V. starb, bevor die Inquisition seinen Kreis zersprengte. Zu einem eigentlichen Reformator großen Stils ist er nicht mehr geworden.

RE 20 (1908), 382 ff.
E. Stern. A. et J. V. Straßburg 1889.
K. Benrath. Bernardino Occhino. Braunschweig ²1892.
Ders. Julia Gonzaga (SVRG 65). Halle 1900.
J. N. Bakhuizen v. d. Brink. J. d. V., réformateur en Espagne et en Italie. Genf 1969.

Thomas Venatorius

*um 1488 in Nürnberg
†4. 2. 1551 in Nürnberg

Als junger Humanist zog Th. V. früh nach Italien. Er studierte in Padua. Seinen deutschen Namen Gehauf oder Jäger latinisierte er der Sitte der Zeit folgend. Nach seiner Rückkehr stand er seit 1519 im kirchlichen Dienst seiner Vaterstadt. Von 1533 bis zu seinem Lebensende war er Prediger an der Jakobinerkirche. Daneben erhielt er seine humanistischen Neigungen aufrecht, auch als er sich der ev. Bewegung angeschlossen hatte. Mit Willibald Pirkheimer blieb er verbunden, auch als die übrigen ev. Pfarrer in Nürnberg von ihm abrückten. Seit 1534 war ihm die Leitung des städtischen Schulwesens übertragen. In diesem Rahmen gab er zahlreiche lateinische Gedichte, Übersetzungen griechischer Tragiker und astronomische Werke heraus. Unter den Nürnberger Predigern nahm Th. V. eine geachtete Stellung ein und beteiligte sich am kirchlichen Leben, ohne führend hervorzutreten. Im Streit um die »Offene Schuld« nahm er Stellung gegen Osiander. Im Grunde aber blieb er der Gelehrte, der sich ungern an der Polemik beteiligte. Nur als Johann Haner abfiel, schrieb er eine scharfe Streitschrift gegen ihn »De sola fide iustificante nos... ad Joannem Hanerum epistola apologetica« (Nürnberg 1534). Seine theologischen Werke wurden gern gelesen und haben den Verfasser überlebt. Neben lateinischen Schriften über ev. Grundwahrheiten waren es hauptsächlich Trostschriften für die Gemeinde. Die Schrift »Ein kurz Unterricht den sterbenden Menschen gar tröstlich« (1527) gab Luther mit einer Vorrede heraus. Einige Jahre darauf erschien die Schrift »Ermanung zum creutz in der zeyt der Verfolgung« (1530). Nicht zu vergessen ist sein Buch »De virtute christiana« (Nürnberg 1529), das am Anfang der ev. Ethik steht, ohne rechte Beachtung gefunden zu haben. V. verfaßte auch exegetische und dogmatische Schriften, die teilweise nicht mehr erhalten sind, darunter eine Auslegung der Psalmen, die er dem Rat von Rothenburg und dem Abt des Klosters Heilsbronn widmete.

In der Zeit des Interims leistete V. wie andere Nürnberger Prediger tapferen Widerstand. Bald darauf starb er.

ADB 39 (1895), 599 f.
RE 20 (1908), 489 ff.
J. C. E. Schwarz. Th. V. und die ersten Anfänge der protestantischen Ethik (ThStKr 23, 1850, 79–142).

Th. Kolde. Th. V., sein Leben und seine literarische Tätigkeit. (BBKG 13, 1907, 97 ff., 157 ff.).
M. Simon. Nürnberger Pfarrerbuch. Nürnberg 1965, 235.

Georg von Venediger

*? in Venedien bei Mohrungen
†3. 11. 1574 in Liebemühl

V. entstammt altem preußischen Adel. Das Geburtsdatum ist unbekannt. Während seiner Schulzeit in Königsberg erhielt er Unterricht bei Poliander. Studiert hat er vermutlich in Königsberg und Wittenberg, wo er noch im Jahre 1550 zum Dr. promovierte. Den kirchlichen Dienst übernahm er auf Melanchthons Empfehlung an der Marienkirche in Rostock. Zugleich wurde er dort zum Professor an der Universität ernannt. Mit seinem Kollegen Tileman Heßhusen unternahm er Visitationen. Dabei kam es zu ärgerlichen Auftritten. Bereits zwei Jahre später berief ihn Herzog Philipp von Pommern als Stiftssuperintendenten nach Kammin. Nach dem Tode des B. von Manteuffel hatte er in diesem bislang noch altgläubigen Gebiet die Ref. einzuführen. Der Herzog ernannte ihn 1563 zum Generalsuperintendenten. Als solcher nahm er am Landtag in Stettin 1563 teil. Die dort beschlossene Kirchenordnung, die die alte von 1535 ablösen sollte, war von Runge, von Rhode und ihm ausgearbeitet worden. Rhodes Nachfolger als Superintendent von Stettin zu werden, lehnte er ab. Da ernannte ihn Herzog Albrecht von Preußen zum B. von Pomesanien. Auch dieses Amt hatte er nur fünf Jahre inne. Eingeführt hatte ihn in sein Amt Mörlin, der bis 1573 Bischof von Samland blieb.

ADB 39 (1895), 604 f.
RE 4 (1898), 295.
W. Hubatsch. Geschichte der ev. Kirche Ostpreußens. 1, Göttingen 1968, pass.

Pier Paolo Vergerio

*um 1497 in Capodistria
†4. 10. 1564 in Tübingen

Pier Paolo Vergerio ist 1497/98 als Sohn eines angesehenen Patriziers in Capodistria auf venezianischem Gebiet geboren und hat in Padua juristische Studien betrieben. Seine ersten Schriften galten juristischen, besonders staatsrechtlichen Fragen. Als praktischer Jurist in Venedig heiratete er 1526 Diana Contarini, die nach kurzer Ehe starb. 1529 trat Vergerio in kirchliche Dienste, wurde 1533 als päpstlicher Nuntius nach Wien berufen und wirkte 1535 für die Vorbereitung des Konzils. In dieser Eigenschaft besuchte er Wittenberg und hatte eine persönliche Begegnung mit Luther. Seine Bemühungen um das Konzil anerkannte Paul III., indem er ihn zum Bischof von Modrusz, später von Capodistria erhob. 1540 tritt er in Worms auf, um für den Konzilsgedanken zu wirken. Vergerio meinte im Interesse der Kirche zu handeln, wie Contarini und seine Freunde, und den »deutschen Ketzern« fernzustehen. In der Heimat war er indessen verdächtig geworden, mußte sich vor dem Inquisitionsgericht verteidigen. Obwohl er freigesprochen wurde, war seine Teilnahme am Trienter Konzil abgelehnt worden. Ob es nur die Kränkung war, nicht vielmehr seine durch das Schriftstudium gewonnene Erkenntnis? Jedenfalls wendet sich Vergerio gegen die Kurie und vollzieht den Bruch mit der römischen Kirche. In einem wieder aufgenommenen Prozeß wurde er des Amtes entsetzt und der Freiheit für verlustig erklärt. Am 1. Mai 1549 flüchtete Vergerio aus Italien. Vom nächsten Jahre an ist er evangelischer Prediger in der italienischen Schweiz und entfaltet eine ruhige Tätigkeit. Daneben führt er seine schriftstellerische Arbeit weiter und führt einen ausgedehnten Briefwechsel. Vergerio errichtete auch eine Druckerei. Als aber 1553 Herzog Christoph von Württemberg ihn in seine

Dienste rief, folgte Vergerio dem Ruf, um reisend und schreibend für die evangelische Sache zu wirken. Seit 1556 richtete er seinen Blick auf Polen, knüpfte Beziehungen zu Herzog Albrecht von Preußen, zum Fürsten Radziwill und gewann Einfluß am Königshof. Den König Sigismund warnte er vor dem päpstlichen Konzil. Aber auch mit dem französischen Hof hatte er weitere Beziehungen. Ebenso hat Vergerio auf Maximilian II. in Wien einzuwirken verstanden und sich an Königin Elisabeth von England brieflich gewandt, um ein protestantisches Bündnis zustande zu bringen.

Wenn Vergerio während seiner Wirksamkeit im evangelischen Lager auch in der Hauptsache als Polemiker und Kirchenpolitiker tätig war, so hat er doch in Graubünden für die Reformation unter seinen Landsleuten tatkräftig gewirkt, für größere Unternehmungen wie die Herausgabe der Slowenischen Bibelübersetzung durch Primus Trubar sich eingesetzt und bei all seiner Vielgeschäftigkeit doch eine klare Linie gezeigt. Das ihm vorschwebende Ziel, seine italienische Heimat für die Reformation zu gewinnen, war zu seiner Zeit nicht erreichbar. Am 4. Oktober 1565 ist er gestorben.

ADB 39 (1895), 617ff.
RE 20 (1908), 546ff.
Ch. H. Sixt. P. P. V., päpstlicher Nuntius. Braunschw. ²1871.
K. Benrath. Gesch. d. Ref. in Venedig (SVRG 19), Halle 1887.
H. Baumgarten. Gesch. Karl V. Bd. 3. Stuttgart 1892, 288ff.
J. Sembitzki. Reise V.s nach Polen 1556/57 (Altpreuß. Monatsschr. 27, 1890).
F. Hubert. V.s publizistische Tätigkeit. Göttingen 1893.
G. Buschbell. Reformation und Inquisition in Italien um die Mitte des 16. Jahrhunderts (Quellen u. Forschungen aus dem Gebiet der Geschichte 13). Paderborn 1910.
G. Müller. P. P. V. in päpstlichen Diensten 1532–1536 (ZKG 77, 1966, 341ff.).

Petrus Martyr Vermigli

*8. 9. 1500 in Florenz
†12. 11. 1562 in Cambridge

Am 8. September 1500 in Florenz geboren, trat Vermigli mit 16 Jahren bereits ins Augustiner-Kloster ein. Zum Studium kam er nach Padua, wo er aristotelische Philosophie betrieb. Auch Griechisch und Hebräisch eignete er sich in dieser Zeit an. In den nächsten Jahren wirkte er in seinem Orden, zuletzt als Prior in Neapel. Hier trat er dem Kreise, der sich um Juan Valdes sammelte, bei und wurde von hier bestimmt, in seinen Predigten stärker auf die Bibel zurückzugehen. Auch im Kloster in Lucca legte er selbst biblische Bücher aus und wirkte im Sinne der evangelischen Richtung. Hier besuchte ihn Contarini nach dem Regensburger Reichstag von 1541. 1542 vor das Ordenskapitel zur Verantwortung seiner Lehre zitiert, zog es Vermigli vor, außer Landes zu gehen. Über Zürich und Basel kam er nach Straßburg und übernahm dort an der Akademie die Alttestamentliche Professur als Nachfolger Capitos. Bucer riet ihm zu heiraten, und er verehelichte sich mit Catharina Dammartin, einer ehemaligen Nonne aus Metz, die um des Glaubens willen nach Straßburg geflohen war. Der Schmalkaldische Krieg vertrieb ihn, er ging nach England. Hier hat er entscheidend bei der Ref. der Kirche von England zusammen mit Bucer gewirkt. Sechs Jahre sollte Vermigli in Oxford lehren. Hier starb seine Frau. Der Umschwung unter Königin Maria bereitete seinem Wirken ein Ende. Die Straßburger beriefen ihn 1552 zurück, und wieder wirkte Vermigli hier an der Akademie, bis ihn die konfessionellen Auseinandersetzungen veranlaßten, nach Zürich überzusiedeln, wo er mit Bernardino Ochino zusammentraf. Neben seiner Lehrtätigkeit trat er in der Kontroverse gegen die englischen katholischen Theologen hervor, schrieb Gutachten und hatte einen weitgespannten Briefwechsel. In den Lehrstreitigkeiten trat er stark hervor. Vermigli war entschiedener Praedestinatianer, polemisierte gegen Brenz und Westphal. Im übrigen erfreuten sich seine alttestamentlichen Kommentare großer Beliebtheit. Seine kleinen theologischen Schriften wurden unter dem Sammelnamen Loci communes seit 1575 oft gedruckt. Waren seine Ansichten zuerst in der Straßburger Luft gefestigt, so hat Vermigli der milderen Auffassung Bucers die entschiedenere Calvins vorgezogen. Berufungen nach Genf und nach Heidelberg lehnte er ab und verbrachte seine letzten Jahre in Zurückgezogenheit in Zürich. Vermigli war es, der hier Ursinus für die gleiche Auffassung gewann. Insbesondere widmete er sich aber den evangelischen Flüchtlingen aus Italien, der englischen Kirche nach der Thronbesteigung Elisabeths und den Kämpfen in Polen. Als er zum Rel.-Gespr. von Poissy 1561 nach Frankreich kam, wurde er am Hofe ehrenvoll aufgenommen. Erfolg hatte dieser letzte Verständigungsversuch nicht.

RE 20 (1908), 550.
Ch. Schmidt. P. M. V. (Leben u. ausgew. Schriften der Väter u. Begründer d. reform. K.). Elberfeld 1858.
D. Cantimori. Die italien. Häretiker der Spätrenaissance, dt. Übers. von W. Kaegi. Basel 1949.
J. C. McLelland. The visible words of God. An exposition of the sacramental theory of P. M. V. Edinburg/London 1957.
K. Sturm. Die Theologie P. V. V.s während seines ersten Aufenthalts in Straßburg 1542–1547 (Beitr. z. Lehre d. Reformierten Kirche 31). Neukirchen 1971.
Ph. McNair. P. V. in Italy. An anatomy of apostasy. Oxford 1967.
S. Corda. Veritas sacramenti. A study on V's doctrin of the Lords Supper (Zürcher Beitr. z. Reformationsgeschichte 6). Zürich 1975.
M. W. Anderson. A reformer in exile (1542 bis 1562) (Bibliotheca humanistica et reformatoria 10). Nieuwenkoop 1975.
J. P. Donnely. Calvinism and scholasticism in V's doctrine of man and grace (Studys in medieval and reformation thought 18). Leiden 1976.
F. M. Kingdon. The political trough of P. M. V. Selected texts and commentarys (THR 178). Genève 1980. [Bibliographie 171–182]

Pierre Viret

*1511 in Orbe
†4. 5. 1571 in Orthez

Einer der maßgebenden Reformatoren für sein Heimatgebiet, das Waadtland, aber auch für Frankreich ist P. Viret. Als Sohn eines Handwerkers in Orbe 1511 geboren, war er für den geistlichen Beruf bestimmt und zum Studium nach Paris geschickt worden. Dort ist er für die reform. Auffassung gewonnen worden, für die er seit 1531 in seiner Vaterstadt wirkt. Seit 1533 ist er Farels Gehilfe in Genf, ist aber Anfeindungen stark ausgesetzt. Von hier wendet er sich nach Neuenburg und später nach Lausanne und setzte dort die Reformation durch. Als Calvin aus Genf verdrängt wurde, vertrat ihn Viret, hielt Vorlesungen am Seminar in Lausanne und verfaßte seit 1541 eine Reihe katechetischer und polemischer Schriften. Vor allem warb er für Calvins Rückkehr. Selbst ging er nach Lausanne zurück. Mit der Berner Regierung hatte er manche Spannungen, da diese in ihrem Gebiet den Genfer theologischen Einfluß ungern sah. Die Frage der Kirchenzucht gab den Ausschlag. Viret wurde wegen seiner Auffassung als Prediger in Lausanne 1559 abgesetzt, aber in Genf gleich aufgenommen. Bald jedoch wurde er nach Nîmes berufen und konnte seitdem auf das Leben der französischen Protestanten unmittelbaren Einfluß nehmen. Als die Reformierten in Südfrankreich ihre Kirchen den Katholiken abgeben mußten, riet Viret nachzugeben. Selbst ging er nach Lyon. Hier wurde er Vorsitzender des Konsistoriums und führte auch den Vorsitz auf der 7. französischen Nationalsynode 1563. Seine literarische

Tätigkeit nahm in dieser Zeit erheblich zu, zumal er an eine neue Kampffront durch die Antitrinitarier gerufen wurde. Nun schrieb er sein Hauptwerk über Gesetz und Evangelium. So weitschweifig es ist, enthält es viele schöne Partien und zeigt, daß der Verfasser eine gediegene allgemeine Bildung und theologische Erudition besitzt. Wichtig für das Werk der Reformation ist außerdem sein umfangreicher Briefwechsel. Als Viret 1565 Lyon verlassen mußte, ging er wieder nach Südfrankreich und wirkte an der in Orthez von Jeanne d'Albret begründeten Akademie. Dort ist er gestorben und im Erbbegräbnis des Prinzen von Béarn beigesetzt.

RE 20 (1908), 693 ff.
W. Kolfhaus. P. V. (ThStKr 27, 1914, 54–110).
H. Meylan. P. V. (Publ. de la Fac. de Théol. à Lausanne 3). Lausanne 1961.
H. Meylan et Guex. V. et MM de Lausanne (Rev. hist. vaudoise 69, 1961, 113–173).
H. Chausson. P. V. Paris 1961.
J. Bernhard. P. V. Sa vie et son œuvre (1511–1570). St. Amant 1911 (Reprint Nieuwenkoop 1973).

Matthias Vlacich

(siehe: Matthias Flacius Illyricus

Burkhard Waldis

*ca. 1490 in Allendorf/Hessen
†1556

W. war Franziskaner in Riga. Im Jahre 1523 begleitete er seinen Ordensbruder Antonius Bomhower nach Rom, der dort über die Lutherischen in Livland Klage führen sollte. Bei der Rückkehr am 10. 6. 1524 wurde er in Riga verhaftet, legte die Kutte ab und schloß sich der lutherischen Bewegung an. Seinen Unterhalt verdiente er in dieser Zeit als Zinngießer. 1527 trat er mit dem Fastnachtspiel »Parabel vom verlorenen Sohn« hervor. Die Dichtung ist eine allegorisierende Auslegung des Evangeliums Luc. 15. Teilweise schließt sie sich auch an Luthers Lied »Nun freut euch, lieben Christen gmein« an. Als älterer Mann begab sich W. zum Studium nach Wittenberg (1540). Danach wurde er 1546 Pfarrer im hessischen Abterode. Aus seinen letzten Jahren liegen außer Fabeln auch Psalmen-Übersetzungen vor.

ADB 40 (1896), 701 ff.
L. Arbusow. Einführung der Reformation in Liv-, Est- und Kurland (QFRG 3). Leipzig 1921 (1962).
O. Pohrt. Reformationsgeschichte Livlands (SVRG 145). Leipzig 1928.
O. Hütteroth. Althessische Pfarrer der Reformationszeit. Marburg ²1966, 385.

Rudolf Walter

(siehe: Rudolf Gualther)

Joachim von Watt

(Vadianus)
*1483 in St. Gallen
†1551 in St. Gallen

Als die reformatorische Bewegung die deutsche Schweiz erfaßte, wurden zwar in St. Gallen zwei Prädikanten eingesetzt, die der neuen Richtung angehörten; trotzdem fiel die Durchführung der Reformation nicht einem Pfarrer, sondern dem weithin bekannten Geschichtsschreiber, Arzt und Bürgermeister Dr. Joachim von Watt zu. Dieser war in St. Gallen als Sohn eines kunstsinnigen Handelsherrn geboren, der für die gelehrte Bildung seines Sohnes frühzeitig sorgte. Mit 18 Jahren war Joachim nach Wien gegangen, wo er bei Konrad

Celtes studierte und mit der Zeit selbst ein anerkannter Lehrer wurde. Mit den meisten Humanisten stand er in Briefwechsel, und zahlreiche Schüler trugen seinen Ruhm hinaus in die Welt. Er wurde poeta laureatus, Professor und auch Rektor der Universität, machte große Reisen und war ein angesehener Arzt.

Aus unbekannten Gründen verließ V. die Donaustadt und kehrte in seine Heimat zurück, wo er sogleich einen öffentlichen Dienst übernahm und seinen Hausstand gründete. Es mag sein, daß seine kirchlichen Interessen ihn jetzt beanspruchten, die ihn zu theologischen und geschichtlichen Studien weiterführten. Bibelstudien und Lektüre zahlreicher reformatorischer Schriften ließen ihn eine neue Glaubensüberzeugung gewinnen. Mit dem ihm von Wien her befreundeten Zwingli blieb er in Verbindung. Sein Schüler Joh. Keßler, derselbe, der Luther im »Schwarzen Bären« in Jena 1522 traf und in Wittenberg studiert hatte, brachte erst die Bewegung in der Stadt in Gang und zwar dadurch, daß er in den Häusern Schrifterklärungen gab. Vadian, seit 1520 Mitglied des großen Rats, nahm sich der Sache erst recht an und erwirkte die Erlaubnis, diese Abende in der Kirche zu halten. Dem angesehenen Gelehrten wurde von der Stadt die Leitung der kirchlichen Angelegenheiten übertragen. So kam es, daß in St. Gallen schon 1534 die Neuordnung des Kirchen- und Armenwesens durchgeführt wurde. In kluger Zurückhaltung wollte V. nichts überstürzen. Auch als die Irrungen der Wiedertäufer auftraten, verließ er seine Richtung nicht, obwohl es für ihn schwere Zeiten waren und er gegen seine Angehörigen vorgehen mußte.

1526 zum Bürgermeister gewählt, dachte V. auf dem Wege der Reformation weiterzugehen. In der Frage der Messe und der Bilder fiel nunmehr endgültig die Entscheidung. V. galt auch in Zürich und in den anderen Kantonen viel. Hatte er schon 1523 bei der Züricher Disputation den Vorsitz geführt, so fiel ihm dasselbe Amt auch in Bern 1528 zu. Die Folge dieser Disputation war nicht nur für Bern, Basel und Schaffhausen Annahme der neuen Lehre, auch in St. Gallen wurden die letzten Auseinandersetzungen mit dem alten Kirchenwesen durchgesetzt, die Klöster reformiert und die letzten Anhänger der Messe ausgewiesen (= Meßpfaffen). V. selbst stand als Bürgermeister voran, als es galt, Verhandlungen mit dem Abt zu führen, als die Bilder im Münster abgebrochen wurden.

Es liegt auf der Hand, daß V. mit seinem Freunde Zwingli bei der Durchführung der neuen Kirchenpolitik in seiner Vaterstadt übereinstimmte. Dagegen bleibt es fraglich, ob er mit Zwinglis großer Eroberungspolitik einverstanden war. Dennoch war die Katastrophe von Kappel für ihn ein schwerer Schlag. Ihm erschien dieses Ereignis als Gottes Strafe, und er zog daraus die Folgerung, »daß die Diener des Wortes nicht zum Krieg, sondern zum Frieden rüsten und lehren sollten«. Als Bürgermeister hatte V. schwere Verhandlungen zu führen, um nach dem Sonderfrieden den ev. Bestand in St. Gallen zu erlangen. Es gelang ihm.

Neben seiner Fürsorge für die Stadt und seinem ärztlichen Beruf hat V. sich als Geschichtsschreiber seiner Vaterstadt betätigt. Ihn verband Freundschaft mit dem Konstanzer Zwick, dem Züricher Bullinger und den Straßburgern Butzer und Capito, so daß er die besten Quellen zu Gebote hatte. Es ist ein Werk seines Herzens gewesen, das der fromme und weitschauende V. lieferte und als Erbe seiner Vaterstadt hinterließ.

ADB 41 (1906), 239 ff.
RE 21 (1908), 25 ff.
Th. Pressel. J. V. (Leben u. Schriften d. Väter u. Begründer der reformierten Kirche). Elberfeld 1861.
R. Stähelin. Die reformat. Tätigkeit des St. Galler

Humanisten V. (Beitr. z. vaterländ. Gesch. 11).
1891, 191 ff.
Hess, Arbenz und Wartmann. Vadianische
Briefsammlung (Mitt. z. vaterländ. Gesch.
24–30). 1891/1913.
E. Goetzinger. J. V., der Reformator und Geschichtsschreiber von St. Gallen (SVRG 50).
Halle 1895.
J. Ninck. Arzt und Reformator V. St. Gallen
1936.
W. Näf. V. und seine Stadt St. Gallen. St. Gallen
1944. 2: Bürgermeister und Reformator von St.
Gallen. St. Gallen 1957.
W. Näf. V.-Studien 1–4. St. Gallen 1945.
C. Bonorand. Stand und Probleme der V.-Forschung (Zwingliana 11, 1963, 586–606).

Adam Weiß

*um 1490 in Crailsheim
†25. 9. 1540 in Crailsheim

Als Sohn des dortigen Bürgermeisters erhielt W. eine gründliche Ausbildung und wurde auf der Univ. Mainz theologisch geschult. Dort hielt er Vorlesungen über den Lombarden. Befreundet war er mit Hedio. 1521 verließ er die Univ., als ihm die Markgrafen Georg und Kasimir von Brandenburg-Ansbach die Pfarrstelle in seiner Vaterstadt antrugen. Hier begann er im Sinne der Ref. zu predigen und führte eine neue Gottesdienstordnung ein. Zusammen mit Rurer bestimmte er den Ansbacher Landtag durch seinen ev. Ratschlag. Als aufrechter Mann wußte er selbst mit seinem Landesherrn deutlich zu reden, der deshalb Vertrauen zu ihm besaß und ihn mit weiteren Aufträgen bedachte. Als Markgraf Kasimir im Felde war und die Statthalterschaft im reaktionären Sinne geführt wurde, blieb er trotzdem unangefochten, während andere verheiratete Priester vertrieben wurden.
Nach dem Regierungsantritt des Markgrafen Georg entwarf er gemeinsam mit Althamer die Instruktion für die Kirchenvisi-

tation. Eine weitere Visitationsgrundlage arbeitete er mit den Nürnberger Pfarrern Osiander und Schleupner aus, die in 23 Art. bestand. Nach diesem Formular wurde 1528 die Visitation gehalten. Fortan wirkte W. als Sup., begleitete den Markgrafen auf den Reichstag nach Speyer 1529 und im nächsten Jahr nach Augsburg 1530, wo er auch neben den anderen markgräflichen Theologen Rurer, Brenz und Meglin predigte. Mit Brenz war er seit 1523 befreundet und förderte mit ihm die Ref.-Bewegung in der Umgegend, besonders auch im Württembergischen. Auch mit zahlreichen anderen Reformatoren, wie Billican und Löner, verband ihn Freundschaft. Anfangs Zwingli zugetan, trat er seit dem Abendm.-Streit gleich Brenz ganz auf Luthers Seite. Jeden Radikalismus mied er und erreichte durch seine vorsichtige und bestimmte Art mehr als andere. Bei aller Entschiedenheit und festem Auftreten wußte er unnötige Streitigkeiten zu vermeiden. Deshalb erfreute er sich in seiner Heimat großer Achtung, aber auch Luther schätzte ihn hoch als gründlichen Theologen und guten Kirchenorganisator. Schon auf dem Augsburger Reichstag war er leidend. Sein Leben fand ein schnelles Ende.

ADB 41 (1896), 554 f.
RE 21 (1908), 73 ff.

Michael Weiße

*ca. 1488 in Neiße/Schl.
†1531 (oder 1534) in Landskron

W. studierte in Krakau (1504), trat 1510 in Breslau ins Kloster ein, entfloh jedoch 1518 und schloß sich in Leitomischl den Böhmischen Brüdern an. Mit J. Horn wurde er seit 1522 mehrfach zu Luther gesandt, um das Glaubensbekenntnis der Brüder mit dem Luthers auszugleichen. Später wurde W. Prediger der »Deutschen Gemeinde

Gottes und Christlicher Bruderschaft« in Landskron, wo er angeblich durch Gift umkam. Von großer Wirkung wurde seine Kirchenmusikalische Arbeit. 1531 gab er das »New Gesengbuchlin« (mit 157 deutschen Liedern) heraus. Dieses Gesangbuch ist mehrfach nachgedruckt worden und wirkte anregend auf weitere Werke dieser Art. W.s eigene Dichtungen bewähren sich bis in die Gegenwart. Im EKG stehen neun Lieder von ihm.

ADB 41 (1896), 597 f.
F. Hrejša. Dejiny krestanstvi v Čechoslovensku. 5. Prag 1948, 52 u. ö.
S. Fornaçon. M. W. (Jb. f. Schlesische Kirche und Kirchengeschichte NF 33, 1954, 34–44).

Hieronymus Weller

*5. 9. 1499 in Freiberg
†20. 3. 1572 in Wittenberg

Der »Freibergische Prophet«, wie ihn wohl Zeitgenossen nannten, entstammte einem alten Patriziergeschlecht, das in der Gegend von Plauen mehrere Güter besaß, auch Bürgermeister und Ratsherren in Freiberg gestellt hatte und hohes Ansehen genoß. H. verlor seinen Vater, als er 10 Jahre alt war. Er besuchte die Schule zu Naumburg und konnte drei Jahre darauf an die Universität nach Wittenberg gehen. Mit 19 Jahren wurde er schon Bacc. Er konnte jedoch nicht weiter in Wittenberg bleiben, sondern mußte als Schulmeister sich seinen Unterhalt in Zwickau und Schneeberg verdienen. Nach 7 Jahren gaben ihm seine adligen Verwandten die Möglichkeit, weiter zu studieren. In diese Zeit fällt jene innere Erschütterung, die eine Predigt Luthers bei ihm auslöste. Es war 1527, als er sich zu Luther ins Haus begab, um Hauslehrer seiner Kinder zu sein. Während Luther sich auf der Coburg aufhielt, war er insbesondere eine Stütze für

dessen Haus. In seiner Nähe brachte er volle 8 Jahre zu, bis er die theol. Dr.-Würde erwarb. Die Promotion fand in Gegenwart des gerade in Wittenberg weilenden englischen Gesandten Barns am 14. 9. 35 statt. Die inzwischen in seiner Heimatstadt durchgeführte Ref. führte dort zur Errichtung einer theol. Lektur, die er 1539 übernahm. Nachdem Hausmann hier vorgearbeitet hatte, war es ihm nicht schwer, eine einflußreiche Stellung zu erhalten. Jonas und Spalatin führten ihn in das Amt bei Gelegenheit der Meißnischen Kirchenvisitation ein. Seine Tätigkeit am Gymnasium und sein Briefwechsel waren umfassend. Insbesondere blieb er in ständiger Verbindung mit Luther und Melanchthon. Unangefochten blieb er trotzdem nicht. Nachdem er 22 Jahre lang Vorlesungen gehalten und auch biblische Erklärungen herausgegeben hatte, zog er sich mehr zurück, beteiligte sich aber noch an allen theol. Fragen der Zeit. Seine geistige Hinterlassenschaft erschien 1702 in 2 Folio-Bänden.

H. Nobbe. H. W. (ZHTh 1870, 150–181).
W. Köhler. Bibliogr. Brentiana. Tübingen 1904, 267.

Johann Westermann

*um 1490 in Münster
†? in Hofgeismar

W. entstammt einer Handwerkerfamilie in Münster. Wo und wann er in den Augustiner-Eremitenorden eingetreten ist, steht nicht fest. Bereits 1510 hatte er in Wittenberg studiert. Wann er Prior im Lippstädter Konvent wurde, ist nicht überliefert. Als die von Luther ausgehende Bewegung in den Augustinerklöstern aufgenommen wurde, ist auch W. von ihr ergriffen worden. Mit seinem Ordensbruder Koeten zog er zum zweitenmal 1522 nach Wittenberg. Diesmal ging es um die Promotion. W.

wurde bacc. bibl. und Lizentiat. Die Thesen, über die er zu disputieren hatte, sind erhalten. Unter dem Vorsitz von Andreas Karlstadt fand 1523 die Promotion statt, die zu einem aufsehenerregenden Auftritt Karlstadts führte (Liber decanorum, S. 24).

Nach seiner Rückkehr nach Lippstadt entfaltete W. dort eine rege Predigttätigkeit, die an der Bürgerschaft nicht spurlos vorüberging. 1524/25 ließ W. in Lippstadt zwei Büchlein drucken; das eine enthielt Predigten über die Zehn Gebote, das andere hieß »Eyn suverlyke underwysinge, wy men beden schal«. Diese haben über die Grenzen von Lippstadt stark gewirkt.

Im Novemer/Dezember 1533 hielt sich W. in seiner Vaterstadt auf, um Th. Fabricius bei der Aufstellung einer K. O. für Münster zu helfen. Damals predigte er auch mehrfach, vermochte sich aber gegenüber der anabaptistischen Masse nicht durchzusetzen. Als er nach Lippstadt zurückkehrte, wurde die Stadt bald darauf belagert und erobert. Aufgrund des Recesses von 1535, den die Stadt mit dem Landesherrn, Herzog Johann von Kleve, hatte schließen müssen, war W. genötigt, die Stadt zu verlassen. Landgraf Philipp nahm ihn in Hessen auf und gab ihm das Pfarramt in Geismar. Von dort aus hat er zweimal bei kirchenordnender Tätigkeit in der Grafschaft Lippe mitgewirkt (1538 und 1541). In hohem Alter ist er in Geismar gestorben.

ADB 42 (1897), 186.
E. Knodt. J. W., der Reformator Lippstadts und sein sogenannter Katechismus. Gotha 1895.
H. Niemöller. Reformationsgeschichte von Lippstadt (SVRG 91), Halle 1906.
R. Stupperich. Glaube und Politik in der westfälischen Reformationsgeschichte (JVWKG 45/46, 1952/53, 103 ff.).

Joachim Westphal

*1510 in Hamburg
†16. 1. 1574 in Hamburg

Als Sohn eines Zimmermanns aufgewachsen, erhielt W. seine Schulbildung in Hamburg und Lüneburg. Versehen mit einem Stipendium seiner Vaterstadt, studierte er danach in Wittenberg, wo er 1529–1532 Schüler Melanchthons und Luthers war. Nach kurzer Tätigkeit als Lehrer am Johanneum in Hamburg kehrte er an die Univ. Wittenberg zurück, machte größere Reisen und wurde mit einem Lehrauftrag betraut. Schon wurde seine Berufung an die Univ. Rostock erwogen, als er zum Pastor an St. Katharinen in Hamburg gewählt und 1541 von Aepinus in sein Amt eingeführt wurde, an dessen Seite er auch theol. stand. W. trat bes. in den theol. Kämpfen seit dem Interim hervor, wobei er sich den Gnesiolutheranern anschloß. Die Hamburger Gutachten gegen das Interim und gegen Osiander sind von ihm mitverfaßt. Erst recht war W. der Wortführer im Abendm.-Streit und kreuzte mehrfach die Klinge mit Calvin. Er wies die Lutheraner immer wieder auf die gefährliche Werbung des Calvinismus hin. Die scharfe Sprache Calvins ist von ihm in gleicher Weise beantwortet worden. Ebenso trat er gegen Laski auf. Er veranlaßte die niedersächsischen Städte und einzelne namhafte Theologen, ihre Voten zur Abendm.-Auffassung abzugeben, und gab diese Bekenntnissse 1557 in Magdeburg heraus. Während Calvin Melanchthon für seine Auffassung in Anspruch nahm, suchte Westphal seine andersartige Ansicht darzulegen. Im selben Jahr war er an der Gesandtschaft beteiligt, die die Spannung zwischen Calvin und Melanchthon beilegen sollte. In Koswig führte er die Verhandlungen mit Flacius ergebnislos weiter. In den späten Jahren veröffentlichte er gegen Major und die kryptocalvinische Richtung in Wittenberg einige Schriften und nahm als Vertreter der entschiedenen Lutheraner an den Konventen in Mölln, Lüneburg und Wolfenbüttel teil. In Hamburg wurde er erst 1571 zum Sup. gewählt, obwohl er seit dem Abzug von Eitzens 1567 dessen Geschäfte führte. Er stand zu sehr im Rufe eines Streittheologen.

ADB 42 (1897), 201 f.
RE 21 (1908), 185 f.
O. Ritschl. Dogmengesch. d. Protest. 4, 1926, 12 ff.
H. E. Weber. Reformation, Orthodoxie u. Rationalismus. Gütersloh 1940, 213 ff.
H. v. Schade. J. W. u. P. Braubach. J. W. (Arbeiten z. Kg Hamburgs 18). Hamburg 1981.

Johann Wigand

* 1523 in Mansfeld
† 21. 10. 1587 in Liebemühl (Pr.)

Nach dem Besuch der Mansfelder Schule kam W. 1538 nach Wittenberg, unterbrach aber seine Ausbildung und wurde Lehrer an der Sebaldusschule in Nürnberg. Drei Jahre später widmete er sich wieder der Theologie in Wittenberg. Der Krieg vereitelt seine weiteren Pläne. Er wird Pfarrer in seiner Vaterstadt. Als die Grafschaft unter den Einfluß von Flacius kam, trat auch W. zu dieser Richtung. 1553 wurde er Pfarrer in Magdeburg und nahm an den theologischen Kämpfen gegen Osiander teil. Flacius übertrug ihm die Fortsetzung der Magdeburger Zenturien. 1560 wurde er nach Jena berufen, um mit Flacius und seinen Freunden die Theologie der Gnesiolutheraner zu vertreten. Ihr Übereifer führte ihren Sturz herbei. Am 1. 10. 1561 wurde W. entlassen. Da er sich auch in Magdeburg nicht halten konnte, folgte er einem Ruf nach Wismar, wo er die Magdeburger Zenturien (bis zum 13. Jahrh.) fortführte. W. konnte zwar 1568 nach Jena zurückkehren, doch dann kam es zum Bruch mit Flacius, dessen Erbsündenlehre er als neuen »Ma-

nichäismus« ablehnte. Da er andererseits auch Jacob Andreaes Einigungsbestrebungen ablehnte, entließ ihn Kurfürst August, sobald er die vormundschaftliche Regierung in Thüringen antrat. W. und Heßhusen gingen nach Braunschweig, wo sich Martin Chemnitz ihrer annahm und sie für das Herzogtum Preußen vorschlug. W. wurde zuerst zum Prof. in Königsberg, danach zum Bischof von Pomesanien ernannt. Die Streittheologie konnte er nicht lassen. Immerhin fiel seine Zensur des Torgischen Buches glimpflich aus. Mit seinem alten Gesinnungsgenossen Tilmann Heßhusen kam es aber zum Kampf. Dieser mußte zuerst weichen. W. konnte im Lande bleiben, da die Landstände die Erhaltung der Bistümer forderten. W. mußte außer seinem Bistum auch Samland verwalten. In dieser Zeit vollendete er die Magdeburger Zenturien (14.–16. Zenturie). Jetzt unterschrieb er auch die F.C.

ADB 42 (1897), 452 ff.
RE 21 (1908), 270 ff.
W.s Autobiographie in: Fortgesetzte Sammlung von alten und neuen theol. Sachen. Lpz. 1738, 601–620.
W. Preger. M. Flacius und seine Zeit. München 1861.
H. Scheible. Die Entstehung der Magdeburger Zenturien (SVRG 183), Gütersloh 1966.

Heinrich Winkel

(Heinrich Winckel)

* 1493 in Wernigerode (Harz)
† 1551 in Braunschweig

Seine Familie war kleinbürgerlich und lebte im frommen Geiste des späten Mittelalters. Als er erst 14 Jahre war, kaufte ihn sein Vater mit 130 Gulden ins St.-Johannes-Kloster in Halberstadt ein. Der Knabe fügte sich leicht dem Klosterleben ein und zeigte schon früh die Neigung zum Studium, so daß er 1511 vom Orden nach Leipzig geschickt wurde. Nach seiner Rückkehr hatte der junge Aug.-Mönch in der Klosterschule zu unterrichten.

Inzwischen waren reform. Einflüsse auch ins Halberstädter Kloster eingedrungen. In den entscheidenden Jahren der Ref. trat eine Reihe von Ord.-Brüdern für das Ev. ein. Sie vermochten sich aber nicht durchzusetzen und mußten das Kloster verlassen. Nun wurde W. im Jahre 1523 zum Prior gewählt. Kurze Zeit darauf erbat der der Ref. zuneigende Rat ihn als Pfr. an St. Martin, wo er durch seine volkstümliche Predigt gerade in der Zeit des Bauernaufstandes zum Segen wirkte. Als B. in Halberstadt hätte ihn der Kardinal Albrecht gern gehalten und machte ihm sogar das Zugeständnis, daß er nur einmal im Jahr die Messe zu lesen brauchte. Aber W. war inzwischen von der luth. Auffassung ergriffen, so daß er nicht nur das Pfarramt verlor, sondern ihm auch die Rückkehr ins Kloster versagt wurde.

Nun ging er nach Wittenberg, um gründlich zu studieren. An seine Ord.-Brüder in Halberstadt schrieb er noch zwei Briefe, in denen er von seiner inneren Befreiung spricht. Später versuchten die Halberstädter vergeblich, ihn wieder an St. Martini zu ziehen. Er wandte sich statt dessen nach Braunschweig, wo die Ref. 1528 zu vollem Siege gelangt war. Um die K. O. für Braunschweig zu schreiben, wurde Bugenhagen berufen, den er nach Kräften unterstützte. Als Bugenhagen nach kurzer Zeit die Stadt verließ, empfahl Luther den Mag. Görlitz als Sup., mit dem Winkel wieder als Koadjutor zusammenwirkte. Beide veröffentlichten 1531 gemeinsam ein Bekenntnis, als unter den Stadtpfarrern Meinungsverschiedenheiten über das Abendm. entstanden waren.

Über Braunschweig hinaus erlangte W. auch in anderen Städten Niedersachsens Bedeutung für die Ref. Göttingen, Hannover und Hildesheim haben es ihm zu danken, daß die reform. Kräfte in gesunde Bahnen gelenkt wurden. Zuerst richteten die Göttinger ihre Blicke auf ihn, als es galt, einen begabten und ruhigen Leiter für das neue Kirchenwesen zu gewinnen. Es gelang ihm, binnen kurzem dort die bilderstürmerischen Tendenzen zu überwinden und auch den konservativen Teil der Bürgerschaft auf die Seite der Ref. zu ziehen. Die K. O., die er Göttingen gab, richtete sich nach der Braunschweigischen. Gern hätte Göttingen ihn für immer bei sich behalten. Doch er lehnte den ehrenvollen Ruf ab.

Nach seiner Rückkehr nach Braunschweig hatte er indessen bald wieder Gelegenheit, einen auswärtigen Dienst zu übernehmen. Nicht nur in Halberstadt und in Lemgo, sondern vor allem in Hannover kam sein Einfluß zur Geltung. Fast ein Jahr wirkte er hier für die Festigung der Ref. Weil er des Niederdeutschen mächtig war, wurde er in allen Schichten der Bevölkerung geschätzt. Auf der Grundlage, die er gelegt hatte, konnte das Kirchenwesen Hannovers eine ruhige Entwicklung nehmen.

Auch in der Bischofsstadt Hildesheim, die sich der reform. Predigt so lange verschlossen hatte, mußte der neue Geist zur Geltung kommen. Die politischen Ereignisse von 1542 öffneten ihm die Tore der Stadt. Auf Verlangen der Bürgerschaft konnten drei ev. Prediger, W., Bugenhagen und Corvinus, gemeinsam die Neuordnung des Kirchen- und Schulwesens in Hildesheim beginnen. Die neue K. O. wurde gleich aufgestellt und gedruckt. Länger als die beiden andern wirkte Winkel in Hildesheim, bis auch er nach Braunschweig zurückgerufen wurde, wo ihm durch die neue Landesvisitation größere Aufgaben zuwuchsen.

In seiner Predigt vertrat er keine eigenen Gedanken, sondern gab in aller Treue weiter, was er bei Luther gelernt hatte. Die Zeitgenossen rühmen ihn als gelehrten und wortgewandten Mann, der seine nicht gewöhnlichen Gaben ganz und gar in den Dienst der Ref. gestellt hatte. In seinem

Wesen demütig und bescheiden, war er ein eindrucksvoller Pred., der durch seinen eifrigen u. treuen Dienst für die Ref. in Niedersachsen Bleibendes geschaffen hat.

ADB 43 (1898), 337 ff.
E. Jacobs. H. W. und die Reformation im südlichen Niedersachsen (SVRG 53). Halle 1896.
E. Jacobs. H. W. und die Einführung der Reformation in den niedersächsischen Städten (ZGNKG 19, 1896, 133–314).
P. Tschackert. Ein ungedruckter Brief der Stadt Braunschweig an die Stadt Göttingen über H. W. (ZGNKG 2, 1879, 307 f.).
Die Reformation in der Stadt Braunschweig. Festschrift 1528–1978. Braunschweig 1978.

Bonifatius Wolfart

(Lycostenes)

*? in Buchheim (Franken)
†1543 in Augsburg

W. studierte in Basel und Straßburg. Im Jahre 1531 kam er nach Augsburg und wurde Pfarrer der St.-Annen-Kirche. Im Augsburger Abendmahlsstreit trat er als Angehöriger der zwinglischen Partei stark hervor. U. a. behauptete er, Luther habe ihnen vorgeworfen, sie lehrten über das Abendmahl nicht anders als die Böhmen (WA 38, 75). Bucer war daher mit seiner Entsendung nach Wittenberg 1536 nicht einverstanden. Vor allem protestierte W. gegen das »substantialiter« und »corporaliter«. In Augsburg behielt er aber seine starke Position. Er unterschrieb trotz seiner Einschränkungen die Wittenberger Konkordie (1536) und ebenso die Schmalkaldischen Artikel (1537).

K. Wolfart. Zur Biographie des B. W. (BBKG 1901, 167 ff.).
Ders. Die Augsburger Reformation in den Jahren 1533/34. Lpz. 1901.
F. Roth. Reformationsgeschichte von Augsburg. 2, Lpz. 1904, 94 f.

Ders. Zur Kirchengüterfrage in der Zeit v. 1538–40 (ARG 1, 1904, 299).
J. Ficker/O. Winkelmann. Handschriftenproben d. 16. Jhs. 2. Bd. Straßburg 1905.
W. Köhler. Zwingli und Luther. 2, Gütersloh 1953, pass.

Girolamo Zanchi

*1515 in Alzano bei Bergamo
†19. 11. 1590 in Heidelberg

Z. war Sohn eines Juristen. Mit 15 Jahren trat er bei den regulierten Aug.-Chorherren in Bergamo ein. Nach Abschluß seiner Studien kam er nach Lucca und entschloß sich unter dem Einfluß Vermiglis, Theol. zu studieren. Außer Werken der Kirchenväter gewann er Kenntnis von Bucer und Melanchthon, las auch Luthers Schriften und die der Schweizer. Am stärksten bestimmte ihn aber Calvin. Auch nachdem Vermigli hatte fliehen müssen, blieb er als Lehrer an der Klosterschule zurück. 1551 mußte jedoch auch er fliehen. Nach kurzem Aufenthalt in Genf wollte er nach England gehen, wurde aber nach Straßburg berufen und wirkte hier als Prof. für das AT. Sein Standpunkt ist gesetzlich, die Auslegung von peinlicher Genauigkeit. In seiner theol. Gesamtauffassung legte er sich weder auf die luth. noch auf die calvinische Art fest, obgleich er dieser zuzurechnen ist. Er war einer der gelehrtesten Theologen der 2. Hälfte des 16. Jahrh., ohne selbständig zu sein, ein trefflicher und konsequenter Lehrer. Schon die Anfrage, sich auf die C.A. zu verpflichten, bereitete ihm Schwierigkeiten. Berufungen nach Genf und Lausanne mußte er ablehnen, da man ihn in Straßburg festhielt. Aber aufhalten ließ sich die Auseinandersetzung mit Marbach nicht. 1561 kam es zum Streit. Z. hatte die Unterschiede in der Abendm.-Lehre als geringfügig bezeichnet, lehrte auch streng calvinisch die Prädestination. Nach

Einholung vieler Gutachten auswärtiger Theologen wurde ein Konsensus gefunden und die Einigungsformel von allen Straßburger Predigern und Professoren unterschrieben. Als Calvin ihn wegen seiner Nachgiebigkeit tadelte und er daraufhin seine Auffassung erneut und präziser vortrug, begann der Streit von neuem. Jetzt ging Z. aus Straßburg fort und wurde Pred. in Chiavenna. 1568 erhielt er einen Ruf nach Heidelberg, wo er dogmatische Vorl. hielt und neben Ursinus die erste Stelle einnahm. Hier verfaßte er einige bedeutsame Werke, die meist apologetischen und polemischen Charakter tragen. Die Darstellungsweise ist schon ganz scholastisch. Im Auftrage des ref. Staates verfaßte er schließlich 1581 eine »Harmonia confessionum fidei«, die als Gegenstück zur F.C. die vorhandenen ref. Bekenntnisse zusammenfassen sollte. Seine letzten Jahre verlebte er seit 1576 in Neustadt (Weinstraße).

ADB 44 (1898), 679 ff.
RE 21 (1908), 607 ff.
G. Gründer. Die Gotteslehre des Girolamo Zanchi (Beitr. z. Geschichte u. Lehre der Reformierten Kirche 20). Neukirchen 1965.

Katharina Zell, geb. Schütz

*1497 in Straßburg
†um 1557 in Straßburg

Sie war Straßburger Handwerkerkind, von Anfang an erfüllt von dem Drang nach geistlicher Bildung und christl. Betätigung. Wie sie später in ihrem »Brief an die ganze Bürgerschaft der Stadt Straßburg« von 1557 bezeugt, hat sie schon in jungen Jahren der K. treu gedient, ja sie kann sagen, daß sie ihren Leib, ihre Kraft, Ehre und Gut »dir, du liebes Straßburg« zum »Schemel deiner Füße« gemacht hatte. 1523 heiratete sie den 20 Jahre älteren Pfarrer Zell vom Straßburger Münster und wurde ihm eine treue Gehilfin in seinem Amt. Als der B. von Straßburg den verheirateten Pfr. absetzen wollte, schrieb sie ihm »rauhe Briefe«. Ihre »Entschuldigung für M. Zell, ihren Ehegemahl« beschlagnahmte der Rat wegen ihrer kräftigen Ausdrucksweise. Ihre gewandte Feder stellte sie sonst in den Dienst der Seelsorge. An Schwenckfeld schrieb sie am 19. 10. 1553: »Mein lieber Mann hat mir Platz und Weile gegeben, ist mir auch auf alle Art förderlich geworden zu lesen, hören, beten, studieren, hat es mir früh und spät, Tag und Nacht vergönnt, ja große Freude daran gehabt.« Wenn sie sich selbst eine »Kirchenmutter« nennt, so stellt sie damit in erster Linie ihre Fürsorge für Arme und Kranke, Verfolgte und Bedrängte heraus. Wer aus Glaubensgründen in Straßburg Zuflucht suchte, konnte sicher sein, daß sie an ihm tat, was sie nur tun konnte. Das große Münster-Pfarrhaus glich oft einer Herberge für Schutzsuchende und Notleidende. In den Tagen des Bauernkrieges und der Hungersnot waren es oft an 100 Menschen, die hier versorgt wurden. 2 Straßburger Witwen und der Almosenpfleger Hackfurt halfen dabei. Auch der armen Schüler nahm sie sich an und wirkte für die Errichtung des Wilhelmerstiftes. Aber auch in seelischen Nöten wußte sie zu helfen; bekannt ist ihr Trostschreiben: »An die leidenden christgläubigen Weiber der Gemeinde zu Kinzingen«. Mit den Gelehrten ihrer Zeit pflegte sie Umgang und Briefwechsel. Mehrfach schrieb sie an Luther und erhielt Antwort von ihm. Als die Schweizer Theologen auf dem Wege zum Marburger Rel.-Gespr. sich in Straßburg aufhielten, war es ihr eine Ehre, ihnen Magd und Köchin zu sein. Als die Wogen des Abendm.-Streites sich zu legen begannen, legte Luther ihr nahe, mitzuhelfen, »daß Frid und Einigkeit erhalten werden«. Nach Abschluß der Wittenberger Konkordie begleitete sie 1538 ihren Gatten nach Wittenberg und legte mit ihm eine Reise von mehr als 600 Meilen zurück, »die mich aber nit gedauert und auch nit reuet, sondern Gott darum danke, daß er mich solches alles sehen und hören hat lassen«. Wie ihr Mann war auch sie weitherzig genug, neben Luther auch Zwingli, Schwenckfeld und »die armen Taufbrüder« gelten zu lassen. In ihrem Vorwort zu Weiß' Gesangbuch wünscht sie diesen Liedern, »daß sie der Handwerksgesell ob seiner Arbeit, die Dienstmagd ob ihrem Schüsselwaschen, der Acker- und Rebmann auf seinem Acker und die Mutter dem weinenden Kinde in der Wiege singe«. Bei dieser weitherzigen Haltung ist sie auch nach dem Tode ihres Mannes, dem sie selbst die Grabrede gehalten hat, verblieben. Vgl. »Klag und Ermanung K. Zells zum Volk bey dem Grab M. Zells«. Freilich blieb sie wegen ihres freundschaftlichen Verhältnisses zu Schwenckfeld nicht unangefochten. Gegenüber den Angriffen von Rabus wußte sie sich aber zu wehren und setzte auch in späteren Jahren, obwohl mittellos, ihren Dienst in der Gemeinde allenthalben fort.

ADB 45 (1900), 17.
RE 21 (1908), 650ff.
T. W. Röhricht. K. Z. (Mitt. a. d. Gesch. d. Ev. Kirche d. Elsasses 2, Straßburg 1855, 155–179).
Jules Walter. K. Z. Straßburg 1864.
E. Schweitzer. K. Z. Straßburg 1911.
R. Reuss. K. Z. Montbeliard 1911.
R. Stupperich. K. Z., eine Pfarrfrau der Ref.-Zeit (Zeitwende 30, 1954, 605ff.).
R. Bainton. K. Z. (Mediaevalia et Humanistica N. F. 1, 1970, 3–28).
A. Zimmerli-Wetschi. Frauen der Reformationszeit. Zürich 1981. 73–90.

Matthäus Zell

*1477 in Kaisersberg (Oberelsaß)
†9. 1. 1548 in Straßburg

Z. war Sohn eines Weinbauern in Kaisersberg. Er studierte an den Universitäten Mainz, Erfurt, Freiburg. Sein Landsmann Geiler übte starken Einfluß auf ihn aus. Er las in Freiburg in der art. und später in der theol. Fak. Hier war Rhegius sein Schüler. 1518 nahm er den Ruf als Pred. an das Straßburger Münster an, wo er 1521 im lutherischen Sinne zu predigen begann. Da ihm die Dr.-Kanzel im Münster versperrt blieb, stellte ihm die Gemeinde einen bes. Predigtstuhl hin. In seiner Predigt war er zwar nicht von Luther abhängig, aber er las eifrig Luthers Schriften und ließ sich von ihm ins Verständnis der Schrift einführen. In schwere Kämpfe wegen seiner »Ketzerischen Opinion« verwickelt, stand er seinen Mann und schrieb als Begründung seiner Auffassung die Schrift »Christliche Verantwortung«, die erste eigene reform. Erscheinung auf elsässischem Boden. Dieses mannhafte Auftreten verfehlte seinen Einfluß auf den Rat nicht, der den Beschluß faßte, daß künftig nur das Hl. Ev. und die Lehre Gottes in Straßburg öffentlich verkündet werden sollten. Als Z. am 3. 12. 1532 in den Ehestand trat und sich von Bucer trauen ließ, war damit sein eigenes Bekenntnis abgelegt. Wenn auch bald Bucer, Capito und Hedio stärker hervortraten, so blieb er doch der beliebte und volkstümliche Pred. Die Kirchenpolitik lag ihm nicht, und auch in theol. Lehrdifferenzen verwickelte er sich nicht. Seinen Kollegen war seine Haltung nicht immer verständlich, die schlicht und auf das praktische Leben gerichtet war. Sein Hauptinteresse galt der Arbeit in seiner Gemeinde, der Seelsorge. Seine Weiterzigkeit war so groß, daß er Schwenckfeld und andere Außenseiter in seinem Hause aufnahm. Mit den Schweizern stand er in brüderlichem Verkehr, so sehr er auch Luther verehrte. Ohne an der

Wittenberger Konkordie unmittelbar Anteil genommen zu haben, reiste er 1538 zu Luther. Im übrigen richtete er seine Fürsorge auf die oberdeutschen Gemeinden. Reges Interesse zeigte er für den chr. Unterricht. Seine Katechismusarbeiten erschienen 1534/36; beachtenswert war vor allem seine »Kurtze schriftliche Erklärung für die Kinder und angohnden«. Er wie seine Frau Katharina hatten für die Jugend viel übrig und unterstützten sie reichlich. Als er entschlief, wurde er von der ganzen Stadt Straßburg betrauert. Er war ein Mann von lebendigem Glauben und tätiger Liebe, der für Straßburg mehr bedeutet hatte, als weithin angenommen wurde.

ADB 45 (1900), 17 ff.
RE 21 (1909), 650 ff.
T. W. Röhricht. M. Z. (Mitt. a. d. Gesch. d. ev. K. d. Elsasses 3). Straßburg 1855, 84–154.
W. Baum. Capito und Bucer. Elberfeld 1860, 195 ff.
Ficker-Winkelmann. Handschriftenproben 2. Straßburg 1905, 55.
J. Adam. Ev. KG d. Stadt Straßburg. Straßburg 1922.
Martin Bucers Deutsche Schriften 1, Gütersloh 1960, 31 u. ö.

Heinrich von Zütphen

(Heinrich Moller)

*ca. 1488 in Zütphen (Geldern)
†9. 12. 1524 in Heide (Holstein)

Von seiner Herkunft und Jugend ist nichts überliefert. Er wird vermutlich jünger als Luther gewesen sein, doch kann auch hierüber nichts Genaues ermittelt werden. Er trat seltsamerweise nicht den Brüdern vom gemeinsamen Leben oder den in seiner Vaterstadt wirkenden Franziskanern, sondern der sächsischen Kongregation der ref. Augustiner-Eremiten bei. Als solcher wurde er 1508 in Wittenberg immatrikuliert. Lang erinnerte sich, mit ihm dort drei oder vier Jahre verbracht zu haben.

Danach ging er nach Köln, wo auch ein Aug.-Kloster des ref. Zweiges bestand. Hier wurde er 1514 Subprior. Bereits im folgenden Jahr finden wir ihn als Prior in Dordrecht. Dort führte er mit aller Strenge die Reform durch, stieß aber auf Gegensatz.

Die Bewegung, die nach dem 31. 10. 1517 durch den Aug.-Ord. ging, hatte in Dordrecht Wellen geschlagen. Luther berichtete darüber an Staupitz. Die Prioren von Dordrecht und Antwerpen waren daran beteiligt. Die Gegner bekamen jedoch die Oberhand. Z. mußte sein Amt in Dordrecht niederlegen und kam 1520 nach Wittenberg. Hier erlebte er die aufregenden Ereignisse des Bekanntwerdens der päpstlichen Bannandrohungsbulle und ihre Verbrennung durch Luther vor dem Elstertor. Am 12. 1. 1521 wurde er zum Bacc. biblicus promoviert. Dieses geschah unter Luthers Dekanat, aber unter der Leitung des Prof. Lupinus aus Ratheim, der kurze Zeit darauf starb. Heinrich bewies, daß er Luthers und Melanchthons Römerbrief-Vorl. verstanden hatte. Seine Thesen entwickelten die Gedanken der Rechtfertigungslehre in klaren Zügen. Er muß auch Luther nähergestanden haben, denn Luther ließ ihn von der Wartburg aus grüßen. Am 11. 10. 1521 wurde er Sententiar oder Bacc. formatus und bald auch Lic. Auch aus dieser Zeit sind Thesen erhalten, die Heinrich unter dem Vorsitz von Johann Dölsch verteidigte; möglicherweise sind sie erst bei dieser Gelegenheit vorgebracht worden. Die eine Thesenreihe in 73 Sätzen richtet sich »contra missam privatam«, die andere enthält Conclusiones über Priestertum und Opfer.

Bis 1522 hielt er sich in Wittenberg auf und nahm auch am Aug.-Kapitel in Grimma teil, bei dem er über die Thesen vom 11. 10. 1521 disputierte. Als er aber Nachrichten von neuen Verfolgungen der Ev. in den Niederlanden erhielt, eilte er nach Antwerpen in der Hoffnung, dort helfen und dem Ev. dienen zu können. Er muß nicht nur im Kloster, sondern auch öffentlich aufgetreten sein und viel Zustimmung im Volk gefunden haben. Als er gefangengesetzt wurde, erhob sich das Volk und befreite ihn. So entging er jetzt dem Feuertode, den im nächsten Jahr seine beiden Ord.-Brüder von der Essen und Voß in Brüssel erduldeten. Seines Bleibens war in Antwerpen nicht mehr. Er ging daher über Westfalen nach Wittenberg zurück. Auf dieser Reise berührte er Bremen.

Hier wurde er gebeten, eine Predigt zu halten und dann noch länger zu bleiben. Er bat Luther, ihm die Genehmigung dazu zu erwirken, die Luther in Vertretung von Link erteilte. H. blieb in Bremen und predigte täglich mit Genehmigung des Rates in der St.-Ansgari-Kapelle. Dem E. B. gelang es nicht, ihn von hier zu vertreiben. Als er vor das erzbischöfliche Gericht in Buxtehude geladen wurde, sandte er lediglich seine Thesen vom 11. 10. 1521 hin. »Vom Ev. werde ich nicht schweigen«, schrieb er dazu, »bis ich den Lauf dieses Lebens vollendet habe.«

Nicht ohne seinen Einfluß wird es geschehen sein, daß der Aug.-Prior von Antwerpen, Probst, der inzwischen aus dem Ord. ausgetreten war und in Wittenberg 1523 geheiratet hatte, an Unser-lieben-Frauen in Bremen berufen wurde. Ihm folgte kurze Zeit später Timann.

Da Heinrich nun in Bremen entbehrlich war, nahm er den Ruf des Kirchherrn Boye aus Meldorf an, der ihn vermutlich von Wittenberg her kannte, in Dithmarschen das Ev. zu predigen. Nachdem auch er im Oktober 1524 das Ord.-Kleid abgelegt hatte, verließ er Ende November Bremen, ohne jedes Aufsehen zu erregen. Unter großem Andrang des Volkes predigte er in Meldorf, obwohl der dortige Dominikaner-Prior Tomborch seine Predigt unter allen Umständen verhindern wollte. Da er aber bei der Obrigkeit nichts ausrichtete,

beschloß er mit anderen Mönchen, ihn nachts zu überfallen und zu verbrennen. Der Vorsatz wurde am 9. 12. 1524 ausgeführt. Mit gedungenen Leuten, die trunken gemacht waren, wurde die Pfarre überfallen und geplündert, Boye schwer mißhandelt und Heinrich nach Heide fortgetrieben, nachdem man seine Hände an den Schwanz eines Pferdes gebunden hatte. Dort wurde er durch unglaubliche Mißhandlungen halbtot geschlagen und dann ins Feuer geworfen. Da der Leichnam nicht verbrannte, wurden am nächsten Tage Kopf, Hände und Füße abgeschnitten und verbrannt, der Rumpf aber unter Spottgesängen vergraben.

Probst berichtete an Luther vom Ende seines Freundes und bat um einen Trostbrief für Bremen. Luthers Schrift »Historie von Bruder Heinrich von Zütphens Märtyrtode« fand stärkste Verbreitung. Es erschienen von ihr mehrere Nachdrucke und eine plattdeutsche Übersetzung. Auch Lang verfaßte über das Martyrium seines einstigen Klostergenossen einen Bericht, der zweimal gedruckt worden ist.

RE 21 (1908), 737 ff.
J. F. Iken. H. v. Z. (SVRG 12). Halle 1886.
O. Erhard. H. v. Z. 1930.

Johannes Zwick

*1496 in Konstanz
†23. 10. 1542 in Wittenberg

Ebenso wie sein Verwandter Blarer entstammt auch er einer angesehenen Patrizierfamilie. Auf den Schulen in seiner Heimatstadt und in Basel vorbereitet, konnte er 1509 die Univ. Freiburg beziehen, um die Rechte zu studieren. In den folgenden Jahren sehen wir ihn in Bologna, wo er mit J. v. Plug Freundschaft schloß, in Avignon und Siena, wo er 1520 zum Dr. juris utriusque promovierte. Im nächsten Jahre erlebte er die große Wende. Sein Bruder zog nach Wittenberg, er selbst nahm Verbindung mit Zwingli auf. Trotzdem trat er jetzt das Pfarramt in Riedlingen an, dessen Pfründe ihm schon als Kind zugefallen war. Es setzte ein 3¹/₂ Jahre währender Kampf mit dem altgläubigen Klerus in diesem österreichischen Städtchen ein. Seine ev. Haltung wurde dadurch nur noch gestärkt. In dieser Zeit stand er mit Zwingli im Briefwechsel. 1526 wurde er seines Amtes entsetzt. Nun entschloß er sich, das Predigtamt in seiner Vaterstadt zu übernehmen, das er bis 1538 ebenso wie Ambrosius Blarer unentgeltlich ausübte. Ihre Verkündigung erreichte 1526, daß Bischof und Kapitel die Stadt verließen. Im folgenden Jahre wurde eine Disp. zu ihren Gunsten geführt, und die kath. Predigt hörte auf. Aber auch in zahlreichen Traktaten wußte Zwick für die Geltung des Evangeliums einzutreten; er verfaßte Erbauungsschriften, Katechismen und Lehrstoffe für Dichtungen. Seine Gesangbücher sind von großer Bedeutung geworden. Er kümmerte sich an seinem Platz in höchstem Maße um seine Gemeinde, besonders um die Jugend. Seine Gemeinde hatte von ihm großen Vorteil, zumal er sich mit Blarer trefflich verstand. Insbes. hatte der charaktervolle Mann Sinn und Verständnis für die Armen, Kranken und Verstoßenen. Bedeutsam wurde für ihn die Berührung mit Bucer im Jahre 1533, von dem die Konstanzer Freunde in dieser Zeit abrückten. An der Wittenberger Konkordie nahm er teil, ohne sie jedoch zu unterzeichnen. Er trat weiterhin für den Zusammenschluß ein und förderte die Verständigung. Als Luther ihn im Pestjahr 1542 zu sich rief, konnte er sich diesem Ruf nicht entziehen, wirkte in Wittenberg unter Kranken und Sterbenden, bis er selbst der tückischen Seuche erlag. Nicht nur seine Freunde, die ganze Stadt Konstanz betrauerte ihn.

ADB 45 (1900), 533.

Jean Hotz. J. Z. Zürich 1942.
B. Moeller. J. Z. u. d. Reformation in Konstanz (QFRG 28). Gütersloh 1961.

Gabriel Zwilling
(Gabriel Didymus)

*in Annaberg (Sachsen)
†1. 5. 1558 in Torgau

Entgegen der Auffassung, daß er aus Joachimsthal in Böhmen komme, weist die Wittenberger Matrikel ihn als aus Annaberg stammend aus. Die Überlieferung will weiter wissen, daß er seine Studien in Prag begonnen habe und von dort 1502 nach Wittenberg übersiedelte. Immatrikuliert wurde er aber erst 1512, als er schon Aug.-Mönch war. Vermutlich wird er nur wenige Jahre jünger gewesen sein als sein Klostergenosse Luther. Schon damals muß er Staupitz nahegestanden haben, da dieser den Wunsch äußerte, er möchte in Erfurt seine Studien betreiben. Als Luther in seiner Eigenschaft als Distriktvikar ihn nach Erfurt schickte, schrieb er an den Erfurter Prior Lang, er möchte darauf sehen, daß Z. sich nach den Satzungen des Ord. richte und sich der Klosterzucht füge. Aber Z. hielt es dort nicht lange aus und kehrte nach Wittenberg zurück, wo er 1518 Mag. wurde.

Erst in den unruhigen Tagen des Herbstes 1521 trat er hervor, als er sich unter dem Einfluß Karlstadts an die Spitze der Neuerer im Aug.-Kloster stellte und Abschaffung der Privatmesse und Austeilung des Abendm. unter beiderlei Gestalt forderte. Ob bei ihm hussitische Einflüsse mitsprachen, bleibt offen. Im Kloster erreichte er, daß die Messe am 13. 10. 1521 eingestellt wurde. Er befand sich unter den ersten, die aus dem Kloster austraten. Während Karlstadt in Wittenberg die neue Ordnung des Gottesdienstes einführte, trat er in Eilenburg auf. Der unansehnliche, einäugige

Mann muß ein hinreißender Pred. gewesen sein. Die Kutte legte er ab und trug einen langen Gehrock und breitkrempigen Hut. Er predigte auch gegen die Bilder und erregte in Wittenberg den Bildersturm. Erst als Luther von der Wartburg herbeieilte, rückte er von Karlstadts Gedanken ab und war schnell bereit, sich Luther zu unterwerfen (WA Br. 2, 478). Obwohl Luther ihn neben Karlstadt als den wichtigsten Urheber der Unruhen ansah, freute er sich besonders über dessen innere Wandlung (in alium virum mutatus est).

Seine Zukunft war völlig unsicher. Die Predigttätigkeit wurde ihm in Wittenberg untersagt. Als sich aber der Rat von Altenburg von Luther einen Prediger erbat, scheute sich dieser nicht, auf ihn hinzuweisen. Damals hielt er sich in Düben auf (WA Br. 2, 505). Luther riet ihm, den Ruf anzunehmen und sich dort um der schwachen Gewissen willen zurückhaltend zu zeigen. Auch erteilte er ihm Ratschläge für seine pastorale Tätigkeit (eb. 506). Seine Tätigkeit war jedoch nicht von langer Dauer. Die Chorherren widerstanden seiner Einsetzung (eb. 522). In nächsten Jahr finden wir ihn als Prediger in Torgau, wo er sich leidenschaftlich für die Ref. einsetzte und dadurch einen Sturm aufs Franziskanerkloster auslöste. Dadurch entschied er allerdings die Ref. Seitdem wirkte er mehr in der Stille und verwaltete treu sein Amt, zuletzt als Sup. Als in Kursachsen das Interim eingeführt wurde, widersetzte er sich ihm mit allem Nachdruck. Er wurde daher verhaftet und nach Wittenberg gebracht. So sehr sich die Wittenberger Theologen um ihn bemühten, sie stimmten ihn nicht um. Er wurde seines Amtes entsetzt, durfte aber in Torgau wohnen bleiben. Die letzten 9 Jahre seines Lebens brachte er dort ohne Amt zu.

ADB 5 (1877), 117.
RE 4 (1899), 639 ff.
K. Pallas. Der Reformationsversuch d. G. Zwilling (Didymus) in Eilenburg und seine Folgen (ARG 9, 1912, 347–362).

Huldrych Zwingli

*1. 1. 1484 in Wildhaus/Toggenburg
†11. 10. 1531 in der Schlacht bei Kappel

Sohn des gleichnamigen Amtmanns in Wildhaus, erzogen von seinem Onkel Bartholomäus Z., Dekan in Wesen. Zum Studium ging er nach Basel, 4 Jahre später nach Bern. Im Sommer 1500 studierte er in Wien, wo er sich dem Humanismus verschrieb. Nach zwei Jahren schloß er sein Studium in Basel ab, wo ihn Wyttenbach auf die Hl. Schrift verwies. 1506 berief die Gemeinde Glarus den jungen Magister in ihre Pfarrstelle. Z. ließ sich in Konstanz zum Priester weihen und hielt in Wildhaus seine Primiz. In Glarus konnte er das Griechische erlernen, um die antiken Autoren im Original lesen zu können. Er befaßte sich auch mit der Bibel, den Kirchenvätern, aber ebenso mit den Schriften des Pico della Mirandola, der ihn stark beeindruckte. Mit Erasmus begann er 1516 einen Briefwechsel.

In den Jahren 1513 und 1515 begleitete Z. die Schweizer Reisläufer nach Italien. Als in Glarus die französische Partei die Oberhand erhielt, übernahm er die Stelle des Leutpriesters in Einsiedeln. Für Mißstände in der Kirche hatte er einen Blick, aber zur grundsätzlichen Kritik der Kirche kam er noch nicht. Er hoffte auf die erasmischen Reformen, die von Organen der Kirche ausgehen sollten. Indessen wählten ihn die Zürcher Chorherrn zum Leutpriester am Großmünster. Z. entwickelte nun sein Programm: er wollte fortlaufend das Matth.-Ev. auslegen. An eine Reformation konnte er nicht denken. Da brach die Pest aus, die ein Drittel der Bevölkerung dahinraffte. Auch Z. erkrankte (vgl. sein Pestlied). Nach der Genesung wollte er nur das Evangelium verkündigen. 1521 wurde er Chorherr. Außer kirchlichen widmete er sich auch nationalen Angelegenheiten. Wie er schriftwidrige Kirchengebote widerriet, so auch fremde Kriegsdienste. Seine Fastenpredigt von 1522 führte zum Bruch mit dem Bischof. Sein Gesuch um Freigabe evangelischer Predigt schloß die Bitte um Freigabe der Ehe für die Pfarrer ein. Im Apologeticus Archeteles betonte er das Schriftprinzip.

Luthers Auftreten hatte Z. mit Aufmerksamkeit verfolgt, ebenso trat er in Briefwechsel mit Gesinnungsgenossen in Oberdeutschland. Von Luther distanzierte er sich. 1523 kam es zur Disputation über Z.s 67 Schlußreden. Damit war die Grundlage der Zürcher Reformation gelegt. Soziale Erregungen wußte der Rat zu beschwichtigen. Z. konnte mit dem Abschaffen der Mißbräuche beginnen.

Jetzt fiel die Entscheidung über Messe und Bilder. Die Reformen nahmen ihren Fortgang. Der Gottesdienst wurde geregelt und die Gemeinde an die neue Lage gewöhnt. Immerhin mußten scharfe Kämpfe noch folgen: mit der alten Kirche und mit den Wiedertäufern. Zuletzt kam es zu den Auseinandersetzungen mit Luther: zuerst in Schwaben, dann mit Luther selbst. In der Schweiz wurde Z.s Haltung bestimmend. Während die katholischen fünf Orte ein festes Bündnis schlossen, bemühte sich Zürich um ein »christliches Burgrecht«. Z. hatte große politische Pläne. Beim Marburger Religionsgespräch wurden schon politische Absprachen getroffen. Z. meinte, beim Landgrafen Philipp alles erreichen zu können, während dieser seine eigene Politik betrieb. Mit Frankreich und Venedig kam es zu keinem Vertrag. Sowohl in Zürich selbst als auch in den anderen Kantonen entstand ein Gegensatz gegen Z. und die von ihm eingeleitete Politik. Als es zum Krieg mit den fünf Orten kam, war Zürich auf sich allein gestellt. Als es zur Feldschlacht kam, mußte Zürich unterliegen.

Z. und mit ihm 24 Zürcher Prediger fielen. Z. war ein Opfer seiner Politik geworden. Auf das Volk hatte er so stark eingewirkt, daß diese Wirkung nicht ungeschehen gemacht werden konnte. Seine Theologie bestimmte die Kirchen der nördlichen Kantone. Ihr Schwerpunkt lag in der Gotteslehre, die Christologie hatte ihr Merkmal im verpflichtenden Vorbild Jesu, bestimmend war die Erlösung durch den Heiligen Geist. Diese Theologie trug in Jahrzehnten ihre Frucht.

ADB 45 (1900), 547ff.
RE 21 (1908), 774–815.
Finsler. Z.-Bibliographie. Zürich 1897. H. W. Pipkin. Z-Bibliography. Pittsburg 1972.
Z.s sämtl. Werke – CR 88 – 94. Berlin–Zürich 1905/68 (Einleitung).
R. Christoffel. H. Z. Leben und Werke. Elberfeld 1857.
R. Staehelin. H. Z. Leben und Wirken. Basel 1895.
W. Köhler. Z. und Luther. 2 Bde. Leipzig/Gütersloh 1924/53.
A. Rich. Die Anfänge der Theologie Z.s. Zürich 1949.
W. Köhler. H. Z. Leipzig 1952.
O. Farner/R. Pfister. H. Z. 4 Bde. Zürich 1943–1960.
J. V. Pollet. H. Z. et la Réforme en Suisse. Paris 1963.
M. Haas. H. Z. und seine Zeit. Zürich 1969.
J. F. G. Goeters. Z.s Werdegang als Erasmianer (Reformation und Humanismus. FS für R. Stupperich). Witten 1969, 255–271.
U. Gäbler. Z. im 20. Jahrh. Forschungsbericht m. annotierter Bibliographie (1897–1972). Zürich 1978.

Personenregister

(mit Ausnahme der in den Artikeln behandelten Personen)

Contarini, Gasparo, 1483–1542, Humanist, venez. Diplomat., Kardinal 213f.
Cop, Nicolas, Prof. d. Medizin in Paris, Freund Calvins, flieht nach Basel 54
Copernicus, Nic., 1473–1543, Domherr in Frauenburg/Ermland, berühmter Astronom 160
Crato von Crafftheim, Johannes, 1519–1585, Leibarzt dreier Kaiser, reformierter Konfession 210
Cronberg, H. v., Reichsritter 211
Curio, Georg, 1498–1556, Leibarzt Luthers 58

Dammartin, Catharina, Ehefrau P. P. Vermiglis 214
Denck, Hans, 1500–1527, Spiritualist und Täufer 156
Diaz, Juan, 1510–1546, spanischer Humanist 71
Dornum, Ulrich v., 1465–1536, eif. Förderer der Reform. in Ostfriesland 28
Dungersheim, H. v. Ochsenfurt, 1465–1540, Prof. in Leipzig, kath. Polemiker 74

Eck, Johann, 1486–1543, Joh. Meier von Eck, Prof. d. Theologie in Ingolstadt, kath. Polemiker, scharfer Luther-
  gegner 57, 63, 113, 160
Eduard VI., 1537–1553, König von England (1547–1553) 63
Edzard I., 1462–1528, Graf von Ostfriesland 28
Edzard II., 1532–1599, Graf von Ostfriesland 130
Elisabeth I., 1533–1603, Königin von England, Tochter Heinrichs VIII. u. Anna Boleyn 48, 214f.
Elisabeth, 1510–1558, Kurf. v. Brandenburg, Gem. Joachims I., flieht 1527 aus Berlin 49, 62, 140
Elisabeth, 1502–1557, Hzn. von Sachsen (von Rochlitz), Schwester Philipps von Hessen 150
Elisabeth von Meseritz, 1500–1535, flüchtet a. e. Kloster in Pommern, erste Frau C. Crucigers, Dichterin 64
Enno II., 1505–1540, Graf von Ostfriesland 208
Erasmus von Rotterdam, 1467–1536, Humanist, Prof. in Löwen, Basel und Freiburg, Luthergegner 35, 49, 53, 63,
  65, 74, 88, 110f., 120, 128, 135, 142, 153, 156, 210
Elgersma, Kath. Propst in Berlin 109
Erich, 1507–1547, Graf von Hoya 123
Ernst, 1536–1586, Fürst von Anhalt 87
Ernst, 1554–1612, Hz. v. Bayern, EB von Köln 113
Ernst, (d. Bekenner), 1497–1546, Hz. von Lüneburg 124, 176
von der Essen, Joh., 1494–1523, Augustiner, ev. Märtyrer, in Brüssel verbrannt 227

Faber, Stapulensis (Le Fèvre d'Etaples), 1455–1536, Humanist in Paris 78
Ferber, Nicolaus, OFM Polemiker in Herborn 126, 207
Fliesteden, Peter, 1500–1529, ev. Märtyrer, in Köln verbrannt 76
Franck, Sebastian, 1499–1543, Spiritualist, Chronist und Drucker 82
Ferdinand, 1504–1564, Erzhz. von Österreich 161
Franz I., 1494–1547, König von Frankreich 54
Franz II., 1491–1553, Graf von Waldeck, B. von Minden, Münster und Osnabrück, führt Krieg mit den Wiedertäu-
  fern in Münster 62
Friedrich II., 1480–1547, Hz. von Liegnitz, setzt sich für die Reformation ein 61, 173
Friedrich III., 1415–1493, Kaiser 90
Friedrich III., 1515–1576, Kurf. v. d. Pfalz, geht 1559 zur reformierten Konfession über 77, 102, 185, 201
Friedrich, (1497–1536), Markgraf v. Brandenburg-Ansbach, Dompropst in Würzburg 133
Friedrich, 1555–1585, Graf von Diepholz 180
Fritze, Johann, 1490–1544, Pfarrer in Hamburg und Lübeck 85

Geiler, Johannes von Kaisersberg, 1445–1510, Münsterprediger in Straßburg 161
Gentile, Valentino, 1520–1566, ital. Antitrinitarier, in Bern enthauptet 23
Georg d. Fromme, 1480–1543, Markgraf von Brandenburg-Ansbach 20, 43, 182, 218
Georg II., 1487–1530, Graf von Wertheim 73
Georg, 1498–1558, Graf von Württemberg 75, 191
Georg, Friedrich, 1539–1603, Markgraf v. Brandenburg-Ansbach, Sohn Georgs d. Frommen 114
Georg, d. Bärtige, 1471-1539, Hz. v. Sachsen, schärfster Gegner Luthers 127
Georg I., 1493–1531, Hz. von Pommern, Gegner der Ref. 204
Glarer, Kaspar, Prinzenerzieher in Zweibrücken 193
Goclenius, Konrad, 1489–1539, Prof. in Löwen, engster Freund d. Erasmus von Rotterdam 209
Görlitz, Martin, –1549, Pf. in Braunscheig, Prof. in Jena 102
Glapion, Johannes, –1522, OFM Beichtvater Kaiser Karls V. 47
Granvelle, Antoine Perrenot de, 1517–1586, Kanzler Karls V. 69
Grebel, Konrad, 1498–1524, Täufer in Zürich 193
Grumbach, Wilhelm v., 1503–1567, im Dienst des B. von Würzburg 90
Gustav, Wasa, 1496–1560, König von Schweden 164f.

Hagemeister, Pfr. in Anklam 118
Hamilton, Patrik, Reformator Schottlands, Märtyrer 22
Haner, Johann, 1480–1549, erasm. Vermittlungstheologe, Domherr in Bamberg 212
Hans von Küstrin, 1513–1571, Markgraf von Brandenburg, Bruder Kf. Joachims II. 21, 24, 202
Heerwagen, Joh. 205
Heideck, Anna v., 2. Frau B. Georgs v. Polenz 169
Heideck, Friedrich v. 218
Heinrich VIII., 1491–1547, König von England 22, 62
Heinrich V., 1479–1552, Hz. von Mecklenburg-Schwerin 177

232

Ortsregister

(mit Ausnahme von Ländern, Landschaften und von Ortsnamen abgeleiteten Adjektiven)

237

239

Kirchengeschichte

Robert Stupperich
Die Reformation in Deutschland
2. Auflage. 281 Seiten mit großformatiger vierfarbiger Karte. Originalausgabe. (GTB Siebenstern 1401)

Die Reformation leitete eine neue Entwicklung des gesamten abendländischen Lebens ein. Der Autor zeichnet den geschichtlichen Abriß auf und stellt den Zusammenhang zwischen theologischer und politischer Seite her.

Martin Bucers
Deutsche Schriften
Im Auftrage der Heidelberger Akademie der Wissenschaften herausgegeben von Robert Stupperich.

Band 2
Schriften der Jahre 1524/1528
572 Seiten. Ln.

Band 3
Confessio Tetrapolitana und die Schriften des Jahres 1531
491 Seiten. Ln.

Band 4
Zur auswärtigen Wirksamkeit 1528 bis 1533
562 Seiten. Ln.

Band 5
Straßburg und Münster im Kampf um den rechten Glauben 1532–1534
552 Seiten. Ln.

Band 6,2
Zum Ius Reformationis: Obrigkeitsschriften aus dem Jahr 1535. Dokumente zur 2. Straßburger Synode von 1539
300 Seiten. Ln.

Band 17
Die letzten Straßburger Jahre 1546–1549
Schriften zur Gemeindereformation und zum Augsburger Interim. 648 Seiten. Ln.

Melanchthons Werke in Auswahl
Eine Studienausgabe. Hrsg. von Robert Stupperich, Peter F. Barton, Hans Engelland, Gerhard Ebeling, Richard Nürnberger, Rolf Schäfer, Heinz Scheible und Hans Volz.

Band 1
Reformatorische Schriften
Hrsg. von Robert Stupperich. 2. Auflage. 460 Seiten. Ln.

Band 2, Teil 1
Loci communes von 1521
Loci praecipui theologici von 1559 (1. Teil)
Hrsg. von Hans Engelland, fortgeführt von Robert Stupperich. 2. neu bearbeitete Auflage. 388 Seiten. Ln.

Teil 2
Loci praecipui theologici von 1559 (2. Teil) und Definitiones
2. überarbeitete Auflage. VIII. Seiten 389–852. Ln.

Band 3
Humanistische Schriften
Hrsg. von Richard Nürnberger. 2. Auflage. 372 Seiten. Ln.

Band 4
Frühe exegetische Schriften
Hrsg. von Robert Stupperich und Peter F. Barton. 2. Auflage. 464 Seiten. Ln.

Band 5
Römerbrief-Kommentar 1532
Hrsg. von Rolf Schäfer in Verbindung mit Gerhard Ebeling. 2. Auflage. 392 Seiten. Ln.

Band 6
Bekenntnisse und kleine Lehrschriften
Hrsg. von Robert Stupperich. VIII. 486 Seiten. Ln.

Band 7
Briefe
Teil 1
Ausgewählte Briefe 1517 bis 1526
Hrsg. von Hans Volz. 280 Seiten. Ln.

Teil 2
Ausgewählte Briefe 1527 bis 1530
Hrsg. von Hans Volz. 354 Seiten. Ln.

Gütersloher Verlagshaus Gerd Mohn